D1539997

Thorbjörn Lengborn
Schriftsteller und Gesellschaft in der Schweiz

Thorbjörn Lengborn

Schriftsteller und Gesellschaft in der Schweiz

Eine Studie
zur Behandlung der Gesellschaftsproblematik
bei Zollinger, Frisch und Dürrenmatt

Athenäum Verlag

PT 3868
.L4

Alle Rechte vorbehalten
© 1972 by Athenäum Verlag GmbH · Frankfurt am Main
Satz: Bindernagel, Friedberg
Druck: Industriedruck, Frankfurt am Main
Bindung: Walter Georg Noll, Egelsbach
Printed in Germany
Leinen ISBN — 3 — 7610 — 7154 — X
kartoniert ISBN — 3 — 7610 — 9259 — 8

Dem Andenken meiner Eltern
in Dankbarkeit gewidmet

02454

Inhalt

Vorbemerkung

Herrn Professor Dr. E. N. Tigerstedt, Universität Stockholm, unter dessen Leitung und fördernder Kritik die vorliegende Arbeit entstanden ist, möchte ich in erster Linie meinen herzlichen Dank aussprechen. Desgleichen danke ich Herrn Professor Dr. Gustav Korlén, Universität Stockholm, der meine Studien in der Germanistik auf anregende Weise geleitet und meine Arbeit in einer späteren Phase durch nützliche Ratschläge gefördert hat. Wertvolle kritische Bemerkungen verdanke ich Herrn Professor Dr. Gerhard Schmidt-Henkel, Saarbrücken, der die Kapitel über Frisch und Dürrenmatt durchgesehen hat. Mein aufrichtiger Dank gilt auch Herrn Professor Dr. R. Hotzenköcherle, Zürich, der mich in die germanistische Wissenschaft in der Schweiz eingeführt und späterhin meine Beschäftigung mit der Schweizer Germanistik mit wohlwollendem Interesse verfolgt hat, sowie Herrn Professor Dr. Max Wildi, Zürich, der mir mehrmals mit Ermunterung und nützlichen Ratschlägen zu Hilfe gekommen ist. Zu besonderem Dank verpflichtet bin ich Herrn Traugott Vogel, Schriftsteller in Zürich, sowie Herrn Dr. Lucius Burckhardt, Basel, und Herrn Dr. Markus Kutter, Basel, die mir in äußerst zuvorkommender Weise in ihrem Privatbesitz befindliches, unpubliziertes Material über Zollinger und Frisch zur Verfügung stellten. Die sprachliche Durchsicht besorgte Herr Walter Blydal, stud. phil., Stockholm. Ihm und allen anderen, die auf verschiedene Weise zur Entstehung dieser Arbeit beigetragen haben, möchte ich an dieser Stelle meinen Dank sagen.

Zürich, im Juli 1972

Thorbjörn Lengborn

I. EINFÜHRUNG

Aufgabe und Methode

Die Grundlage für vorliegende Abhandlung bildet eine Studie über die Problematik der Gemeinschaft und der Selbstverwirklichung in Max Frischs Werk[1]. Allmählich vertieften wir unsere Studie und erweiterten den Problemkomplex, um die für die moderne Literatur in der deutschen Schweiz wichtigere Frage nach der Relation zwischen Gesellschaft und Dichter miteinzubeziehen. Neben Frisch werden Albin Zollinger und Friedrich Dürrenmatt ausführlich in der neuen Untersuchung behandelt, in der darüber hinaus eine Anzahl älterer und jüngerer deutschschweizerischer Autoren kurz und übersichtlich besprochen werden.

Ein halbes Jahrhundert deutschschweizerischer Dichtung ist in unserer Arbeit erfaßt: von Zollingers erstem Auftreten in der Öffentlichkeit um das Jahr 1920 bis zum Jahr 1970, das den Schlußpunkt der Untersuchung bildet. Während Zollingers Schaffen schon 1941 endete, ist das Werk Frischs und Dürrenmatts noch nicht abgeschlossen. Zwischen den drei Dichtern herrscht kein direkter und unmittelbarer Zusammenhang: sie bilden keine gemeinsame literarische Gruppe, und sie gehören verschiedenen Generationen an. Lediglich zwischen Zollinger und Frisch gibt es markantere Gemeinsamkeiten. Die Verbindungen, die zwischen Frisch und Dürrenmatt merkbar sind, beruhen in hohem Grad auf Gleichzeitigkeit, d. h. dem zeitlichen Zusammenfallen des Hauptteils ihrer bisherigen literarischen Tätigkeit. Zwischen diesen beiden zeigt sich jedoch, speziell im Laufe der sechziger Jahre, eine zunehmende Übereinstimmung in ihrer Auffassung von den Gesellschaftsproblemen.

Zollinger, Frisch und Dürrenmatt werden in drei relativ freistehenden Untersuchungen behandelt. Indem wir die Werke der drei Autoren jeweils als Ganzheiten abhandeln, konnten wir eine Vertiefung erreichen, die die notwendigen Vergleiche erleichtert. Diese werden in separaten Kapiteln in den Frisch- und Dürrenmattabschnitten vorgenommen. Ferner wird eine zusammenfassende Übersicht im Schlußkapitel gegeben. Die verschiedenen Untersuchungen bilden keine quantitativ gleichwertigen Teile der Abhandlung, sondern der Schwerpunkt liegt auf der Untersuchung über Frisch, was uns sowohl durch Frischs allgemeine literarische Bedeutung als auch durch das Gewicht, das die schweizerische Problematik in seinem Werk hat, als motiviert erscheint.

Der ideengeschichtliche Hintergrund zu den Gesellschaftsproblemen,

die in der Abhandlung erörtert werden, wird im einführenden Teil
skizziert. In der Folge sind die drei wichtigsten Themen: 1. Der schweizerische Staatsgedanke (es handelt sich hier um Probleme wie Freiheit,
Demokratie, Neutralität usw.). 2. Das Verhältnis zwischen Künstler
und Gesellschaft. 3. Die Beziehungen zwischen der Schweiz und Deutschland auf politischem und kulturellem Gebiet.

Verschiedentlich war es notwendig, die von diesen Autoren behandelte Problematik vom rein Schweizerischen auf eine allgemeine Ebene
zu führen. Die Probleme können in allegorischer oder sonstwie getarnter Form dargestellt sein — ohne direkte Anspielungen auf oder
Anknüpfungen an die Schweiz. In Zollingers fiktionalem Werk kann
man unschwer die allgemeine Problematik von der speziell schweizerischen trennen. Bei Frisch und Dürrenmatt jedoch überschneiden sich
die beiden Problemkomplexe oft.

Zwei verschiedene Textkategorien sind Gegenstand unserer Untersuchung, nämlich einerseits fiktionale Texte, die erzählende Prosa und
Dramatik umfassen, und andererseits Tagebücher, Broschüren, Artikel
und Ansprachen. In den fiktionalen Werken werden die Ansichten der
Verfasser im allgemeinen durch erdichtete Figuren vertreten, in den
übrigen Texten darf man die Meinungen den Autoren persönlich zu-
schreiben. Bei der Behandlung der dichterischen Texte haben wir uns
auf den vom gesellschaftlichen Gesichtspunkt aus direkt greifbaren
Stoff konzentriert. Wir möchten betonen, daß ein entscheidender Unterschied zwischen den tagespolitischen Äußerungen in Zeitungsartikeln
und Essays sowie der ästhetischen Integration dieser Reflexe und Reflexionen in den belletristischen Werken existiert. Es lag jedoch nicht
in unserer Absicht, auf diese Unterschiede einzugehen.

Ungedrucktes Material oder private Briefe wurden nur bei zwei Gelegenheiten in der Untersuchung verwendet, nämlich zur Entstehung der
Schrift *Achtung: die Schweiz*, bei der Frisch zwei Mitautoren hatte,
sowie zu einem speziellen Abschnitt über Zollinger.

Die Bibliographie über die von Zollinger, Frisch und Dürrenmatt in
Zeitungen und Zeitschriften veröffentlichten Arbeiten kann keine Voll-
ständigkeit beanspruchen. Hinsichtlich der Literatur über die genannten
Autoren haben wir in erster Linie die in Buchform vorliegenden Publikationen durchgearbeitet. Zeitungsartikel und Aufsätze, die bereits
einen nahezu unübersehbaren Stoff bilden, sind bei der Behandlung
auf das begrenzt worden, was wir als wichtig für die Abhandlung erachten, wobei wir den Schwerpunkt auf das deutschsprachige Material
gelegt haben. Bezüglich der Rezensionen in der Tagespresse über die
Werke der drei Autoren, haben wir fast ausschließlich schweizerische
Zeitungen beachtet.

Ein Hauptanliegen unserer Untersuchung war, den umfassenden Stoff zu systematisieren, zu dokumentieren und kritisch zu beschreiben. Die wissenschaftliche Methode, die wir bei der Bearbeitung der Teilabschnitte überwiegend verwendeten, könnte als Ideen- und Motivanalyse bezeichnet werden, charakterisiert durch ein intensives Studium der immanenten, aber nicht „immanent" bleibenden Problematik in den Werken Zollingers, Frischs und Dürrenmatts. Es handelt sich hier also nicht um eine reine Ideenanalyse; die Ideen werden vielmehr als Reflexe eines Zeitgeschehens bei dem jeweiligen Autor betrachtet. Bei dieser Art der Analyse werden selbstverständlich die erdichteten Gestalten nicht mit dem biographischen Ich des Dichters identifiziert. Der rein biographische Stoff spielt, wie auch die psychologische Deutung, in unserer Untersuchung eine untergeordnete Rolle. Es lag uns stattdessen in erster Linie daran, die Ansichten der verschiedenen Schriftsteller zu studieren, wie sie in ihren Werken erscheinen, wobei die Entwicklung der Gesellschaftsideen entscheidend war. Aus diesem chronologisch-historischen Aspekt wird das dichterische und publizistische Material parallel und gleichrangig behandelt, d. h. es wird in eine gemeinsame Zeitperspektive eingefügt. Eine Beantwortung der Frage nach den literarischen Einflüssen liegt im allgemeinen außerhalb des Rahmens dieser Arbeit. Jedoch wird in knapper Form das intellektuelle Milieu, dem die drei Autoren angehören, umrissen.

Zollingers, Frischs und Dürrenmatts Werke stehen keinesfalls als isolierte Einheiten innerhalb der Arbeit — obzwar separat behandelt — sondern werden in einen Zusammenhang mit Zeitmilieu und Zeitentwicklung gesetzt. Durch die zeit- und ideengeschichtliche Perspektive wird die Abhandlung in wesentlichen Punkten zu einer Ganzheit zusammengefügt, wobei der zentrale Aspekt der Zweite Weltkrieg und dessen Vorspiel ist. In diesem Zusammenhang spielt jene Bewegung in der Schweiz, die gewöhnlich „Geistige Landesverteidigung" genannt wird, eine wichtige Rolle. Vor allem Zollingers Entwicklung kann in hohem Maße aus einer solchen Zeitperspektive betrachtet werden. Ihm folgte Frisch, dessen Werk sowohl eine Fortsetzung als auch eine Reaktion ist gegen gewisse von Zollingers Tendenzen während der dreißiger Jahre und der Kriegsjahre. Auch Dürrenmatts schriftstellerische Tätigkeit kann in einem gewissen Grad als eine ähnliche Reaktion angesehen werden. Die jüngste Generation Schweizer Schriftsteller, die kurzgefaßt im Schlußkapitel behandelt wird, rundet das Bild der Entwicklung ab und verdeutlicht die entscheidenden Veränderungen, die sowohl im Bereich der Schweizer Auffassung und „Ideologie" als auch im Hinblick auf die Beziehungen zu Deutschland während der verflossenen fünf Jahrzehnte stattgefunden haben.

Im Dezember 1914 hielt Carl Spitteler seinen bekannten Vortrag „Unser Schweizer Standpunkt", worin sich mehrere Berührungspunkte mit Falkes Artikel in der *Neuen Zürcher Zeitung* finden. Spittelers Ausführungen sollten jedoch unmittelbar und in weiterer, historischer Sicht, eine viel größere Bedeutung erhalten. Er mahnt in dieser Rede zu nationaler Einigkeit, wobei er sich in erster Linie an seine eigenen deutschschweizerischen Landsleute wendet:

> „Bei aller herzlichen Freundschaft, die uns im Privatleben mit Tausenden von deutschen Untertanen verbindet, bei aller Solidarität, die wir mit dem deutschen Geistesleben pietätvoll verspüren, bei aller Traulichkeit, die uns aus der gemeinsamen Sprache heimatlich anmutet, dürfen wir dem politischen Deutschland, dem deutschen Kaiserreich gegenüber keine andere Stellung einnehmen als gegenüber jedem anderen Staate: die Stellung der neutralen Zurückhaltung in freundnachbarlicher Distanz diesseits der Grenze." (*Unser Schweizer Standpunkt 1914, 1939, 1964, 18*).

Spitteler weist allerdings auf die mit Frankreich gemeinsamen politischen Ideale hin, und erwähnt dabei einige für die schweizerische Politik besonders wichtige Begriffe wie: Republik, Demokratie, Freiheit und Duldsamkeit. Er möchte, daß die Schweizer eine Art von erhabener Neutralität in ihrem Verhältnis zu den Kriegführenden einnehmen:

> „Wohlan, füllen wir angesichts dieser Unsumme von internationalem Leid unsere Herzen mit schweigender Ergriffenheit und unsere Seelen mit Andacht, und vor allem nehmen wir den Hut ab. Dann stehen wir auf dem richtigen neutralen, dem Schweizer Standpunkt." (26).

Spittelers Rede wurde in der deutschen Schweiz große Bedeutung beigemessen, jedoch hatte seine Mahnung zu deutschschweizerischer Selbstbesinnung nur geringe Wirkung in der französischen Schweiz[4].

Allgemein stark beachtet wurde Max Hubers Ansprache vom 26. September 1915 mit dem Titel „Der schweizerische Staatsgedanke". Huber interessiert sich vor allem für zwei Elemente dieses Staatsgedankens, nämlich das demokratische Prinzip und die Idee der über die Nationalitäten hinwegreichenden, politischen Nation, die er als einen „auf gemeinsamer Geschichte, gemeinsamen politischen Ideen" beruhenden Staat auslegt. (Max Huber: *Vermischte Schriften*, I, 27). In der Erhaltung dieses Prinzips sieht Huber die große Aufgabe für die Schweiz sowohl in der Gegenwart wie in der Zukunft und er mißt diesem Umstand sogar europäische Tragweite bei. Er betont — wie früher Falke und Spitteler — die Notwendigkeit einer kulturellen Annäherung zwischen der deutschen und der französischen Schweiz.

Die Apelle dieser drei deutschschweizerischen Persönlichkeiten brachten vorläufig jedoch kein Nachlassen der Spannungen mit sich. Ein Graben war — wie es Gottfried Guggenbühl in seinem Werk *Geschichte der schweizerischen Eidgenossenschaft*, II, (1948) ausdrückt — zwischen der deutschen und der welschen Schweiz entstanden (II, 605). Im

Jahre 1916 erreichte die Zwietracht zwar ihren Höhepunkt; jedoch bahnte sich im darauffolgenden Jahr ein Ausgleich der Gegensätze an. Eine Brücke konnte zwischen den beiden Teilen des Landes geschlagen werden, was für die weitere Entwicklung in der Schweiz ein unbedingtes Überordnen der Staatsidee über die Kulturidee zur Folge hatte.

Die Erhaltung der Neutralität ist für die Schweiz zur wichtigsten außenpolitischen Frage geworden und darüber hinaus während des Ersten Weltkrieges zu einer inneren Lebensfrage. Huber bringt im oben erwähnten Vortrag, „Der schweizerische Staatsgedanke", das Problem der Schweiz als politische Nation in Zusammenhang mit der Neutralität: diese sei eine innere Notwendigkeit im Hinblick auf die „nationale Zusammensetzung" (a. a. O., 31). Die schweizerische Neutralität ist seit vier Jahrhunderten organisch gewachsen und kann auf den Anfang des 16. Jahrhunderts zurückgeführt werden, nämlich die damaligen schweizerischen Niederlagen auf den italienischen Schlachtfeldern. Die ständige Neutralität der Schweiz, die von den Großmächten auf dem Wiener Kongreß 1815 anerkannt wurde, ist von der Schweiz und ihrer Umwelt unterschiedlich gedeutet worden. Die letztere hat manchmal die schweizerische Neutralität als Ausdruck von Unmoral, Gleichgültigkeit oder Feigheit kritisiert, wie z. B. während der Freiheitsbewegungen im 19. Jahrhundert, des Zweiten Weltkriegs und später in den Jahren des kalten Krieges. Sowohl Bewunderung als auch Kritik ist diesem Neutralitätswillen während und nach dem Ersten Weltkrieg zuteil geworden. Im 19. Jahrhundert, z. B. in den Jahren 1830, 1848 und 1863, waren in der Schweiz mehrmals starke Kräfte am Werk, die einen Einsatz für die Sache der Freiheit und der Demokratie verlangten, und die drohten, den Rahmen der Neutralität zu sprengen. Der Polenaufstand von 1863 gab Anlaß zum letzten Ausdruck einer solchen Aktivität. Danach nahm der schweizerische Staat eine distanziertere Haltung zum außenpolitischen Geschehen ein, was u. a. durch eine Veränderung der machtpolitischen Verhältnisse in Europa bedingt wurde. Das Bedürfnis nach außenpolitischer Aktivität mußte stattdessen auf ein Gebiet geleitet werden, das unpolitisch und überpolitisch war: das humanitäre Gebiet. Numa Droz, der in den Jahren 1875—92 Mitglied des Bundesrates war, lehnte den Gedanken einer passiven Neutralität ab. Er behauptete, die Schweiz habe eine wichtige Aufgabe als Förderer des Völkerrechts und des internationalen Verständnisses, auch moralisch sei sie verpflichtet, Initiativen in diesem Zusammenhang zu ergreifen (Daniel Frei: *Neutralität — Ideal oder Kalkül?* (53)). Die Bestrebungen, dem Neutralitätsgedanken eine ethische Verankerung zu geben, sind besonders während des Ersten Weltkrieges sichtbar. C. A. Bernoulli spricht von „philantropischer Neutralität" und G. de Reynold behauptet, die karitative und humanitäre Aufgabe, die die Schweiz erfülle, „sei die beste ‚justification de notre existence'" (50).

Die schweizerische Asylpolitik kann als ein Teil der Neutralitätspolitik betrachtet werden. Sie hat jahrhundertealte Traditionen: seit den Glaubenskriegen galt die Schweiz „als das klassische Land des Asyls" (Edgar Bonjour: *Geschichte der schweizerischen Neutralität*, III, 299). Hier seien nur die deutschen Flüchtlingsströme des 19. Jahrhunderts erwähnt, die in der Schweiz Aufnahme fanden und die Politiker und Dichter in die Schweiz brachten, so z. B. zu Beginn des 19. Jahrhunderts Georg Büchner und um 1848 mehrere liberal gesinnte Dichter, wie Georg Herwegh, Ferdinand Freiligrath und Moritz Hartmann. Ein neuer Flüchtlingsstrom folgte während der Epoche Bismarcks. Die Humanität wurde im Zusammenhang mit dieser Asylpolitik betont, wie beispielsweise Bundesrat Droz es in einer Erklärung 1888 tat, in der er sagte, man nähme die Flüchtlinge „meist nicht aus Sympathie für ihre Person oder ihre Lehre sondern aus Menschlichkeit" auf (300). Nach dem Ersten Weltkrieg zeigte die Schweiz den Flüchtlingen gegenüber größere Zurückhaltung, und in den dreißiger Jahren sollte die Politik im Zusammenhang mit den Judenverfolgungen in Deutschland sogar noch wesentlich verschärft werden.

Die Neutralitätspolitik der Schweiz verlangte einerseits eine starke Wehrmacht zur Verteidigung der Neutralität, andererseits die Förderung von Friedensbestrebungen. Aus dieser traditionellen Neutralität kann eine allgemeine friedliebende und völkerversöhnende Einstellung hergeleitet werden. Verschiedentlich gab es schon im Ersten Weltkrieg deutlich antimilitaristische Stimmen. Das gilt für die sozialdemokratische Partei in der Schweiz, deren Mehrheit sich im Jahre 1917 für die Ablehnung der Landesverteidigung und des Militarismus entschied (Erich Gruner: *Die Parteien in der Schweiz*, 137). In der Zeit zwischen den Kriegen traten in der Schweiz, wie anderswo in Europa, pazifistische Strömungen in Erscheinung. Der bekannteste Vertreter der Friedensbewegung in der Schweiz war der sozialistisch gesinnte Theologe Leonhard Ragaz (1868–1945)[5]. Mit seiner Arbeit *Die neue Schweiz* (1918) beteiligte er sich an der Debatte über die schweizerische Demokratie und Freiheit, die gegen Kriegsende und in den folgenden Jahren stattfand. Er spricht hier sogar von einem Verfall der Demokratie, kritisiert gewisse Seiten der schweizerischen Mentalität und wendet sich gegen Bürokratie und Militarismus. Er behauptet, eine geistige und sittliche Erneuerung sei notwendig.

Die Jahre um 1930 bedeuteten für Europa den Beginn einer wirtschaftlichen und politischen Krise. Mehrfach sprach man in der Schweiz um diese Zeit — ebenso wie in den Jahren unmittelbar nach dem Ersten

Weltkrieg — von dem Bedürfnis nach geistiger und politischer Erneuerung. Politisch kommt dies in der Debatte um eine Revision der schweizerischen Staatsverfassung zum Ausdruck. Emil Ermatingers Werk *Dichtung und Geistesleben der deutschen Schweiz* (1933) sei in diesem Zusammenhang erwähnt, in dem er, als ein Ausdruck für das Erlebnis einer Krise im geistigen Bereich, eine sittlich-geistige Erneuerung wünscht. Ragaz trat 1933 erneut mit einer Schrift *Die Erneuerung der Schweiz* hervor, in der er über seine sozialistische Einstellung Rechenschaft ablegt. Seine Basis jedoch ist die Religion: keine soziale Erneuerung ist ohne eine religiöse Erneuerung möglich. Im Kapital „Die neue Demokratie" spricht er von der „Neubegründung der Demokratie". „Wir weisen alle antidemokratischen Bewegungen als Todfeinde der Schweiz zurück. Jede *Gewaltdiktatur*, auch die Diktatur des Proletariates, lehnen wir ab." (35).

Ragaz' Schrift, ebenso wie die unten behandelten Arbeiten von Max Huber und Gonzague de Reynold, müssen vor dem Hintergrund des Durchbruchs des Nationalsozialismus in Deutschland gesehen werden. Huber brachte 1934 unter dem Titel *Grundlagen nationaler Erneuerung* zwei Vorträge heraus, die er im gleichen Jahre gehalten hatte, und in denen er an seine Ansprache von 1915, „Der schweizerische Staatsgedanke", anknüpft. Von diesen Vorträgen ist nur der erste, mit dem Titel „Vom Wesen und Sinn des schweizerischen Staates", von größerem Interesse. Auch er wünscht eine politische Erneuerung. Die Voraussetzung hierfür ist Selbstbesinnung, erreichbar durch eine Rückschau auf Schweizer Demokratie, Freiheit und Föderalismus. Er betont ferner, daß die unbedingte Bejahung der Landesverteidigung das „Merkmal des Staatsbewußtseins" sei (Max Huber: *Vermischte Schriften*, I, 51).

Gonzague de Reynold, der sich an der Debatte um die schweizerische Demokratie schon am Ende der zwanziger Jahre durch eine umstrittene Arbeit, *La Démocratie et la Suisse* (1929) beteiligt hatte, publizierte nun die Schrift *Die Schweiz im Kampf um ihre Existenz* (1934). In der Einleitung knüpft er an Hilty und Bluntschli an und weist hin auf die inneren und äußeren Gefahren, die der Schweiz drohen, wobei er am meisten eine sozialistische Revolution fürchtet. Er ist der Meinung, daß die Erneuerung durch eine Rückkehr zu gewissen Prinzipien der alten Schweiz geschehen müsse. „Die Schweiz ist krank: sie muß sich einem Arzt anvertrauen. Sie braucht einen Mann und nicht nur Männer. Einzig und allein die Autorität eines Führers während der Übergangsperiode wird uns vor der Diktatur retten" (77). Reynold wünscht also eine Erneuerung auf einer anderen Grundlage als Ragaz und Huber. Offenbar schwebt ihm eine Art aristokratisch-patriarchalische Ordnung und

Führung des Landes vor, und folgerichtig näherte er sich später in den dreißiger Jahren den Rechtsextremisten und den „Frontisten"[6].

Die nationalsozialistische Machtübernahme 1933 in Deutschland bedeutete eine geistig-politische und, auf weitere Sicht, militärische Bedrohung der Schweiz. Die kulturpolitische Frage, also die Spannung zwischen nationaler und sprachlicher Zugehörigkeit, erhielt erneute Aktualität, die jetzt jedoch einen anderen Charakter als während des Ersten Weltkrieges hatte, da es sich dieses Mal keinesfalls mehr um einen Zwiespalt zwischen der deutschen und der welschen Schweiz handelte. Von deutscher Seite her setzte eine starke Propaganda ein, worin die Schweiz als ein Teil eines zukünftigen „Großdeutschlands" betrachtet wurde, als „unerlöstes deutsches Land" (Alice Meyer: *Anpassung oder Widerstand*, 16). Sicherlich gab diese intensive Propaganda zu den zunehmenden deutschfeindlichen Stimmungen in der deutschen Schweiz Anlaß. Diese allmählich wachsende abwehrende Haltung dem nationalsozialistischen Deutschland gegenüber, erschien jedoch den welschen Schweizern oft als übertrieben.

Die deutsche Propaganda hatte jedoch in den ersten Jahren auch Erfolge; bereits um 1930 wurden in der Schweiz Gruppen gebildet, die mit den deutschen Nationalsozialisten sympathisierten, und die man gewöhnlich zusammenfassend mit dem Namen die „Fronten" bezeichnete. Nach dem deutschen Umbruch erhielten die frontistischen Bewegungen einen markanten Aufschwung. Eine rein nationalsozialistische Partei entstand im Mai 1933 unter dem Namen „Nationale Front", die 1935 sogar einen Repräsentanten in die Bundesversammlung entsenden konnte. Erst 1940 löste sich die Organisation mehr oder weniger freiwillig auf[7].

Die Verstärkung der Landesverteidigung wurde in der Schweiz, wie in anderen neutralen Staaten, eine Notwendigkeit, um den Neutralitätswillen zu beweisen. Das militärische Umdenken in diese Richtung begann in der Schweiz erst Anfang des Jahres 1935: am 16. März im gleichen Jahre war die allgemeine Wehrpflicht in Deutschland wiedereingeführt worden. Dies hatte zur Folge, daß gewisse Gruppen in der Schweiz eine Beschleunigung der Aufrüstung verlangten. Von besonderem Interesse ist jener Umschwung von Pazifismus zu Militarismus, der innerhalb der schweizerischen Arbeiterbewegung stattfand. Die sozialdemokratische Partei, die seit 1917 die militärische Landesverteidigung abgelehnt hatte, einigte sich auf einem Parteitag im Januar 1937 und faßte folgenden Beschluß: „Die Sozialdemokratische Partei der Schweiz steht grundsätzlich auf dem Boden der militärischen Landesverteidigung" (Meyer, a. a. O., 12).

Parallel mit diesen Erscheinungen bildete sich eine psychologisch-politische Verteidigungsbewegung, unter dem Namen „Geistige Landesverteidigung" bekannt, die in erster Linie der Verteidigung gegen die die aus Deutschland eindringenden nationalsozialistischen Ideen und die Wühlarbeit der Nazis in der Schweiz galt. Ansätze einer geistigen Widerstandsbewegung gab es schon ab Herbst 1932, größere Kraft gewann sie jedoch erst ab 1937 (ebd. 56 ff.). Wann der Begriff „Geistige Landesverteidigung" zum ersten Mal verwandt wurde, ist schwer festzustellen. Albin Zollinger, z. B., benutzt ihn in einem Artikel von 1936. Vorher haben wir den Ausdruck bei Ragaz in seiner Schrift *Die Erneuerung der Schweiz* (1933) gefunden, in der der Begriff im folgenden Passus vorkommt: „Aber die Gefahr der Armee besteht auch darin, daß wir im blinden Vertrauen auf sie eine *andere* Verteidigung vergessen: wir vergessen namentlich die *geistige* Landesverteidigung." (76). Ragaz verwendet also diesen Ausdruck in einer anderen Bedeutung als sie später üblich wurde. Für ihn erhält der Begriff einen friedlich-sozialen Sinn und wird in Gegensatz zu der äußeren Verteidigung, zur Bundeswehr, gestellt.

Ein Aspekt dieser geistigen Landesverteidigung war, daß man den schweizerischen Staatsgedanken, d. h. Begriffe wie Freiheitswille, Demokratie usw. wachrufen und stärken wollte. Es galt ferner, schweizerische Eigenart, Geschichte und Tradition zu wahren. Während dieser Periode, also in den dreißiger Jahren und den Kriegsjahren, erreichte die schweizerische Ideologie, im weitesten Sinn, einen historischen Höhepunkt. Die „geistige Landesverteidigung" war durch die oben erwähnten Schriften, wie diejenige von Huber, vorbereitet worden. Auf welche Weise sie dann innerhalb der Publizistik und der schönen Literatur zum Ausdruck kommen sollte, wird unten im Kapitel „Entwicklungstendenzen in der deutschschweizerischen Literatur zwischen den beiden Weltkriegen" behandelt.

Diese Verteidigungsmentalität wurde auch noch nach Kriegsende von gewissen Kreisen in der Schweiz gepflegt: Man hat in den sechziger Jahren immer noch versucht, sie aufrechtzuerhalten und zu beleben. Als Repräsentanten dieser herkömmlichen jedoch möglicherweise modernisierten Form der „geistigen Landesverteidigung" kann man beispielsweise Guggenheim mit seiner Schrift *Heimat oder Domizil?* (1961) betrachten, ferner Schwengeler mit der Arbeit *Vom Geist und Wesen der Schweizer Dichtung* (1964), Kopp mit seinen Ausführungen in dem von ihm herausgegebenen Buch *Unser Schweizer Standpunkt 1914, 1939, 1964* (1964) und Guggenbühl mit seinem Werk *Die Schweizer sind anders* (1967).

Diese neue Form der „geistigen Landesverteidigung" ist jedoch gleichzeitig anderwärts auf Widerstand gestoßen, besonders bei einer jüngeren Generation von Schriftstellern, die die herkömmliche Auffassung von der Schweiz als Vaterland, und die Begriffe wie Schweizer Freiheit und Demokratie in Frage gestellt hat.

Die Diskussion über die schweizerische Neutralitätspolitik wurde nach Kriegsende weitergeführt. Bundesrat Max Petitpierre lancierte die Formel „Neutralität und Solidarität" als Richtlinie für die schweizerische Außenpolitik. Diese Formel bedeutete jedoch keine Rückkehr zur differenzierten Neutralität, sondern eine fortdauernde Behauptung der absoluten Neutralität. Die Frage galt u. a. der Stellung der Schweiz in einem neuen Europa und ihrem Verhältnis zu den Entwicklungsländern. An dieser Debatte haben sich auch Publizisten und Dichter beteiligt. Besonders lebhaft wurde in der Öffentlichkeit über Edgar Bonjours Werk *Geschichte der schweizerischen Neutralität*, I–VI, (1965–70) diskutiert, und hier speziell über den sogenannten „Bonjour-Bericht", d. h. die drei letzten Bände, die 1970 erschienen sind, und in denen der Zeitabschnitt 1939–45 behandelt wird[8]. Diese objektiv wissenschaftliche Arbeit, die im Auftrage des Bundesrates geschrieben wurde, erhält durch die Zurückhaltung des Autors in seinen Stellungnahmen einen fast offiziellen Charakter. Dieser Spezialist der schweizerischen Neutralität im historischen Aspekt hat schon vorher, in einem Aufsatz im Sammelband *Die Neutralität der Schweiz* (1962), versucht, folgende Definition der Neutralität zu geben:

> „Unter Neutralität verstehen wir den Willen zur Selbstverteidigung, zur politischen Unabhängigkeit und nationalen Eigenart, zur Nicht-Teilnahme an jeder Art von Allianzsystem; ferner das Bekenntnis zur Aufgabe, in einem Konflikt der Mächte zu vermitteln und ihn schlichten zu helfen, statt zu verschärfen. Neutralität bedeutet uns allseitige Hilfsbereitschaft: eine Politik des Maßes, der Geduld, der Friedenswahrung." (12).

Diese Definition stimmt mit der offiziellen und traditionellen Schweizer Neutralitätspolitik überein und gibt einer strikten und bestimmten Abgrenzung der Neutralität Ausdruck.

Hinsichtlich der Beziehungen zu Deutschland während der Jahre zwischen 1933–45 und der Flüchtlingspolitik während dieser Epoche, herrschte in der ersten Nachkriegszeit Schweigen. Erst in den sechziger Jahren wurde dieses Schweigen gebrochen und die Frage gestellt, ob die Schweiz eine unbewältigte Vergangenheit hätte. Es handelt sich hier um eine Parallele zu der „Gewissenserforschung" in Deutschland, die möglicherweise durch einen direkten deutschen Einfluß verursacht ist. Der erste Versuch, diesen Zeitabschnitt zusammenfassend zu beschreiben, machte Alice Meyer mit dem Werk *Anpassung oder Widerstand. Die Schweiz zur Zeit des deutschen Nationalsozialismus* (1966), eine sachliche, wohlabgewogene und dokumentarisch belegte Schilderung, die verschiedene offizielle Politiker in neuer und scharfer Beleuchtung hervortreten läßt. Die Flüchtlingspolitik, die bei Meyer nicht näher behandelt wird, ist das Thema für Alfred A. Häslers *Das Boot ist voll . . . Die Schweiz und die Flüchtlinge 1933—1945* (1967), ein persönliches und engagiertes Buch, in dem starke Kritik gegen die schweizerische Flüchtlingspolitik geübt wird. Unter den jüngsten Erscheinungen sei erwähnt Walter Wolfs *Faschismus in der Schweiz. Die Geschichte der Frontenbewegungen in der deutschen Schweiz 1930—1945* (1969), eine umfassende, gründliche und gut dokumentierte Arbeit. Nochmals müssen wir auf Edgar Bonjours *Geschichte der schweizerischen Neutralität* hinweisen, vor allem auf den letzten Band.

Auch innerhalb der belletristischen Literatur sind die Geschehnisse und Probleme des betreffenden Zeitraums — wenn auch bisher in begrenztem Umfang — behandelt worden und zwar in zwei Romanen aus der zweiten Hälfte der sechziger Jahre: W. M. Diggelmanns *Die Hinterlassenschaft* und Heinrich Wiesners *Schauplätze. Eine Chronik*.

Kulturelle Verhältnisse · Die Stellung des Künstlers

Die kulturelle Situation in der Schweiz ist dadurch geprägt, daß drei Weltsprachen, Deutsch, Französisch und Italienisch, innerhalb der Grenzen des Landes nebeneinander leben. Der Schweiz fehlt eine einheitliche Kultur, wozu nicht nur die sprachliche und religiöse Spaltung beigetragen hat, sondern auch das Fehlen einer repräsentativen Hauptstadt, die als Kulturzentrum hätte wirken können. Der Unterschied zwischen der Schweiz und anderen Kleinstaaten wie Schweden, Dänemark oder Holland, ist groß: in jedem von diesen Ländern gibt es eine Nationalsprache, ein natürliches Kulturzentrum und eine nationale Literatur, wohingegen die Schweiz von verschiedenen ausländischen Kulturen abhängig ist, was zur Folge hat, daß sie innerhalb ihres kleinen Gebietes verschiedene Kulturprovinzen mit mehr oder weniger stark ausgeprägten Zentren aufweist.

Der Mangel an nationaler Kultur bedeutet erhebliche Nachteile, jedoch auch Vorteile. Indem drei große europäische Sprachen in der Schweiz aufeinandertreffen, wird dieses Land eines weit größeren Kulturbereiches teilhaftig, als wenn dort nur eine einheitliche Kultur vorhanden wäre.

Häufig wird die Frage gestellt, ob es eine gemeinsame schweizerische Nationalliteratur gebe, oder, wenn nicht, ob man danach streben sollte, eine solche zu schaffen. Fritz Ernst hat sich viel mit dieser Frage beschäftigt, u. a. in einer Schrift mit dem Titel *Gibt es eine schweizerische Nationalliteratur?* (1955). In seiner einleitenden historischen Übersicht betont er, daß es einen gemeinsamen Bewußtseinsinhalt gibt, den er in literarischen Erzeugnissen seit dem 14. Jahrhundert gefunden hat und der aus dem Gefühl für das gemeinsame Vaterland, „Bundesgefühl", „Bundesvorstellung", „Bundesliebe", besteht (14). Ernst kommt schließlich zu einer vorsichtig, aber positiv formulierten Schlußfolgerung: „Die schweizerische Nationalliteratur ist also keine willkürliche Konstruktion, aber freilich mehr eine Idee als eine Institution: nur mit größtem Takt kann sie einer solchen sich annähern." (21 f.). Wie Ernst meint J. R. v. Salis, daß es etwas genuin Schweizerisches gibt, etwas Gemeinsames, das in Literatur, Kunst und im geistigen Leben überhaupt zum Ausdruck kommt. Er legt seine Gedanken in einem Aufsatz mit dem Titel „Grundsätzliches zur kulturellen Lage der Schweiz" dar:

> „Es ist schwer zu sagen, worin dieses Gemeinsame eigentlich besteht: aber es ist da, und je weniger bewußt und gewollt es ein Hodler gemalt,

ein Honegger vertont, ein Gottfried Keller oder Ramuz geschildert haben, desto wahrer und überzeugender ist es." (*Schweizerische Lehrerzeitung*, 1955, H. 46).

Ernst hat das Problem auch aus einer weiteren europäischen Perspektive betrachtet. Das ergibt sich schon aus dem Titel eines seiner früheren Bücher: *Die Schweiz als geistige Mittlerin von Muralt bis Jacob Burckhardt* (1932). Er untersucht hier die Kulturarbeit, die von Deutschschweizern und Welschen in der europäischen Kulturgeschichte geleistet worden ist. Die Schweizer haben eine vermittelnde Rolle spielen können, und dies wurde — meint offenbar der Autor — durch die sprachlich-kulturelle Sonderstellung des Landes möglich. Noch deutlicher wird Ernsts Auffassung in seinem Werk *Helvetia mediatrix* (1939).

Gegen Ernsts „Helvetia mediatrix" polemisiert Hans Zbinden in seiner Schrift *Schweizer Literatur in europäischer Sicht* (1964), worin Zbinden behauptet, daß die Schweiz keine Sonderstellung in Europas Kulturgeschichte einnehme. „Die ‚virtus mediatrix' war und ist in Europa überall zu Hause, sie ist kein Eigengewächs der Schweiz." (6). Ferner betont Zbinden, daß die kulturell-literarischen Beziehungen und Beeinflussungen zwischen den verschiedenen Sprachgebieten in der Schweiz „sehr bescheiden" seien. Hier herrsche eher Isolierung. Es gebe keine gemeinsame Nationalliteratur: die schweizerische Literatur bestehe aus vier Literaturen (wobei Zbinden die rätoromanische Literatur in Graubünden einbezieht).

> „Innerhalb der Schweiz sind die drei Sprachkreise überdies regional stark unterteilt, kulturell manchmal deutlich voneinander abgehoben, als Sonderregionen, zwischen denen bisweilen seidene Vorhänge die Sicht verschleiern, bis in kleinste Bezirke hinein." (8) [9]

In dieser Debatte möchten wir unbedingt für Zbinden Stellung nehmen: die Ansichten, denen er Ausdruck gibt, sind bedeutend realistischer als diejenigen, die Ernsts idealistisch-helvetischer Auffassung entspringen.

Zunächst werden wir uns den Problemen innerhalb des deutschschweizerischen Sprachgebiets zuwenden. Parallel mit dem Willen, eine nationale Schweiz zu schaffen, in der das Politische die Priorität vor dem Sprachlich-Kulturellen hat, sind Versuche gemacht worden, eine deutschschweizerische Nationalliteratur zu schaffen. Derartige Ideen tauchen schon um 1848 auf. Zu denjenigen, die sich hiergegen gewandt haben, gehört Gottfried Keller. Ein moderner Literaturwissenschaftler, Fritz Strich, opponiert in seiner Schrift *Goethe und die Schweiz* (1949) gegen Keller und dessen Auffassung im Roman *Der grüne Heinrich*, wo behauptet wird, daß die deutsche Literatur in der Schweiz wie auch die

französische und italienische in den größeren Sprachgemeinschaften von
Deutschland, Frankreich und Italien aufgehen sollte. Strich sagt u. a.:

> „Ich muß gestehen, daß ich von Gottfried Kellers Standpunkt in dieser
> lebenswichtigen Angelegenheit der Schweiz sehr weit entfernt und fast
> erschreckt von ihm bin. [. . .] Aber ich kann eine solche Trennung poli-
> tischer Souveränität und Eigenart von der geistigen Kultur eines Volkes
> gar nicht für möglich, geschweige denn für wünschbar halten." (Strich,
> a. a. O., S. 8 f.).

Sowohl C. F. Meyer als auch Carl Spitteler stehen auf demselben
Standpunkt wie Keller und betonen den Zusammenhang mit Deutschland und der deutschen Kultur, wie auch der Literaturhistoriker J. Baechthold, der in seinem Werk *Die deutsche Literatur in der Schweiz* (1892)
sagt, daß die deutsche Schweiz in sprachlicher und literarischer Hinsicht
nur eine Provinz von Deutschland sei. Baechthold faßt also den Begriff
deutschschweizerische Literatur als etwas in erster Linie Geographisches
auf. Emil Ermatinger dagegen lehnt in seiner viel später herausgegebenen Arbeit *Dichtung und Geistesleben der deutschen Schweiz* (1933)
den Gedanken ab, daß die Schweiz eine deutsche kulturelle Provinz sei.
Er behauptet, es gebe einen bestimmten Geist, der die deutschschweizerische Literatur präge und sie von der übrigen deutschen trenne (15 f.).
Das Charakteristische in der deutschschweizerischen Literatur liege in
deren politisch-staatlicher Gesinnung. Gleichzeitig aber hebt Ermatinger
hervor, daß die Anknüpfung an den großen deutschen Sprach- und Bil-
dungsraum ein unumgängliches Lebenselement für die schweizerische
Dichtung sei. Diese könne sich nur durch eine Wechselwirkung mit dem
Ausland entfalten. Die nahen Beziehungen zur deutschen Kultur hätten
zu gewissen Zeiten nicht nur ein Nehmen sondern auch ein Geben
bedeutet (28).

Die Idee einer deutschschweizerischen Nationalliteratur sollte während des Zweiten Weltkrieges nochmals wiederkehren, was im Hinblick
auf die politische Isolierung, die damals bestand, verständlich ist. Um
eine solche Literatur zu schaffen und ihr eine Bedeutung zu geben, wäre
es natürlich, nur die Mundart als dichterische Sprache zu verwenden. Es
ist eine recht umfangreiche schweizerdeutsche Dialektliteratur vorhanden, die Epik, Lyrik sowie Dramatik umfaßt, und es gibt auch heute noch
Schriftsteller, die ausschließlich Dialekt schreiben; nicht zuletzt während
der eben erwähnten Epoche erlebte diese literarische Gattung eine Blüte-
zeit. Es ist erklärlich, daß ab und zu Fürsprecher einer rein deutschschweizerischen Mundartliteratur auftreten. Von verantwortlicher kultureller Seite her lehnt man jedoch Bestrebungen in dieser Richtung bestimmt ab. Die Dialektdichtung könne nur eine scheinbare Lösung der
Sprachenfrage werden, meint beispielsweise Max Wehrli:

> „Denn wie die Dinge nach vierhundert Jahren deutscher Schriftsprache

in der Schweiz nun einmal liegen, ist dieser Ausweg voller Gefahren: Selbstgefälligkeit, sprachliche Heimatromantik, eine gewisse Bewußtseinsverengerung. Mundartdichtung kann ja nur noch aus dem Gegensatz zur Schriftsprache, als Ausnahme und vielleicht für bestimmte Zwecke leben, aber nicht mehr als selbstverständlicher Ausdruck." (Max Wehrli: „Gegenwartsdichtung der deutschen Schweiz"; in: *Deutsche Literatur in unserer Zeit*, 110).

Das Hochdeutsche durch die Mundart als literarische Sprache zu ersetzen, erscheint immer mehr als eine Unmöglichkeit. Es würde eine Isolierung von dem großen Kulturzusammenhang und auf weite Sicht einen geistigen Tod bedeuten. Kein bedeutender Autor kann sich denken, in Mundart zu schreiben. Es gibt jedoch eine Ausnahme, nämlich den Lyriker Kurt Marti, der moderne, wesentliche Mundartdichtungen geschaffen hat. Seine Gedichtsammlung *Rosa Loui* (1967) ist ein echter Erfolg geworden und hat eine Erneuerung der Mundartlyrik bedeutet [10].

Zbinden weist in seiner erwähnten Schrift *Schweizer Literatur in europäischer Sicht* auf einen der Nachteile hin, einer Großkultur anzugehören: „Es strömt infolgedessen viel mehr in die Schweiz hinein, als von ihr hinausgehen kann. Das Gesetz der Massenverhältnisse wirkt hier mit Naturnotwendigkeit." (13). Was Zbinden hier sagt, ist richtig: Dem kann man jedoch die Vorteile entgegenhalten, die die deutschschweizerischen Schriftsteller durch die Zugehörigkeit zu einer Großkultur haben. Dadurch erhalten sie die Möglichkeit, ein großes internationales Publikum direkt anzusprechen, was für die Autoren der Kleinstaaten mit einer Nationalliteratur nie möglich ist. Bezeichnend sind die Schwierigkeiten rein wirtschaftlicher Art, die viele deutschschweizerische Schriftsteller in den Jahren 1933—45 zu ertragen hatten. Seit den fünfziger Jahren, als die kulturellen Grenzen dauerhaft geöffnet wurden, haben der deutsche Buchmarkt, der deutsche Rundfunk und das deutsche Fernsehen für deutschschweizerische Autoren außerordentlich große Bedeutung erlangt.

Verschiedentlich wird behauptet, daß es für den Schweizer Künstler und Dichter besonders schwierig sei, innerhalb seines eigenen Landes Geltung zu erlangen. Die Schweiz böte demnach kein geeignetes Klima oder keinen geeigneten Boden für künstlerische Tätigkeit. Solche Urteile liegen sowohl von ausübenden Künstlern als auch von Historikern und Literaturwissenschaftlern vor, die versucht haben, die Frage wissenschaftlich zu erforschen.

Auf gewisse Ursachen solcher angeblicher Probleme kann man deutlich hinweisen: es hat in der Schweiz an Kulturzentren und Akademien gefehlt und auch an jenem Mäzenatentum, das in vergangener Zeit eine bedeutende Rolle an den Fürstenhöfen in anderen, nicht-republikanischen Ländern gespielt hat. Noch häufiger wird behauptet, daß die schweizerische Mentalität an sich für eine künstlerische Tätigkeit unzugänglich sein solle. In diesem Fall handelt es sich um Urteile, die schwieriger objektiv zu verifizieren sind.

Dora Gerber hat in einer Dissertation mit dem Titel *Studien zum Problem des Künstlers in der modernen deutschschweizerischen Literatur* (1948) in einem einleitenden Kapitel die speziellen politischen, kulturellen und sozialen Verhältnisse in der Schweiz behandelt, die — wie sie meint — eine schwierige Situation für den Künstler schaffen. Sie gibt folgender pessimistischer Schlußfolgerung Ausdruck: „Es ist hier schwieriger als anderswo, sich in seinem Werk oder in den besonderen Lebensformen, wie sie ein Künstlerdasein fordert, durchzusetzen." (11). Sie weist auf gewisse spezifische Züge des schweizerischen Nationalcharakters hin:

> „Auffallend ist jedoch auch das Bedürfnis nach materieller Sicherstellung und das bürgerliche Mißbehagen, ja oft die Feigheit vor Abenteuern auf geistigem Gebiet. Das Verlangen, Höhen und Tiefen des Lebens zu durchkosten und die Bereitwilligkeit, dafür Risiken zu übernehmen, sind gering. Daher die Verständnislosigkeit den Künstlern gegenüber, die ihr Leben einer Idee zu opfern vermögen und den Mut haben, geistig und materiell ‚gefährlich' zu leben." (22).

Das Zitat aus Gerbers Schrift kann als Beispiel dafür dienen, wie heikel es ist, in einer wissenschaftlichen Darstellung Probleme, die mit Mentalität und Volkscharakter zusammenhängen, aufzugreifen. Ihre Formulierungen entbehren in der Tat einer wissenschaftlichen Grundlage.

Zbinden, der in seiner Schrift *Schweizer Literatur in europäischer Sicht* diese Frage anschneidet, gibt mit etwas anderen Worten derselben Auffassung wie Gerber Ausdruck und spricht ferner von der „Zurückhaltung gegenüber Neuartigem, insbesondere gegen Ideen und Ziele, die nicht unmittelbar dem praktischen Dasein dienen." Ironisch fügt er hinzu: „Die vielberufene ‚Helvetia mediatrix' wirft ihr breites Schattenbild in der Helvetia mediocris." (25).

Die Urteile von Dichtern und Künstlern über diese schweizerische Mentalität sind zahlreich. Oft werden einige Zeilen von Gottfried Keller zitiert: „Für den Poeten ist die Schweiz ein Holzboden!" (nach Gerber, a. a. O., 2). Daß Spitteler, der vielleicht stärker als irgend ein anderer Schweizer Dichter die Sonderrechte des Künstlermenschen hervorgehoben hat, die Enge der schweizerischen Gesellschaft besonders stark verspürte, ist natürlich. In dichterischer Form gestaltet er dieses Problem im Roman *Imago*, wo Wiktor intensiv die Spannung und den Gegensatz zu einer demokratischen und kleinbürgerlichen Umgebung erlebt. In seiner Publizistik hält sich Spitteler bei dieser Frage in seinen *Ästhetischen Schriften*, nämlich in einem Abschnitt betitelt „Schweizerisches" mit der Unterrubrik „Von den Schriftstellern" auf, worin er behauptet, der Grundzug des schweizerischen Dichters sei das „Schamgefühl". Er schreibt weiter:

> „Wir schämen uns alle im Grunde unseres Dichternamens, wohlverstan-
> den nicht etwa der Dichtertätigkeit oder gar der Dichtkunst, wohl aber
> der landläufigen Vorstellung, die an dem Dichternamen haftet. Dieser
> Vorstellung nicht zu entsprechen, ihr vielmehr zu widersprechen, einen
> kräftigeren, männlicheren und von dem übrigen arbeitsamen Volke we-
> niger verschiedenen Typus darzustellen, ist unser aller eifrige, ja ängst-
> liche Sorge. Keine willkommenere Schmeichelei, als wenn man uns ver-
> sichert, daß man uns den Dichter nicht ansehe, noch anmerke." (Carl
> Spitteler: *Gesammelte Werke*, VII, 456).

Die für uns aktuellen Schriftsteller Zollinger, Frisch und Dürrenmatt haben das Problem auf dieselbe Weise erlebt und stimmen in ihrer Auffassung, wie wir es später sehen werden, ziemlich überein.

Diese Mentalität des schweizerischen Volkes, die hinsichtlich des Geistigen negativ wirkt, wird von mehreren Autoren mit der schweizerischen Demokratie und dem schweizerischen Staatsgebilde in Zusammenhang gebracht. Dora Gerber behauptet, daß die demokratische Verfassung an sich eine negative Rolle spiele: „Leicht wird aber die Forderung nach Gleichheit auf politischem Gebiet auch in die Sphäre des Geistigen übertragen. Norm und Ideal wird dann der Bürger, der seine Pflichten mit Verantwortungsbewußtsein erfüllt." (Gerber, a. a. O., 14). Zbinden unterstreicht ebenfalls, daß der Charakter der schweizerischen Demokratie in kultureller Hinsicht hemmend gewirkt habe (a. a. O., 23). Auch in den älteren und bekannten literaturgeschichtlichen Standardwerken wird gern der Zusammenhang zwischen dem schweizerischen Dichter und dem schweizerischen Staat betont. Das gilt beispielsweise für Josef Nadlers *Literaturgeschichte der deutschen Schweiz* (1932) und Emil Ermatingers *Dichtung und Geistesleben der deutschen Schweiz* (1933) [11]. Beide Werke durchzieht eine bestimmte Idee, mit der die ganze Geschichte der deutschschweizerischen Dichtung in vergleichende Beziehung gebracht wird, d. h. die Literatur in der deutschen Schweiz sei ein Ausdruck des schweizerischen Staatswillens. Es muß sogleich hinzugefügt werden, daß Nadler und vor allem Ermatinger etwas Positives in dieser Beziehung sehen, während Gerber und Zbinden eher die negativen Faktoren hervorheben.

Als Motto für den dritten Hauptabschnitt seiner Arbeit hat Nadler u. a. folgende charakteristische Worte gesetzt: „Eidgenössisches Volk ist Staatlichkeit, verkörperter Staatswille." Am Ende des Werkes schreibt er: „Die Literatur der Schweiz ist beherrscht von ihrem Staatsgedanken, von Staatlichkeit schlechthin, sei es auch nur von den allgemeineren und höheren Gedanken der Gesellschaftsfrage." (Nadler, a. a. O., 305, 497).

Ermatinger hat in seinem Werk im einleitenden Abschnitt, betitelt „Staatsidee und deutsche Literatur in der Schweiz", einige zentrale Standpunkte dargelegt. U. a. sagt er hier zusammenfassend von der deutschschweizerischen Dichtung: „Sie ist die Literatur eines politischen Volkes und ihre Art durch das Verhältnis zum Staate bestimmt." (Ermatinger, a. a. O., 22). Der Begriff Politik wird für Ermatinger zu einer Art Naturkraft, die in das ganze Kulturleben hineinwirkt. Die Dichtung der Schweiz könne nur aus der Idee des demokratischen Staatslebens verstanden werden. Sowohl Nadler wie Ermatinger betonen, daß dieser historische Zusammenhang zwischen Staat und Dichtung in der modernen Literatur, d. h. in der des 20. Jahrhunderts, nicht mehr die gleiche Gültigkeit habe.

Ermatinger hebt hervor, daß der Schweizer Dichter vor seinem Volk als ein verantwortlicher Repräsentant der Demokratie stehe. Über die nahe Zusammengehörigkeit zwischen Volk und Dichter sagt er: „Als ein *Berufstätiger* steht der Dichter unter berufstätigen Bürgern. Das Wort Künstler, auf den Dichter angewendet, erhält in der Schweiz im Volke gern einen Stich ins Schwindlerische, bürgerlich Unsolide. [...] Der Dichter der Schweiz erhält nicht den Lorbeerkranz, sondern die Bürgerkrone." (23). Eine Idealgestalt in dieser Hinsicht, für Ermatinger wie auch für viele andere Autoren, ist Gottfried Keller. Was Ermatinger dagegen nicht erwähnt, ist, daß die Ausübung eines bürgerlichen Berufes nicht immer freiwillig geschieht, sondern für viele schweizerische Schriftsteller eine bittere Notwendigkeit ist. Die häufige Verbindung von bürgerlichem Beruf und politischer Tätigkeit einerseits sowie dichterischer Tätigkeit andererseits ist — nach Ermatinger — ein Grund für die moralisch-lehrhafte Art, die die schweizerische Literatur kennzeichnet. Der Schweizer Dichter stehe vor seinem Volk als „Rater, Ermahner, Warner" (24).

Ermatingers Ansichten über Schweizer Dichter und Dichtung können als repräsentativ für die damalige allgemeine Auffassung betrachtet werden und spielen sicherlich auch weiterhin eine bedeutende Rolle. Der gleichen Anschauung, nämlich daß der schweizerische Schriftsteller spezielle Verpflichtungen und eine besondere Verantwortung dem Volke gegenüber habe, begegnet man immer noch in den sechziger Jahren zum Beispiel bei Kurt Guggenheim in seiner Schrift *Heimat oder Domizil?* und Arnold Schwengler in seiner Arbeit *Vom Geist und Wesen der Schweizer Dichtung.*

Auch wenn man in mancher Hinsicht Ermatingers Darstellung kritisch gegenübersteht, ist seine Hauptthese jedoch überzeugend, nämlich die von den nahen Beziehungen zwischen Staatsleben und Dichtung in den vergangenen Jahrhunderten. Wahrscheinlich hat dieser Umstand die schweizerische Literatur und das schweizerische Kulturleben geprägt. Dora Gerbers Auffassung, daß die demokratische Gesinnung an sich ein negativer Faktor sei, erscheint uns zweifelhaft. Von größerem Gewicht scheint uns dagegen ihr Gesichtspunkt zu sein, daß die schweizerische Demokratie nie betont kulturell gewesen sei, was historisch belegt werden kann.

In diesem Zusammenhang mag es angebracht sein, auf die ethisch-ästhetische Problematik einzugehen. Das Ethisch-Gesellschaftliche spielt traditionell eine wichtige Rolle in der deutschschweizerischen Dichtung. Zweifellos besteht hier ein Unterschied, wenn Vergleiche mit der Dichtung in Deutschland angestellt werden. Man kann hier auf die Bedeutung der Romantik hinweisen, die den geeigneten Ausgangspunkt für jede ästhetische Betrachtung über deutsche Literatur bildet [12]. Erst mit dieser Richtung wird die Kunst, die Dichtung, etwas Zentrales und Tonangebendes aber auch etwas Mystisches. Alles im Leben wird poetisiert, wobei der Künstlertypus in seinem Individualismus, Subjektivismus und seiner Einsamkeit als souverän und genial dargestellt wird.

Die ästhetischen Ideale veränderten sich in Deutschland mit dem Durchbruch des bürgerlichen Realismus und durch den späteren Naturalismus. Jedoch tauchten gegen Ende des Jahrhunderts die romantischen Ideen wieder auf. Dabei denkt man besonders an Nietzsche, der als ein letzter Repräsentant der Romantik betrachtet werden kann, und der durch sein Hervorheben des Primats des ästhetischen Menschen wie durch seinen Geniekult und seine Einsamkeitsverkündigung ein wichtiger Impulsgeber wurde. Er gewährte der Schönheit eine metaphysische Ausnahmestellung, aber im übrigen wandte er sich — wie Brie hervorhebt — gegen jede Form der Metaphysik. (Fr. Brie: *Ästhetische Weltanschauung in der Literatur des XIX. Jahrhunderts*, 28 ff.)

Die Künstlerproblematik erhält folglich von der Jahrhundertwende ab eine erneute Aktualität. Thomas Mann, der sowohl mit der Romantik wie mit Nietzsche, Berührungspunkte hat, beschäftigt sich eingehend mit der Frage der Beziehungen zwischen dem Künstler und dem Bürger, Problemstellungen, die auch bei Hermann Hesse wiederkehren sollten. Beide stehen während eines früheren Zeitabschnittes den neuen literarischen Richtungen nahe, die etwas unbestimmt mit Namen wie Neuromantik, Impressionismus und Symbolismus bezeichnet werden.

In der deutschschweizerischen Literatur hat die Entwicklung andere Wege eingeschlagen als in der übrigen deutschsprachigen Literatur: die Romantik hat in der Schweiz nie eine wirkliche Rolle gespielt. Dasselbe gilt für die Strömungen der Jahrhundertwende. Man stand in der Schweiz der l'art pour l'art-Einstellung ziemlich fremd gegenüber. Infolgedessen haben der Ästhetizismus und die Künstlergestalt in der deutschschweizerischen Dichtung nie dieselbe Bedeutung erhalten wie in der übrigen deutschen. Der Schweizer Schriftsteller hat auch in unserem Jahrhundert — vielleicht besonders in den Jahren 1933—45 — eine starke politische und gesellschaftliche Verantwortung gefühlt, die auch im Rahmen der Dichtung bei der Gestaltung des Künstlertypus zum Ausdruck gekommen ist.

Max Frisch ist der Ansicht, daß der deutsche Ästhetizismus dem Nationalsozialismus den Weg gebahnt habe, während umgekehrt die überwiegend politische Kultur in der Schweiz ein Schutz gegen diese Lehre gewesen sei. Hier sei eine Schrift erwähnt, die in gewissem Grade eine solche Auffassung unterstützt, nämlich Hans Reiss' *Politisches Denken in der deutschen Romantik* (1966). Reiss meint, daß die politischen Ideen der Romantik, gestaltet unter dem Eindruck von ästhetischen Ansichten, das deutsche politische Denken bis weit in das 20. Jahrhundert hinein beeinflußt oder bestimmt haben. Er sieht einen Zusammenhang zwischen den Ideen der Romantik und denjenigen des Nationalsozialismus: die Romantik hat den Boden für den Nationalsozialismus bereitet durch ihren Nationalismus und ihre „Deutschtümelei" sowie durch das irrationale und magische Denkklima, das sie geschaffen habe. Derartige Folgerungen zu ziehen, ist zwar interessant, jedoch vom wissenschaftlichen Gesichtspunkt her wenig überzeugend, da es unmöglich ist, einen Zusammenhang von Ursache und Wirkung zu beweisen.

Der schweizerische „Volkscharakter"

Der Begriff Volkscharakter oder Nationalcharakter ist aus wissenschaftlicher Sicht sehr diskutabel. Nach dieser Feststellung wäre jedoch zu sagen, daß dieser Begriff eine wichtige Rolle als Problem und literarisches Motiv gespielt hat: die schweizerische Volksmentalität ist von Dichtern, Historikern, Publizisten und Psychologen, von sowohl schweizerischen als auch ausländischen Beobachtern, erörtert worden. Einer der wenigen, die versucht haben, die Problematik wissenschaftlich anzufassen, ist Richard Weiss in seiner Arbeit *Volkskunde der Schweiz* (1946). Ausgehend von einer eher konservativen Betrachtungsweise und von seiner eigenen Wissenschaft, der Volkskunde, ist er bestrebt, ernsthaft und objektiv unter Heranziehung von verschiedenen – u. a. naturwissenschaftlichen – Forschungsbereichen, den schweizerischen Volkscharakter zu beschreiben. Offensichtlich ist jedoch, daß der Abstand zwischen Weiss' Arbeit und modernen, soziologischen Untersuchungen von methodologischem Gesichtspunkt her groß ist.

Eine Beschreibung speziell der schweizerischen Mentalität ist im Hinblick auf die verschiedenen Volksgruppen mit besonderen Problemen verknüpft. Schon im 18. Jahrhundert konnten einzelne Autoren über die Schwierigkeiten berichten, die damit verbunden waren, den schweizerischen Volkscharakter zu analysieren. Für Johannes Bürkli erschien die Schweiz als aus 13 verschiedenen Nationen bestehend. Er schrieb 1785 in der Schrift *Schweizerisches Museum:* „Ich zweifle, ob für den reisenden Fremdling irgendein Nationalcharakter schwerer zu schildern sei, als der Nationalcharakter der Schweizer." (Nach C. Englert-Faye: *Vom Mythus zur Idee der Schweiz,* 187 f.). Ulrich Hegner unterstreicht 1825 diesen auffallenden Unterschied zwischen den Schweizern, betont aber gleichzeitig, daß es im Grunde genommen nur einen Nationalcharakter gibt – ohne daß er jedoch näher präzisiert, worin dieses Gemeinsame besteht (ebd. 188). Es ist auffällig, daß gewöhnlich weder ältere noch jüngere Autoren einen Unterschied zwischen der deutschen, französischen und italienischen Bevölkerung in der Schweiz machen, sondern nur ganz allgemein von den Schweizern sprechen.

In der älteren Literatur findet man nur sporadisch Beurteilungen über die Schweizer. Max Wehrli weist im Aufsatz „Der Schweizer Humanismus und die Anfänge der Eidgenossenschaft" (*Schweizer Monatshefte,* 1967, H. 2) auf Heinrich Glarean und dessen Schrift *Descriptio Helvetiae* (vom Anfang des 16. Jahrhunderts) hin, worin der Kampf der

Schweizercharakter, und so unaustilgbar, als es die Bergketten sind, die ihre Täler scheiden." (Nach Englert-Faye, a. a. O., 789).

Der Freiheitsbegriff sollte nach 1830 und besonders gegen Mitte des 19. Jahrhunderts, d. h. während der Durchbruchsjahre des Liberalismus, eine enorme Rolle spielen. Von der Umwelt, wie von den Schweizern selbst, wurde der Freiheitswille als eine spezielle Eigenschaft erlebt, die gerade die Schweizer in hohem Maße besaßen. Schillers *Wilhelm Tell* rückte wieder in den Mittelpunkt als ein adäquater Ausdruck einer Volksstimmung. Diese Freiheitsliebe wurde von einer Reihe Autoren aus den dreißiger und vierziger Jahren des 19. Jahrhunderts verherrlicht. Auch Gottfried Keller versuchte den schweizerischen Volkscharakter mit Ausgangspunkt von der Freiheit zu deuten, wie z. B. im Artikel „Vermischte Gedanken über die Schweiz" (1841), worin es u. a. heißt:

> „Der Nationalcharakter der Schweizer besteht nicht in den ältesten Ahnen noch in der Sage des Landes, noch sonst in irgend etwas Materiellem; sondern er besteht in ihrer Liebe zur Freiheit, zur Unabhängigkeit, er besteht in ihrer außerordentlichen Anhänglichkeit an das kleine, aber schöne und teure Vaterland, er besteht in ihrem Heimweh, das sie in fremden, wenn auch den schönsten Ländern befällt." (Gottfried Keller, *Sämtliche Werke*, VIII, 394 f.).

J. C. Bluntschli betont wie Keller die Freiheitsliebe und wie Zschokke die Selbständigkeit des Schweizers. Daneben wird der praktische Sinn erwähnt, aber auch die Schattenseite dieser Eigenschaft. Bluntschli, der selbst Schweizer war, aber 33 Jahre lang in Deutschland wohnte, wird von Englert-Faye in dessen Arbeit als berufener Beurteiler bezeichnet. Bluntschlis Äußerung findet sich in der Schrift *Schweizerische Nationalität* aus dem Jahre 1875:

> „Die von den Vorfahren ererbte, von den Nachkommen treu gehegte Freiheitsliebe, die Erinnerung an schwere und siegreiche Kämpfe zur Behauptung der Volksfreiheit wider die Herrschaft der Fürsten und den Druck des Adels, die fortwährende Übung eines jeden in männlicher Selbsthülfe, die festgewurzelte republikanische Gesinnung und die Bewahrung republikanischer Tatkraft haben eine bedeutende Einwirkung gehabt auf den Charakter und das ganze Verhalten der Schweizer überhaupt. [. . .] Der Opferbereitschaft für öffentliche Zwecke steht ein harter Egoismus gegenüber, der rücksichtslos auf Erwerb und Geldgewinn losgeht. Nur mühsam kann sich mitten unter dem realistischen Getriebe das feinere, idealistische Streben Anerkennung verschaffen." (Aufl. 1915, 12).

Das Hervorheben des Erwerbssinnes kehrt auch bei Bluntschlis Zeitgenossen Carl Hilty wieder: „„Es ist dies eine Art Stärke unseres Volkes, aber auch eine Schwäche. Wir sind also ein viel ökonomischeres Volk als z. B. unsere Stammverwandten im Reich.'" (Nach Englert-Faye, a. a. O., 215) [14]. Im zwanzigsten Jahrhundert hat Ragaz in seiner Schrift *Die neue Schweiz* (1918) einer ähnlichen Auffassung Ausdruck gegeben. In einem

Kapitel unter dem Titel „Point d'argent, point de Suisse" wendet er sich gegen die materialistische Gesinnung des Schweizers, gegen seine Liebe zum Geld[15]. Er zeigt ferner auf die „angeborene Nüchternheit", die er als „einer unserer großen Feinde" bezeichnet. (91). „Die Gefahr ist, daß Philistertum unser *Volkstypus* wird; die Gefahr ist, daß wir es in irgendeiner Verklärung zum schweizerischen *Ideal* erheben." (92).

Etwa zehn Jahre später versucht der bekannte deutsche Kritiker Hermann Keyserling in seiner Schrift *Das Spektrum Europas* (1928) eine Reihe europäischer Völker zu analysieren, u. a. das schweizerische, von dem er eine scharfe und boshafte Charakteristik gibt. Bei dem Schweizer findet Keyserling Ressentiments, Unsicherheitsgefühle, und Selbstgerechtigkeit. Er kritisiert die Neutralitätsmentalität: sie führt zu Charakterlosigkeit; der Kompromißgeist ist eine Äußerung von Feigheit. Ferner wendet er sich gegen den Konservatismus und den Sparsamkeitssinn. Das Ideal der Enge herrsche in der Schweiz, wo es nunmehr an einer großen Idee fehle. Keyserlings Schrift, die eine große Bedeutung erhielt und eine Grundlage für alle späteren Debatten über den schweizerischen Volkscharakter wurde, fand sowohl Beifall als auch Widerspruch. Christoph Steding vertritt in seinem Werk *Das Reich und die Krankheit der europäischen Kultur* (1938) die gleiche kritische Auffassung wie Keyserling hinsichtlich des Neutralitätsgeistes und ist der Meinung, daß es sich hierbei um eine während Jahrhunderten erworbene Eigenschaft handelt, die sich in einem Unterlassen des Handelns äußert. Ferner behauptet er:

> „Der ‚Neutrale' ist der geborene Pharisäer. [. . .] Im Falle der Schweiz und der Niederlande wird dieses Gefühl pharisäerhafter ‚Sicherheit' noch bestärkt durch die stark puritanisch-kalvinistische Note des Volkscharakters mit seinem Auserwähltheitsglauben." (69).

Hier muß bemerkt werden, daß die Ausgangspunkte der beiden verschieden sind: Steding geht — im Gegensatz zu Keyserling — von einer bestimmten politischen Auffassung, nämlich dem Nationalsozialismus, aus.

Einwände gegen Keyserling kamen beispielsweise von C. G. Jung, der seine Ansichten in der *Neuen Schweizer Rundschau* mit dem Titel „Die Schweizerische Linie im Spektrum Europas" (1928) veröffentlichte. Jung, der u. a. zugibt, daß der Schweizer vor dem Unbekannten und vor neuen Ideen Unbehagen fühlen kann, faßt seine Vorstellung vom schweizerischen Nationalcharakter folgendermaßen zusammen:

> „Aus der Erdgebundenheit des Schweizers gehen sozusagen alle seine guten und schlechten Eigenschaften hervor, die Bodenständigkeit, die Ungeistigkeit, der Sparsinn, die Gediegenheit, der Eigensinn, die Ablehnung des Fremden, das Mißtrauen, das ärgerliche Schwyzerdütsch und die Unbekümmertheit oder Neutralität — politisch ausgedrückt." (C. G. Jung: *Psychologische Betrachtungen*, 198).

Für Jung ist der schweizerische Konservatismus — im Gegensatz zu Keyserlings Auffassung — etwas Positives. Gerade durch diese Verbundenheit mit der Vergangenheit hat die Schweiz eine wichtige Aufgabe unter den Nationen Europas zu erfüllen (201).

An Jung und dessen Tiefenpsychologie knüpft Karl Schmid mit seiner Deutung des schweizerischen Nationalcharakters an, die er in seinem großen Essay „Versuch über die schweizerische Nationalität" vorgelegt hat, das den dominierenden Teil seiner Arbeit *Aufsätze und Reden* (1957) ausmacht. Schmid betont stark die Bedeutung der unbewußten Faktoren. Wie Jung sieht er im Konservatismus etwas Positives. Die Minderwertigkeitsgefühle, Ressentiments und Hemmungen, die als etwas für den Schweizer Bezeichnendes gelten, seien in einem kleinen Staat, der von dominierenden Großmächten umgeben ist, unumgänglich. Der Konservatismus und die „Gegenläufigkeit" seien unbewußte Kompensationen für die neuen Strömungen und politischen Ideen in den großen Nachbarstaaten. Der Schweizer müsse lernen, seine Situation als Bürger in einem Kleinstaat zu akzeptieren — ohne ungeschickte Versuche der Selbstüberschätzung. Man müsse von der unglücklichen Zwangsvorstellung frei werden, daß eine kleine Nation eine Miniatur des großen Staates sein müsse, und den Mut zur Unzeitgemäßheit aufbringen.

> „Die Würde einer kleinen und so komplexen Nation, wie die schweizerische es ist, liegt nicht darin, sich dem in den Metropolen in Schwung gebrachten Pendel des Zeitgeistes beflissen anzuhängen, sondern die Kräfte, die dieses nach links und rechts schleudern, *jenseits der Zeit beisammen zu bewahren.*" (129).

In den sechziger Jahren hat Adolf Guggenbühl mit seiner Arbeit *Die Schweizer sind anders. Die Erhaltung der Eigenart — eine Frage der nationalen Existenz* (1967) an Schmid angeknüpft und u. a. die „Pflicht zur Gegenläufigkeit" betont. Der Autor glaubt an eine schweizerische Eigenart, die es zu bewahren gilt: sie ist eine entscheidende Voraussetzung für das Bestehen des schweizerischen Staates.

Wie wir gesehen haben, hat sich das Bild des Schweizers im Laufe der Zeiten gewandelt: literarische Zeitströmungen und historische Verhältnisse haben auf dieses Bild eingewirkt. Zuweilen ist die Einstellung bei dem Betrachter lobpreisend, manchmal kritisch, bisweilen polemisch, ein andermal von einem ernsthaften Streben nach Objektivität geprägt [16]. Bestimmte Eigenschaften treten immer wieder in den Vordergrund: Freiheitsliebe, Selbständigkeit und Individualismus, Solidität, Konservatismus, Erdgebundenheit, Materialismus, Enge und Selbstgerechtigkeit. Diese Charakterzüge kann man mit jenen vergleichen, die Weiss in seinem Werk *Volkskunde der Schweiz* auf wissenschaftlicher Grundlage herauszufinden versucht hat. In seiner Zusammenfassung (364—366) zeigt er in erster Linie auf folgende Eigenschaften: Maßhalten zwischen den Extremen, den Hang zum Nützlichen und zum Soliden, die Nüchternheit und die Neigung zur Gerechtigkeit, mit einer Kehrseite: die Tendenz zur egoistischen Scheingerechtigkeit. Bei Weiss handelt es sich um einen bestimmten, zusammenhängenden Komplex von Eigenschaften, die in entscheidenden Punkten mit den früher erwähnten Charakterzügen übereinstimmen. Auch bei Zollinger, Frisch und Dürrenmatt stehen gerade jene Charakterzüge zur Debatte, denen wir in der obigen Erläuterung begegnet sind. Bemerkenswert ist die Kontinuität in der Zeichnung des Charakterbildes des Schweizers. Die Frage, die man sich stellen muß, ist, ob nicht die Debatte über die Schweizer Mentalität in wichtigen Punkten mehr durch eine literarische Tradition als durch eine objektiv belegbare Wirklichkeit geleitet worden ist.

Die politischen und kulturellen Beziehungen zwischen Deutschland und der Schweiz

Gewisse Aspekte der Beziehungen zwischen Deutschland und der Schweiz sind schon in den vorigen Abschnitten berührt worden. In diesem Abschnitt handelt es sich um eine Zusammenfassung, bei der das Hauptgewicht auf die Zeit nach 1871 gelegt wird. Seit Mitte des 18. Jahrhunderts herrschten lebhafte literarische Beziehungen zwischen den beiden Staaten. Unter den früheren Besuchern der Schweiz waren Klopstock, Wieland und, etwas später, Goethe. Es war — wie Eduard Ziehen es nennt — in der Zeit der „Deutschen Schweizerbegeisterung". So lautet auch der Titel eines von ihm 1922 herausgegebenen Werkes. Den folgenden Zeitabschnitt, also das romantische Zeitalter, bezeichnet Liebi — trotz des Interesses der deutschen Romantiker für die älteste Geschichte der Schweiz — als eine Übergangszeit, als „eine gewisse Ruhepause" (a. a. O., 168). In der Schweiz fanden die romantischen Ideen geringen Widerhall. Nach der Romantik setzte wieder ein lebhafter literarischer Austausch ein, der allerdings während der Epoche Bismarcks gestört wurde und zuweilen gar in Krisen geriet, jedoch erst 1933 definitiv abbrach.

In der Zeit des Liberalismus erschien die Schweiz als ein Idealland, und deutsche Politiker und Schriftsteller emigrierten dorthin. Mit dem Durchbruch der nationalen Bewegungen und der Bildung der großen Nationalstaaten wurde die politische Lage der Schweiz von Grund auf verändert. Während Bismarcks Kanzlerzeit, also 1871—90, war die Spannung zwischen Deutschland und der Schweiz zeitweise sehr stark, und einige Zwischenfälle ereigneten sich. Ein Flüchtlingsstrom, nicht zuletzt aus sozialistisch gesinnten Deutschen bestehend, ging jetzt in die Schweiz. Eine gewisse Propaganda, die von hier ausging, führte zu Protesten von deutscher Seite. Nach dem Rücktritt Bismarcks verringerte sich die Spannung durch die Aufhebung des Sozialistengesetzes, aber der Gegensatz zwischen dem Machtstaat und dem demokratischen Kleinstaat blieb immer noch bestehen.

In der wilhelminischen Epoche wechselt die Beurteilung der Schweiz in der Literatur in Deutschland. Während beispielsweise die Bewunderung der schweizerischen Natur ziemlich einhellig ist, ist die Einstellung zu politisch-ideologischen Vorgängen zuweilen sehr kritisch, bisweilen aber auch positiv.

Ein Vertreter des nationalistischen Denkens war der Historiker H. v.

Treitschke, der in seiner Arbeit *Deutsche Geschichte im 19. Jahrhundert* (1879–1894) die Schweiz als eine „Anomalie" bezeichnet. Die Schriften, in denen die Kritik an dem demokratischen Kleinstaat während der wilhelminischen Zeit am schärfsten zum Ausdruck kommt, sind Th. Zieglers *Republik oder Monarchie? Schweiz oder Deutschland?* (1877), und Ernst Hasses *Weltpolitik, Imperialismus und Kolonialpolitik* (1908). Letzterer machte sich zum Fürsprecher eines kommenden Großdeutschlands, zu dem auch die Schweiz gehören sollte. Von besonderem Interesse ist Zieglers Schrift, die eine lebhafte Diskussion in der schweizerischen Presse auslöste [17]. Er schneidet die Frage der schweizerischen Neutralität an und ist der Meinung, daß die Schweiz außerstande sei, diese Neutralität zu verteidigen. Ferner behauptet er, das schweizerische Volk hasse Deutschland, „seit es der große mächtige Nachbar geworden ist, noch mehr als früher" (70). Auch in anderer Hinsicht ist Ziegler stark polemisch: „Im Übrigen folgt das Volk im großen ganzen seinen Führern und läßt sich von diesen in einer Weise betrügen und belügen, die auf die politische Reife desselben kein allzu günstiges Licht wirft." (88).

Albert Bettex betont in seiner Arbeit *Spiegelungen der Schweiz in der deutschen Literatur 1870–1950* (1954) u. a. die Bedeutung, die die Schweiz für die erste deutsche Arbeiterdichtung während Bismarcks Epoche gehabt hat [18]. Die politischen Lieder wurden in Anthologien gesammelt, und kaum eine dieser Sammlungen ist ohne schweizerische Motive. Mit dem Sozialistengesetz (1878–90) kam — wie Bettex es ausdrückt — die große Stunde der Schweiz in der Geschichte der deutschen Arbeiterbewegung. Eine Reihe führender Politiker kamen als Flüchtlinge in die Schweiz und wurden hier aufgenommen. Den Kampf für ihre Ideen setzten sie von der Schweiz aus fort. U. a. wurde die Zeitschrift *Der Sozialdemokrat* 1879–1888 in Zürich gedruckt, ferner wurden auch neue Auflagen der politischen Gedichtanthologien herausgebracht, die in Deutschland distribuiert wurden (37). In den meisten Fällen enthalten diese Sammlungen Bilder von der freien Schweiz, und darin taucht auch der Gedanke an einen kommenden friedlichen Zusammenschluß der Nationen auf, wobei die Schweiz als ein Symbol dieser zukünftigen Möglichkeiten erscheint. In diesen Anthologien kommen auch immer Kellers Gedichte aus den frühen Jahren vor. Keller wird — wie die frühen liberalen deutschen Dichter — als Mitkämpfer erlebt. Er stand übrigens gegen die Jahrhundertwende — Bettex' Meinung nach — bei der literarisch interessierten deutschen Öffentlichkeit als Schilderer von schweizerischem Leben ganz im Vordergrund (40). Aber immer noch spielte Schillers *Wilhelm Tell* eine wichtige Rolle.

Die Skepsis und das Mißtrauen, die in der politischen Literatur zum Ausdruck kommen, bemerkt man auch in der Belletristik der wilhelminischen Epoche. Insbesondere gilt dies für Max von Schlägels politischen Roman mit dem ironischen Titel *Die Volksbeglücker* (1874), in dem die Schweiz als eine anarchistische Demokratie erscheint, die aufgrund mangelnder autoritärer Macht von innen her von Auflösung bedroht ist. Ferner haben — meint Schlägel — die Schweizer den gebührenden Respekt vor der Suprematie der deutschen Kultur über die schweizerische vergessen. Es gibt allerdings einige deutsche Schriftsteller, die die soliden bürgerlichen Eigenschaften der Schweizer loben. Aber gerade gegen das massive Bürgertum wandte sich eine Reihe naturalistischer deutscher Autoren, die in den achtziger Jahren auftraten, und die gegen Gesellschaft und Konventionen oppositionell eingestellt waren und der Boheme huldigten. In erster Linie sei Frank Wedekind erwähnt, der seit seinem achtzehnten Jahr mehrere Jahre lang in der Schweiz wohnhaft war. Der Hintergrund zu seinem Stück *Frühlings-Erwachen* (1891) ist aus seiner schweizerischen Umgebung geholt. Im Schauspiel *Die Büchse der Pandora* (1904) zeichnet der Autor eine Karikatur von einem schweizerischen Philosophiedozenten, namens Hilti, der als ein gehemmter, engherziger und ökonomisch berechnender Mensch dargestellt wird.

Bettex weist darauf hin, daß Wedekind und andere deutsche Schriftsteller in der Gestaltung ihrer schweizerischen Modelle zwei satirische Kunstgriffe verwenden: teils werden die schweizerischen Figuren mit Stall, Kuh und Käse assoziiert, teils wird die Sprachkarikatur benutzt. Nun taucht ohne früheres Gegenstück in der deutschen Literatur eine Serie von Parodien und Karikaturen des schweizerischen Wesens auf. Nicht selten wird der Schweizer als erdgebunden, „troglodytisch", voll von Ressentiments dargestellt. Der Kühnheit und Großartigkeit des Deutschen stehen die Vorsichtigkeit und die Hemmungen des Schweizers sowie sein Mangel an großen Ideen gegenüber (a. a. O., 60 ff.).

Wie reagierten nun die deutschschweizerischen Autoren auf das neue Deutschland? Ihre Einstellung war sowohl kritisch als auch positiv und gelegentlich auch enthusiastisch. Ihre Kritik richtete sich gegen die politischen Verhältnisse, während ihre Bewunderung im allgemeinen geistigkulturellen Vorgängen galt, wie dem Erlebnis der Größe — im Gegensatz zu der Kleinlichkeit des Kleinstaates — oder der Hoffnung einer geistigen Wiedergeburt, die in den Spuren der politischen Erneuerung folgen sollte. Ein geeignetes Beispiel hierfür bildet Jacob Burckhardt. In seiner Jugend war er von Enthusiasmus für Deutschland erfüllt; auf die Reichsgründung reagierte er jedoch stark: er wurde ein Feind von Bismarcks Deutschland wie von jeder Form von Machtpolitik. In seinen *Weltgeschichtlichen Betrachtungen*, die postum herausgegeben worden sind und sich auf Vorlesungen aus den Jahren 1868—73 gründen, brandmarkt er die Machtpolitik, idealisiert aber stattdessen den Kleinstaat:

„Der Kleinstaat ist vorhanden, damit ein Fleck auf der Welt sei, wo die größtmögliche Quote der Staatsangehörigen Bürger im vollen Sinne sind, ein Ziel, wobei die griechischen Polis in ihrer besseren Zeit trotz ihren Sklavenwesens in großem Vorsprung gegen alle jetzigen Republiken bleiben. [. . .] Denn der Kleinstaat hat überhaupt nichts als die wirkliche tatsächliche Freiheit, wodurch er die gewaltigen Vorteile des Großstaates, selbst dessen Macht, ideal völlig aufwiegt; jede Ausartung in die Despotie entzieht ihm seinen Boden, auch die in die Despotie von unten, trotz allem Lärm, womit er sich dabei umgibt." (32).

Burckhardt geht in diesem Zusammenhang vom griechischen Kleinstaat aus. Die Schweiz wird nie ausdrücklich erwähnt, und wahrscheinlich denkt er hier mehr an sein eigenes Basel als an die Schweiz. (Periodenweise war er jedoch auch sehr kritisch gegen Basel). Burckhardts zitierte Worte sind später häufig in der Diskussion über den Kleinstaat Schweiz und dessen Berechtigung verwandt worden. In diesem Zusammenhang seien zwei jüngere Autoren erwähnt, die diese Debatte fortgesetzt haben, nämlich Leonhard Ragaz und Fritz Ernst. Ragaz befaßt sich mit dem Problem in der Schrift *Die neue Schweiz* an zwei Stellen (22—27, 96 ff.). Er weist auf die Gefahren hin, die für den kleinen Staat Schweiz nach 1870 entstanden sind, gibt aber gleichzeitig seinem positiven Glauben an den Kleinstaat Ausdruck. Fritz Ernst brachte 1940 einige Vorträge unter dem Titel *Die Sendung des Kleinstaates* heraus. In der ersten Rede, die denselben Titel wie das Buch trägt, knüpft Ernst an Burckhardt an. Die Ansprache wurde anläßlich Finnlands Kampf gegen die Sowjetunion gehalten, aber Finnland wird nur ganz kurz erwähnt. Nachdem er auf die Gefahren hingewiesen hat, die den Kleinstaaten von außen her drohen, sagt er u. a. folgendes: „Der Kleinstaat ist, zahlreichen Hemmungen zum Trotz, dazu bestimmt, auf minimalem Raum ein Maximum an Leben zu entbinden — er ist als Kategorie die Wiege der Intensität." (10). Hiernach weist er auf die großen Beiträge zur menschlichen Kultur hin, die im Laufe der Geschichte gerade von den Kleinstaaten geleistet worden sind. Der andere Vortrag trägt den Titel „Die Vergänglichkeit des Großstaates", worin auf die Nachteile hingewiesen wird, die mit dem Großstaat verbunden sind.

C. F. Meyer hatte Deutschland gegenüber eine andere Auffassung als Burckhardt. Für ihn wurde die Reichsgründung ein überwältigendes Erlebnis, das ihn direkt zum Dichtwerk *Huttens letzte Tage* (1871) inspirierte. Auch ein Lyriker wie der politisch radikale Heinrich Leuthold (1827—1879) begrüßte mit Jubel das neue Deutschland.

In diesem Zusammenhang sei außerdem Karl Schmids Schrift *Unbehagen im Kleinstaat* (1963) erwähnt, in der der Autor auf die kulturellen Nachteile des Kleinstaates hinweist. Er ist der Meinung, daß die Schweiz bei manchem einheimischen Schriftsteller ein Unbehagen geschaffen hat, eine Sehnsucht nach draußen und ein Bedürfnis nach Aufbruch. Die Hauptstudie ist C. F. Meyer gewidmet, und im übrigen werden in kleineren Aufsätzen H. F. Amiel, Jakob Schaffner, Max Frisch und Jacob Burckhardt behandelt. Sowohl Meyer als auch Schaffner — meint Schmid — wurden von der „Magie der Größe", d. h. vom Deutschen Reich, verlockt.

Während des Ersten Weltkrieges wurden ab und zu in deutschen Romanen von nationalgesinnter deutscher Seite her Angriffe gegen die Schweiz wegen ihrer Ententefreundlichkeit gerichtet, jedoch in erster Linie gegen die französische Schweiz. Das vorherrschende literarische Bild aber ist ein anderes: die Schweiz erscheint als ein Asylstaat und als ein Land des Friedens.

Die Zeit der Weimarer Republik darf von politischem Gesichtspunkt aus als eine günstige Periode für die Beziehungen zwischen der Schweiz und Deutschland bezeichnet werden. Man spricht zuweilen sogar von einer Tendenz zur „Verschweizerung", die in Deutschland stattfand[19].

Während dieser Periode bemerkt man — nach Bettex (a. a. O., 153 f.) — zwei Tendenzen innerhalb der deutschen Literatur. Einmal handelt es sich um eine Strömung, die immer noch in der Schweiz ein utopisches Land sieht, zum andernmal um eine Strömung, die die Schweiz, durch ihre Neutralität dem Krieg entgangen, als ein „Egoistenparadies", als eine abseitsstehende, schicksalslose Nation betrachtet.

In der Zeit von 1933—45 verschlechterten sich die politischen und kulturellen Beziehungen zwischen Deutschland und der Schweiz immer mehr, und allmählich wurde die schweizerische Isolierung auf kulturellem Gebiet Deutschland gegenüber total. In der schweizerischen Literatur hatte Hitlers Deutschland — wie früher Bismarcks — allerdings auch seine Bewunderer, selbst wenn es sich jetzt nur um Einzelfälle handelte, jedoch diesmal mit einem deutlichen politischen Engagement. Vor allem denkt man hier an Jakob Schaffner (1875—1944), einen der begabtesten Dichter in der Schweiz während der ersten Jahrzehnte des 20. Jahrhunderts. Er verschrieb sich übrigens früh — bereits im Ersten Weltkrieg — Deutschland und wurde während seiner letzten Jahre ein enthusiastischer Nationalsozialist. Er fand in Straßburg bei einem Bombenangriff den Tod.

In der nationalsozialistischen Literatur wurde die Schweiz nach 1933 zunehmend der Kritik ausgesetzt. Diese kam in belletristischen Werken zum Ausdruck, wie in Hermann Hosters Roman *Genesung in Graubünden* (1938) oder in Richard Euringers *Reise zu den Demokraten* (1940). Der wohl schärfste Kritiker war der nationalsozialistisch gesinnte Christoph Steding. Postum erschien 1938, im Jahre nach dem Tode des Autors, seine umfangreiche Arbeit *Das Reich und die Krankheit der europäischen Kultur*, in der er als Verkünder der Idee des Reiches gegenüber den Neutralen und dem Neutralitätsgeist auftritt. Für Steding gibt es ausschließlich zwei Deutschland, die dieses Reich repräsentieren, nämlich Bismarcks bzw. Hitlers Deutschland. Die Periode zwischen 1870 und 1933 wird als eine Krankheitszeit bezeichnet. Bismarck und Hitler dagegen repräsentieren die Gesundheit, d. h. die Ganzheit. Steding ist der Meinung, daß das neue Deutschland — wie früher Bismarcks — eine bestimmte Mission in Europa zu erfüllen habe: nämlich die Überwindung des herrschenden Krankheitszustandes. Er wendet sich scharf gegen die damaligen und jetzigen Feinde des Reiches, die er vor allem in der Schweiz und in den Niederlanden zu finden glaubt. In Deutschland habe mit 1890 — behauptet Steding — eine Periode des Rückgangs eingesetzt, wobei sich eine schweizerische Mentalität geltend gemacht habe. Mit dem Jahre 1918 wurden endgültig die Voraussetzungen für eine „Verkleinstaatlichung" und „Neutralisierung" Deutschlands geschaffen (63); er spricht in diesem Zusammenhang ausdrücklich von der „Verschweizerung" des deutschen Denkens (66). Steding greift verschiedene schweizerische Kulturpersönlichkeiten an, wie Burckhardt, Bachhofen, Spitteler, Brunner und Jung. Insbesondere beziehen sich die Angriffe auf Burckhardt, dessen Name vielfach wiederkehrt, und der bei Steding in speziellem Grad den schweizerischen Geist repräsentiert. Für den Neutralen, meint Steding, handele es sich nicht um ein Entweder-Oder, stattdessen spräche man viel von der Mitte. Die Mittler-Idee und der Mittler-Mensch hätten im schweizerischen und neutralen Denken eine enorme Rolle gespielt. Typisch sei auch der Geist des Kompromisses (110 f.).

Stedings Werk bildet einen Höhepunkt der aggressiven Kritik an der Schweiz. Er geht von einer nationalsozialistischen Auffassung aus, gleichzeitig aber konzentriert sich in seiner Darstellung eine Reihe wesentlicher Tendenzen, die schon früher in der belletristischen und politischen Literatur zum Ausdruck gekommen ist.

Die Beziehungen zu Deutschland sind für den deutschschweizerischen Schriftsteller ein fast unvermeidliches Problem, das aus sprachlichen, kulturellen und politischen Verhältnissen erwächst, wobei der natürliche Gegensatz zwischen dem Kleinstaat und der Großmacht eine wichtige Rolle spielt. Seit 1871 hat die Einstellung von schweizerischer Seite her gependelt, ist jedoch überwiegend negativ gewesen, um dann in den dreißiger Jahren und während des Zweiten Weltkrieges hierin einen Höhepunkt zu erreichen. Nach Kriegsende waren Mißtrauen und Abwehrtendenzen während mehrerer Jahre immer noch auffallend. Diese haben sich jedoch ab Mitte der fünfziger Jahre verringert, und allmählich sind die gegenseitigen literarischen und kulturellen Beziehungen

zwischen der Schweiz und der Bundesrepublik immer lebhafter geworden. Auffallend ist vor allem die veränderte Situation auf dem literarischen Gebiet in den sechziger Jahren: die junge Generation deutschschweizerischer Schriftsteller möchte keine scharfe kulturelle Grenzlinie
gegenüber der Bundesrepublik ziehen. Sie hat sich in hohem Grad an
ein deutsches Publikum gewandt und ist nunmehr vom deutschen Markt
abhängig.

Europäische Schweiz

Der Titel des Kapitels stammt aus einer schon erwähnten Schrift von Fritz Ernst, in der er die kulturellen Leistungen untersucht, die von den Schweizern seit dem Mittelalter vollbracht worden sind. Ernst vertritt ähnliche Ansichten in zwei anderen auch schon behandelten Arbeiten, nämlich *Die Schweiz als geistige Mittlerin von Muralt bis Jacob Burckhardt* und *Helvetia Mediatrix*. Die Bedeutung, die die Schweiz in kultureller, in politischer — z. B. durch die Neutralitätspolitik — oder in humanitärer Hinsicht gehabt hat, soll in diesem Zusammenhang nicht näher behandelt oder gewertet werden. Unsere Absicht in diesem Abschnitt ist begrenzter: es geht uns um die Rolle, die die Schweizer meinen, in Europa gespielt zu haben oder spielen zu sollen. Es handelt sich um eine Untersuchung der sogenannten Sendungsgedanken, wonach die Schweiz eine bestimmte Mission für andere europäische Völker zu erfüllen gehabt habe.

Frei behandelt die betreffende Problematik in seiner genannten Arbeit *Neutralität — Ideal oder Kalkül?* (1967), worin er behauptet, es gebe drei wichtige Sendungsgedanken, die regelmäßig wiederkehrten.

1. *Der republikanisch-demokratische Sendungsgedanke* ist der älteste. Sein entscheidendes Gepräge erhielt er im 18. Jahrhundert während der Aufklärung, wo die Schweiz der gebildeten Welt als eine aufgeklärte Musterrepublik erschien. Während der ersten Hälfte des 19. Jahrhunderts änderte sich das Bild: die Schweiz wurde jetzt ein Symbol der Freiheit, der Gleichheit und der Brüderlichkeit.

> „Sooft dann in der Folge liberales Denken den Lauf der Politik beeinflußte, stand in der schweizerischen Selbstbesinnung die republikanisch-demokratische Sendungsidee im Vordergrund — zum ästhetischen Hirtenidyll gedämpft während der Restauration, zum revolutionären Verbrüderungswillen hochgepeitscht in der achtundvierziger Zeit, zur tüchtigen Selbstbehauptung gefestigt gegenüber den monarchischen Großen in Europa, zu hochgemuter Entschlossenheit gesteigert angesichts der nationalsozialistischen Gefahr und schließlich im Bekenntnis zum freien Westen wieder auferstehend in einer Zeit stalinistischer totalitärer Bedrohung." (91 f.).

Die Idee von der Schweiz als Vorkämpfer der Demokratie wurde jedoch allmählich während der zweiten Hälfte des 19. Jahrhunderts schwächer und verlor besonders nach dem Ersten Weltkrieg durch den Vormarsch der neuen Demokratien viel an Bedeutung. Lange vorher hatte die republikanische Idee an Kraft verloren.

2. *Die Idee der Völkerversöhnung*, die als eine Antwort auf den Sprachnationalismus entstand, hat verschiedene Ausdrucksformen gefunden, wobei es sich zuweilen um ein Hervorheben der politischen „Willensnation" handelt, zuweilen um die Betonung der europäischen Einheit. Dieser Missionsgedanke besitzt auch eine universelle Prägung: die Schweiz erscheint als ein Miniaturbild und Muster nicht nur eines vereinigten Europas, sondern auch eines Völkerbundes, alle Völker der Welt umfassend.

3. *Der karitativ-humanitäre Sendungsgedanke* bildete einen wichtigen Ausgangspunkt bei der Gründung des Roten Kreuzes 1864. Programmatisch ausgedrückt erscheint diese Idee zum ersten Mal während des französisch-deutschen Krieges in einer Botschaft des schweizerischen Bundesrates. Frei weist darauf hin, daß der Wille, die militärische und politische Neutralität mit humanitären Einsätzen zu ergänzen jedoch bedeutend älter sei: seit Jahrhunderten hat die Schweiz Flüchtlingen politisches und religiöses Asyl gewährt (47).

Diese humanitäre Idee, die während der zweiten Hälfte des 19. Jahrhunderts zunahm und sich in immer höherem Grad zu einem nationalen Missionsgedanken entwickelte, erreichte mit dem Ersten Weltkrieg eine außerordentlich große Bedeutung. Im Zweiten Weltkrieg ist diese Idee in den Hintergrund geraten, hat später aber mit der Entwicklungshilfe einen neuen Anwendungsbereich gefunden.

Frei hat seine sorgfältige Untersuchung auf die beiden letzten Jahrhunderte begrenzt. Sein Hervorheben dieser drei Sendungsgedanken scheint berechtigt zu sein, es gibt allerdings — wie wir sehen werden — auch andere erwähnenswerte Missionsgedanken.

Was den geistesgeschichtlichen Hintergrund dieser Sendungsgedanken angeht, könnte an Wehrlis Aufsatz „Der Schweizer Humanismus und die Anfänge der Eidgenossenschaft" (*Schweizer Monatshefte*, 1967, H. 2) angeknüpft werden. Schon in der mittelalterlichen Tradition kommen Vergleiche zwischen der Eidgenossenschaft und dem Volk Israel des Alten Testaments vor, wobei es sich um die Idee eines auserwählten Gottesvolkes handelt. Dieses Motiv wird von den Reformierten wieder aufgenommen, die sich damals in einem Lied „din volk usserkorn" nennen.

Der Sendungsgedanke, dessen Ursprung also weit zurück in der Geschichte liegt, hat in den Zeitläufen unter wechselnden Formen weiterleben können, um in unserem Jahrhundert sogar einen Höhepunkt zu erreichen. Zunächst werden wir einige Beispiele dafür anführen, wie dieser Gedanke nach 1870 von einigen der Autoren, die in den vorigen Abschnitten behandelt wurden, entwickelt worden ist.

In *Vorlesungen über die Politik der Eidgenossenschaft* (1875) betont

Carl Hilty, daß die Schweiz einen „historischen Beruf" habe, und es gelte u. a. „die praktische Herstellung einer wahren Demokratie, vorbildlich und glaubhaft in der Welt" zu zeigen. Bluntschli kritisiert in seiner Schrift *Die schweizerische Nationalität* (1875) gewissermaßen diese Ansicht Hiltys. Bemerkenswert aber ist, daß Bluntschli selbst nach einer Weile in diesem Artikel einen anderen Sendungsgedanken vertritt, indem er behauptet, die Schweiz habe „Lebensaufgaben, welche nicht bloß eine lokale, sondern eine europäische Bedeutung haben". Zum Schluß schreibt er u. a.:

> „Dadurch hat die Schweiz in ihrem Bereiche Ideen und Prinzipien geklärt und verwirklicht, welche für die ganze *europäische Staatenwelt* segensreich und fruchtbar, welche bestimmt sind, dereinst auch den Frieden Europas zu sichern. Sie hat der Freiheit und dem freundlichen Zusamenwirken der großen romanischen, germanischen, und weshalb nicht auch der slavischen Nationalitäten als Genossen der zivilisierten Menschheit durch ihr Beispiel die Wege gezeigt." (Aufl. 1915, 24).

In der Tat schafft Bluntschli damit einen neuen Sendungsgedanken, der von sehr großer Bedeutung in der weiteren Debatte werden sollte. Konrad Falke knüpft in seinem Aufsatz „Positive Neutralität" (*NZZ*, 12. u. 13. 10. 1914) an Bluntschli an, betont aber das Kulturelle und die „große Kulturmission", die dem schweizerischen Volk übertragen worden ist, das „in hervorragendem Maße zur geistigen Vermittlerin" berufen sei. In diesem Zusammenhang gibt es ferner einige Äußerungen von ihm, die nahezu geflügelte Worte geworden sind: „Wir werden uns rüsten müssen, auch im geistigen Sinne die ‚Hoteliers Europas' zu werden." Warnende und kritische Stimmen fehlten jedoch während dieser Kriegsjahre nicht. Eine von ihnen gehörte Carl Spitteler, der in seiner Ansprache „Unser Schweizer Standpunkt" erklärte: „Ehe wir andern Völkern zum Vorbild dienen könnten, müßten wir erst unsere eigenen Aufgaben mustergültig lösen." (*Unser Schweizer Standpunkt 1914, 1939, 1964*, 26). Max Huber nimmt im Vortrag „Der schweizerische Staatsgedanke" (1915) Bluntschlis Gedankengänge direkt auf und betont, daß die Schweiz „ein für Europa interessantes Beispiel" dafür sei, daß die Nationalitäten nebeneinander existieren können (Huber: *Vermischte Schriften*, I, 30). Leonhard Ragaz spricht in seiner Arbeit *Die neue Schweiz* (1918) von der außenpolitischen Mission der Schweiz (161). Zum Schluß schreibt er moralisierend pathetisch: „Wir wollen eine wahre Schweiz, weil eine solche eine Aufgabe für die Menschheit hat." (266 f.). In seiner später erschienenen Schrift *Die Erneuerung der Schweiz* (1934) hebt Ragaz besonders die Friedensmission der Schweiz hervor. Im Zusammenhang mit seiner Behandlung des Problemkomplexes von Kleinstaat kontra Großstaat in *Helvetia mediatrix* (1939) erklärt Fritz Ernst: „Natur wie Kultur erwiesen sich in ihrem Fall (der Schweiz) für sich wie in ihrer inneren Verbindung prägnant genug, um beispielhaft zu wirken." (7). Schon der Titel der Schrift *Die Sendung des Kleinstaates*, die von Ernst im folgenden Jahr herausgegeben wurde, spricht für sich.

Es ist erstaunlich, wie stark sich dieser Sendungsgedanke mehrfach sogar noch in den sechziger Jahren manifestiert. In seiner Schrift *Vom Geist und Wesen der Schweizer Dichtung* (1964) behauptet Arnold Schwengeler: „So hat das schweizerische Schrifttum der Gegenwart — mehr noch als das der Vergangenheit — eine Aufgabe, ja eine *Mission*." (63). Es handelt sich bei ihm um die Verkündung von Humanität. Denis de Rougemont erklärt in seiner Arbeit *Die Schweiz* (1965), daß die Schweiz als Modell für eine zukünftige Ordnung Europas dienen könne. Adolf Guggenbühl spricht am Schluß seines Werkes. *Die Schweizer sind anders* (1967) ganz allgemein von der Sendung der Schweiz.

Die Mehrzahl der oben erwähnten Beispiele kann um gewisse, für die Schweiz kritische Zeitpunkte gruppiert werden: die Zeit um 1870, den Ersten Weltkrieg, die dreißiger Jahre und den Zweiten Weltkrieg. Ganz freistehend sind dagegen die zuletzt angeführten Beispiele aus den sechziger Jahren. Die meisten Ansichten beziehen sich auf den zweiten der drei von Frei hervorgehobenen Sendungsgedanken: nämlich den der Völkerversöhnung. Ragaz' Idee der Friedensmission kann hier hinzugerechnet oder aber auch als ein selbständiger Missionsgedanke betrachtet werden. Außer Freis Hauptideen haben wir in den obigen Beispielen einige andere Sendungsgedanken gefunden: die Kulturmission (Falke), die Sendung des Kleinstaates (Fritz Ernst) und die dichterisch-literarische Mission (Schwengeler).

Die Vorstellung von der Schweiz als Muster der Freiheit, Demokratie, Neutralität und Völkerversöhnung hat eine wichtige Rolle für die Umwelt gespielt, beispielsweise in der Zeit der Aufklärung, in gewissen Perioden des 19. Jahrhunderts und während der beiden Weltkriege. Noch wichtiger waren jedoch diese Gedanken und Vorstellungen für die Schweizer selbst. Einem Außenstehenden erscheint es eigenartig und auffallend, welch enorme Bedeutung der Sendungsgedanke in der schweizerischen Geschichte und im schweizerischen Bewußtsein erlangt hat. Diese Missionsideen sind in ihren verschiedenen Formen während der beiden letzten Jahrhunderte von schweizerischen Historikern, Politikern, Journalisten und Dichtern behandelt worden.

Bemerkenswert ist, daß das Bild von der Schweiz als einem Miniatureuropa bei den Schweizern selbst nicht zu einem Engagement für und dem Streben nach einem vereinigten Europa geführt hat. Das Wesentliche in dieser ganzen Debatte war, die Schweiz als ein Muster und ein pädagogisches Beispiel für andere Völker erscheinen zu lassen.

Entwicklungstendenzen in der deutschschweizerischen Literatur zwischen den beiden Weltkriegen

Die deutschschweizerische Literatur zeigt in der Zeit vor dem Ersten Weltkrieg Zeichen einer Stagnation. Es fehlt ihr an Originalität: die Abhängigkeit von der Tradition, die Gotthelf, Keller und Meyer geschaffen haben, ist allzu groß geworden, und man kann gewissermaßen von einer „Epigonenkunst" sprechen. Es handelt sich teils um eine historisch-patriotische Dichtung, teils um eine lokal verankerte Heimat- und Landschaftsdichtung.

> „Diese alpine Genrekunst war" — wie Max Wildi es in seiner kleinen Schrift *Lyrik und Erzählerkunst in der deutschen Schweiz* sagt — „zu einem Anachronismus geworden in einem Land, dessen stärkste Energien dem Turbinenbau, der Textilindustrie und dem Welthandel dienten, während sich die Bergtäler entvölkerten." (12).

Gegen diese Tendenzen wendet sich Eduard Korrodi in seinen bekannten *Schweizerischen Literaturbriefen* (1918). Er kritisiert scharf den „Seldwyler-Geist" und behauptet, daß die erzählende Dichtung in der Schweiz jahrzehntelang zwischen Bauern- und Alpenroman gependelt habe. Nun sei eine andere Richtung nötig: „Niemand wird behaupten, daß der Aufstieg auf die Alpen auch zugleich ein künstlerischer Aufstieg gewesen sei . . ." (15). Korrodi würdigt die Bedeutung der Tradition von Keller, meint aber, man müsse einen Schritt weiter gehen.

Die zwanziger Jahre

Korrodis Literaturbriefe wurden als epochemachend bezeichnet (Nadler, a. a. O., 441) und sie erhielten zweifellos große Bedeutung für die weitere Entwicklung der deutschschweizerischen Prosadichtung. Der Heimatroman geriet während der beiden auf den Ersten Weltkrieg unmittelbar folgenden Jahrzehnte in den Hintergrund und nunmehr begegnet man in der neuen Literatur einer anderen, erweiterten Thematik und häufiger jener Kritik- und Debattierfreudigkeit, nach der Korrodi gesucht hatte.

Korrodis Buch kann man als Scheidelinie betrachten. Jedoch ist offenbar, daß der Erste Weltkrieg bereits an sich eine Veränderung der Erlebnisse und Denkformen mit sich brachte, die unmittelbar auf die Dichtung einwirkte: man kann von einem Aufbruch aus der Enge und der Einkapselung sprechen. Unter diesem Gesichtspunkt ist Korrodis Arbeit ein symptomatischer Beitrag, der Ausdruck einer Umgestaltung, die schon im Gang ist [20] [21].

Friedensbestrebungen und Pazifismus traten in Europa als natürliche Reaktion auf die Kriegsjahre auf. Die pazifistischen Tendenzen in der schweizerischen Literatur spiegeln also eine allgemeine europäische Entwicklung wider. Bereits während des Krieges ließen sich hin und wieder — so z. B. innerhalb der sozialdemokratischen Partei — antimilitaristische Stimmungen wahrnehmen.

In den letzten Kriegsjahren entwickelte sich die schweizerische Arbeiterbewegung markant in revolutionärer Richtung, wozu — neben Mangel an Lebensmitteln und der Gefahr der Arbeitslosigkeit — Lenins Aufenthalt in der Schweiz sowie die darauf folgende Revolution in Rußland beitrugen. Nachdem schon im November 1917 Unruhen stattgefunden hatten, die in Todesopfern resultierten, verschärften sich die Gegensätze zwischen Arbeiterklasse und Bürgertum im Laufe des Jahres 1918. Im November gleichen Jahres organisierten die Sozialdemokraten einen Generalstreik, dessen Zweck eine revolutionäre Umgestaltung der Gesellschaft war. Als Gegenmaßnahme ließ der Bundesrat alle wichtigen Plätze in Städten wie Zürich und Bern von Militär besetzen, worauf der Streik abgebrochen wurde und der Revolutionsversuch schließlich mit einer Niederlage endete. Noch im Sommer 1919 fanden jedoch blutige Ausschreitungen in Zürich und Basel statt [22].

In diesen Ereignissen findet man den Hintergrund der Probleme, die in der damaligen deutschschweizerischen Literatur behandelt werden. Die Arbeiterfrage ist ein neues wichtiges Thema: zu ihm gehören der Klassenkampf, der Gegensatz zwischen Arbeiter und Bürger, der Sozialismus, die Kritik am Kapitalismus und ferner der Generalstreik 1918, der übrigens nachher zu einem der wichtigsten Gesellschaftsmotive in der deutschschweizerischen Dichtung bis zum Zweiten Weltkrieg wurde. Neben anderen Themen seien erwähnt: der Antimilitarismus, die Kritik am übertriebenen Patriotismus, das Hervorheben des Internationalismus und des Völkerbundsgedankens.

Wir haben fünf repräsentative Romane aus den zwanziger Jahren für eine nähere Untersuchung ausgewählt, wobei Jakob Bossharts Roman *Ein Rufer in der Wüste* (1921) den Ausgangspunkt bildet. Dieses Buch, in dem zwar die Handlung in die letzten Jahre vor Ausbruch des Ersten Weltkrieges verlegt ist, jedoch in Wirklichkeit die aktuelle Problematik der Jahre unmittelbar nach dem Kriege widerspiegelt, enthält eine Reihe Punkte, die für die spätere Gesellschaftsdebatte wesentlich sind. Die Hauptprobleme könnte man folgendermaßen zusammenfassen: der Gegensatz zwischen dem Materiellen und dem Geistigen, die Spannung zwischen Arbeiter und Bürgertum, der Antimilitarismus, der schweizerische Patriotismus und das Verhältnis Schweiz-Deutschland. Reinhart Stapfer, die Hauptperson in Bossharts Roman, wird als Sucher, Wanderer, Kritiker und Erneuerer geschildert, der in Opposition zur stabil bürgerlichen Umgebung steht, die der Vater repräsentiert, und von der Reinhart sich losreißen muß. Er wendet sich gegen die Kompromißbereitschaft seines Vaters, eines freisinnigen Politikers, Parlamentsmitglieds und Kavallerieobersten. Reinhart steht skeptisch jenem Patriotismus gegenüber, der bei einem Schützenfest, wo der ältere Stapfer einer der Redner ist, zum Ausdruck kommt. Stapfer spricht von der großen vaterländischen Vergangenheit, von Morgarten, Sempach usw., während ein anderer Redner den Wohlstand und die Fortschritte im Lande lobt, die Fabriken, die Kraftwerke, die Bahnhöfe. Die Reden erwecken bei Reinhart Unlust: die eine Ansprache handelt von der Größe der Vergangenheit, die andere von dem äußeren Wohlstand, aber weshalb sprach man nicht von der Gegenwart?

„Warum sprach man nicht von den Sünden, die im Namen der äußeren Wohlfahrt verübt wurden? Warum schläferte man die Gewissen ein, statt sie zu erwecken? [. . .] Und warum sprach man zu Leuten, die sich tagtäglich an der Gegenwart zerrieben, von Sempach und St. Jakob? Warum schaute man immer zurück zu einer Vergangenheit, die man in ihren Triebfedern doch nicht mehr verstand?" (150).

Die Beziehungen zwischen der Schweiz und Deutschland erhalten einen symbolischen Ausdruck in Reinharts Verhältnis zu dem wilhelminisch-nationalistisch eingestellten Deutschen Geierling, den Reinhart vom Anfang an unsympathisch findet. Die Gegensätze wachsen allmählich und erreichen einen Höhepunkt bei dem sogenannten Monarchenbesuch (dem Staatsbesuch Wilhelms II. in der Schweiz 1912). Reinhart verhält sich sehr kritisch und mißbilligt sichtlich den Besuch und den Empfang. Während des feierlichen Festabends wächst die Spannung zwischen den deutschsprachigen und welschen Schweizern, und das Ganze endet mit Handgreiflichkeiten. Was hier von Bosshart geschildert wird, gibt in der Tat ein Bild von den Gegensätzen zwischen der deutschen und französischen Schweiz im Ersten Weltkrieg.

In Carl Albrecht Bernoullis Roman *Bürgerziel. Ein Schweizerspiegel aus der Bundesstadt* (1922) ist Bern der Schauplatz der Begebenheiten, die auf fünf verschiedene Tage der Jahre 1917, 1918 und 1919 verlegt sind, wobei es sich um wichtige Daten der modernen Geschichte der Schweiz handelt. Die Milieus sind hauptsächlich aus wohlbegüterten, patrizischen Bevölkerungsgruppen, aber auch aus Sozialistenkreisen geholt, und beleuchtet werden die Gegensätze zwischen Arbeitern und Bürgern zur Zeit des Kriegsendes. Eine der Hauptgestalten ist der Nationalrat Ysenschmied, der in einer Ansprache vor dem Parlament zur Versöhnung zwischen Arbeitern, Sozialisten und Bürgern mahnt. Zum

Schluß hebt er die Schweiz als ein Muster für andere Staaten hervor, ein in jenen Tagen der Gründung des Völkerbundes aktueller Gedanke. Dies geschieht auf eine schwülstig-pathetische Weise, die an sich bei anderen Schweizer Schriftstellern nicht ungewöhnlich ist: „Möge es der kleinen alten Schweiz beschieden sein, sich zu verjüngern an diesen Rätselfragen der letzten Weisheit und so ihren mächtigeren Nachbarn ein Beispiel zu geben!" (272).

Ein Schriftsteller von radikalerem Typus ist der Sozialist Jakob Bührer, der eine marxistische Anschauung vertritt — ohne jedoch selbst aus einem Arbeitermilieu zu kommen, und von dem wir zwei Werke behandeln werden; als erstes Werk den Roman *Kilian* (1922), in dem die Hauptgestalt ein einfacher Hirtenbube ist, der in die Welt hinauszieht, um sie kennenzulernen. In Zürich, wo er Kontakt mit revolutionären Kreisen bekommt und Mitglied der sozialistischen Partei wird, erlebt er stark die Gegensätze zwischen Arbeitern und Bürgern. Danach kommt Kilian nach Bern, ein anderes Bern jedoch als dasjenige Bernoullis: hier von unten her betrachtet, aus der Perspektive der Proletarier, der Dirnen und der Verbrecher. In Genf lernt Kilian Anarchisten kennen, selbstverständlich auch Russen, liest ihre Schriften und beteiligt sich an Diskussionen, in denen man die Unzulänglichkeiten der Demokratie erörtert, insbesondere die der schweizerischen Demokratie, die als Scheindemokratie bezeichnet wird (180). Nach einem Amerikaaufenthalt kehrt Kilian in die Schweiz zurück und verfaßt eine Schrift mit dem bezeichnenden Titel „Weder Anarchismus noch Kapitalismus".

Derselbe Autor brachte 1924 den Roman *Die sieben Liebhaber der Eveline Breitinger* heraus, in dem ebenfalls keine festen Zeitangaben existieren, wo aber die Vorgänge sich in den Jahren unmittelbar nach Ende des Ersten Weltkrieges abzuspielen scheinen. Im Vergleich mit *Kilian* haben die politischen Elemente sich vermindert. Als ein Vertreter des Sozialismus erscheint Kern — in mancher Hinsicht ein Skeptiker — der es nicht länger für möglich hält, den Arbeiter für den Klassenkampf zu engagieren. Sein großes Problem ist die Arbeitslosigkeit, die im Grunde nicht von den Unternehmern verursacht ist, sondern vom gesamten ökonomischen System. Der Gegensatz Arbeiter—Bürger wird also in den Hintergrund gedrängt. Ähnlich ist Wieslachers Auffassung: die Mißstände haben ihre Ursache nicht in den Direktoren sondern im Großkapitalismus, gegen den er einen scharfen Angriff richtet (233). Seine Kritik richtet sich ferner, wie im *Kilian*, gegen die Schweiz des Jahrgangs 1848, eine Schweiz, die verschwinden müsse, um stattdessen in einer internationalen Völkergemeinschaft aufzugehen. Zertschinsky ist ein Fürsprecher des Universalismus; Niederhäuser stimmt ihm zu und greift die „blödsinnige Kleinstaaterei" an (129). Das Buch läuft in ein Bekenntnis zur Humanität aus, ebenso wie der Roman *Kilian*.

In Ulrich Amstutz' Roman *Finstere Gewalten* (1925), düsterer und pessimistischer als irgendeines der eben erwähnten Bücher, ist die Handlung während der letzten Kriegsjahre irgendwo in die deutsche Schweiz verlegt, wobei kleinbürgerliches Milieu und Arbeitermilieu überwiegen. Das wohlhabende Bürgertum vertritt in erster Linie der Fabrikbesitzer Zwinger, der ebenso stark kritisch gezeichnet ist, wie auch solche für die Kriegsjahre typischen Figuren, wie Schieber, Spione usw., gleich, ob Schweizer oder Ausländer. Der Krieg wird überhaupt augenfälliger in den Zusammenhang hineingeführt, als in den vorigen Romanen. Der gemäßigte Sozialist Beuchat und der Anarchist Fritz Breiter wenden sich gegen Krieg und Militärdienst. Breiter, Hauptgestalt des Buches, Fabrikarbeiter und Führertypus, der einen Zusammenhang zwischen Krieg und Kapitalismus sieht, will, daß die Arbeiter die Fabrik Zwingers übernehmen. „Gleichberechtigung verlangen wir. Achtung vor unserer Arbeit. Wer jetzt nicht mit den Arbeitern mitmacht, hat überhaupt kein Recht auf Erden mehr und kann sich ruhig eine Kugel durch den Kopf schießen . . ." (71). Als Breiter gezwungen wird, die Fabrik zu verlassen und er damit arbeitslos ist, zieht er in eine andere Stadt, wahrscheinlich Zürich, wo er wiederum gegen Krieg, Kapitalisten und Munitionsfabrikanten agitiert. Unruhen entstehen in der Stadt: Bevölkerung und Polizei stehen einander gegenüber, der Belagerungszustand wird proklamiert, und während der folgenden Krawalle wird Breiter niedergeschossen.

Von den hier behandelten Werken beurteilen wir Bossharts Roman als den vom künstlerischen Gesichtspunkt aus überlegenen. Zweifellos hat gerade dieser Roman auch den größten literarischen Einfluß in der auf ihn folgenden Zeit ausgeübt. Bosshart wie Bernoulli gehen von einer bürgerlich radikal-kritischen Position aus, während Bührer eine marxistisch-sozialistische Einstellung vertritt. Gerade diese Polarität, ebenso wie eine Reihe Motive und Probleme, denen wir in den obigen Romanen begegnet sind, rufen dadurch Interesse hervor, daß sie in direkter Linie auf Zollinger hinweisen. In diesen zwanziger Jahren findet sich also der Hintergrund zu einer wichtigen Seite der gesellschaftlichen Problematik bei Zollinger, wie sie sich später in den dreißiger Jahren in seinen Arbeiten manifestieren sollte.

In der zweiten Hälfte der zwanziger Jahre nehmen die politischen Themen in der Literatur ab, und die Kritik an der Schweiz verliert an Bedeutung: die Gegensätze zwischen Arbeitern und Bürgern sind nicht mehr aktuell, aber dennoch wird die materialistische Lebenshaltung des Bürgertums immer noch kritisiert. Ein neuer Gesichtspunkt erscheint:

die Menschheit und damit der Schweizer Mensch wird vom technisch-zivilisatorischen Zeitgeist bedroht, ein Motiv, das in Meinrad Inglins Roman *Grand Hotel Excelsior* (1928) im Vordergrund steht. In diesem Buch, wie in den oben behandelten Romanen, kommt das pädagogisch-moralische Moment mit Ermahnungen zur Geistigkeit und Menschlichkeit deutlich zum Vorschein. In Inglins Werk wird die Natur und das bäuerliche Leben einer übertriebenen Zivilisation gegenübergestellt. Diese Tendenzen kommen auch in Bossharts Roman *Ein Rufer in der Wüste* zum Ausdruck: die Rettung liegt in der Rückkehr zum einfachen Leben, zur Erde, dem mütterlichen Grund.

Die dreißiger Jahre

Hauptsächlich drei Ereignisse prägen die dreißiger Jahre vor dem Kriegsausbruch, nämlich die Weltwirtschaftskrise mit der anschließenden Arbeitslosigkeit, Hitlers Machtübernahme 1933 und der spanische Bürgerkrieg. In der Schweiz wurde zu dieser Zeit verschiedentlich vom Bedürfnis nach Erneuerung auf geistigem und politischem Gebiet gesprochen.

In seinem Werk *Dichtung und Geistesleben der deutschen Schweiz* (1933) behauptet Ermatinger, daß die alte Gemeinschaft zwischen Erde, Volk und Dichter weitgehend aufgehoben sei (754). Er sucht, mit Ausgangspunkt von seiner konservativen Lebensanschauung, an die Vergangenheit anzuknüpfen und strebt danach, das typisch Schweizerische, und das Charakteristische der deutschschweizerischen Dichtung klarzumachen. In der Debatte über die schweizerische Nationalität knüpft er direkt an Carl Hilty und J. C. Bluntschli an. Eine interessante Ergänzung zu dieser Arbeit ist sein Aufsatz „Dichtung und Staatsleben in der deutschen Schweiz" (*Neue Schweizer Rundschau*, 1935, H. 8), in welchem er die Situation der Schweiz vor dem Hintergrund der Machtübernahme Hitlers betrachtet. Die natürlichen und nahen geistigen und kulturellen Beziehungen zwischen Deutschland und der Schweiz seien im großen ganzen abgebrochen, meint er, und die Schweiz befinde sich in einer isolierten Position, die nur mit derjenigen nach den schwäbischen Kriegen und der Reformation verglichen werden könne. Diese schwerwiegende Isolierung könne jedoch etwas Positives bedeuten, und das scheint die wesentliche Botschaft Ermatingers zu sein.

> „Sie (solche weltgeschichtlichen Scheidungen) können, wenn nur der Grund gesund und die Kraft des Volkes noch nicht verbraucht ist, auch dazu dienen, die gewachsene Eigenart reiner herauszuarbeiten und vielleicht gehemmte eigene Kräfte zu reicherer Entfaltung anzuregen."

Ermatingers Aufsatz kann in direkten Zusammenhang mit der „Geistigen Landesverteidigung" gebracht werden. Zunächst sei hier erwähnt, wie diese Bewegung innerhalb der schweizerischen Zeitschriftenwelt zum Ausdruck kam. Die führende Kulturzeitschrift war die *Neue Schweizer Rundschau*, die in neuer Folge 1933 entstanden war. Die Wirtschaftskrise spiegelt sich zwar auch in der Debatte, die in dieser Zeitschrift geführt wird, aber von noch größerem Interesse ist die politisch-kulturelle Diskussion, in der man dem Anwachsen der psychologischen Widerstandsbewegung folgen kann. Man sieht hier, wie die Autoren — unter Bezugnahme auf Geschichte und Tradition — versuchen, eine schweizerische Handlungs- und Verhaltensweise zu finden und zu definieren, die in der Tagessituation Gültigkeit haben könnte, d. h. in erster Linie gegenüber dem Nationalsozialismus. Der einleitende Artikel in der ersten Nummer des Jahrgangs 1933, von Jakob Oeri verfaßt, trägt charakteristischerweise den Titel „Schweizertum und Nationalsozialismus". In diesem Beitrag, der ein Bekenntnis zu einer konservativen schweizerischen Demokratie ist, weist der Verfasser deutlich auf die Gefahren für die Schweizer Demokratie hin, die vom neuen Deutschland aus drohen. Typisch für die Diskussion ist, daß in der nächstfolgenden Nummer (Juni 1933) Vertreter der wichtigsten frontistischen Gruppen zu Wort kommen durften und Rechenschaft über ihre Ansichten ablegen. Einleitend machte die Redaktion hier auf die Aktivität und die politische Kraft aufmerksam, die innerhalb dieser Bewegungen zustande gekommen war. In der Julinummer des gleichen Jahres folgte hierauf eine kritische Debatte über diese frontistischen Ausführungen [23].

In diesem Zusammenhang seien auch zwei radikalere, linksbetonte Zeitschriften, die jedoch keine parteipolitischen Beziehungen hatten, angeführt, nämlich *Die Nation* und *Die Zeit*, mit u. a. Albin Zollinger als Mitarbeiter, in denen der Kampf gegen die Diktaturen jener Zeit auf einer breiteren Front als in der *Neuen Schweizer Rundschau* geführt wurde: die Kritik richtete sich gegen Hitler und den italienischen Faschismus sowie später auch gegen den spanischen Faschismus. Als Redakteur in der *Zeit* veröffentlichte Zollinger 1936 (Nr. 2) seinen Aufsatz *„Geistige Landesverteidigung"*.

In der letzten Hälfte der dreißiger Jahre und um 1940 erschien eine Reihe Schriften, die man als einen Teil dieses psychologischen Verteidigungskampfes betrachten kann. Von ihnen seien u. a. Werner Näfs *Die Schweiz in Europa. Die Entwicklung des schweizerischen Staates im Rahmen der europäischen Geschichte* (1938) erwähnt. Besonders werden wir uns bei C. Englert-Fayes umfangreichem Werke, *Vom Mythus zur Idee der Schweiz* (1940), 900 Seiten umfassend [24], aufhalten, in dem der Autor mit einem großen kulturhistorischen und teilweise belletristischen Stoff arbeitet. Es handelt sich nicht um eine systematische und rein historische sondern eher essayistische Darstellung. Der Autor, der sich hauptsächlich mit dem Mittelalter, also mit dem Ursprung des schweizerischen Staates befaßt, verwebt seine Darstellung mit Mythen, Märchen und Bildern aus der Vergangenheit, wobei besonders dem Tell-Mythus Bedeutung beigemessen wird. Ferner werden eine Reihe Symbole untersucht und interpretiert, wobei der Verfasser bewußt an J. J. Bachofen anknüpft. Vor diesem Hintergrund behandelt er eingehend Themen wie: schweizerischer Volkscharakter und schweizerisches Nationalbewußtsein, die Aufgabe der Schweiz unter den Völkern, der Widerstandswille usw. Englert-Faye will erneuern, einen neuen Schweizer Geist schaffen mit dem Ausgangspunkt in der Tradition und Geschichte. Dies soll allerdings nicht durch kollektive Maßnahmen geschehen, sondern durch jedes Individuum für sich: es gilt ihm von innen her die alten Mythen und Bilder im Bewußtsein des Einzelnen wachzurufen (829). So soll jeder Schweizer ein Tell werden, dessen Bedeutung, in den Augen des Autors, in das Universelle hinauswächst: „Tell und Winkelried sind nicht nur die Gründer und Retter der Schweiz gewesen, sie sind Wächter und Hüter der Menschheit." (831).

Auch wenn man sich in mancher Hinsicht gegenüber Englert-Fayes Arbeit kritisch stellen muß, vor allem gegen die Mystik, die seine Darstellung hie und da durchzieht, muß doch zugegeben werden, daß sein Werk ein origineller und charakteristischer Ausdruck des Zeitgeistes ist, in dem er durch seine Bestrebungen, die psychologische Verteidigung in der Schweiz zu stärken, als traditioneller Pädagoge und Erzieher auftritt.

Im Anfang der dreißiger Jahre ist das gesellschaftliche Element in der deutschschweizerischen Belletristik noch nicht besonders deutlich: nur einige Romane können als politisch bezeichnet werden, wie z. B. Tr. Vogels Der blinde Seher (1930) und J. Bührers Man kann nicht . . . (1932). Am interessantesten ist Vogels Werk, das sowohl die Wirtschaftskrise wie die Erneuerungsbestrebungen in Bezug auf Volk und Staat wiedergibt. So muß der junge Viktor Funker die Arbeitslosigkeit erleben. Der Vater, Paul Funker, die Hauptperson des Romans, gehört anfänglich zu den Frontisten und Nationalsozialisten, bekehrt sich aber schließlich zu einer schweizerischen Mitte: „Ich sage nicht Faschismus, ich sage nicht Kommunismus. Ich sage: einordnen." (359). Er, wie auch andere Figuren des Buches, wie Ewa Pfenninger und Preiss, kritisiert von verschiedenen Ausgangspunkten her scharf die schweizerische Gesellschaft: die Scheindemokratie (von der Funker gern spricht), die materialistischen Tendenzen, den Mangel an echter Vaterlandsliebe, die Enge, die beschränkten Horizonte. „Deus helveticus": das ist der Gott der Banken und der Kraftwerke. Ewa Pfenninger reflektiert: „Ein denkfaules, selbstgefälliges Volk sind wir. Ohne Wagemut, ohne Experimentierlust, ohne Sinn für die Lockungen des Ungewissen, Nachäffer, eine schicksallose, schläfrige Herde ..." (216). Die Schweiz ist nicht länger eine lebendige Idee für die Schweizer. Sowohl Viktor als auch Paul Funker weisen nachdrücklich auf die ethische Grundlage des schweizerischen Staates hin. Bemerkenswert ist, daß Vogel bereits 1930 mit diesem Roman die Gefahren der damals noch unbedeutenden frontistischen Bewegungen in der Schweiz erlebt und erkannt hat.

Ab Mitte der dreißiger Jahre wird das politische Engagement in der Belletristik auffallend. Die Probleme der Arbeitslosigkeit und ferner der wieder verschärften Gegensätze zwischen Arbeitern und Bürgern treten nun deutlich zu Tage, wie beispielsweise in folgenden Romanen: Bührers *Das letzte Wort* (1935), P. Bratschis *Menschen wie du und ich* (1936) und W. Reists *Menschen und Maschinen* (1936). Im Roman *Das letzte Wort*, dessen Handlung bis in die dreißiger Jahre reicht aber einige Generationen früher beginnt, werden der Generalstreik 1918 wie die Arbeiterunruhen in Genf 1932 behandelt. Auf den abschließenden Seiten berührt der Autor die Bedrohungen durch die faschistischen Diktaturen und durch die „Fronten". Interessant ist auch, wie der Verfasser jene Veränderung im vorhinein schildert, die später innerhalb der schweizerischen Arbeiterbewegung angesichts der Landesverteidigung stattfand. Madleh, ein weiblicher Arbeiterführer, erklärt infolgedessen: „Da mußten wir uns wieder zur Armee bekennen, als dem letzten Mittel, die Barbarei von unsern Grenzen abzuhalten ... " (228).

Neben den Problemen, die in den obenerwähnten Werken zum Ausdruck kommen, macht sich in der deutschschweizerischen schönen Literatur seit der Mitte der dreißiger Jahre eine andere Tendenz geltend. Sie zielt darauf ab, das schweizerische Volk zur Selbstbesinnung vor der Drohung von außen her zu erwecken, den positiven Wert des schweizerischen Staatsgedankens hervorzuheben und ein Bekenntnis zu der schweizerischen Demokratie abzulegen. Es handelt sich also um Absichten, die im Einklang mit der „geistigen Landesverteidigung" stehen. Drei Romane können in diesem Zusammenhang erwähnt werden: U. W. Zürichers *Was soll werden?* (1934) und vor allem F. Odermatts *Rechter Hand — Linker Hand* (1935) sowie M. Inglins *Schweizerspiegel* (1938). Mit ihren kritischen Ausführungen haben diese Schriftsteller in einer krisenhaften Zeit einen pädagogischen Zweck erfüllt. Alle drei machen Gebrauch von der historischen Perspektive: bei Odermatt handelt es sich um die Zeit 1870—1918, bei Züricher und Inglin um den Ersten Weltkrieg. In Zürichers Erziehungsroman kehren mehrere Motive aus anderen Romanen der dreißiger Jahre wieder: wie in Vogels Buch findet man Kritik am Materialismus und an den parteipolitischen

Verhältnissen, wie in Bührers Roman *Das letzte Wort* treten die Gegensätze zwischen Arbeitern und Bürgern hervor — hier gegen den Hintergrund des Jahres 1918. Kritik an der Demokratie wird von einer Lehrerin, Fräulein Schmid, vorgebracht, die an den „starken Mann" glaubt. Für die Botschaft des Buches sind jedoch in erster Linie der Lehrer Amsler und der Pfarrer Roth repräsentativ, die sich zu dem ewig Menschlichen bekennen, das über Klassen- und Parteiinteressen steht (320 ff.).

In Odermatts Roman werden die Technik und die Herrschaft der Maschine erörtert, ebenso wie in Reists Buch und verschiedentlich in der Literatur am Ende der zwanziger Jahre. Hier werden übrigens deutlich deutsches und schweizerisches Wesen einander gegenübergestellt. Der Deutsche Manfred ist Antisemit und steht verächtlich und fremd der schweizerischen Demokratie und ihren Traditionen gegenüber. Auf der schweizerischen Seite dagegen bekennt man sich zur Vergangenheit, zur Neutralität und besonders zum Menschlichen in der Schweizer Staatsverfassung. „Das der Demokratie wesentliche Gleichheitsprinzip, welches lehrt, daß jedem Menschen eine gleiche Menschenwürde eigen sei, hat dem Schweizer das Gefühl der Würdegleichheit gegeben, die den Weg zum Herzen leichter findet." (252). Das Buch endet mit einer Huldigung an die schweizerischen Berge, „die Burg des Friedens", wo das Feuer an diesem 1. Augusttag flammt, während der Weltkrieg immer noch um die Grenzen des Landes tobt (313).

Züricher, Odermatt und Inglin haben mit ihrer Kritik ein positives Ziel gehabt, was kaum von Jakob Schaffner in dessen Roman *Kampf und Reife* (1939) gesagt werden kann. Während Schaffner im Roman *Glücksfischer* (1925) die Schweiz als ein Vorbild für andere Völker dargestellt hat, ironisiert er nun — von seinem neuen deutschen Standpunkt her — eben jene Schweiz.

Schließlich möchten wir auf Meinrad Inglin und hier vor allem auf seinen Roman *Schweizerspiegel* eingehen. Inglin (1893—1971) begann seine literarische Laufbahn mit dem Prosawerk *Die Welt in Ingoldau* (1922), dem die Romane *Wendel von Euw* (1925) und *Grand Hotel Excelsior* (1928) folgten. Die Tendenzen, die in den beiden letzteren Büchern zum Ausdruck kommen, erhalten eine direkte Erläuterung in der Schrift *Lob der Heimat* (1928). Die Huldigung des Verfassers gilt der Gegend um den Vierwaldstättersee, der Urlandschaft, die immer noch ihre Bewohner beherrscht. Europäische Zivilisation, Großstadt, Materialismus und Erwerbssucht konfrontiert Inglin mit dieser Landschaft und deren Menschen, die — vor allem in ihrem bäuerlichen Kern — eine Kraft beibehalten haben, die er Naturkraft nennen möchte. Späterhin geht die Darstellung fast in Mystik über, und es wird von der Kraft des

Volkes und dem Geheimnis der Ganzheit gesprochen (20). Ein Zusammenhang herrsche, meint der Autor, zwischen dieser Natur und den volkstümlichen Kräften, die hier einen Staat um das Jahr 1300 geschaffen haben (41).

Die Schrift *Lob der Heimat* hat ein besonderes Interesse dadurch, daß sie Gedankengänge enthält, die später in den dreißiger Jahren innerhalb der „geistigen Landesverteidigung" große Bedeutung bekommen sollten. *Lob der Heimat* steht übrigens als ein natürlich vermittelndes Glied zwischen den vorigen Werken und der nächsten Dichtung, *Jugend eines Volkes*. Fünf *Erzählungen*, einer Sammlung historischer Novellen, 1933 erschienen, in denen der Ursprung und die Gründung der Eidgenossenschaft das zusammenhaltende Thema bilden. Die fünf Erzählungen erstrecken sich von der Urzeit, wo das Volk sich am Vierwaldstättersee niederließ, bis 1315 (die Schlacht am Morgarten). Inglin hat mit diesen Novellen seinen Landsleuten Vorbilder aus der Schweizer Geschichte gegeben, wobei er zweifellos — den Schlußworten nach — auf die Krise und Unruhe seiner eigenen Zeit hinzielt (222)[25].

Der Roman *Schweizerspiegel* umfaßt in seiner ursprünglichen Fassung aus dem Jahre 1938 über 1 000 Seiten und ist Inglins mächtigstes Werk[26]. Der Roman erscheint als einer der wichtigsten in der Zeit von 1918—38. Die Handlung, die mit dem Besuch des deutschen Kaisers in der Schweiz beginnt und bis zum Generalstreik im November 1918 läuft, ist jedoch trotz dieser historischen Perspektive hochgradig aktuell für die Situation am Ende der dreißiger Jahre. Das Buch hat starke dokumentarische Komponenten, die bis in Einzelheiten gehen. Im Mittelpunkt dieses Romans, der gewissermaßen als Roman eines Kollektivs bezeichnet werden kann, da es in ihm keine bestimmte Hauptperson gibt, steht eine Familie, deren Mitglieder, Ansichten und Handlungen für das schweizerische Volk im großen und ganzen repräsentativ sind, weshalb das Werk in dieser Hinsicht eine symbolische Bedeutung erhält. Amman, der Hausvater, eigentlich Advokat aber außerdem als Oberst und freisinniger Nationalrat tätig, ist eine typische Parallele zu Stapfer in Bossharts Roman *Ein Rufer in der Wüste*. Die drei Söhne, Paul, Severin und Fred, sind als Typen völlig ungleich und repräsentieren drei verschiedene Zeittendenzen in der Schweiz.

Paul, Akademiker und Humanist, fühlt Unbehagen an seinem Vater und der dumpfen Luft der Heimat, gegen deren saturiertes Bürgertum er sehr kritisch eingestellt ist. Das Militärleben mißbilligt er, und er empfindet den Krieg als Wahnsinn und Schande einer zivilisierten Menschheit. Die verschiedenen Kantone in der Schweiz, die einander früher bekämpften, haben diese Stufe überwunden (*SSp*, 455). Paul, der eine entschlossene Stellung für die Entente gegen Deutschland eingenommen hat, steht parteipolitisch in Opposition zu seinem Vater: er glaubt an den Sozialismus und erklärt sich als Sozialdemokrat. Severin, der älteste Sohn, von Beruf Zeitungsredakteur, ist wie sein Vater freisinnig eingestellt und politisch stark interessiert[27]. Nach Kriegsausbruch ist er von Kriegsenthusiasmus erfüllt, engagiert sich leidenschaftlich für Deutschland und wendet sich in gleichem Maße gegen die ententefreundlichen Stimmungen in der welschen Schweiz. Fred, der jüngste, dem es eigentlich an Interesse für Politik fehlt, und der politisch auch kaum bewußt ist, nimmt eine Zwischenstellung unter den Brüdern ein. Von Anfang an ist er allgemein deutschfreundlich gesinnt, hegt aber auch starke Sympathien für den französisch-freundlichen Junod. René Junod, ein Vetter der Brüder Amman, ist Mediziner und leistet als Oberstabsarzt Dienst. Er stammt aus der französischen Schweiz und ist ein warmer Anhänger der Entente.

Der Krieg und die politischen Verhältnisse verursachen scharfe Gegensätze in der Familie, besonders zwischen Junod und Severin, aber auch zwischen dem Vater und den Söhnen: der ältere Amman ist weder mit Severin noch Paul zufrieden. Die Mutter, Barbara, aber versucht zu schlichten und die Familie zusammenzuhalten. So geben diese familiären Streitigkeiten auch ein Bild von den scharfen Spannungen zwischen den verschiedenen politischen Gruppen sowie zwischen der deutschen und der welschen Schweiz im Ersten Weltkrieg.

Eine der Nebenfiguren ist der Lyriker Albin Pfister, ein Freund Pauls, der auch zum Militärdienst einrücken muß. Unter dem Eindruck des Krieges und des Aktivdienstes erhält er eine neue Einstellung der Schweiz gegenüber: früher lebte er isoliert und kümmerte sich wenig um Volk und Vaterland. „Ein ganz neues Gefühl beginnt mich zu durchdringen, das Gefühl, einem Volk anzugehören und ein Heimatland zu haben." (SSp, 420).

Der schweizerische Staatsgedanke wird vor allem bei zwei Gelegenheiten erörtert, einmal in einer Unterredung zwischen Oberstdivisionär Bosshart und Severin Amman, ein andermal in einem Gespräch zwischen René Junod und Fred Amman, wo Bosshart beziehungsweise Junod versuchen, einen schweizerischen Standpunkt zu formulieren. Bosshart, dessen Bekenntnis zu der schweizerischen Staatsverfassung in den Worten Freiheit und Maß zusammengefaßt werden kann, ist der Ansicht, daß es in der Welt keine Verfassung gebe, die besser als die schweizerische, von Demokratie und Toleranz geprägte, sei. Aber sie dulde keine extremen Lösungen: sie sei auf Maß und Gleichgewicht angewiesen. „Die Schweiz ist ein Land für reife Leute." (SSp, 1029). Junod hebt das geistige Prinzip hervor, das gerade in der Gründung des schweizerischen Staates liegt.

„Dieser Wille zum gemeinsamen Staat entspringt bei uns offenbar einer vernünftigen Einsicht, während er bei einem gleichsprachigen, einstämmigen Volke mehr aus naturhaft-nationalen Antrieben stammt. Unser Bundesstaat ist also vorwiegend ein Werk der Vernunft, der Einsicht, der Toleranz, ein Werk des Geistes." (*SSp*, 1056).

Junod meint, das Höchste, was politisch erreichbar sei, sei Ordnung und Freiheit. Er kommt schließlich auf die europäische Frage und das Problem der Schweiz als Vorbild: „Der eidgenössische Gedanke ist, logisch weitergedacht, eine Lieblingsidee aller guten Europäer. Hochgebildete fremde Besucher haben es ausgesprochen, daß unser Staat ein verbündetes Europa im kleinen darstelle." (*SSp*, 1059).

Im *Schweizerspiegel* schildert Inglin Ereignisse und Menschen mit epischer Distanz: er steht über seinen Figuren, ist aber nicht unengagiert. Daß die Kritik, die direkt oder indirekt an gewissen Erscheinungen der schweizerischen Gesellschaft vorgebracht wird, aus der Einstellung des Autors resultiert und mit ihr übereinstimmt, ist offenbar; mag sie Spannungen zwischen den deutschen und französischen Sprachgruppen oder Streitigkeiten zwischen den politisch extremen Richtungen gelten. Man kann nicht behaupten, daß der Autor sich mit irgendeiner bestimmten Gestalt identifiziert, aber sicherlich stimmt seine Auffassung — dafür spricht auch sein früheres Werk — mit den Ansichten über den schweizerischen Staat überein, die Bosshart und Junod vortragen. Von ihnen wird ein Schweizer Standpunkt eingenommen, dessen wichtigste Schlüsselworte Freiheit, Ordnung, Vernunft und Toleranz sind, ein Standpunkt mit starker vaterländischer Verankerung ohne allzu pathetische Gebärden. Auch das Maßvolle gehört zum Bilde, und unzweifelhaft fällt die Betrachtungsweise Inglins mit jenen Ansichten zusammen, für die sich Amman in diesem Zusammenhang einsetzt. Amman, der sich zur Mitte bekennt, ist der Ansicht, daß die extremen, politischen Elemente eine Gefahr für den Staat bilden, meint aber auch, daß sie ein Ansporn zum Wachsein für die verantwortungsbewußten Parteien sein könnten (*SSp*, 1066).

Mit diesem Werk tritt Inglin als Pädagoge und Ermahner für seine Gegenwart, d. h. für die Schweizer der dreißiger Jahre auf. Inglin hat mit diesem Werk, in dem mehr als in irgendeiner anderen deutschschweizerischen belletristischen Arbeit während dieses Jahrhunderts die schweizerische Staatsverfassung und der schweizerische Staatsgedanke behandelt wurden, seinen Platz unter den Dichtern eingenommen, die hauptsächlich durch ihre Dichtung in der psychologischen Widerstandsbewegung wirken wollten.

Zweifellos hat Inglin und sein *Schweizerspiegel* eine gewisse Bedeutung für Albin Zollinger gehabt, gerade durch das Hervorheben der „geistigen Landesverteidigung" in belletristischer Form. Zollinger ver-

bindet in seinem Werk diese Widerstandsbewegung mit den gesellschaftskritischen Tendenzen anfangs der zwanziger und dreißiger Jahre. Im Roman *Schweizerspiegel* finden sich alle wichtigeren Motive der
deutschschweizerischen Literatur nach dem Ersten Weltkrieg. Aber hier
ist zu bemerken, daß Zollinger durch seine Kühnheit und seinen Radikalismus — auf eine direkte und andere Weise als der ein wenig erhaben
wirkende und traditionsgebundene Inglin — mit dieser Gesellschaftskritik und der ihr zugrunde liegenden Ideenwelt übereinstimmt. Darum
kann man speziell bei Zollinger von einer Synthese der literarischen
Zeittendenzen zwischen den beiden Kriegen sprechen.

In Inglins Werk spielt das Muttermotiv, das Prinzip der Mütterlichkeit, eine wichtige Rolle. Die Mutter erhält bei Inglin einen tieferen
Sinn: sie bedeutet — wie auch für Zollinger und andere zeitgenössische
Schriftsteller — ein Erlebnis von Geborgenheit und Geschlossenheit
trotz der Veränderungen, die der Erste Weltkrieg mit sich geführt hat.
Die Welt ist immer noch überschaubar; zwar wird die Schweiz kritisiert,
aber eigentlich nie in Frage gestellt.

Der Zweite Weltkrieg bedeutete einen weit tiefer gehenden Einschnitt
als der Erste Weltkrieg. Man kann hier mit Hugo Leber von einer „Zäsur" sprechen (*Zur Situation der Literatur in der Schweiz*, 18). Nach
dem Zweiten Weltkrieg findet ein wirklicher Bruch mit der schweizerischen Vergangenheit in politischer und kultureller Hinsicht statt. Zum
ersten Mal wird in der Schweiz — mit Frisch und Dürrenmatt — eine
Dramatik von internationalem Rang geschaffen. Neue künstlerische
Formen kommen zum Durchbruch, und der internationale Einfluß auf
dem literarischen Gebiet wird größer als je zuvor. Neue Lebensanschau-
ungen, eine politische Neuorientierung und eine neue Auffassung von
der Rolle der Schweiz bilden sich allmählich heraus. Die Frage ist jedoch,
ob man nicht mit ebenso großer Berechtigung von einer Zäsur in der
Mitte der sechziger Jahre sprechen könnte: zu diesem Zeitpunkt waren
die Ansichten der beiden erwähnten Autoren durchgedrungen und hatten die junge talentierte Generation deutschschweizerischer Schriftsteller
beeinflußt, die die Schweiz von neuen und anderen Ausgangspunkten
schildern sollten als die Autoren der dreißiger Jahre.

Orientierung über Zollinger und sein Werk

Biographisches

Albin Zollinger wurde 1895 in einem ärmlichen und in gewissem Grade proletarischen Milieu in Rüti im Zürcher Oberland geboren, wo der Vater Mechaniker in einer Maschinenfabrik war. Im Jahre 1903 wanderte die Familie nach Argentinien aus, wo sie sich bis 1907, bis zu ihrer Rückkehr in die Heimat, aufhielt. Der Vater hatte während dieser Jahre als Handwerker auf einer großen Farm gearbeitet. Wegen des Auslandsaufenthaltes verspätete sich Zollingers Schulgang und erst im Alter von siebzehn Jahren war er mit der Sekundarschule fertig. Er hatte ein ausgeprägtes Talent fürs Zeichnen und wollte sich zum Zeichenlehrer ausbilden. Dennoch entschloß er sich, zunächst ein Lehrerseminar zu besuchen. Während der Jahre 1912—16 folgte er dem Unterricht am Seminar in Küsnacht. Nach verschiedenen Stellvertretungen wurde er als Primarschullehrer in Oerlikon, einer Vorstadt von Zürich, angestellt, ein Amt, das er bis zu seinem Tod innehatte. Wie so viele andere schweizerische Schriftsteller mußte Zollinger also seine Zeit zwischen einem bürgerlichen Beruf und dem Künstlertum teilen. Wahrscheinlich trug die intensive schriftstellerische Tätigkeit gegen Ende seines Lebens, die häufig in den Nächten geschehen mußte, zu seinem vorzeitigen und plötzlichen Tode bei. Er starb am 7. 11. 1941 infolge eines Herzschlages.

Im Jahre 1927 heiratete er Heidi Senn, die Tochter eines Buchdruckers aus der Gegend von Zürich. Nach vielen Krisen wurde die Ehe 1935 aufgelöst. Fünf Jahre später heiratete Zollinger abermals: diesmal Bertha Fay, die Tochter eines deutschen Künstlers.

Im Jahre 1914 machte Zollinger seine Rekrutenschule und war im Anschluß daran im Aktivdienst während des Ersten Weltkrieges. Bei der Mobilmachung 1939 mußte der jetzt 44jährige Zollinger wiederum einrücken. Auch die beiden folgenden Jahre brachten eine periodische Teilnahme am Aktivdienst für ihn mit sich.

Nach dem langjährigen Aufenthalt in Argentinien während seiner Kindheit machte Zollinger nur kürzere Reisen ins Ausland. Er besuchte Griechenland 1927, Paris 1929 und Berlin 1930. Der einzige längere Aufenthalt im Ausland fand 1931 statt, als Zollinger beurlaubt war und drei Monate in Paris verbringen konnte, wo er am Roman *Die große Unruhe* arbeitete[1].

Erzählende Prosa und Lyrik

Zollingers schriftstellerisches Schaffen, das sich über zwanzig Jahre von 1919 bis 1941 erstreckt, ist vielseitig und umfaßt erzählende Prosa, Lyrik sowie Publizistik. Es ist jedoch recht ungleichmäßig verteilt. Die produktivste Zeit sind Zollingers letzte Lebensjahre, d. h. Ende der dreißiger und Anfang der vierziger Jahre. Erzählende Prosa entstand während seiner gesamten Schaffensperiode, wohingegen er Lyrik ausschließlich während der dreißiger Jahre veröffentlichte. Sein journalistischer Einsatz hat seinen Schwerpunkt in der zweiten Hälfte der dreißiger Jahre.

Zollingers erstes Prosabuch war der Roman *Die Gärten des Königs* (1921), eine historische Erzählung aus dem Frankreich Ludwigs XIV. Darauf folgte eine Sammlung Märchen und Legenden mit dem Titel *Die verlorene Krone* (1922). Mit dem Roman *Der halbe Mensch* (1929) begab sich Zollinger in seine eigene Gegenwart. In diesem Werk schildert er die Entwicklung eines jungen Lehrers und werdenden Schriftstellers. Es dauerte zehn Jahre, bis der nächste Roman, *Die große Unruhe* (1939), publiziert wurde, der in einem modernen, internationalen Milieu, hauptsächlich Paris, spielt. Noch ein Künstlerroman wäre *Pfannenstiel. Die Geschichte eines Bildhauers* (1940). Eine direkte Fortsetzung ist Zollingers letzte große Arbeit, der Roman *Bohnenblust oder Die Erzieher*, dessen Handlung sich in den ersten Jahren des Zweiten Weltkrieges abspielt. Dieses Werk erschien postum. (1942) [2].

Etliche andere von Zollingers Werken sind ebenfalls postum veröffentlicht worden. *Der Fröschlacher Kuckuck. Leben und Taten einer Stadt in 20 Abenteuern* ist eine Erzählung im Märchenstil von Menschen und Ereignissen in der kleinen Stadt Fröschlach, einer Parallele zu Kellers Seldwyla. Das Buch erschien im Spätherbst 1941, kurz nach Zollingers Tod. Einige Monate vorher hatte Zollinger jedoch selbst die zwei ersten Abenteuer in der *Neuen Zürcher Zeitung* (am 31. 8.) publiziert. Die Erzählung *Das Gewitter*, die 1943 herausgegeben wurde, ist eine Liebesgeschichte, deren Hintergrund aus Zollingers eigenem Leben stammt. Sie wurde kurz vor seinem Tode vollendet [3]. Aus der Erzählung *Die Narrenspur*, in der Zollinger ein lokalhistorisches Motiv mit dem Barometerhersteller Baneter Balz als Hauptperson verwendet, sind bisher nur zwei kurze einleitende Abschnitte erschienen (in der Zeitschrift *Du*, 1945, H. 1).

Außer den obengenannten Werken hat Zollinger eine Reihe Novellen größeren und kleineren Umfangs geschrieben. Der Hauptteil davon ist in Zeitschriften und Tageszeitungen während der Jahre 1919—41 veröffentlicht worden. Darunter finden sich seine ersten literarischen Versuche: die Skizze „Die Gemäldegalerie" und die Novelle „Der Apfelzweig" [4]. Die vom künstlerischen Gesichtspunkt aus wichtigsten dieser Zeitschriftenbeiträge sind die Erzählungen „Herr Racine im Park" (1), „Labyrinth der Vergangenheit" (2) und „Die Russenpferde" (3)[5].

Als Lyriker trat Zollinger zum ersten Mal um 1920 mit einigen einzeln publizierten Gedichten hervor. Doch erst 1933 gab er seine erste Gedichtsammlung mit dem Titel *Gedichte* heraus. Darauf folgten *Sternfrühe. Neue Gedichte* (1936) und drei Jahre später sogar zwei Sammlungen, *Stille des Herbstes* und *Haus des Lebens* (1939).

Schließlich sei erwähnt, daß in den Jahren 1961—62 aus Anlaß der 20. Wiederkehr von Zollingers Todestag eine Neuausgabe seiner Schriften in vier Bänden unter dem gemeinsamen Titel *Gesammelte Werke* veranstaltet wurde.

Publizistik

Zollingers publizistische Tätigkeit umfaßt Rezensionen, Essays und Aufsätze, in denen politische und kulturpolitische Probleme von aktueller Bedeutung behandelt werden. Nach der Mitte der zwanziger Jahre trat er zum ersten Mal hervor, und seine Beiträge während dieses Jahrzehntes sind nicht sehr zahlreich. In den dreißiger Jahren wuchs Zollingers journalistisches Engagement und erreichte während der zweiten Hälfte des Jahrzehntes seinen Höhepunkt.

Zollinger ist in einer großen Anzahl von Publikationen als Mitarbeiter tätig gewesen. U. a. in: *Annalen, Atlantis, Das Flugblatt, Der Geistesarbeiter, Schweizerische Lehrerzeitung, Maß und Wert, Die Nation, Neue Schweizer Rundschau, Weltwoche, Die literarische Welt, Die Zeit, Die Zeitglocke* und den Tageszeitungen *Volksrecht* und *Neue Zürcher Zeitung.*

Von besonderer Bedeutung ist Zollingers Mitarbeit an den Zeitschriften *Das Flugblatt, Die Zeit* und *Die Nation.* Es handelt sich hier um radikale, unabhängige und gegen den Faschismus kritisch auftretende Publikationen. Seine wichtigste Leistung vollbrachte Zollinger als Redakteur für *Die Zeit* während deren zweiter Erscheinungsperiode (1936 —37). Laut Zollingers nahem Freunde Traugott Vogel hatten er und Zollinger davon geträumt, eine eigene Zeitschrift ins Leben zu rufen (*TV*). Als der Berner Verleger Feuz sich an Vogel wandte, und ihn bat, die Leitung der Zeitschrift *Die Zeit* zu übernehmen, hat Vogel stattdessen Zollinger vorgeschlagen. Vogel wurde jedoch ständiger Mitarbeiter — außer zu Beginn, als er noch mit seinem Roman *Leben im Grund* beschäftigt war. Im Mai 1936 übernahm Zollinger zusammen mit E. Rieder die Schriftleitung. Ab Juni 1937 hatte Zollinger allein die Stellung als

Redaktionschef inne. Er widmete sich voll und ganz der Zeitschrift, die nun schlagkräftig, aggressiv und zeitkritisch wurde. Sie wurde ein Forum für junge Lyrik und moderne Novellistik. Zollinger bildete die Zeitschrift zu einem Kampforgan um, in dem Kunst und Literatur, aktuelle kultur-politische sowie auch politische Fragen, wie Demokratie und Diktatur, behandelt wurden. Die Oktobernummer 1937 war die letzte. Finanzielle Schwierigkeiten zwangen den Verlag Feuz, das Erscheinen der Zeit-schrift einzustellen [6].

Im Jahre nach der Stillegung der *Zeit* fand Zollinger für kürzere Zeit ein neues Feld für seine journalistische Tätigkeit in der Wochen-zeitung *Die Nation*. Diese hatte ein bedeutend längeres Leben als die früher genannten Publikationen, beinahe 20 Jahre, von 1933 bis 1952. In dem Aufruf der ersten Nummer — am 1. September 1933 — wird betont, daß die Zeitung von politischen Parteien unabhängig sein sollte. Ihr Ziel war, für geistige Freiheit, Demokratie und nationale Unabhän-gigkeit zu kämpfen, mit betonter Feindschaft den Diktaturen gegenüber. Zollinger wurde im Jahre 1938 Redakteur der literarischen Abteilung der Zeitung, die von Nummer sechs dieses Jahrgangs an „Literarischer Beobachter" hieß [7].

Charakteristisch ist, daß Zollinger auch Kontakte mit der Zeitschrift *Maß und Wert. Zweimonatsschrift für freie deutsche Kultur* hatte. Er hat 1938—39 verschiedentlich darin mitgearbeitet. Diese Zeitschrift, die ab 1937 von Thomas Mann und Konrad Falke herausgegeben wurde, hatte ihre Spitze gegen das nationalsozialistische Deutschland gerichtet.

Die tägliche Zeitung, an der Zollinger am meisten mitarbeitete, war die *Neue Zürcher Zeitung*. Seine erste Veröffentlichung in der *NZZ* war 1924 eine Besprechung von Robert Walsers Roman *Geschwister Tanner* und seine letzte war am 19. Oktober 1941 — einige Wochen vor seinem Tod — ein vierzeiliges Gedicht, das zusammen mit Beiträgen einiger anderer schweizerischer Dichter unter der Sammelrubrik „Kriegs-Winterhilfe 1941" veröffentlicht wurde. Während der Zeit von August 1935 bis November 1938 finden wir keinen einzigen Beitrag von ihm. Die Erklärung dafür ist, daß Zollinger damals seine publizistische Kampfperiode in der *Zeit* und der *Nation* erlebte. Er übte während die-ser Jahre zeitweise scharfe Polemik gegen die *NZZ*. Nachdem Zollinger sein Engagement in der *Nation* aufgegeben hatte, wurde er indessen wieder in Gnaden aufgenommen und wirkte in seinen letzten Lebens-jahren rege in der Zeitung mit. Aber es ist charakteristisch, daß die *NZZ* nie dem Polemiker Zollinger Platz bereiten wollte. Keiner seiner Bei-träge hat eine tagesaktuelle Bedeutung [8—9].

Literarische Position

Zollinger ist außerhalb der Schweiz wenig bekannt. Ihm wurde dasselbe Schicksal zuteil, wie zwei anderen bedeutenden zeitgenössischen deutschschweizerischen Schriftstellern, nämlich Meinrad Inglin und Hans Albrecht Moser. Zu der Isolierung in Zollingers Fall hat in hohem Grad jene Einschränkung auf kulturellem Gebiet beigetragen, von der die Schweiz durch Hitlers Machtübernahme betroffen wurde.

Zollingers Produktion und schöpferische Intensität steigerte sich enorm in seinen letzten Lebensjahren, und dieses nur auf einige wenige Jahre konzentrierte Schaffen war wahrscheinlich eine mitwirkende Ursache dafür, daß ihm während seiner Lebenszeit bei dem schweizerischen Publikum ein durchschlagender Erfolg versagt blieb. Ihm fehlte das Echo, eine größere Aufmerksamkeit wurde ihm nicht zuteil, ebensowenig wie literarische Preise oder Auszeichnungen. Es fiel ihm schwer, einen Verleger zu finden, und als er endlich einen verständnisvollen — Martin Hürlimann im Atlantis Verlag — gefunden hatte, starb er unerwartet. Besonders als Publizist mußte er sich als in hohem Grad isoliert fühlen, was zum Teil in seiner scharfen Kritik an schweizerischen Verhältnissen und herkömmlichen politischen Auffassungen in der Schweiz seinen Grund hatte.

Daß dieses Echo in der Schweiz so schwach war, erscheint besonders eigentümlich bei einem Durchgang der Besprechungen in den zwei repräsentativen schweizerischen Zeitungen *Der Bund* und *Neue Zürcher Zeitung*, die Rezensionen über seine Werke von 1923—43 beziehungsweise 1921—43 brachten[10]. Es zeigt sich, daß Zollingers Arbeiten in diesen Besprechungen beträchtliches und überwiegend positives Aufsehen erregt haben. In dem *Bund* fehlen die Besprechungen von vier Arbeiten: vom Erstlingswerk *Die Gärten des Königs,* dem Roman *Der halbe Mensch* sowie den Gedichtsammlungen *Sternfrühe* und *Haus des Lebens.* Der Gedichtsammlung *Gedichte* wird keine größere Aufmerksamkeit geschenkt, während *Stille des Herbstes* eine umfangreiche und lobende Rezension erhält. Das Märchenbuch *Die verlorene Krone* wird kritisch aufgenommen, während die drei postumen *Der Fröschlacher Kuckuck, Bohnenblust* und *Das Gewitter* begeistert anerkennende Beurteilungen erhalten. A. H. S. sagt in seiner Besprechung über die letztgenannte Arbeit u. a. folgendes: „Schon heute erkennen wir in ihm nicht nur einen der feinsinnigsten Lyriker, sondern auch einen der eigenartigsten und bedeutendsten Prosaisten, den die Schweiz zwischen zwei Weltkriegen hervorgebracht hat." (25. 11. 1943).

Von größtem Interesse sind die umfassenden Beurteilungen der Romane *Die große Unruhe* und *Pfannenstiel.* Die Rezension des erstgenannten Buches unter der Signatur V. (19. 12. 1939) enthält sowohl Verständnis als auch scharfe Kritik. Der Rezensent spricht u. a. von „den epischen Übungen eines Lyrikers". Andererseits lobt er Zollingers impressionistische Gabe und findet an Zollingers Sprache einen Genuß. Die Rezension des Romans *Pfannenstiel* unter der Signatur E. K. (8. 12. 1940) ist überwiegend kritisch. Der Rezensent findet das Buch formlos und meint ferner, daß es in einer Atmosphäre von Ressentiment geschrieben und die Gesellschaftskritik in allzu hohem Grade von persönlicher Verbitterung geprägt sei.

Die Besprechungen in der *Neuen Zürcher Zeitung* erstrecken sich von 1921 bis 1943. Das einzige von Zollingers Werken, das nicht zur Beurteilung in der Zeitung aufgenommen wird, ist *Die verlorene Krone. Die Gärten des Königs* erhält eine zugleich kritische wie auch ermutigende Besprechung. Die postumen Schriften werden wie in dem *Bund* besonders positiv gewürdigt. Eduard Korrodi, gegen den Zollinger Mitte der dreißiger Jahre scharf polemisiert hatte, hat unter der Signatur E. K. vier von Zollingers Arbeiten rezensiert. Der Roman *Der halbe Mensch* erhält, wie auch die erste Gedichtsammlung, *Gedichte*, eine freundliche Aufnahme. *Stille des Herbstes* und speziell *Haus des Lebens* zollt Korrodi besonderes Lob in seinen Besprechungen. In seiner Rezension des letztgenannten Buches sagt er: „Spüren wir wirklich den neuen Flügelschlag nicht? Und das Morgengrauen und die Morgengabe eines Dichters in einer Zeit, wo das deutsche Gedicht selbst gehemmt ist und Rücksichten nehmen muß." (30. 11. 1939).

Die große Unruhe wurde unter der Signatur At. rezensiert. Die Besprechung ist ausnehmend entusiastisch, und es steht in ihr nichts Negatives; vor allem lobt At. die Sprache. Er schreibt:

„Es ist kein lyrischer Roman, aber der Roman eines Lyrikers. Es gibt keine landschaftlichen Stimmungen in diesem Buch, kein episches Dahingleiten einer einfachen, beruhigten Handlung, vielmehr stehen wir vor einem berückenden Mosaik von Visionen, die von der heißen Üppigkeit eines wirklich erlebten Impressionismus sind." (12. 12. 1939).

Pfannenstiel ist in der *NZZ* (22. 11. 1940) größerer Platz eingeräumt als irgend einem anderen Werk Zollingers in der Tagespresse überhaupt. Es ist insofern eine merkwürdige Rezension, als die Rezensenten zwei Personen sind: Max Frisch und die Signatur C. S. (Carl Seelig). Frisch findet an vielen Zügen des Romans starken Gefallen, betont aber gleichzeitig auch dessen Schwächen und Mängel. Er wendet sich gegen das allzu Persönliche des Buches, besonders aber gegen die Polemik und die Diskussionen. C. S. ist auch kritisch, aber doch überwiegend positiv und hebt in erster Linie die schönen Landschaftsschilderungen hervor. Von der Gesellschaftskritik sagt er: „In den überreichen Debatten versäumt der Verfasser keine Gelegenheit, um die helvetischen

Unzulänglichkeiten anzuprangern. Wieviel Verbitterung schlägt hier
Blüten!"

Man findet, daß die postum erschienenen Werke sehr wohlwollend
— was wohl auch in der Natur der Sache liegt — von den Rezensenten im
Bund und in der *NZZ* beurteilt worden sind, die sonst vor allem der
Lyrik ihr Lob gespendet haben. Außerhalb des Kreises des *Bundes* und
der *NZZ* war es gerade Zollingers Lyrik, die einstimmig positiv beurteilt wurde. Man kann hier auf Kritiker wie Albert Bettex und Emil
Staiger hinweisen[11]. Zollingers Prosawerke dagegen wurden im allgemeinen negativ aufgenommen: die kritischen Bemerkungen richten sich
z. B. gegen die Komposition, aber vor allem gegen die gesellschaftskritischen Abschnitte. Zu diesen Kritikern gehört beispielsweise Paul Häfliger mit seiner Dissertation *Der Dichter Albin Zollinger* (1954). Die Einwände gegen die Schwächen der Komposition sind an sich berechtigt;
dagegen möchten wir einen anderen Gesichtspunkt bezüglich der Gesellschaftskritik anführen. Die damaligen Rezensenten haben Zollingers
intensive Auseinandersetzung mit der Schweiz aus einer allzu engen Perspektive betrachtet. Nach drei Jahrzehnten ist man eher dazu geneigt,
die Bedeutung gerade dieser Gesellschaftskritik und ihrer Komponenten
zu betonen: die Intensität, das Engagement, die außenpolitische Stellungnahme, die in der Tat eine erneute Aktualität in den sechziger Jahren erhalten haben. Was hier gesagt wurde, trifft auch auf Zollingers
politische Publizistik zu, die in hohem Maße umstritten ist. Häfliger,
beispielsweise, ist sehr zurückhaltend in der Beurteilung der politischen
Seite von Zollingers Journalistik und bezeichnet sie sogar als dilettan-
tisch (a. a. O., 40). Die Vorsicht und Unlust bei der Beurteilung von
Zollingers kulturpolitischen und vor allem politischen Ausführungen
ist charakteristisch und wird von der Mehrzahl der Schweizer Kritiker,
die sich mit dem Werk Zollingers beschäftigt haben, geteilt. Dies ist
verständlich: Zollinger hatte — u. a. durch seine Kritik gegen die schweizerische Haltung im spanischen Bürgerkrieg — einige wunde Punkte
berührt. Aber es gibt Ausnahmen: der Dichterfreund Ludwig Hohl war
einer der wenigen Zeitgenossen, der die Bedeutung von Zollingers Tätigkeit als polemischer Journalist hervorhob. U. a. sagt er in einem Artikel aus dem Jahr 1942, daß diese tagesaktuellen Ausführungen Zollingers persönlichem Mut Ausdruck gäben. Ferner macht Hohl hier dem
Dichter Zollinger eine warmherzige Huldigung: „Ich bin niemals einem
schlichteren Menschen begegnet als Zollinger und — wenn mich nicht
alles täuscht — mit einer Ausnahme auch nie einem so großen Dichter[12]."

Eine Umwertung der Tätigkeit Zollingers als gesellschaftskritischer
Dichter und Publizist wäre an der Zeit. Die Entwicklung scheint sich in
rechter Richtung zu bewegen: Zollingers allgemeine literarische Position

und das Interesse für ihn haben sich in den sechziger Jahren sowohl im schweizerischen Bewußtsein als auch international verstärkt. Dazu haben die beiden Briefausgaben von Magdalena Vogel und Heinz Weder beigetragen. Weiter seien auf Beatrice Albrechts Dissertation *Die Lyrik Albin Zollingers* sowie auf die Bibliographie von Elly Wilbert-Collins, in der Zollinger Dürrenmatt und Frisch gleichgestellt wird, hingewiesen. Besonders der Zusammenhang zwischen Zollinger und Frisch ist wichtig. Durch Frischs Interesse für Zollinger ist der letztgenannte in den Blickpunkt innerhalb der Literatur über Frisch gekommen. Als Beispiel möchten wir hier eine amerikanische Arbeit, nämlich Ulrich Weissteins *Max Frisch* (1967) erwähnen, in der dem Autor Zollinger eine bedeutende Aufmerksamkeit gewidmet wird.

Lebensanschauung und politische Auffassung

In Zollingers Lebensanschauung gibt es etwas, das man ein wenig ungenau als Idealismus bezeichnen kann: Pathos, positives Engagement für gewisse Ideen mit Bezug auf kulturelle und politische Fragen. Diese Einstellung erwächst keinesfalls aus einer religiösen Anschauung. Die religiöse Problematik spielt in Zollingers schriftstellerischer Tätigkeit eine untergeordnete Rolle. Vogel behauptet, daß es Zollinger an einem „Organ für das Konfessionelle" gefehlt habe (*TV*) [13]. Wenn Zollinger bei verschiedenen Gelegenheiten für „Geistigkeit" plädiert, handelt es sich nicht um Religion, sondern um Kunst und Kultur, die in einen Gegensatz zu der materialistischen Gesinnung gestellt wird, von der er meint, ihr in der Schweiz begegnet zu sein. Bei ihm ist jene moralisierende Attitüde nirgendwo vorhanden, die man später in so hohem Grade bei Frisch und Dürrenmatt findet. Zollinger gibt jedoch einem starken pädagogischen Interesse Ausdruck: er will das schweizerische Volk zu Kunst und Politik erziehen.

Ein wesentlicher Teil der allgemeinen Gesellschaftsauffassung Zollingers ist der Pazifismus, dem man durch sein ganzes Werk wie keiner anderen Komponente folgen kann. In den dreißiger Jahren hat Zollinger jedoch allmählich mit seinem Bekenntnis zu einer militärischen Landesverteidigung vom Pazifismus abgelassen. Es war ihm klar, daß die Freiheit durch militärische Mittel verteidigt werden mußte: Zollinger wurde Patriot. In diesem Zusammenhang bejahte er auch jene Auffassung, die in der „geistigen Landesverteidigung" zum Ausdruck kam. Er nahm deutlich und bestimmt gegen die Diktaturen der Zeit Stellung: gegen Italien im Abessinienkrieg, für die republikanische Seite im spanischen Bürgerkrieg, gegen Hitlers Deutschland.

Zollingers Einstellung zur Schweiz ist ambivalent: er ist zwar Patriot geworden, bleibt aber gleichzeitig stark kritisch. Er wendet sich gegen die undemokratischen Erscheinungen in der Schweiz, gegen die Stellungnahme des Bürgertums zugunsten Francos im spanischen Bürgerkrieg, gegen das Nützlichkeitsdenken der Schweizer und gegen den schweizerischen Kapitalismus in seinen verschiedenen Formen. Andere Züge sind sein soziales Engagement und Pathos, die bereits in seinem Erstlingswerk *Gärten des Königs* zum Ausdruck kommen, in dem man sowohl deutliche Egalisierungsbestrebungen als auch Sympathien für die Armen und Armseligsten vorfindet. Diese Ideen werden später in seiner Publizistik und Dichtung der dreißiger Jahre wieder sichtbar.

Zollingers politische Auffassung in der zweiten Hälfte der dreißiger Jahre könnte kurz folgendermaßen charakterisiert werden: er ist dem Bürgertum gegenüber stark kritisch, gibt einer selbständigen, radikalen Haltung Ausdruck, nahezu linksbetont, aber parteipolitisch ungebunden. Die Frage, die man sich stellen kann, ist, ob diese Haltung mit Sozialismus identisch ist. Gewisse seiner Ansichten könnten in dieser Richtung gedeutet werden: seine scharfe Kritik am Kapitalismus, seine Sympathien für die Republikaner in Spanien, sein soziales Engagement. Selber hat Zollinger nur bei einer Gelegenheit öffentlich eine deutliche Erklärung abgegeben, und zwar zum Marxismus: im Artikel „Die beiden Spanien" (1937) betont er, daß er keiner politischen Partei angehöre und vom Marxismus Abstand nehme. Er möchte kurzum Demokrat und Schweizer sein. Auch wenn er den Marxismus ablehnte, so war er doch zweifellos von sozialistischen Ideen beeinflußt. Wir möchten seine Anschauung, wie sie in seinen Schriften zum Ausdruck kommt, als gemäßigten und undoktrinären Sozialismus bezeichnen, der mit starkem Freiheitspathos und einer antibürokratischen Einstellung verbunden ist [14].

Der Künstler und die Gesellschaft

Zollinger als zeitkritisch engagierter Schriftsteller

In Zollingers Publizistik und Dichtung aus den zwanziger Jahren trifft man auf kein gesellschaftliches Engagement, mit Ausnahme von seinem ersten Werk, dem historischen Roman *Die Gärten des Königs,* in dem ein intensives soziales Engagement oder noch eher eine Indignation vorhanden ist. Offenbar handelt es sich um Spiegelungen der revolutionären Stimmungen nach dem Ersten Weltkrieg, die auch in der bürgerlichen Schweiz Spuren hinterlassen hatten. Aber danach verzichtet Zollinger für lange Zeit in seinem Werk auf jede Gesellschaftskritik. Eine Veränderung erfolgte erst nach 1933 mit dem Durchbruch des Nationalsozialismus in Deutschland. Es waren also außenpolitische Verhältnisse, die Deutschlandfrage, die Zollinger zum Zeitdichter machten.

Zollingers erste zeitengagierte Dichtung war 1934 das Stück *Opera buffa,* das er für das Zürcher Cabaret „Cornichon" schrieb. Aus unbekanntem Anlaß wurde es nie aufgeführt und erst 1960 in der Zeitschrift *Hortulus* (H. 6) veröffentlicht. Traugott Vogel, der das Manuskript besitzt, hatte es damals der Zeitschrift zum Erstdruck überlassen. Es handelt sich um lyrische Partien, die als Gesang vorgesehen waren, mit eingeschobenen Prosapartien, u. a. auf Zürcher Mundart. Hier existiert keinerlei Tarnung, sondern der Inhalt bezieht sich direkt auf das aktuelle Zeitgeschehen. In Genf tagte seinerzeit gerade die Abrüstungskonferenz. Aus dem Stück spricht tiefe Skepsis gegenüber den Resultaten, die dort hätten erreicht werden sollen. Hitler wird erwähnt, und das nationalsozialistische Deutschland kritisiert.

Das Stück *Opera buffa* hat offenbar Brechts Dramatik als Vorbild. In einigen Fällen gibt es direkt nachweisbare Berührungspunkte, was zeigt, daß Zollinger um diese Zeit wahrscheinlich ein ernstes Interesse für Brecht gehegt hat. Weitere Versuche in diesem Genre machte Zollinger jedoch nicht: offenbar fiel es ihm schwer, hier einen eigenen Stil zu finden. In H. R. Hiltys kurzem Kommentar wird — was uns ganz richtig zu sein scheint — erwähnt, daß es in *Opera buffa* einen Tonfall gibt, den man später in gewisser Hinsicht bei Frisch und Dürrenmatt wiederfindet.

Als Zeitdichter trat Zollinger zum ersten Mal mit dem Gedicht „Granatenplantage" an die Öffentlichkeit, das in der sozialdemokratischen Tageszeitung *Volksrecht* am 10. 8. 1935 publiziert wurde und eine scharfe Reaktion auf den italienischen Angriff auf Abessinien ist. Doch sind zeitkritische Züge in Zollingers späterer Lyrik selten. Besonders möchten wir das „Lied von Morgarten" erwähnen, das am 23. 3. 1938 in der *National-Zeitung* anläßlich der deutschen Besetzung Österreichs veröffentlicht wurde. Auch in diesem Gedicht wendet sich der Autor gegen die Diktaturen, aber eine sehr wichtige Veränderung ist eingetreten: der Pazifismus dominiert nicht mehr wie in *Opera buffa* und „Granatenplantage" sondern der Wille, mit Waffen die Freiheit zu verteidigen.

Es gelang Zollinger weder in der dramatischen Gattung noch in der Lyrik eine geeignete dichterische Form für seine Zeitkritik zu finden: es blieb bei Ansätzen und Versuchen. Stattdessen verhalf ihm seine Publizistik zur Teilnahme an der damaligen Zeitdebatte, was zum ersten Mal mit dem Aufruf „Schweizerisches Schrifttum" (*Schweizerische Lehrerzeitung*, 1935, Nr. 40) geschah, der an seine Lehrerkollegen gerichtet war und darauf ausging, den schweizerischen Schriftstellern finanzielle Hilfe zu geben, da deren wirtschaftliche Situation durch die Entwicklung in Deutschland verschlechtert worden war. Bei seinem Aufruf handelt es sich nicht um Polemik, sondern um eine Hilfsaktion — aber mit Anknüpfungen an die Zeitlage. Mit der Übernahme der Redaktionsleitung der *Zeit* 1936 trat Zollinger ernstlich als gesellschaftskritischer Publizist hervor. Nach diesem Anfang übte er diese Tätigkeit während der nächsten Jahre mit großer Intensität aus, zuerst in der *Zeit*, dann in anderen Zeitschriften und Zeitungen.

Es ist offenbar, daß Zollinger gewisse Hemmungen verspürte und nur mit Unlust und großem Zögern sich in der Zeitdebatte engagierte. Sein Bedenken deklariert er im Artikel „Die beiden Spanien" (*Die Zeit*, 1937, H. 5), worin es u. a. heißt: „Jeder von uns ist heute im höchsten Grade verantwortlich; das ist es, weshalb wir, gegen die eigene Bequemlichkeit, unsere Haut auf Märkte tragen, die wir vordem nicht besuchten." Fast dieselbe Formulierung steht im Roman *Pfannenstiel* (213).

Sicherlich hat Traugott Vogel, direkt und indirekt, eine Rolle gespielt für Zollingers Entschluß, in die Zeitdebatte einzugreifen. Vogel war es ja auch, der Zollinger half, eine öffentliche Plattform als Zeitschriftsredakteur zu finden. Auch Vogels Roman *Der blinde Seher* (1930) kann einen Einfluß gehabt haben. Wie aus Zollingers Briefwechsel mit Vogel hervorgeht — den wir näher im Abschnitt „Pazifismus und Patriotismus" behandeln werden — hat der betreffende Roman Zollinger tief beeindruckt. *Der blinde Seher* enthält scharfe Kritik an den schweizerischen Verhältnissen und dem Faschismus. Vogel ist der Meinung, daß dieser Roman in Zollinger den Mut bestärkt habe, öffentlich in der Debatte als Zeitkritiker aufzutreten (*TV*).

Vogel brachte Zollinger in Kontakt mit seinem eigenen Freundeskreis, zu dem Dichter und Kritiker wie R. J. Humm, Max Pulver, Walter Muschg und Hermann Weilenmann gehörten. Hier herrschten allgemein

radikale und antifaschistische Ansichten, und man war gegen den kleinbürgerlichen Geist und die „Krämer". Vogel erzählt, daß man im Kreis
um Max Rychner, Walther Meier und Carl Helbling (es sind hier zwei
verschiedene Kreise zu unterscheiden, die sich nur in einzelnen Personen
berührten) jedes neue Heft von Karl Kraus' Zeitschrift Die Fackel las
und intensiv diskutierte. Zollinger studierte Die Fackel ebenfalls ab und
zu, wenn er sie auch selbst nicht abonnierte.

Humm gibt in seinem Erinnerungsbuch Bei uns im Rabenhaus (1963)
einige persönliche Eindrücke von Zollinger wieder, der mehr als ein Jahr
(1936—37) bei ihm Untermieter war. Humm sagt von sich selbst, daß
er in den dreißiger Jahren ein engagierter Schriftsteller mit ausgeprägt
antifaschistischer und antinazistischer Einstellung wurde. Er nahm sich
vieler der Emigranten aus Deutschland an, die nach 1933 in die Schweiz
einströmten. In seinem Heim im „Haus zum Raben" in Zürich versammelten sich Regisseure, Schauspieler und Schriftsteller. Bei Humm hatte
Zollinger Gelegenheit, das Flüchtlingsproblem und die Deutschlandfrage aus der Nähe kennenzulernen.

In den beiden Kreisen um Vogel und im „Hause zum Raben" sowie
in der Gruppe um M. Rychner wurden also Ideen und Ansichten gepflegt, denen man später in Zollingers Zeitkritik begegnete. Auch wenn
man den Grad der Beeinflussung Zollingers durch diese Kontakte nicht
messen kann, so haben sie auf jeden Fall dazu beigetragen, seine eigene
politische Auffassung zur Reife zu bringen. In diesen intellektuellen
Milieus konnte Zollinger Anregung und Rückhalt für seine Ansichten
finden.

Vorläufig hatte Zollinger also eine geeignete Ausdrucksform in der
Publizistik gefunden. Es dauerte noch einige Jahre, bis er — nach den
erwähnten nicht allzu gelungenen Versuchen mit Dramatik und Lyrik —
sein Engagement in die Dichtung umsetzen konnte: er wählte hierfür
die erzählende Prosa. Im Jahre 1939 trat Zollinger somit schließlich als
zeitkritischer Dichter mit dem Roman Die große Unruhe auf, worin sich
die damalige europäische Krise spiegelt: so werden u. a. die Machtübernahme 1933 und der Reichstagsbrand kurz geschildert, auch die Flücht-
lingsprobleme und die Unruhe in Frankreich werden berührt. Es handelt
sich hierbei jedoch immer noch um einen Hintergrund: diese Ereignisse
spielen noch keine zentrale Rolle; erst mit dem Roman Pfannenstiel
(1940) rückt das Zeitgeschehen ins Zentrum.

Als Zollinger sich für die Prosaerzählung als Medium entschloß, mag
Vogels Der blinde Seher eine Rolle gespielt haben, aber es gab eine noch
näherliegende Arbeit, aus der er Inspiration geholt haben kann:
nämlich Meinrad Inglins 1938 erschienenen Roman Schweizerspiegel,
dem Zollinger in der Februarnummer der Neuen Schweizer Rundschau

1939 eine umfassende und sehr positive Besprechung widmete. Man kann gewisse Parallelen zwischen Inglins Buch und dem Roman *Pfannenstiel* finden, die wir später näher beleuchten werden. Es bestehen auch wesentliche Unterschiede, nicht zuletzt darin, daß Zollinger keinen historischen Rahmen verwendet. In gewisser Weise stehen die Ereignisse im Roman, der März-April 1940 geschrieben wurde, dem Zeitgeschehen sehr nahe. Dies gilt in erster Linie für den Kriegsausbruch 1939. Mit diesem Werk schuf Zollinger einen eigenen und modernen „Schweizerspiegel".

Mit dem Roman *Bohnenblust* (1942) wird diese Zeitkritik weitergeführt: es handelt sich hier um das Verhältnis zu Hitlers Deutschland und andere inner-schweizerische Probleme. Gegen Ende des Buches tritt jedoch eine Milderung der Kritik ein, und gewisse idyllische Züge erscheinen. Auf interessante Weise zeigt dies die Wandlung in Zollingers Prosadichtung ganz gegen Ende seiner literarischen Laufbahn: er wendet sich von Zeitkritik und Gegenwart ab, und das Idyllische tritt in den Vordergrund.

In seinem letzten Lebensjahr verzichtet Zollinger ganz auf die Publizistik und in Bezug auf seine Prosadichtung kann man von einer Flucht in die Idylle sprechen. Es handelt sich also um eine überraschende und tief eingreifende Veränderung. Wir können zwei Wendepunkte in seiner Entwicklung feststellen: 1933 mit Hitlers Machtübernahme bezeichnet den Anfang, das Kriegsjahr 1941 das Ende von Zollingers intensivem, zeitkritischem Engagement.

Die schweizerische Situation

Die Frage der Stellung des Künstlers in der Schweiz spielt eine sehr wichtige Rolle in Zollingers Publizistik aus den dreißiger Jahren. In der Tat ist diese Frage der Einfallswinkel für seine schweizerische Gesellschaftskritik: er kann hier von seinen unmittelbaren Erfahrungen ausgehen und greift von diesem Punkt aus verschiedene gesellschaftliche Probleme auf. Aber den Ausgangspunkt seiner Erörterungen überhaupt bildet die außenpolitische Situation. Wegen Hitlers Kulturpolitik wurde der deutsche Markt allmählich für die Schweizer geschlossen. Im Jahre 1935 war die Lage so ernst, daß der Schweizer Schriftstellerverein beschloß, sich mit der Bitte um Hilfe an die Öffentlichkeit zu wenden. Zollinger schrieb in der *Schweizerischen Lehrerzeitung* jenen Aufruf, den er „Schweizerisches Schrifttum" betitelt hat. U. a. betont er darin, daß schweizerische Bücher und Zeitungen in Deutschland fast völlig unverkäuflich seien. Dem Aufruf war ein Rundschreiben des Schriftstellervereins beigefügt, u. a. von dessen Präsident, Felix Moeschlin, unterzeichnet, in dem es heißt:

„Die Wirtschaftskrise und vor allem die politischen Umwälzungen in den Nachbarstaaten bewirken heute einen solchen Grad der Notlage unserer Schriftsteller, daß uns nichts anderes übrigbleibt, als die Hilfe der Öffentlichkeit anzurufen.
Der ausländische Markt verschließt sich unserem Buche immer mehr; schweizerische Arbeiten werden in den ausländischen Zeitungen nur noch ausnahmsweise aufgenommen. Der schweizerische Schriftsteller ist heute in einem Maße auf sein Land angewiesen wie seit vielen Generationen nicht mehr." („Der pädagogische Beobachter im Kanton Zürich", Beilage zur *Schweizerischen Lehrerzeitung*, 1935, Nr. 40).

Es muß hinzugefügt werden, daß die Schweizer Bundesregierung zu diesem Zeitpunkt, wie auch Zollinger mitteilt, ihre Subventionen an den Schriftstellerverein, um ein Fünftel vermindert hatte.

Im folgenden Jahr nahm Zollinger im Artikel „Vorsatz" in der *Zeit* (1936, Nr. 1) das Problem des eingekreisten Marktes wieder auf [1]. Dieser Beitrag ist übrigens an sich ein Konzentrat der Ansichten, die Zollinger später in verschiedenen Aufsätzen vortrug. Er schrieb u. a.:

„Eine wunderliche Neigung dazu, alle künstlerische oder literarische Tätigkeit als persönlichen Ehrgeiz zu übergehen, ist in dem praktisch nüchternen, spöttisch diesseitigen Menschenschlag der Eidgenossen allzu verbreitet. Wie alles, ist auch der Bezirk der Dichtung von der Privatwirtschaft mit Beschlag belegt, in redlicher Absicht sogar, da der Staat sich um Belange der Käsewirtschaft ungleich mehr als um solche der Literatur bekümmert. Wer zahlt, befiehlt: welche Ungeheuerlichkeit, daß das unterm Strich verwaltete allgemeinste Gemeingut der Menschheit, eben die Dichtung, von den Gnaden einer Finanzpartei zu leben hat!" (*Die Zeit*, 1936, Nr. 1).

Zollinger meint, daß der Schweizer Schriftsteller durchschnittlich unter schweren finanziellen Bedingungen lebt. Man kann sogar von einer Notlage reden, was mit einigen authentischen Beispielen von Zollinger beleuchtet wird. Im obenerwähnten Aufruf „Schweizerisches Schrifttum" (1935) nennt Zollinger einige Schriftsteller mit Namen, die mit großen finanziellen Schwierigkeiten zu kämpfen haben. Er erwähnt zudem ein Beispiel aus seiner eigenen Erfahrung: seine Schwierigkeiten bei der Herausgabe der *Gedichte 1933*: Zollinger mußte selber Druck, Papier und Einbinden bezahlen. Auch in „Möglichkeiten des Schriftstellervereins" (1938) nennt Zollinger einen zeitgenössischen, begabten schweizerischen Schriftsteller, der in Misere lebt. Er fährt fort: „Ich rede von keinen Abstrakta, ich rede davon, daß schöpferisch begabte Menschen ein Dasein in Kümmerlichkeit unter uns leben. Die Nation sollte sich solche Verschwendung nicht leisten." (*Der Geistesarbeiter*, 1938, Nr. 6).

Charakteristisch ist der Titel eines Beitrages in der *Nation*: „Die Notlage des schweizerischen Schriftstellers" (1938). Zollinger kritisiert die Verhältnisse in der Buchhändler- und Verlegerwelt. Eine der Ursachen der Mißverhältnisse ist, daß es allzu viele Verlage in der kleinen Schweiz gibt. Lyrikbände müssen die Verfasser selber bezahlen. Sogar für Romane fordert der Verlag eine gewisse finanzielle Sicherheit vom Verfasser. Von dem schweizerischen kulturell Tätigen verlangt man, daß er womöglich gratis arbeitet. „Der Künstler hat in weltlichen Dingen dumm zu sein, so will es die Legende. Und er ist es; immer wieder arbeitet er um der Sache willen kostenlos oder um Hungerlohn." (*Die Nation*, 1938, Nr. 8). Gleichartige Gedankengänge kommen in „A propos Landesausstellung" (1938) und „Weshalb Lyrik" (1939) zum Ausdruck.

Hart ist die Kritik, die Zollinger gegen die rücksichtslose Art und Weise richtet, mit der die Tagespresse die Schriftsteller behandelt. Eingesandte Manuskripte liegen durchschnittlich zwei Jahre ohne Empfangsbestätigung oder Ablehnung. Was die Lyrik betrifft, ist die Situation noch schlimmer. Im Artikel „Mitarbeit an Zeitungen und Zeitschriften" (1935) sagt Zollinger:

> „Im Schreiben erlahmt mir die Hand beim Gedanken an die Plackerei nachher, die Bettelei von Redaktion zu Redaktion. [. . .] Wir haben gelitten an eurer Gnädigkeit. Wir haben uns auf euren Staubstuben niederdrücken lassen von eurer Ironie. Wir haben deshalb nicht aufgehört, unsere Verse zu machen; wir wissen, ihre Zeilenlänge paßt nicht in eure Spalten, und wir verbrauchen kein Porto mehr an sie." (*Der Geistesarbeiter*, 1935, Nr. 5) [2]

In drei Artikeln, „Dichter und Publikum" (1938), „Schriftsteller und Presse" (1939) und „Das schweizerische Feuilleton" (1938) untersucht Zollinger das Verhältnis zwischen Zeitungspresse und Leserkreis. Er behauptet, daß die Presse in allzu hohem Grade dem breiten Publikumsgeschmack entgegenkomme. Ihre erste Aufgabe sei, als geistig erziehende Macht zu wirken. Weiterhin kritisiert er den Mangel an Kühnheit und Frische im Feuilleton: man meidet die Debatte der wichtigsten Probleme, man spricht „in Watte".

In mehreren Artikeln gibt Zollinger seinem Mißtrauen gegen die „privatkapitalistischen Interessen" innerhalb des Buchhandels und der Verlagswelt Ausdruck. Er meint ferner, daß nicht nur die Zeitungspresse, sondern auch das Kulturleben im ganzen in einer verhängnisvollen Abhängigkeit von ökonomisch-kapitalistischen Interessen stehe [3].

In ganz nahem Zusammenhang mit der ökonomischen Einstellung des Schweizers stehe die materialistische Mentalität. Im Artikel „Geistige Landesverteidigung" wendet Zollinger sich gegen den grassierenden Materialismus, das „spezifisch eidgenössische Übel" und in „Weshalb Lyrik?" erklärt er: „Der Schweizer bedarf der Dichtung als des Gegenprinzips seiner Schwere und Erdgebundenheit. Seine Gefahr ist, das Greifbare zu überschätzen." (*Der Geistesarbeiter*, 1939, Nr. 5).

Zollinger meint, daß der Schriftsteller in der Schweiz geringes Ansehen und geringen Einfluß habe. Nicht einmal in Kulturfragen werde er ernst genommen. Im Artikel „Noch einmal Ramuz" (1938) in der *Nation* stimmt Zollinger dem zu, was Ramuz über den unbedeutenden politischen Einfluß des Schriftstellers in der Schweiz sagt. Aber, fährt er fort:

> „Wir wollen nicht einmal vom politischen Leben reden; hat ein Schriftsteller bei uns auch ‚nur' in kulturellen Dingen ein Wort mitzureden? Ja, solange er sich's nicht einfallen läßt, die Vollkommenheit des Bestehenden zu bemäkeln!" (*Die Nation*, 1938, Nr. 6).[4]

Zusammenfassend konstatieren wir, daß die oben behandelte Publizistik Zollingers von scharfer Kritik an verschiedenen Verhältnissen geprägt ist, die hemmend auf die Lage der Kunst und des Künstlers in der Schweiz einwirken. Er kritisiert den Buchhandel, die Verleger und besonders die Tagespresse. Er streift auch den Geschmack des Publikums. Weiterhin wendet er sich gegen die privatkapitalistischen Interessen und die schweizerische Mentalität.

Was Zollinger über schweizerische Mentalität zu sagen hat, ist an sich nicht originell; dagegen ist seine stark antikapitalistische Gesinnung auffallend und die Bedeutung, die sie für seine Auffassung der Lage der Schweizer Schriftsteller hat. Es ist ein finsteres Bild, das Zollinger von der schweizerischen Situation auf künstlerischem Gebiet gibt. Zweifelsohne waren die Probleme zu dieser Zeit besonders schwierig, aber es ist ebenso klar, daß Zollingers Beschreibung in hohem Grade subjektiv ist, geprägt von negativen Erfahrungen und persönlicher Ranküne. Vielleicht hat seine Kritik sogar bei manchem Leser gerade das Gegenteil von dem bewirkt, was er beabsichtigte. Es mangelt Zollinger an kritischer Distanz zu sich selbst und an Fähigkeit die Lage realistisch zu beurteilen. Seine Angriffe auf Zeitungspresse und Verlage sind übertrieben. Er hatte darauf gehofft, durch seine Zeitschrift *Die Zeit* eine Rolle spielen zu können und eine Debatte zu eröffnen, was ihm jedoch nicht gelungen ist.

Es gibt in Zollingers Kritik positive und ideelle Züge. Er machte in den erwähnten Artikeln mehrere Vorschläge, wie z. B. Veränderung des Verlags- und Buchhandelssystems, staatliches Gehalt an verdiente Künstler usw.[5]. Diese Pläne haben doch mehr mit Utopien als mit wirklichkeitsnahen Überlegungen zu tun. Zollinger hatte ein Bedürfnis zu helfen: sein soziales Pathos machte sich ganz natürlich hier direkt geltend. Trotz großer Schwierigkeiten, selber einen Verleger zu finden, arbeitete er selbstlos, um Schriftstellerkollegen zu helfen. Ein anschauliches Beispiel dafür findet man in der Sammlung *Briefe von Albin Zollinger an Ludwig Hohl*: Zollinger machte sich viel Mühe, um Hohls

Werk *Nuancen und Details* sowie eine Auswahl seiner Erzählungen bei verschiedenen Redaktionen und Verlegern unterzubringen.

Die oben erwähnten Ansichten in Zollingers Publizistik während der Jahre 1935—39 spiegeln sich in seinen späteren Romanen, vor allem *Pfannenstiel* wider. Die künstlerische Laufbahn Stapfers, eine der Hauptpersonen in diesem Roman, ist dornig. Von Zeit zu Zeit leidet er bittere Not. Er kritisiert die schweizerische Auffassung von Kunst: „Der Kunst an sich mißtrauen die Schweizer, sie nehmen sie nur in ihrer Anwendung, in einer Verbindung mit dem Nützlichen." (78). Einen Gesinnungsgenossen findet Stapfer im Schullehrer und Dichter Byland. Gemeinsam geißeln sie die schweizerische Ungeistigkeit, den Materialismus und Krämergeist. Sie bilden einen Klub von Künstlern, den sie „Pfannenstiel" nennen, und entschließen sich, eine Kulturzeitschrift mit demselben Namen herauszubringen. In dieser Zeitschrift, in der man ohne Schwierigkeit Zollingers *Die Zeit* erkennt, wird Byland die treibende Kraft[6]. Ein Programm wird aufgestellt, dessen Ziel nicht zum mindesten erzieherisch sein soll: das schweizerische Volk braucht Unterricht über die Funktion und die Notwendigkeit der Kunst. Die Zeitschrift hat jedoch keinen Erfolg. „Das Stillschweigen war wie Granit, war wie Gas." (*Pf*, 164).

Die Spannung zwischen dem Künstler und der bürgerlichen Umwelt

In Zollingers Publizistik aus der zweiten Hälfte der dreißiger Jahre ist — wie wir im vorigen Abschnitt gesehen haben — die Spannung zwischen dem Künstler und der bürgerlichen Umwelt sehr markant. Dieses Spannungsverhältnis spielt auch eine wichtige Rolle nicht nur in *Pfannenstiel* sondern auch in seiner ganzen erzählerischen Dichtung und kommt schon in seinen Frühwerken deutlich zum Ausdruck. René Bonval im Roman *Die Gärten des Königs* (1921) ist zwar kein ausübender Künstler, könnte aber doch als künstlerischer Mensch bezeichnet werden. Er findet sich im Leben nicht zurecht: die Disharmonie steigert sich bei ihm immer mehr, wobei politische und gesellschaftliche Spannungen eine entscheidende Rolle spielen. Das Ende ist eine Katastrophe.

Im „Kunstreichen Maler", einem der Märchen in der Sammlung *Die verlorene Krone* (1922), stellt Zollinger die Hauptperson in diametral entgegengesetzte Situationen. Der Maler lebt zuerst in einem harmonischen Verhältnis zu seiner Umwelt und wird leidlich geschätzt, kommt später jedoch in Schwierigkeiten und leidet Not und Hunger. Er wird vergessen und niemand kümmert sich um ihn: „Die Menschen wußten nicht, daß er auch des Brotes bedurfte, davon zu leben; sie meinten, seine Kunst wäre geschickt genug, daß er nicht stürbe." (*Die verlorene Krone*, 50). Der Kunstmaler kann aber in dieser Situation nicht standhalten. Später kann er sich ein Vermögen schaffen, bekommt ein großes Haus und auch Frau und Kinder. Aber mit diesem äußeren Erfolg verschwindet die schöpferische Fähigkeit. Schließlich bricht er von allem auf: er flieht in die Einsamkeit des Waldes, wo er seine produktive Fähigkeit wiederfindet und — vermutlich — damit auch die innere Harmonie. Gemäß dieser kleinen Geschichte sind also für den Künstler keine harmonischen Beziehungen zur Umwelt möglich: er kann sich selbst und seine Kunst erst durch einen Ausbruch aus der bürgerlichen Gesellschaft verwirklichen.

Die beiden obengenannten Beispiele entstammen den Erstlingswerken. Später festigte sich die bürgerliche Position des Dichters Zollinger: er hatte nun eine feste Stelle als Lehrer bekommen und eine — zumindest anfänglich — harmonische Ehe geschlossen. Vor diesem Hintergrunde ist seine Novelle „Herr Racine im Park" (1928) zu betrachten. Racine, der seine dichterische Tätigkeit aufgegeben hat und ein glückliches Familienleben genießt, findet während eines Spaziergangs im Park von Versailles die Inspiration wieder. Er erlebt die Freude des Schaffens und kehrt zum Dichten zurück — ohne die Verantwortung für seine Familie aufzugeben. So schließt diese Novelle in allseitiger Harmonie.

Mit dem Roman *Der halbe Mensch* (1929) stellt sich Zollinger seiner zeitgenössischen schweizerischen Wirklichkeit. Der Künstler tritt damit als Hauptperson im Schaffen Zollingers auf. Es handelt sich um den Kampf eines jungen Lehrers und werdenden Dichters mit seinem belletristischen Stoff wie auch mit einer verständnislosen Umgebung. Es herrscht eine starke Spannung zwischen der Welt des Dichters und den Forderungen der ihn umgebenden Bürgerlichkeit. Wendel, der Held des Romans, bekennt sich zu anderen Normen als seine Umgebung. Als er in ein gespanntes Verhältnis zur Umwelt gerät, hängt das mit seiner Unfähigkeit, über sich hinaus zu blicken, zusammen. Er ist in seinen eigenen Problemen, in seinem künstlerischen Kampf, eingeschlossen, während er versucht, sich zu orientieren und Befreiung zu erreichen. Die Harmonie aus der Racine-Novelle ist gebrochen, und die Spannungsverhältnisse und Disharmonien sind also wieder aktualisiert.

Mit dem Werk *Die große Unruhe* (1939), einem typischen Künstlerroman, versucht Zollinger aufs neue die Spannungen zu überbrücken. Von den Typen, die in der internationalen Boheme in Paris geschildert werden, müssen in erster Linie zwei Gestalten berücksichtigt werden: der Schweizer Urban Tscharner und der Franzose Aristide. Tscharner, der aus seiner Heimatstadt geflohen ist, hat seine Frau und seinen bürgerlichen Beruf als Architekt im Stich gelassen und damit seine bisherige feste Lebensordnung gegen ein freies Künstlerdasein eingetauscht. Wendel, eine Person mit beschränktem Ausblick auf die Welt, kontrastiert mit Tscharner, der frei ist und einen weiteren Gesichtskreis hat. Zuletzt versöhnt sich Tscharner mit der Vergangenheit und kehrt zu seiner Ehe und seinem ursprünglichen Beruf zurück. Er bekennt sich zur Ordnung:

„Der Mensch ist zur moralischen Freiheit entweder zu groß oder zu klein. Der erste bindet sich freiwillig — das ist seine Freiheit — in Erkenntnis der Gesetze; die Mehrheit der andern gehorche dem Dogma. Wie der Leib sein Gerippe, braucht unser Seelisches den Halt einer Ordnung. [...] Die Gebärde des Faustischen ist nur genialisch, die Einordnung aber Genialität." (314).

Die Einordnung bekommt bei Tscharner eine fast idealistische Note. Anders verhält es sich mit Aristide, in dessen Fall der Autor keine positive Lösung bieten kann. Gerade wie bei René und Byland kommt das Ende unvermittelt und hart. Aristides Aufbruch aus seiner sehr wohlhabenden Umgebung und sein Umzug in ein armes Pariser Arbeiterquartier ist weit mühseliger als Tscharners. Aristide hat Schwierigkeiten, sich durchzubringen und muß, hungernd auf einer Bank, seine ersten Versuche als Dichter machen (226). Ein allzu jäher Tod setzt jedoch bald seinen Künstlerintentionen ein Ende.

In den Romanen *Pfannenstiel* (1940) und *Bohnenblust* (1942) spielt die Spannung mit der Umwelt die entscheidende Rolle. Die Gegensätze werden noch gesteigert durch das Hinzukommen eines neuen wichtigen Elementes: das der politischen Problematik. Durch ihre politische Kritik sind die beiden Hauptfiguren, Stapfer und Byland, mit der schweizerischen Gesellschaft in eine Konfliktsituation geraten. Gleichzeitig sind jedoch starke Tendenzen zu einem Ausgleich vorhanden, durch die äußere Zeitsituation bedingt, d. h. den Ausbruch des Zweiten Weltkrieges. Bei Stapfer im Roman *Pfannenstiel* handelt es sich wie bei Tscharner in der *Großen Unruhe* um Aufbruch und Heimkehr in die Heimat. Auch bei Stapfer beobachtet man eine Entwicklung auf eine zunehmende Harmonie mit der Umwelt hin. Er zieht aufs Land, baut ein Haus und gründet eine Familie. Für Byland ist der Weg schwieriger: er muß eine innere Krise durchmachen. Der politische Kampf ist für ihn zu hart gewesen: er erleidet — gerade wie René im frühen Werk *Die Gärten des Königs* — einen Nervenzusammenbruch und muß einige Zeit lang Pflege in einer Nervenheilanstalt suchen.

Im Roman *Bohnenblust*, der eine Fortsetzung von *Pfannenstiel* ist, rückt Stapfer in den Hintergrund im Verhältnis zu Byland und dem Schullehrer Bohnenblust. Stapfer hat nunmehr einzig die Möglichkeit, zwischen den langen Zeiten des Aktivdienstes seine Kunst auszuüben. Dieses sein Los scheint ihn aber wenig zu bekümmern: er akzeptiert es und fühlt sich wohl im Militärleben. Er ist ein guter Staatsbürger geworden; er lebt glücklich in seiner Ehe und in einem guten Verhältnis zu seinen Mitmenschen. Während einer von Militärdienst freien Zwischenperiode, muß er als Bauer auf einem Nachbarhof einspringen, wodurch er sich selbst als wirklichen Menschen erlebt.

> „‚Jetzt bin ich ein Mensch geworden‘, sagte er nicht ohne Wehmut zu Elena. ‚Ich falle nicht mehr aus dem Rahmen des Gebräuchlichen und Schicklichen heraus. Meine Statuen, die mir durchs Eisenfenster dämmern, kommen mir vor wie eine graue, starre Verschwörung. Der Dienst hat mich ausgeebnet, ich getraue mich kaum noch, das Persönliche zu wollen. Byland sagte einmal, um beliebt zu werden soll man nicht Kunst machen, jedenfalls nicht ernsthafte.‘ " (B, 19).

Byland wird (in *Bohnenblust*) von einem neuen Nervenzusammenbruch betroffen. Diesmal gewinnt er seine Gesundheit im stillen Landleben bei dem väterlichen Lehrer Bohnenblust wieder, der so etwas wie ein Arzt für ihn wird. Byland kann jedoch auch künftighin seine Relationen zur Gesellschaft nicht in geordnete Bahnen leiten. Er flieht vor seinen Gefühlen und der Liebe ins militärische Leben. Der Pädagoge und Dichter endet als harter Berufsoffizier. Dieser Entwicklungsgang ist unklar; Zollinger ist es nicht gelungen, ein von psychologischen Gesichtspunkten aus überzeugendes Gesamtbild von Byland zu schaffen. Im Gegensatz zu Stapfer erreicht Byland weder Gleichgewicht noch gute Relationen mit der Umwelt. Er stirbt unerlöst, zerschmettert. Symbolisch ist, daß er durch einen Handgranatenunfall ums Leben kommt.

Beachtenswert ist die Entwicklung, die von *Pfannenstiel* bis *Bohnenblust* geschieht. Im ersteren Roman ging es immer noch um einen künstlerischen Kampf, um ein Suchen nach einem Weg. In *Bohnenblust* tritt die künstlerische Problematik in den Hintergrund: Stapfer entfernt sich vom reinen Kunstschaffen und faßt einfachere, praktischere und ökonomisch ergiebige Bereiche ins Auge. Der Spannung zwischen dem Poetisch-Weichen und dem Streitbaren begegnen wir bei Byland: „Das Weiche erscheint mir als schlampig, das Poetische als kränklich . . ." (B, 28). Etwas zugespitzt könnte man behaupten, daß der Roman *Bohnenblust* die Probleme von Poesie und Krieg behandelt. Die Nation befindet sich in Kriegsbereitschaft und der Künstler-Dichter akzeptiert die Rolle, die die Gesellschaft ihm zugeteilt hat. Die Figuren in *Bohnenblust* haben sich also gesellschaftlich und äußerlich gut eingeordnet. Damit hat Zollinger Ansätze in der *Großen Unruhe* weitergeführt: aber jetzt läßt er diese Einordnung unter dem Druck und der Inspiration der Zeitereignisse geschehen. Für Staat und Gesellschaft müssen letztlich sowohl Tscharner als auch Stapfer und Byland in hohem Grad annehmbar erscheinen.

Das Spannungsmoment zwischen dem Künstler und der Umwelt ist im gesamten Werk Zollingers stark akzentuiert, aber mit dem Roman

Bohnenblust hat Zollinger eine Art endgültige Lösung erzielt: die Gegensätze sind hier ausgeglichen. Dies ist jedoch nur scheinbar: in der Tat ist die Lösung, die der Autor präsentiert, vom künstlerischen Aspekt aus in hohem Grade unbefriedigend. Es handelt sich um eine Notlösung unter dem Druck des Zweiten Weltkrieges. Die Kunst muß nachgeben: sie geht zugrunde oder muß vor den Forderungen der Gesellschaft zurückstehen. Es ist eine Schwäche Zollingers, daß er nicht auf eine annehmbare Weise diese Problematik hat gestalten können. Sicherlich spiegelt sich darin eine höchst ernsthafte Frage in seinem schriftstellerischen Schaffen gegen Ende seines Lebens, die er offenbar nicht selber hat bewältigen können. Er fand keine Lösung des Problems, auf welche Weise der engagierte Schriftsteller in einer Zeit des Krieges wirken sollte — mit seinem Schwanken zwischen Kritik an einer Gesellschaft, für die er sich auch engagieren mußte, und zwischen Verwirklichung gewisser künstlerisch-literarischer Forderungen.

Der Künstler als Typus

Die Künstlergestalt spielt in den Werken Zollingers eine entscheidende Rolle: alle seine wichtigsten Prosawerke können als Künstlerromane bezeichnet werden. Der Künstler repräsentiert bei Zollinger einen ziemlich einheitlichen Typ, gekennzeichnet durch Sentimentalität und Einsamkeitsgefühl, die mit einer träumenden und flanierenden Attitüde vereint sind. Der erste in dieser Reihe von Träumern ist René Bonval im Roman *Die Gärten des Königs*, ein ausgeprägter Gefühlsmensch. Wendel im *Halben Menschen* ist eine direkte Fortsetzung des René-Typus. Bei René hat die Schilderung eine Distanz, die durch den historischen Rahmen bedingt ist, und die es bei Wendel nicht mehr gibt.

Gegen Ende der dreißiger Jahre geschieht eine wichtige Veränderung — oder eher eine Ergänzung — in Zollingers Gestaltung des Künstlermenschen. Ein neuer Charakterzug kommt hinzu: politisches Interesse und Engagement. Es beginnt mit dem Roman *Die große Unruhe*, in dem man bei Aristide die ersten Ansätze zu einer politischen Aktivität findet. Mit *Pfannenstiel* tritt die entscheidende Wendung ein: Byland und Stapfer sind von den Zeitereignissen stark aufgerüttelt und kämpfen innen- und außenpolitisch als engagierte Publizisten. Damit hat Zollinger einen neuen Künstlertypus geschaffen: den politisch orientierten Künstler. Stapfer wie Byland sind gleichzeitig Träger sentimentaler und verträumter Züge. Die Verbindung von Empfindsamkeit und politischer Aktivität schließt einen Gegensatz, eine Konfliktsituation, ein. Folgerichtig resultiert dann dieser Gegensatz bei Byland in einer Spannung, die ihm übermächtig wird.

Eigenartig ist, daß dieser neue Typus schon in Zollingers Erstlingsroman vorgezeichnet ist: nämlich in dem jungen und zweifelsohne sehr
naiven und unreifen René, der sich als sozialer und politischer Revolutionär durchsetzen möchte. Gerade wie später bei Byland bedeutet für
René die äußere Aktivität eine Überbeanspruchung mit schädlichen
psychischen Folgen.

Die Schöpfung der zeitengagierten Künstlergestalten Stapfer und Byland ist ein Spiegelbild von Zollingers eigener Entwicklung und Lebens-
rolle. Die erwähnte seelische Konfliktsituation ist Ausdruck für eine
wichtige Problematik in Zollingers Leben und schriftstellerischem Wirken, die schon im vorigen Abschnitt angedeutet wurde und worauf wir
im Schlußkapitel näher zurückkommen werden.

Volk, Staat und Schweizer Standpunkt

Volkscharakter

In seinem frühen Werk widmet Zollinger dem Nationalcharakter der Schweizer nur einige beiläufige Bemerkungen, beispielsweise im Roman *Der halbe Mensch* und verschiedentlich in seiner Publizistik der Jahre 1935–39. Erst in der erzählenden Prosa der Jahre 1939–41 geht er ausführlicher auf diesen Punkt ein. Zollingers Bild vom Schweizer ist ziemlich einheitlich und läßt einen typischen Zug seiner Gesellschaftskritik erkennen; denn, obgleich er im allgemeinen äußerst kritisch ist, hebt er immer wieder auch Positives hervor, so daß man versucht sein könnte, von einer Art Haßliebe zu sprechen. Bezeichnende Beispiele für Zollingers schwankende Haltung enthält sein Briefwechsel mit Vogel aus dem Jahr 1931, u. a. der Brief vom 27. 1. 1931, in dem er zutiefst pessimistisch fragt: „Was könnte man ‚für die Heimat tun', um ihr ihre tödlichen Schwächen zum Bewußtsein zu bringen? Ich habe soviel wie keine Hoffnung; denn wie soll man die Schweizer von ihrem Hochmut abbringen?" (*BF*, 36). Aber nur eine Woche später ist er bereits wieder hoffnungsvoller und in einem Brief vom April nennt er sich sogar selbst einen Chauvinisten, der von Minderwertigkeitsgefühlen erfüllt, „jeden tüchtigen Schweizer aufschlecke" (*BF*, 39, 44; vgl. 55). Zollingers Haltung, wie sie sich in dem erwähnten Schriftwechsel widerspiegelt, stand unzweifelhaft auch unter dem Einfluß seiner Bekanntschaft mit dem Denken Hermann Keyserlings, schreibt er doch in seinem Brief, daß er einen grandiosen Vortrag Keyserlings gehört habe (*BF*, 31), und am 27. 1. 1931, daß er nun Keyserling auch gelesen habe; dieser sei zwar unsympathisch, aber ein gescheiter Kerl, der genau ausspreche, was er selbst immer gefühlt habe: „Denn wenn er auch selber gewiß nicht frei von Ressentiment ist, so hat er im großen Ganzen doch ganz einfach recht." (*BF*, 35). Das Buch, auf das Zollinger hier anspielt, ist Keyserlings *Spektrum Europas* (1928). Ob und wie weit Keyserling und sein Buch Zollingers spätere Werke beeinflußt haben, bleibt offen. Auf jeden Fall ist in verschiedenen Punkten eine nahe Übereinstimmung festzustellen. Keyserling behauptet u. a., daß der Rütligeist definitiv vorbei sei. Die einzige Rolle, die dieses Volk nunmehr spielt, sei die des Hotelvolks. Die Diskrepanz zwischen dem, was der Schweizer wünsche und zu sein glaube einerseits und der Wirklichkeit andererseits schaffe Ressentiments, die größer seien als bei anderen Völkern. Diese Diskrepanz erzeuge auch gewisse typische Eigenschaften, wie Minderwertigkeitsgefühle, eine verkrampfte Art und Engherzigkeit, Hochmut und Pharisäertum.

Dieses Bild stimmt mit dem überein, das Zollinger in seinen Romanen malt. Tscharner spricht von „Pharisäertum" und Manfred von „Saturiertheit" (DgU, 61, 248). Als Stapfer aus Paris in die Schweiz zurückkehrt, ist er enttäuscht:

> „An Ort und Stelle erschrak ich recht eigentlich über die Beobachtung von so viel Selbstgefälligkeit eines Volkes, das eine Andeutung von Kritik schon als Landesverrat empfindet, selber aber vom hohen Thron seiner Unfehlbarkeit aus alle Welt schulmeistert." (Pf, 146 f.).

In einem Gespräch mit Byland behauptet Stapfer, daß es in der Schweiz kein wirkliches Selbstbewußtsein gebe, nur „Selbstbewußtsein ohne Würde" (Pf, 153). Byland charakterisiert den Schweizer als einen „braven Sparer im Materiellen wie im Geistigen" und ferner als Menschen voller Hemmungen (Pf, 146, 148).

Zollinger greift einen Komplex von Eigenschaften auf, die mit der Kleinheit des Landes zu tun haben, wodurch es bei ihm eine Spannung zwischen dem Kleinen und dem Großen gibt. Die Sehnsucht nach dem Großen kommt einmal (1931) in seinem Briefwechsel mit Vogel zum Ausdruck. Er fragt sich, ob es nicht besser wäre, sich „an die mächtigeren Arterien eines R e i c h e s anzuschließen". Er denkt hier wahrscheinlich an Frankreich (BF, 44 f.). In der Großen Unruhe kritisiert Tscharner „die Kleinlichkeit zu Hause" (60). Sowohl Manfred als auch Stapfer bezeichnen die Schweizer als ein Volk von „Zwergen" (DgU, 249, Pf, 70). Es liegt nahe, hier einen Vergleich mit C. F. Ramuz zu ziehen. Auch dieser spricht von der Kleinlichkeit und Winzigkeit der Schweizer in einem umstrittenen Artikel, auf den Zollinger mit seinem Beitrag „Noch einmal Ramuz" anspielt (Die Nation, 1938, Nr. 6). Einleitend schreibt Zollinger, daß Ramuz wie Keyserling Unfreundlichkeiten über die Schweiz gesagt haben. Zollinger verteidigt jedoch Ramuz, dessen Kritik von den konservativen schweizerischen Zeitungen schlecht aufgenommen wurde, und ermahnt die Presse zu Großzügigkeit und Offenheit in der Diskussion. Den umstrittenen Artikel hatte Ramuz im Herbst 1937 in der Pariser Zeitschrift Esprit unter dem Titel „Lettre" publiziert. Ramuz verneint hier die Existenz einer schweizerischen Mentalität. Es gibt nicht nur eine Schweiz, sondern verschiedene, nicht nur ein Volk, sondern mehrere Völker. Ferner behauptet er u. a., indem er ironisch von den verdienstvollen Eigenschaften der Schweizer spricht: „On y perd le sens du tragique et, du même coup, la grandeur." (Esprit. Revue internationale, Oct. 1937). Wenn auch Zollinger lebhaftes Interesse für Ramuz hegt und ihn verteidigt, herrscht eine Übereinstimmung zwischen den beiden nur beim Problem der Größe. Es handelt sich hier offenbar um eine sympatisierende Zustimmung, aber man kann kaum von einer Beeinflussung sprechen. Schon in seinem frühen Roman *Der halbe Mensch* hat Zollinger diesen Aspekt aufgenommen (*GW*, II, 82).

Auch im *Fröschlacher Kuckuck* begegnet der Leser dem kleinen Land und dem kleinen Menschen. Zollinger zeichnet in märchenhafter Form ein leicht kaschiertes Bild von der Schweiz und vor allem von Zürich und hat damit ein Gegenstück zu Kellers Seldwyla geschaffen. Die Darstellung ist von leichter Ironie, Scherz und gutmütigem Humor geprägt; es handelt sich um eine Satire — aber ohne Bosheit und Haß — die im Grunde die Liebe des Autors zu seinem Sujet enthüllt. Die Menschen in diesem Kleinstaatidyll leben in einer beschränkten Welt, der es an Perspektive und Größe fehlt.

Die schweizerische Mentalität, die nach Zollinger also in hohem Grade von Konservatismus, Materialismus, Kleinlichkeit und Hemmungen bestimmt wird, bildet einen Ausgangspunkt für seine Gesellschaftskritik. Verschiedene dieser Eigenschaften können übrigens aus einem ökonomischen Gesichtswinkel betrachtet werden: in der Tat ist Zollingers antikapitalistische Einstellung in vielem für seine Auffassung vom Schweizer Volkscharakter entscheidend. Die aufgeführten Charakterzüge können schließlich in einem zentralen Punkt, auf einem Generalnenner, zusammengefaßt werden: das schweizerische Volk ist von einer gewissen Sterilität und von Stillstand geprägt, von einem Mangel an Lebendigkeit und schöpferischer Kraft. Das betrifft nicht nur die künstlerische Tätigkeit und das Erleben, sondern auch das politische und wirtschaftliche Leben im ganzen. All das mündet in ein pessimistisches Bild von der Zukunft, das bei Stapfer zum Ausdruck kommt:

„ — mitunter kommt mir die Vision eines Untergangs, weit entsetzlicher als dessen in Blut und Tränen: die Vision eines lautlosen Todes in Sterilität, Mechanismus, Phäakentum — vergraste Provinz abseits der Geschichte." (*B*, 68).

Geistigkeit, Materialismus und Antikapitalismus

Der Materialismus ist für Zollinger eine verhängnisvolle Krankheit, die sowohl den Einzelnen als auch die Gruppe befällt. Die materialistische Mentalität formt nicht nur die Einstellung zur Kunst, sondern bestimmt auch die Gesellschaftsverhältnisse im großen, z. B. die Demokratie, und greift auch in die außenpolitischen Stellungnahmen ein. Zollinger verleiht dem Begriff Materialismus verschiedene Bedeutungen, wie Erdgebundenheit, Nützlichkeitsdenken, Geschäftsmäßigkeit, übertriebener ökonomischer Sinn. Auch der Kapitalismus kann in diesem Zusammenhang genannt werden: er wird als eine Überdehnung der Geschäftsmäßigkeit betrachtet. Ein Verbindungsglied zwischen den beiden Begriffen könnte das von Zollinger so gern benutzte Wort Krämer sein, was bei

Zollinger für sowohl kleinbürgerliches Nützlichkeitsdenken als auch kapitalistische Einstellung steht.

Dem Materialismus möchte Zollinger die Geistigkeit gegenüberstellen, die er nicht als Religion sondern als Bildung interpretiert, aber vor allem als Kunst und Dichtung. Er spricht verschiedentlich von der Pflicht zur Geistigkeit und kommt beispielsweise in seiner Publizistik oft auf den Gedanken einer Erziehung in geistiger Richtung zurück. Aber die Geistigkeit kann auch ein Ersatz für eine äußere Größe sein; im Roman *Pfannenstiel* sagt Stapfer bei einer Gelegenheit folgendes:

> „Der Verzicht auf das Äußere verpflichtet uns zu größtmöglicher Entwicklung des Innern. Der Verzicht auf Quantitäten des Territoriums darf sich nicht an vermögensmäßigen Quantitäten schadlos halten wollen. Volkswohlstand ist gut, aber nur als Voraussetzung einer Pflicht zum höheren Leben im Geistigen..." (153)

Die Auseinandersetzung mit dem Kapitalismus kommt schon in Zollingers Erstlingswerk, *Die Gärten des Königs*, zum Ausdruck, wo Zollinger die Ungerechtigkeiten, u. a. die scharfen Klassengegensätze, im Frankreich Ludwigs XIV. schildert. Die Kritik wird von drei Personen vorgeführt: von dem Junker René Bonval, dem gelehrten Hugenotten Roumain und der einfachen Frau Canard. Durch den Kontakt mit Roumain und Frau Canard entdeckt René die furchtbare Welt der Armut; er greift jetzt den mangelnden Sinn für die Armen bei den höheren Ständen an und kann nicht länger die Anhäufung des Reichtums in gewissen Händen als etwas Selbstverständliches ansehen: „Haben sie eine Ahnung, daß dieser Reichtum gar nicht ihnen zugehört? Geld ist ein Diener aller Menschen wie Wasser und Erde." (147)[1]. Roumain ist ein Gesellschaftsreformator und Revolutionär, der einst gegen Mazarin gekämpft hat. Er ist ein geschworener Feind des Königs, der Priesterschaft und der oberen Klassen. In einem Gespräch mit René sagt er:

> „Und Euer Gewissen bleibt wohlgemut, wenn Ihr jene Kinder seht, welche die Kehrichthaufen nach Eßbarem absuchen, wenn Euch die Bürger begegnen, ungeschult, verbummelt, weil sie zum Leben nichts zu sagen haben, die Juden, die man auf der Gasse zu Tode peitscht, die Stempelfüchse auch und Steuerschlangen, die Wölfe im Schafspelz und die mit Eselsohren unter dem Würdenhut, die Pfaffen, die Entsagung predigen, um selber schlemmen zu können, die von der Dummheit der Schafe profitieren, die Ketzerschlächter und Hetzhunde der Tüchtigkeit, die Goldmagnaten, die Monopolgöttchen, die allein glauben leben zu dürfen, und dieses Gewürm —, untertänigst um Vergebung, Herr Graf! — die Blutsauger, die Fresser des Lebenssaftes, Schmarotzer und frecher Auswuchs, der allem Niedern Licht und Atemluft stiehlt und dennoch kraftlos fault vom Prassen und Lüfteln, diese hohe Gesellschaft, Abschaum der Menschheit, und Ihn, Graf, Ihn..." (62 f.)[2].

Nach den *Gärten des Königs* folgte eine lange Pause in Zollingers Beschäftigung mit der hier gezeigten Problematik. Der Durchbruch der antimaterialistischen und antikapitalistischen Betrachtungsweise erfolgte erst in den dreißiger Jahren, zunächst in seiner Publizistik und später in seiner Dichtung. In seiner Journalistik verwendet Zollinger oft Worte wie Kapitalismus, Geldleute, Spekulation und vor allem Krämer und Krämergeist. In Aufsätzen wie „Vorsatz", „Dichter und Publikum" sowie „Möglichkeiten des Schriftstellervereins" übt er Kritik an den kapitalistischen Interessen innerhalb des Kulturlebens. In den Artikeln „Unsere Presse" und „Die beiden Spanien" meint Zollinger, daß die Stellungnahme und die Sympathien für Franco gerade ihren Grund in ökonomischen Relationen und Kapitalinteressen haben.

Der Roman *Die große Unruhe* ist von einem starken Antikapitalismus durchzogen; man kann ihn hierin mit dem obenerwähnten Werk *Die Gärten des Königs* vergleichen. In beiden Arbeiten ist der Antikapitalismus mit Mitgefühl mit den Armen und mit heftiger Indignation gegen die Reichen verbunden. In der *Großen Unruhe* wird von Schurkenhaftigkeiten der ökonomischen Machthaber gesprochen, in den *Gärten des Königs* von Blutsaugern und Parasiten. Eine weitere Übereinstimmung finden wir in Renés und Aristides Gestalten. In der *Großen Unruhe* wird der Kapitalismus besonders von einem Mann namens Forçat angegriffen: „[. . .] werde er, Forçat, in seinem Leben nicht damit aufhören, aus der Kraft seines Herzens gegen die Schurkereien der ökonomischen Nutznießer zu rebellieren, deren Tage übrigens gezählt seien . . . " (68). Aristide ist für uns von noch größerem Interesse: er ist ein praktisches Beispiel für einen in Handlung umgesetzten Antikapitalismus. Er stammt aus einer sehr vermögenden Familie, empfindet aber allmählich Mitleid mit den Armen der Gesellschaft und verhält sich immer mißbilligender gegen seine Familie.

> „Sich auf Geld zu verstehen, ist kein Beweis für menschliche Bedeutung, und diese allein kann Maßstab der Vergleiche sein. Die entscheidenden Menschenwerte liegen sehr weit von Geschäftsgeist entfernt. [. . .]. Die billigste Voraussetzung der Fairneß wäre gleicher Start; die Praxis des Kapitalismus ist: Wer da hat, dem wird gegeben, und wer da nicht hat, dem wird auch das noch genommen, was er nicht hat." (172 f.).

Aristide verläßt seine Familie und zieht in die Arbeiterviertel, wo er aus der Nähe die Armut erleben kann. Was er vom Paris der dreißiger Jahre sieht, ist eine Parallele zu dem, was René im Paris Ludwigs XIV. erlebt (267; vgl. DGK, 118).

Im Roman *Pfannenstiel* wird das Problem aus verschiedenen Aspekten beleuchtet. Stapfer hofft auf die Jugend, die er mit dem „Krämertum der Alten" konfrontiert, ist jedoch im Grunde pessimistisch (115). Auch Byland hat Bedenken: das Nützliche und Vernünftige bei dem Schweizer erstickt das Schöpferische: überall sieht er die Früchte des Krämergeistes (145, 148, 244 f.). Der außenpolitische Aspekt findet sich ebenfalls in diesem Roman: Byland mißtraut der schweizerischen Regierung, diesem „Klüngel von Kapitalherren", wegen ihrer abessinischen Politik (256; vgl. 211 ff.). Er meint ferner, daß die Bewunderung für Hitler in der Schweiz sowie seitens der anderen demokratischen Völker Europas ökonomisch-materielle Ursachen habe, und spricht in diesem Zusammenhang von dem „Krämerpack" (255). Aber Byland findet auch Tyrannen in der Schweiz, z. B. in Bern, allerdings von einer anderen als der herkömmlichen Art: „Gelddiktatoren" (168).

Im Roman *Bohnenblust* ist die antikapitalistische Tendenz fast noch schärfer als in *Pfannenstiel*. Auch hier tritt Byland als Kritiker auf und gibt seinem Mißtrauen und seiner Aggressivität gegen die Kapitalisten Ausdruck. Wie in den früheren Romanen *Die Gärten des Königs* und *Die große Unruhe* weist er mit Emphase auf die Unterschiede zwischen den Gesellschaftsklassen hin. Er spricht von Bürgerreichtum, der keine tieferen Verpflichtungen kennt, und von Proletariern, die für Großverdiener arbeiten müssen (*B*, 275 f.). Es gibt im selben Roman einen anderen Gesellschaftskritiker, der überraschenderweise ein Unternehmer ist, den Textilfabrikanten Kienast. Er greift den schweizerischen Kapitalismus an: „Selbstzweck ist es dem einen Prozent, das von Geld statt von Arbeit lebt, jenem Prozent, das die Hälfte des Steuervermögens innehat, und hier liegt der Hund begraben; [. . .] Hier liegt der Kapitalismus, bloß leider noch nicht begraben." (*B*, 234).

Man sieht also, wie Zollingers Publizistik und Dichtung nach Mitte der dreißiger Jahre auffallend stark vom ökonomischen Aspekt durchdrungen ist: Kulturleben, Innen- und Außenpolitik werden von der Macht des Geldes diktiert. Bei einem jüngeren Dichter, Dürrenmatt, findet man ein ähnliches starkes Interesse für die Macht des Geldes. Jedoch wird das Thema von ihm grundverschieden behandelt. Während Zollinger einen pathetischen, beinahe gehässigen Kampf gegen das Geld führt, scheint Dürrenmatt ein Vergnügen an der Verwendung dieses Motivs zu finden: er scherzt und ironisiert darüber. — Zollingers Antikapitalismus ist in hohem Maße gefühlsmäßig bestimmt und enthält keine tiefere Analyse einer kapitalistischen oder utopische Bilder von einer antikapitalistischen Gesellschaft. Zwar resultiert Zollingers Antikapitalismus aus seiner sozialistischen Auffassung, jedoch offenbar auch noch aus einer ideellen Auffassung, da er für die Geistigkeit und wider den Materialismus in allen seinen Formen kämpfen will. Wahrscheinlich ist in seiner starken Reaktion gegen die ökonomischen Machthaber ein Zug von Ranküne, aber gleichzeitig ist der Antikapitalismus bei ihm ein Ausdruck für soziales Pathos. Zweifellos hat diese antikapitalistische Einstellung und dieses Engagement dazu beigetragen, Zollingers schriftstellerisches Schaffen zu inspirieren und zu stimulieren.

Soziales Pathos

Das soziale Pathos, das in Zollingers Werk so stark zum Ausdruck kommt, hängt nahe mit der Problematik im vorigen Abschnitt zusammen: der Antikapitalismus wird mit intensiver Indignation gegen die Reichen und Mitgefühl mit den Armen kombiniert. Eine auffallende Übereinstimmung in dieser Hinsicht ist bei den Gestalten René und Aristide vorhanden: bei beiden erwacht das soziale Bewußtsein. In seiner Publizistik der dreißiger Jahre kommt Zollingers soziales Verantwortungsgefühl in seinem Engagement und Einsatz für wirtschaftlich bedrängte Autorenkollegen zum Ausdruck. In *Bohnenblust* setzt die Kritik an der Schweiz energisch ein. Zum ersten Mal ist hier die Rede von einer sozialen Demokratie — als Ergänzung zur politischen Demokratie. Wieder einmal ist es der fortschrittlich gesinnte Fabrikant Kienast, der zu Wort kommt:

> „Ich fürchte, die Knute wird kommen müssen, weil die Eidgenossen zur letzten Konsequenz ihrer Taten schließlich doch nicht die Größe haben: die Freiheit nicht gegen Fremde, sondern auch gegen sich selbst zu erstreiten, verzichtend zu nehmen, in stolzer Freiwilligkeit die soziale Demokratie einzurichten. Dieses Morgarten wäre noch zu bestehen, wollten wir in der Geschichte bleiben." (235 f).

Man kann auch auf die Problemstellungen im *Fröschlacher Kuckuck* hinweisen, worin es ebenfalls um die Gegensätze zwischen arm und reich geht. Beißend ist die Kritik, die der Autor gegen die Oberschicht richtet. Hier handelt es sich tatsächlich, in getarnter Form, um die Verhältnisse nach Ausbruch des Zweiten Weltkrieges: die wirtschaftlich schwächeren Gruppen in der Schweiz hatten Schwierigkeiten, sich zu behaupten, ehe die Krisenrationierungen feste Formen angenommen hatten.

Wesentlicher sind jedoch die von Kienast in *Bohnenblust* angeführten Gesichtspunkte. Um diese Zeit (1941) war die soziale Wohlfahrtsorganisation in der Schweiz — wie in einer Reihe anderer europäischer Staaten — nicht allzuweit entwickelt. Zollinger ist hier klarblickend und läßt durch Kienast ein soziales Zukunftsprogramm andeuten, wobei er einen sehr wesentlichen Punkt berührt: nur langsam hat sich in der Schweiz die öffentliche soziale Wohlfahrt durchsetzen lassen; drei Jahrzehnte später wird immer noch in großem Ausmaß auf die individuelle soziale Verantwortung gebaut.

Pazifismus und Patriotismus

Die pazifistischen Ideen erhalten in Zollingers Werk eine vielseitige Behandlung, nicht zuletzt vom formalen Gesichtspunkt aus: sie äußern sich in der Form der Erzählung, des Märchens, des Gedichtes und des publizistischen Beitrages. Die antimilitaristische Haltung kommt bereits in Renés Gestalt im *Gärten des Königs* zum Ausdruck. René, der sich zum Offizier ausbilden soll, fühlt sich im Militärleben überhaupt nicht wohl. Diese feinfühlige Poetennatur ist nicht besonders für das Militärische geeignet, und René sieht sich nach einiger Zeit gezwungen, seine Ausbildung abzubrechen. In der Schrift *Die verlorene Krone* ist das einleitende Märchen, „Winzig geht in die Welt", von besonderem Interesse. Niemand wünscht den Krieg — außer dem großen Feldherrn —, den zwar alle hassen, dem aber auch alle auf den leisesten Wink gehorchen. Er bereitet gerade einen neuen Krieg vor, und alle Menschen sind von Angst erfüllt. Da greift Winzig ein und zerstört den Kriegsbefehl; er hat damit den Krieg verhindert und die Menschen können sich des Friedens erfreuen: „Die Völker legten plötzlich Gewehre auf den Erdgrund nieder, huben zu singen an, reichten sich die Hände und gingen auseinander mit Laub an den Helmen." (22). Wie es sich für ein Märchen gebührt, wird der pazifistische Wille hier schön und naiv gestaltet. Konkreter ist der Pazifismus im Artikel „Echo vom Hirtenland" (1928), wo in scharf polemischer Form die Schweizer Einstellung deutscher Mentalität gegenübergestellt wird. Ein Abschnitt des Artikels wird zu einem intensiven Bekenntnis zur Sache des Friedens:

> „Beispielsweise ich bin ein Schweizer, der noch immer verbohrt, vernagelt, die Fäuste im Ohr gegen jederlei noch so gerechte, noch so gelehrte Begründungen des Krieges zetert: ich will nicht, ich mag nicht, der Teufel wird ihn holen! Von der geistigen Schweiz ist diesbezüglich durchaus gar nichts zu erhoffen: wir kriegen nie wieder, wir mögen nicht, die Ahnen haben alles getan." (*Annalen*, 1928, 228).

Der Pazifismus ist also bereits in den zwanziger Jahren bei Zollinger verwurzelt. Es handelt sich hier um eine allgemeine europäische Zeitströmung, nicht zuletzt unter den Schriftstellern. Es ist wahrscheinlich, daß Zollinger auch von der sozialdemokratischen Bewegung in der Schweiz beeindruckt worden ist. Z. B. hatte die schweizerische sozialdemokratische Partei 1917 beschlossen, Landesverteidigung und Militarismus abzulehnen. Seine Einstellung zum Militärischen scheint schon 1921 im erwähnten Werk *Die Gärten des Königs* ziemlich entschieden zu sein. Wir haben Grund zur Annahme, daß Zollingers Pazifismus sich aus persönlichen Erlebnissen beim Militärdienst während des Ersten Weltkrieges herleiten läßt. In einem Artikel mit dem Titel „Voll Wahrheit des Symbols" in der Zeitung *Der Landbote und Tagblatt der Stadt Winterthur* am 17. 5. 1968 berichtet Traugott Vogel über Zollinger im Militärdienst während des Ersten Weltkrieges, woraus hervorgeht, wie sehr Zollinger einen erwarteten Gestellungsbefehl fürchtete. Im Januar 1917 wurde er dann zum Grenzdienst einberufen. Seine Briefe aus dem Militärdienst an einen Lehrerkollegen, Heinrich Krebser, zeigen, daß er sich im militärischen Leben kaum wohl gefühlt hat, so wenn er schreibt: „ . . . aber Sie glauben nicht — doch Sie glauben, welche Ungeduld und Sehnsucht nach Befreiung, nach dem Zivil, der schönen Heimat, den geordneten Verhältnissen mich plagt." Laut Vogels mündlichem Bericht war Zollinger im Militärdienst sehr unglücklich (*TV*). Seine Erlebnisse stimmen mit denen Renés im Roman *Die Gärten des Königs* überein. Wie verschieden sind doch Zollingers damaligen Stimmungen verglichen mit dem enthusiastisch patriotischen Tonfall aus dem Aktivdienst während des Zweiten Weltkrieges!

Um das Jahr 1930 fand Zollinger einen Freund im Berufs- und Schriftstellerkollegen Traugott Vogel. Laut Vogel entstand der Kontakt, indem sie vom gleichen Verlag, nämlich Grethlein in Leipzig/Zürich betreut wurden. Dieser Kontakt konnte Zollinger in seiner pazifistischen Einstellung nur noch bestärken. Vogel, der bereits seit langem überzeugter Pazifist war, berichtet, daß er in den zwanziger und dreißiger Jahren die Zeitschrift *Neue Wege. Blätter für religiöse Arbeit* abonnierte, die von dem pazifistisch und sozialistisch gesinnten Theologen Leonard Ragaz herausgegeben wurde. Zollinger, der selbst nicht besonders religiös war, hatte kein direktes Interesse an Ragaz, interessierte sich aber für die Aufsätze, über die Vogel ihm berichtete. Ferner abonnierte Vogel in diesen Jahren die pazifistische Zeitschrift *Die Weltbühne*, begründet von Siegfried Jacobsohn, unter Mitarbeit von Kurt Tucholsky geleitet von Carl v. Ossietzky, die eine große internationale Bedeutung hatte. Auch Zollinger, der verschiedentlich diese Zeitschrift las, erörterte ab und zu zusammen mit Vogel aktuelle Artikel daraus (*TV*). Gerade im Jahr 1930 war Vogels Roman *Der blinde Seher* erschienen, und Zollinger erhielt ihn zum Lesen. In einem Brief vom 14. Dezember an Vogel gibt er ihm eine ausführliche private Beurteilung, in der seine Begeisterung und Bewunderung zum Ausdruck kommt. In diesem Roman rebelliert Viktor gegen seinen Vater, Paul Funker. Viktor ist seiner Gesinnung nach Pazifist, während der Vater ein Patriot von traditionellem Muster ist, der zur Wehrhaftigkeit des Landes erklärt: „Die Schweiz ist uns durch höhere Macht als Heimat verliehen worden. Also heilige Pflicht, das Erbe der Väter uns zu erhalten, mit dem Leben zu schützen." (12 f.). Mit seinem Roman hat Vogel Kritik am Schweizer vom Typus des Paul Funker geübt. Ohne Zweifel sympatisiert er mit Viktor, wie auch Zollinger, der in seinem Brief schreibt: „Viktor hat viel Sympathisches und Törichtes von *meiner* Wenigkeit." (*BF*, 24).

Zu Anfang der dreißiger Jahre gab es in der Schweiz einige Prozesse gegen Dienstverweigerer, von denen der bekannteste wohl derjenige gegen den Lyriker Albert Ehrismann war, bei dem Vogel als Verteidiger auftrat (*Unsere Meinung*, Oktober 1967, Nr. XIV/1). Albin Zollin-

ger war auch bei den Gerichtsverhandlungen anwesend und schrieb
unter der Überschrift „Militärgericht über einen Dichter" (*Der Geistesarbeiter*, Jan. 1932): „Psychisch dienstuntauglich nannte er (Traugott Vogel) seinen Poeten und vermehrte die Dispensationsgründe damit um eine unstoffliche Spezies, deren Existenz von der Militärmedi-
zin allerdings nicht so bald wird wahrgenommen werden."

Die pazifistischen Stimmungen bei Zollinger sieht man noch gegen
Mitte des Jahrzehntes stark hervortreten. In seinem Stück *Opera buffa*
(1934), das — wie bereits erwähnt — im Schatten der damals in Genf
tagenden Abrüstungskonferenz entstand, spielen die Angriffe gegen die
Rüstungsindustrie eine sehr große Rolle, u. a. treten die „Rüstungs-
magnaten" mit einem eigenen Lied auf. Gegen Ende des Stückes wird
speziell die schweizerische Waffenindustrie kritisiert, und hier wird
auch der bekannte Waffenproduzent die „Werkzeugmaschinenfabrik"
in Oerlikon genannt.

> „Im übrigen kennen wir in der Schweiz das nachgewiesenermaßen und
> glücklicherweise nicht, es widerspricht unserem demokratischen, neutra-
> len und auf allgemein humanistischer Grundlage geschulten Empfinden,
> und insofern als es vorkommt, daß Kriegsmaterial bei uns wirklich fabri-
> ziert wird, tun wir es nur, damit es die andern nicht tun und unter der
> ausdrücklichen Voraussetzung, daß es neutrales Kriegsmaterial zu sein
> hat, das Armbrüstlein garantiert dafür." (*Hortulus*, 1960, H. 6).

Dieselbe Gesinnung findet man im Gedicht „Granatenplantage", das
auf den Abessinienkrieg hinzielt und einen förmlichen Haß gegen den
Krieg ausstrahlt:

> „Volk! Hörst du! Der Tod meint es gut mit dir, warnt
>   dich in Feuerschlägen
> Aus der Werkstatt der Schufte, die dir den Zaubertrank
>   brau'n,
> Zwanzig Jahre nach jenem Höllengrau'n
> Kommen die Hunde dir abermals mit Granatensegen."
>
>   (*GW*, IV, 522).

Der Wendepunkt kommt für Zollinger mit dem Aufsatz „Geistige Landesverteidigung" (1936). Er sieht zwar in diesem Aufsatz seine Heimat
in einem pazifistischen Schimmer, als ein Vorbild in einer kriegerisch-
dunkelnden Zeit und glaubt an die friedliche Mission der Schweiz;
gleichzeitig aber wird hier der Verteidigungswille zum ersten Mal sichtbar, allerdings immer noch im geistigen Bereich. Die Umstellung, die
sich bei Zollinger anbahnt, spiegelt eine Veränderung, die in der Öffentlichkeit in steigendem Maße merkbar wird; schon ab Frühjahr 1935
hatten gewisse Gruppen in der Schweiz eine schnelle Aufrüstung verlangt. Von besonderem Interesse ist die Abkehr vom Pazifismus seitens
der schweizerischen Arbeiterbewegung.

Zollingers Bekenntnis zu einer militärischen Landesverteidigung findet man im Gedicht „Lied vom Morgarten", das er im Anschluß an die deutsche Okkupation Österreichs im März 1938 schrieb. Der Dichter bittet um sieben Leben, um sein Land und dessen Freiheit verteidigen zu können. Denselben Willen und die gleiche Gesinnung finden sich später in den Romanen *Pfannenstiel* und *Bohnenblust*.

Zollingers Gedankenwelt war in hohem Grade vom Pazifismus geprägt: er kommt in seinem ganzen Werk deutlicher als jede andere Idee zum Ausdruck, speziell auch in den „stillen Jahren" zwischen der Erzählung *Die Gärten des Königs* und der zeitkritisch engagierten Periode. Ab Mitte der dreißiger Jahre kommt dann die entscheidende und überraschende Veränderung. Was hat dazu beigetragen? In erster Linie muß man das Zeitgeschehen in Betracht ziehen, wie Hitler, später den Abessinienkrieg und schließlich den spanischen Bürgerkrieg; vom Zeitgeschehen kommen die Impulse, ähnlich wie bei seiner Wandlung zum Zeitdichter. Es handelt sich um zwei parallele Erscheinungen, die im nahen Zusammenhang miteinander stehen. Zollinger möchte die Diktaturen, den Nationalsozialismus und den Faschismus bekämpfen, aber Worte allein genügen nicht: Freiheit und Demokratie können nur mit Waffen verteidigt werden.

Schon im Briefwechsel mit Vogel vom Jahr 1931 findet man bei Zollinger, wechselweise mit sehr kritischen Bemerkungen, eine Liebe oder noch eher ein Bedürfnis, die Schweiz zu lieben. Es handelt sich um eine ambivalente Einstellung, worin sporadisch Heimatliebe oder beinahe eine Art Patriotismus zum Ausdruck kommt. Aber erst am Ende des Jahrzehntes wird bei ihm dieser Patriotismus bewußt und systematisch. Gleichzeitig tritt Zollinger als scharfer Kritiker an der Schweiz hervor. Es geht um eine Spannung zwischen zwei Gegenpolen, die beispielsweise in den Romanen *Pfannenstiel* und *Bohnenblust* eine große Rolle spielt. Als Byland von einer Höhe am Rhein das okkupierte Österreich betrachtet, steigert sich seine Liebe zur Heimat, die er ebenfalls von seinem Aussichtspunkt erblicken kann: „Wie er es wieder mit seinem Herzen anglühte, das reine Land von Gras, Baumgärten, Dörfern, Waldkämmen und Schneegebirge! Sein Sorgenkind, das er so oft getadelt!" (*Pf*, 255 f.)[3].

Wenn auch der Leser diese Spannung als einen scharfen Gegensatz erleben kann, so versucht der Dichter dennoch, einen Zusammenhang zu zeigen. Für Stapfer ist die Liebe zum Vaterland und der Stolz oder die Eitelkeit über das, was schweizerisch ist, eine Triebkraft der Kritik (*Pf*, 116). Ähnlich ist Bylands Einstellung: „So tadeln wir aus Liebe und Sorge." (*Pf*, 154). Auf gleiche Weise deutet Zollinger die Gesellschaftskritik in Inglins Roman *Schweizerspiegel*. In seiner schon erwähnten

Besprechung sagt er, daß Inglin „mit Absichten sorgender Liebe" kritisiert (GW, I, 436).

In seinem neuerwachten Patriotismus hat Zollinger ein Bedürfnis gehabt, sich von dem traditionellen Typus eines konservativen, phrasenhaften Patriotismus zu distanzieren. Dies tut er dadurch, daß er die Begriffe echter und falscher Patriotismus schafft, wobei er natürlich meint, daß er selbst den echten Patriotismus vertrete. Der falsche Patriotismus besteht in einem passiven Zurückblicken, in einem Verweilen in der historischen Vergangenheit. Der echte Patriotismus will etwas in der Gegenwart leisten: er ist der Zukunft zugewandt; ein Repräsentant hierfür ist Byland, der einmal schreibt:

> „Auf der schaffenden Kraft aller Zweige wuchert das Händlertum. Es ist nicht Patriotismus, es ist sträfliche Blasphemie, Historizismus der Unwissenheit — oder, noch schlimmer, des Wissens? — dabei von Freiheit der Väter zu reden. Daß die Väter ihre Pflicht getan haben, entbindet uns nicht der Notwendigkeit, die unsere zu tun." (Pf, 244).

Den gleichen Gesichtspunkt vertritt Byland im Roman Bohnenblust in einem Gespräch mit einem jungen Typographen, Voellmy, in dem er ihn lobt, weil er ein richtiger Schweizer sei, ein „Vorwärtsstürmer". „Aber blicken Sie um sich: Sie erschrecken vor Ihrer Einsamkeit, Sie sehen die Menge zurückgeblieben, weit hinten in der Geschichte an ihrem Morgarten lagern." (275).

In seiner Kritik des falschen Patriotismus kann Zollinger an eine bestimmte schweizerische literarische Tradition anknüpfen, wobei man in erster Linie einen Vergleich mit Inglins Roman Schweizerspiegel anstellen möchte. Inglin verwendet dort das klassische Schützenfestmotiv, wo der ältere Amman, Oberst und Nationalrat, als Festredner auftritt und den schweizerischen Staat und die schweizerische Kultur lobt. Er beschwört das Beispiel der Vergangenheit herauf und hält sich bei Morgarten, Sempach usw. auf. Amman hat jedoch einen Kritiker in seinem Sohn Paul, der diese nationale Feier mit Ironie betrachtet (SSp, 245 f.). Hier möchten wir auch auf Jakob Bossharts Ein Rufer in der Wüste (1921) hinweisen. Ob Zollinger diesen Roman gelesen hat, muß offen bleiben. Die Hauptfigur trägt übrigens denselben Familiennamen wie eine der wichtigsten Gestalten in Zollingers Pfannenstiel und Bohnenblust: Stapfer. Auch bei Bosshart kommt — genau wie bei Inglin — ein Schützenfest vor. Der ältere Stapfer ist Festredner; Reinhart, der Sohn, ist gegenüber dem Patriotismus seines Vaters auch skeptisch (Ein Rufer in der Wüste, 150). Bossharts Anschauung stimmt mit der von Zollinger überein. Man kann übrigens notieren, daß diese Generationsgegensätze ebenfalls in Vogels erwähntem Roman Der blinde Seher vorkommen.

Geistige Landesverteidigung · Die Schweiz als Idee und Vorbild

In Zollingers Entwicklung zu einem Patrioten, der die militärische Landesverteidigung akzeptiert, war der erste, wichtige Schritt die Aneignung der „geistigen Landesverteidigung". Zum ersten Mal zeigt sich diese Haltung bei Zollinger in einem Artikel mit dem charakteristischen Titel „Geistige Landesverteidigung" (*Die Zeit*, 1936, Nr. 2). Zugleich mit der Behauptung, daß die Schweiz als Staat eine große Aufgabe zu erfüllen habe, richtet Zollinger Mahnungen an das eigene Volk: er sieht die Gefahren, die sowohl von außen als von innen her drohen. Die idealistische Geschichtsauffassung, die mit der „geistigen Landesverteidigung" zusammengehört, wird im Aufsatz „Geistige Landesverteidigung" vergegenwärtigt wie auch im Artikel „Schriftsteller und Presse" (*Der Geistesarbeiter*, 1939, Nr. 1): die Schweiz wird als identisch mit der Idee der Freiheit aufgefaßt. Der Gedanke, daß die Schweiz ein Vorbild für andere Länder sein sollte, ist ein anderes Charakteristikum jener Bewegung; Zollinger behauptet somit im Artikel „Geistige Landesverteidigung", der Schweizer sei durch seine Staatsverfassung polynational, humanistisch und pazifistisch.

> „Darin stehen wir, soviel ich weiß, einzig und in aller Bescheidenheit gesagt beispielhaft da; wir sind im Kleinen ein verwirklichter Völkerbund, die Gewähr dafür, daß es das gibt; wir sind in der Hochburg unseres Gebirges geradezu ein Refugium der ganzen zerborstenen und verschollenen Weltauffassung, die nach dem Weltkrieg Sehnsucht und Hoffnung der Völker geworden war." (*Die Zeit*, 1936, Nr. 2).

Ähnliche Ansichten werden im Roman *Pfannenstiel* im Zusammenhang mit der Schilderung der schweizerischen Ausstellung in Zürich 1939, der sogenannten Landesausstellung, deutlich, die in Wirklichkeit zu einer schweizerischen Manifestation wurde, und als solche wird sie auch im betreffenden Roman dargestellt. Stapfer und Byland, die durch das Ausstellungsgelände ziehen, sind von Bewunderung und Stolz über das, was gezeigt wird, erfüllt:

> „Es war keine bloße Messe, es war die künstlerisch überlegte Veranschaulichung einer Art mit deutlichem Willen zur Demonstration selbst einer Weltauffassung, mit einer Spitze, sei es, gegen Doktrinen, welche das Ländchen ohne Lebensraum, ohne Kolonien, ohne Meerhäfen nicht anders als mit der Buntheit der Leistung widerlegen wollte." (262).

Auch in einer anderen Hinsicht kann die Schweiz, die hier gezeigt wird, vorbildlich werden: als Beispiel der „Verträglichkeit unter Sprachen, Rassen, Glaubensbekenntnissen" (261).

Zollinger, der in so großem Ausmaß das historische Zurückblicken ablehnt, akzeptiert also im Zusammenhang mit der „geistigen Landesverteidigung" ohne Zögern Ideen aus der Vergangenheit. Indem er gleichzeitig eine kritische Distanz zur damaligen Schweiz hält, gestaltet er enthusiastisch und unkritisch von der Schweiz ein Idealbild, das nur zum Teil eine Entsprechung in der Wirklichkeit hat. Sicherlich aber spielt gerade dieses Verhältnis eine wichtige Rolle in Zollingers Entwicklung: hier wurde eine idealistische und geistesgeschichtliche Basis für Zollingers Patriotismus geschaffen, die gleichzeitig eine positive Ergänzung seiner streitbaren antifaschistischen Einstellung bildete.

Demokratie, Freiheit und Gleichheit

Demokratie und Freiheit, zwei Begriffe, die mit der „geistigen Landesverteidigung" eng zusammengehören, wurden in Zollingers Publizistik und Dichtung nach 1933 durch diese Bewegung und durch die außenpolitischen Geschehnisse aktualisiert. Zollinger, der jetzt das Gewand des kämpfenden Demokraten anlegt, verleiht seinem demokratischen Willen in erster Linie im Kampf gegen die Diktaturen Gestalt. Hin und wieder äußert er ein einfaches positives Bekenntnis zur Demokratie, aber selten versucht er, das Wesen der Demokratie näher zu analysieren. Die Konfrontation mit den Diktaturtendenzen in Europa führte in seiner Publizistik zu einer zweifachen Reaktion gegen die schweizerische Demokratie, die sich in Kritik und Verteidigung manifestierte, wobei er ein offenbares Bedürfnis hatte, seine eigene Haltung zu pointieren und abzugrenzen. In drei Artikeln, „Es geschehenen Zeichen . . . " (*Die Zeit*, 1937, Nr. 12), „Der Fall Mühlestein" (ebd. 1937, Nr. 10) und „Die beiden Spanien" (ebd. 1937, Nr. 5), die alle mit dem Abessinienkrieg und dem spanischen Bürgerkrieg im Zusammenhang stehen, wird die schweizerische Demokratie kritisiert und zuweilen verdächtigt; im zweiten Artikel wird sogar von schweizerischem Faschismus gesprochen. Demgegenüber will Zollinger als wahrer Demokrat erscheinen. Im Artikel „Der Fall Mühlestein" charakterisiert er sich als unzeitgemäßigen, altmodischen Demokraten, im Aufsatz „Die beiden Spanien" als „Demokrat und Schweizer". (Ähnlich ist die Charakterisierung im Roman *Pfannenstiel*, wo über Stapfer ganz kurz festgestellt wird: „Martin war schlecht und recht Demokrat . . . ", 116). Daß Zollinger sich gerne selbst als Anhänger einer traditionellen, geradlinigen Demokratie so stark hervorhebt, beruht allem Anschein nach darauf, daß er damit Versuchen, ihn als Marxisten oder Kommunisten zu bezeichnen, entgegenwirken will.

Im Aufsatz „Offener Brief" an Jakob Schaffner nimmt Zollinger gegen Schaffner und dessen Ironie über schweizerische demokratische Institutionen Stellung. Er sieht zwar das Mangelhafte an der schweizerischen Demokratie ein, verteidigt sie aber dennoch und besonders solch typische schweizerische Staatserscheinungen wie „Initiative" und „Referendum". Es sei — meint Zollinger — schwieriger, ein Kind in Freiheit als mit der Knute zu erziehen (*GW*, I, 413).

Der Begriff Freiheit ist in publizistisch-literarischer Form, mehr als der Begriff Demokratie, für Apotheosen geeignet; das gilt auch für Zollinger, der in diesem Zusammenhang nicht selten pathetisch wird. Im Artikel „Geistige Landesverteidigung" hebt Zollinger die Idee der Freiheit als die schweizerische Idee „par préférence" hervor. Die Schweiz habe, meint er, als Staat eine bestimmte und große Aufgabe zu erfüllen, die jedoch von den heutigen Schweizern vergessen worden sei. „Ist es denn so, daß wir Erfinder und Spezialisten politischer Freiheit aus historischer Dekadenz die Witterung in Dingen der Freiheit verloren haben?" (*Die Zeit*, 1936, Nr. 2). Das Freiheitsgefühl intensiviert sich während der nächsten Jahre und erscheint in äußerst engagierter Form im Gedicht „Lied vom Morgarten" (1938). Im Beitrag „Schriftsteller und Presse" (1939) wird die Idee der Freiheit mit der Schweiz identifiziert:

> „Um nicht zu sagen, ich hoffe, will ich sagen, ich fürchte, die Schweiz steht und fällt mit der Reinhaltung ihrer Idee, und welche andere wäre das, wenn nicht die ihrer Freiheit, in welcher die höchsten Menschheitsgüter: Würde und Unantastbarkeit der Person, Gewähr ihrer freien Entwicklung und Entfaltung, Adel der Kultur und Humanität, beschlossen liegen." (*GW*, I, 403 f.).

Dieselbe Gesinnung findet sich in Zollingers Besprechung „Meinrad Inglins ‚Schweizerspiegel'" (*Neue Schweizer Rundschau*, 1939, Nr. 10). Zollinger stimmt Inglins staatsbürgerlichem Bekenntnis zur Freiheit und Maß zu; er widmet Oberstdivisionär Bossharts Standpunkt besondere Aufmerksamkeit (*GW*, I, 438 f.).

Die Auffassung von Demokratie und Freiheit, die in der Publizistik Zollingers zu beobachten ist, findet sich auch in seinen Romanen. In *Pfannenstiel* stehen Stapfer und Byland in ihrem antifaschistischen Kampf angesichts Abessiniens und Spaniens unverbrüchlich beieinander und kritisieren dabei undemokratische Tendenzen in der Schweiz. Andererseits existiert jedoch im gleichen Roman eine fast romantisch-sentimentale Auffassung von der schweizerischen Demokratie, die mit dem Land und der Natur zusammenhängt. Für Stapfer ist das Bauerndorf, von der Sonne hübsch beleuchtet, der Keim, der Grund der echten, der „lieben Demokratie", und er sieht vor sich die Bürgerversammlungen in Tätigkeit (64, 204). Hier tritt also deutlich der Gegensatz hervor: einerseits eine Aggressivität, die ihre Wurzeln in der europäischen Problematik hat, andererseits eine gefühlsmäßige Idealisierung, in der sich der Idylliker und Lyriker Zollinger enthüllt. Als sich die deutsche Gefahr nähert, spielt der Freiheitswille eine immer größere Rolle. Er wird in *Pfannenstiel* in erster Linie von Byland repräsentiert, der übrigens stark gegen die Rhetorik und Heuchelei um die Freiheit in der Schweiz reagiert und meint, daß dieser Begriff im Dienst des materiellen und geschäftlichen Gewinns verwendet werde (244).

Im Roman *Bohnenblust* tritt Stapfer als ein im Vergleich zu Byland aktiver engagierter Demokrat auf. Ihm fällt z. B. die Aufgabe zu, die schweizerische Demokratie einigemal Krannig gegenüber zu verteidigen. Krannig, der sich zu Deutschland hingezogen fühlt, ironisiert die schweizerischen Wahlzettel und die allgemein spießbürgerliche Demokratie der Schweiz (101; vgl. 249). In diesem Werk tritt die Gestalt Bohnenblusts in einem nahezu verklärten Schimmer hervor: er wird zum Symbol nicht nur der schweizerischen Demokratie, sondern auch des Besten des schweizerischen Wesens.

Mit dem Roman *Bohnenblust* kommt es zu einer Vertiefung und Erweiterung der Diskussion über den Freiheitsbegriff, die bislang über eine Freiheit gegen äußere Feinde und um eine politische Freiheit in der Schweiz verlaufen war. Natürlich wird ein derartiger Freiheitsbegriff nicht in Frage gestellt, aber das Neue an der Debatte ist, daß der Dichter jetzt die Kehrseiten einer zu weitgehenden Freiheit sieht. Byland hat eingesehen, daß gewisse Gruppen in der Gesellschaft die Freiheit für eigene Ziele ausnutzen können; beispielsweise äußert er bei einer Gelegenheit: „Ich seh nicht viel mehr als die Freiheit der Gecken und Gauner" (28) und ein anderes Mal: „Die Freiheit ein Tummelfeld der Hyänen!" (143). In einem Gespräch mit Bohnenblust behauptet Byland ferner, daß die Freiheit in der Demokratie mißverstanden worden und ein Mittel im Dienste des Egoismus und der Unordnung geworden sei (228).

Mit der Debatte in diesem Roman, die über den herkömmlichen Begriff von der Freiheit hinausgeht, haben sich Verbindungen mit Frisch und Dürrenmatt angebahnt.

Zwischen Demokratie, Freiheit und Gleichheit herrscht ein Zusammenhang, was beispielsweise Thomas Mann in seinem Beitrag in der Zeitschrift *Maß und Wert* behauptet: „Demokratie ist ein labiles und vom Menschen immer wieder neu zu ordnendes Rechtsverhältnis von Freiheit und Gleichheit, des individualistischen und des gesellschaftlichen Prinzips." („Zu diesem Jahrgang"; in *Maß und Wert*, 1939, H. 1). Mann weist hier in der Tat auf eine grundlegende Fragestellung in jeder Debatte über die Gleichheit hin. Zollinger zeigte jedoch kein Interesse dafür, sich mit dieser Problematik auseinanderzusetzen; der Gleichheitsbegriff erscheint bei ihm ziemlich unabhängig von Freiheit und Demokratie. Wichtiger erscheint uns jedoch, daß dieser Begriff in Zollingers Werk ursprünglicher und älter ist, als die Themen Freiheit und Demokratie. Zollinger nimmt den Gleichheitsbegriff schon in seinem

Erstlingswerk, *Die Gärten des Königs*, auf, in dem René behauptet: „Die Marketenderin mit ihrem Labsal ist nicht minder groß als der Feldherr, der Papst nicht weniger entbehrlich als unser Küster." (21). Der Gedanke der Gleichheit steht hier im Zusammenhang mit Zollingers sozialem Pathos und sozialistischer Auffassung.

Als Zollinger in den dreißiger Jahren das Problem wieder aufgreift, geschieht es ausschließlich in dichterischer Form, und zwar zuerst im Roman *Die große Unruhe*, wo mangelnde Gleichheit mit Kapitalismus verbunden wird. Aristide betont also: „Sich auf Geld zu verstehen, ist kein Beweis für menschliche Bedeutung, und diese allein kann Maßstab der Vergleiche sein." (172 f.). Modern hört sich seine Auffassung an einer anderen Stelle an: „Die billigste Voraussetzung der Fairneß wäre gleicher Start." (173). In diesem Werk werden nicht direkt schweizerische Verhältnisse behandelt, wie im Roman *Bohnenblust*, in dem die Debatte von größerer Bedeutung und auch lebhafter ist. Stapfer, beispielsweise, meint in einem Gespräch mit Byland, falls Gleichheit („Egalité") nicht hinsichtlich des Geldbesitzes zu verwirklichen sei, so sollte es doch bei der Kohle möglich sein (67). Er spielt damit auf die Rationierung während der Krisenzeit an. In allen den oben behandelten Werken ist der Begriff Gleichheit eindeutig und wird aus einem einheitlichen ökonomisch-antikapitalistischen Gesichtswinkel betrachtet.

Im Roman *Bohnenblust* erscheint jedoch ein neuer, überraschender Aspekt, und zwar in den Erörterungen über die Schul- und Bildungsverhältnisse in der Schweiz: hierbei wird die Gleichheit in Frage gestellt. Byland verwirft die Sekundarschule, die seiner Meinung nach zugrunde gegangen ist, weil sie „zum demokratischen Eigentum" geworden ist. „Der Fimmel von Gleichheit hilft über Mangel an Geistesgaben nicht hinweg." (139). In einem Gespräch mit einem jungen Lehrer namens Biedermann, polemisiert er gegen das Überschätzen der Mittelmäßigkeit und sagt u. a.: „Alle Freiheit dafür der Elite! Nur ein falsch verstandener Demokratismus will die Gleichheit in Dingen erzwingen, die sich nicht zwingen lassen." (172, vgl. 171). Hierzu möchten wir auch auf einen Dialog zwischen Byland und dem Typographen Voellmy hinweisen: „Ich bin nicht für Gleichmacherei, im Gegenteil für eine Ordnung nach Größen, aber nach Größen der Leistung, nicht des Besitzes." (276). Wenn hier von Leistung gesprochen wird, ist wahrscheinlich in erster Linie damit eine Leistung auf kulturellem oder künstlerischem Gebiet gemeint. In diesem Bereich soll und kann keine Gleichheit herrschen; es ist die kulturschaffende Persönlichkeit, die hervorgehoben wird. Natürlich hat Byland — und hier sind zweifellos seine Ansichten mit denen Zollingers identisch — darin recht, daß die Begabung einen Unterschied schafft, über den man sich nicht hinwegtäuschen darf. Eigenartig ist jedoch, daß Byland als Gegner einer Erweiterung der Sekundarschule auftritt: gerade hier wäre doch ein geeignetes Gebiet vorhanden, um die Gleichheit zu verwirklichen. Zusammenfassend möchten wir feststellen, daß Zollinger sich mit dem Roman *Bohnenblust* eine kritische, fast mißtrauische Haltung gegenüber dem Gleichheitsdogma angeeignet hat, die weit von seiner Haltung in den früheren Romanen entfernt ist. Er akzeptiert die Idee der Gleichheit nur unter gewissen Bedingungen. Seine Ansichten mögen in diesem Punkt widersprüchlich erscheinen, sind jedoch wahrscheinlich dadurch bedingt, daß er damit die Priorität der Kulturschaffenden behaupten möchte.

Pädagogik und Volkserziehung

Zollinger hatte schon durch seinen Beruf eine pädagogische Verankerung. Es ist nicht erstaunlich, daß er drei seiner Hauptfiguren zu Schullehrern gemacht hat: Wendel, Byland und Bohnenblust. Eine direkte Diskussion über Schule und Unterricht kommt sowohl im Roman *Der halbe Mensch* als auch in *Bohnenblust* vor. (*GW*, II, 81 f.; *Bohnenblust*, 136–140 167–175).

Eine bewußt pädagogische Tendenz tritt in Zollingers Publizistik und Dichtung erst nach Mitte der dreißiger Jahre auf. In Aufsätzen wie „Möglichkeiten des Schriftstellervereins" (*Der Geistesarbeiter*, 1938, Nr. 6) und „Schriftsteller und Presse" (ebd. 1939, Nr. 1) schlägt Zollinger die Einrichtung einer Art geistiger Instanz vor, um Öffentlichkeit und Zeitungspresse in demokratischer Richtung zu beeinflussen[4]. Im letzterwähnten Artikel schreibt er u. a.: „Über Pestalozzi hinaus haben wir fortgefahren, durch Beeinflussung zu wirken. Wir gäben eine schweizerische, wir gäben eine Spezialität der Demokratie preis, ließen wir die Bemühung fahren." (*GW*, I, 405). Es scheint, als ob Zollinger — jedenfalls rückwirkend — seine Tätigkeit als Redakteur der Zeitschrift *Die Zeit* als eine Art erzieherisches Wirken betrachtet hat. So könnte man seinen Beitrag im *Geistesarbeiter* deuten, in dem er angesichts der Stilllegung der Zeitschrift *Die Zeit* das Programm formuliert, das er in dieser zu verwirklichen versucht hatte.

> „Unter Verzicht auf klassische Glätte und ästhetische Bequemlichkeit bemühte ich mich, für Demokratie und Freiheit, Menschenwürde und Rechtlichkeit, für die Minderheit der unabhängig Denkenden einzutreten, ohne das Hauptziel aus den Augen zu verlieren: der Positiven Leistung ein Forum zu erhalten." (*Der Geistesarbeiter*, 1937, Nr. 9/10).

In Zollingers späterer Romandichtung spielt die didaktische Tendenz eine bedeutende Rolle. Als Beispiel könnte man das Versöhnungsmotiv, den Willen zum Einordnen, anführen, was in gewisser Weise pädagogisch interpretiert werden kann, wobei wir vor allem an Tscharner in der *Großen Unruhe,* Stapfer in *Bohnenblust* und Condrau im *Gewitter* denken. Im Roman *Pfannenstiel* wird die pädagogische Absicht durch den literarischen und künstlerischen Klub Pfannenstiel sichtbar, in dem Byland und Stapfer die führenden Personen sind. Für die Zeitschrift, die sie herausgeben wollen, haben sie sich ein positives Ziel gesteckt: „Der erste Programmpunkt unseres Blattes besteht in der Aufgabe, der positiven Leistung ein Forum zu sein." (156). Der Abschluß dieses Zitats enthält nahezu dieselbe Formulierung wie das obige Zitat aus dem *Geistesarbeiter.* Die pädagogische Einstellung der Gruppe Pfannenstiel äußert sich in deren Tätigkeit, Kenntnisse und Kultur zu verbreiten, und in deren Willen, zu wecken, zu debattieren und zu kritisieren. Byland ist von Beruf Primarlehrer, aber auch der Künstler Stapfer fühlt sich als Pädagoge. Aus dem folgenden Zitat kann dieselbe Verbindung zwischen Demokratie und Erziehung wie im obengenannten Artikel „Schriftsteller und Presse" herausgelesen werden: „Nun war er (Stapfer) Schweizer, ein Schulmeister somit in irgend einem Teil seines Strebens; ein Demokrat ist es immer, er wollte die Dinge verändern." (*Pf*, 116).

Im Roman *Bohnenblust* — mit dem bezeichnenden Untertitel „Oder die Erzieher" — tritt neben Byland auch Bohnenblust als Berufspädagoge auf. Er hat das Amt eines Schullehrers in einem idyllischen Bauerndorf, wo er gleichzeitig zu einem Teil Bauer ist. Auf jedem Gebiet kommt seine pädagogische Gesinnung und Hilfsbereitschaft zum Ausdruck. Dieser Roman und diese Gestalt stehen zweifellos in einem Zusammenhang mit Adalbert Stifter; bei verschiedenen Gelegenheiten werden Stifter und dessen beide Werke *Der Nachsommer* und *Witiko* erwähnt (*B*, 82; vgl. 229 f.)[5]. Bohnenblusts Gestalt ist nicht nur nach zwei Vorbildern aus der Wirklichkeit, nämlich Traugott Vogel und Albert Edelmann geschaffen (*TV*), sondern wahrscheinlich auch nach einer Idealgestalt des Romans *Nachsommer*, Freiherr von Risach. Es gibt dort mehrere Parallelen, über die in der folgenden Anmerkung ausführlich berichtet wird[6]. Somit ist ein didaktisches Element von Stifter her in den Roman *Bohnenblust* hineingeflossen. Stifter hat auch Zollinger in seiner ästhetisch-politischen Auffassung beeinflußt, wie wir im Schlußkapitel zeigen werden.

So steht Zollinger in seiner Publizistik und Dichtung als Warner, Ermahner und Erzieher da und somit als Erbe einer Tradition, die von Pestalozzi und Gottfried Keller ausgeht. In seinem Werk zeigen sich verschiedentlich prophetische und visionäre Züge, wodurch er auch als Nachfolger Gotthelfs erscheint[7]. Zollinger vertritt somit in dieser Hinsicht einen Schweizer Standpunkt. Dieser pädagogische Zug steht in einem unmittelbaren Zusammenhang mit Zollingers Wandlung zum

Zeitdichter; das pädagogische und das politische Element beeinflussen sich gegenseitig. Zollinger will sein Volk in politischer und künstlerischer Hinsicht erziehen und belehren, er möchte die Welt durch seine Publizistik und Dichtung verändern.

Die Schweiz und Europa

Zollinger und Deutschland · Vor 1933

Deutschland spielt bei Zollinger eine größere Rolle und wird von ihm über einen längeren Zeitraum als andere außenpolitische Probleme behandelt. Ein deutlicher Wendepunkt ist das Jahr 1933. Vor diesem Jahr hatte er lediglich ein kulturelles und gefühlsmäßiges Verhältnis zu Deutschland. Seine Auffassung spiegelt sich in einigen wenigen publizistischen Ausführungen, von denen nur eine veröffentlicht wurde (1928), und außerdem in einer Anzahl von Briefen an Vogel 1930–31, dagegen nirgendwo in seiner Prosadichtung.

Im Januar 1928 gab die Berliner Wochenzeitung *Die literarische Welt* ein Spezialheft über neuere schweizerische Dichtung heraus. Es ist eigentlich erstaunlich, daß Zollinger so scharf auf diese Nummer reagierte: die meisten Beiträge sind nämlich von geachteten und gemäßigt eingestellten Schweizern geschrieben, wie Walter Muschg, Fritz Ernst und Max Rychner. Ein kritischer Beitrag ist jedoch von einem Nicht-Schweizer verfaßt, nämlich Axel Eggebrechts „Schweizer Publizistik", in dem der Autor auf den konservativen Zug der schweizerischen Journalistik hindeutet. Die Schweiz sei in geistiger Hinsicht von Unbeweglichkeit geprägt. „Die ganze Struktur des politischen Lebens müßte erst verändert werden, ehe die Schweiz modern werden könnte." (*Die literarische Welt*, 1928, Nr. 3). In dieser Nummer wird auch ein Gespräch, „Schweizerisches Literaturschicksal" überschrieben, zwischen Eduard Korrodi und dem Interviewer H. Wyssenberg wiedergegeben, in dem der Letztere eine überlegen ironische Haltung zur schweizerischen Literatur einnimmt und die Schweiz — wegen ihrer Kleinheit — eine „Zündholzschachtel" nennt. Zollinger ging zum verärgerten Gegenangriff über, in der schweizerischen Kulturzeitschrift *Annalen*. Sein satirischer Artikel trägt den Titel „Echo im Hirtenland".

> „Ich fühlte mich von Nazareth, ich war, mit allen lieben Verskollegen, nur ein Bauer, sieben Stund hinter dem Mond hervor; ich hatte versäumt, mich über den derzeitigen Wind zu orientieren, ich hatte unter der Käseglocke dahingelebt. [...] Eure Witzigkeiten, eure veralteten neuen Schlagwörter sind uns zum voraus wohlbekannt; ihr unterschätzt unsere Wachheit und verkennt unsere Ruhe: die Stille vermag wohl den Lärm, nicht aber der Lärm die Stille zu erkennen." (*Annalen*, 1928, H. 3).

Noch einmal — zwei Jahre später — gerät Zollinger in Polemik mit der *Literarischen Welt*, diesmal anläßlich Frank Thiess' Artikel „Ramuz und wir", der eine Kritik an Ramuz und in erster Linie an dessen Werk *Wandlung der Marie Grin* bildet. Thiess sagt u. a., daß je wichtiger

Ramuz' Einfluß in der Schweiz wird, um so unwichtiger wird er in
Deutschland; er spricht ferner von der Geburt einer neuen Dichtung in
Deutschland sowie vom Abstand zwischen den Neutralen und dem
neuen Deutschland.

> „Mit ihrem Erklimmen (zielt auf den Ersten Weltkrieg und dessen Fol-
> gen) freilich spaltet sich ein Abgrund zwischen jenen Nationen auf, die
> im Parkett sitzen, und jenen, die notgedrungen Weltgeschichte agieren.
> Nie waren uns die Neutralen so fern wie heute, wo wir wissen, daß auf
> deutschem Boden schon ein neues Zeitalter begonnen hat." (*Die litera-*
> *rische Welt*, 1930, Nr. 50).

Interessanterweise hat bereits zu dieser Zeit das Bild eines neugeord-
neten Deutschlands in gewissen kulturellen deutschen Kreisen Anklang
gefunden.

Es gehört zur Sache, daß gerade Ramuz derjenige Dichter war, den
Zollinger als den größten lebenden Schriftsteller der Schweiz betrach-
tete. In einem Brief vom Dezember 1930 schreibt Zollinger, daß er
Thiess' Artikel gelesen habe und daß er eine Eingabe, anscheinend ziem-
lich scharf formuliert, dagegen geschrieben habe. Später sagt er in dem
Brief: „Wie liebe ich Deutschland, und habe doch der Lit. Welt schein-
bar das Gegenteil geschrieben." (*BF*, 29). Einige Wochen später, am 13.
Januar 1931, teilt Zollinger mit, daß er den Artikel vom Redakteur der
Literarischen Welt zurückbekommen habe, mit der Bemerkung, daß die
Schweiz wirklich keinen repräsentativen Dichter habe. Im Brief stellt
Zollinger einen Vergleich zwischen der deutschen Jugend und derjenigen
der im Weltkrieg Neutralen an:

> „Aber was das schlimmste ist: Heimlich fürchte ich, daß schon etwas
> daran liegt, wir sind im Rückstand geblieben, es geht uns verhältnis-
> mäßig zu gut — lesen Sie, was diese deutsche Jugend e r l e b t ; auch
> nationale Schmerzen müssen ihre Früchte zeitigen. So dünkt es mir oft,
> wir Neutralen können uns jetzt alle im Krieg versäumten Kugeln durch
> die Stirn jagen. So unsinnig es ist, den Kanonen den Fortschritt der Poesie
> zuzuschreiben." (*BF*, 33).

Es scheint also, als ob Zollinger doch von Thiess' Artikel und von dem,
was dieser von den Neutralen auf dem Parkett gesagt hatte, beeindruckt
worden war.

Die Veränderung von Zollingers Einstellung zu Berlin und Paris wird
in einigen Briefen an Vogel stark sichtbar. Im Juli 1930 machte Zollinger
seinen ersten Besuch in Berlin, wo er Vogel traf, der seit dem Frühjahr
für etwa ein Jahr lang in Berlin weilte. Nach der Rückkunft in die Schweiz
bekennt Zollinger in einem Brief im Oktober 1930 seine Sehnsucht nach
Berlin: „Ich bin froh, daß Berlin mir eine *liebe* traute Stadt geworden
ist . . . " (*BF*, 14).

Während des Frühjahrs 1931 hatte Zollinger einige Zeit Urlaub für
einen Aufenthalt im Ausland bekommen. Aber er fuhr doch nicht nach

Berlin, obwohl der Freund Vogel sich immer noch dort befand; er riet sogar Vogel, Deutschland zu verlassen: „Traugott, ich gehe nach *Paris*. Die Deutschen haben mich vertäubt mit ihrer Schweizerfresserei: ‚Deutschland, Deutschland über alles . . .‘ Das ist doch immer ihre Nationalhymne. Ja, gehen Sie je eher desto besser nach dem Süden . . .“ (*BF*, 40). Auch in einem Brief vom 16. März kommt Zollinger auf das Thema Deutschland zurück. Trotz der Kritik möchte er sich seine Sympathien für Deutschland nicht nehmen lassen. Aber er verteidigt den Wert der schweizerischen Dichtung und Kultur:

> „Nein, der Keyserling und Thiess wegen ließe ich mir Deutschland nicht verleiden. Aber die Ironie ist allgemein, trotzdem sie nur zu dem Teil berechtigt ist, wie sie allen Völkern gegenüber angebracht ist. Die Germanen sind und bleiben auf wirtschaftlichem wie auf geistigem Gebiet Wickinger, die alles fressen, alles besser können, alles erfunden haben wollen. Nach E. sollten wir ja das Dichten aufgeben. Widerliche Selbstaufgabe, wenn das Ä u ß e r e uns dazu zwingt. Ich dichte, und dichte besser als die Erich Kästner, mit ihrem Schnoder-Leierkasten. Punkt.“ (*BF*, 43).

In den Jahren vor 1933 herrscht bei Zollinger eine ambivalente Haltung, da er sich von Deutschland und der deutschen Kultur stark angezogen fühlt, aber gleichzeitig von der deutschen Mentalität und Kritik abgestoßen wird: Er verteidigt das Schweizerische und die schweizerische Dichtung. Jedoch kann man eine zunehmende Abneigung und Mißtrauen bemerken. Überhaupt hat diese Auseinandersetzung dadurch Bedeutung, daß sie eine entschiedene Stellungnahme vorbereitet hat, die durch die politischen Ereignisse 1933 hervorgerufen wurde.

1933–41

Publizistisch hat Zollinger nicht direkt auf Hitlers Machtübernahme reagiert, auch privat nicht, zumindest nicht in den von Vogel veröffentlichten Briefen. Nachträglich spiegelt sich das Ereignis in Zollingers Romandichtung, zuerst in der *Großen Unruhe*, worin er kurz die Machtübernahme in Berlin und den Reichstagsbrand schildert (255). Im Roman *Pfannenstiel* erhält gerade diese Begebenheit eine bestimmte und wichtige Bedeutung. Als Byland und Stapfer sich zum ersten Mal treffen, sprechen sie lange über den Reichstagsbrand (134), der also zum Ausgangspunkt für die Zeitdebatte in diesem Roman wird. Es geht nicht länger darum, die Probleme zu beschreiben, sondern um ein intensives Engagement und eine klare Stellungnahme.

Im bereits erwähnten Stück *Opera buffa*, das 1934 geschrieben aber erst 1960 veröffentlicht wurde, nimmt Zollinger zum ersten Mal in seinem Werk zu Hitlers Deutschland Stellung. Er ist zutiefst kritisch und ironisiert u. a. einen auftretenden Berliner, der von großdeutschen Träumen erfüllt ist und darauf hofft, daß die Schweiz schon 1935 ein-

verleibt werden könne. „Muskeln, Stahl und Tempo — voilà l'Alle-
magne! Wie lächerlich schneckenhaft geht hier alles in diesem noch
undurchlüfteten Stück Deutschtum!" (Hortulus, 1960, H. 6). Die Ge-
räuschkulissen sind bezeichnend: außer Kanonendonner und Maschinen-
gewehrknattern hört man Rufe wie: „Heil! Heil! — Nieder mit der Demokratie! — Nieder mit Parlamentarismus und Liberalismus, nieder mit
der Korruption! An die Laterne mit allen Pazifisten! — Wir wollen
unseren Führer sehen! — Heil[1]!"

Zollingers erste öffentliche Stellungnahmen zu diesem neuen Deutschland in seiner Publizistik der folgenden zwei Jahre waren der Aufruf
„Schweizerisches Schrifttum" (1935) und der Artikel „Vorsatz" (1936).

Die Wandlung bei Zollinger kann man indirekt auf eine eigenartige
Weise in einem Brief an Vogel ablesen. Es handelt sich um eine bewußte
Veränderung des Schreibstils: in einem Brief vom 19. Oktober 1935
verwendet Zollinger zum ersten Mal eine neue Schreibweise für das „Z"
in seinem Nachnamen. Er hat hier das „Z" des deutschen Frakturstils
mit einem lateinischen „Z" ersetzt. Die lateinische Schrift wird bei Zollinger während der nächsten Jahre immer dominierender. Vogel sagt in
seinem Kommentar zu diesem Brief:

> „Die Fraktur wurde bekanntlich als ‚deutsche Schrift' bezeichnet; Albin
> Zollinger beginnt aus entschiedenstem Widerstand gegen den national-
> sozialistischen Terror alles abzulegen, was ihm an seinem eigenen Wesen
> als deutschverdächtig erscheint." (BF, 104; vgl. ebd. 109).

Während der „Zeit"-Periode dominierte das Spanienproblem, und Zollinger widmete Deutschland relativ wenig Aufmerkskeit. Vor allem
kann man hier auf den Artikel „Banausen am Werk" hinweisen, der,
bezüglich Aggressivität, ganz auf einer Linie mit Zollingers Ausführungen über das Spanienproblem liegt. Der Aufsatz wurde im Oktoberheft
der Zeit (1937) publiziert und ist ein empörter Angriff auf die deutsche
Kulturpolitik. Über Deutschland gehe gerade, sagt Zollinger, eine Revolution hinweg, die sich gegen die „bolschewistische" Kunst richte; es
gehe um ein Autodafé, gegen das die Welt reagieren müsse. Er ironisiert
u. a. eine neueröffnete Kunstschule unter dem Patronat des Genera-
lobersten Hermann Göring, und die Säuberungsaktionen, die in
öffentlichen und privaten Kunstsammlungen begonnen wurden, um
diese dem Geschmack des „ehemaligen Dekorationsmalers" Adolf Hitler anzupassen.

> „Solange die Haudegen bei ihrem Fach blieben und Politik machten,
> durften die Künstler schweigen; da sie ihren Germanengeist nun auch in
> Bezirken walten lassen, für die wir zuständiger sind als sie, hätten wir
> einmütig unsere Stimme gegen sie zu erheben." (Die Zeit, 1937, Nr. 6).

Dieselbe Haß- und Kampfstimmung, der man im obigen Artikel sowie
in den Aufsätzen über Spanien in der Zeit begegnet, hat später bei Zol-

linger einen lyrischen Ausdruck gefunden. Im Zusammenhang mit der deutschen Okkupation von Österreich im März 1933 publizierte er das schon erwähnte „Lied vom Morgarten" (*National-Zeitung*, 27. 3. 1938). Die erste Strophe des Gedichtes verwendet Zollinger auch im Roman *Pfannenstiel*, wo das Gedicht als ein Werk von Byland bezeichnet wird[2]. In drei der ersten fünf Strophen des Gedichtes bittet der Dichter um sieben Leben, die er für sein Land und für die Sache der Freiheit geben will, wenn der Feind kommt. Zollinger benutzt eine leichte historische Verkleidung, die nicht mißverstanden werden kann: der erwähnte Feind sind natürlich die Deutschen. Das Gedicht ist das am stärksten engagierte der Zeitgedichte Zollingers und gibt dem Widerstandswillen seines Autors einen intensiven Ausdruck. Die letzte Strophe lautet:

> „Sieben Leben zu vergeben
> Für die Freiheit gib mir, Gott,
> Wenn sie kommen: sieben Leben,
> Sieben gib mir, lieber Gott!" (*GW*, IV, 523)

In Zollingers drei letzten publizistischen Beiträgen zum Thema Deutschland, die wahrscheinlich alle 1938—39 geschrieben sind, bemerkt man eine charakteristische Veränderung in Richtung auf eine Mäßigung. Das Pathetische und Polemische, bisweilen sogar Gehässige, das Zollingers Publizistik während der „Zeit"-Periode 1936—37 kennzeichnet, ist erheblich gedämpft worden. Worauf ist nun diese auffallende Wandlung zurückzuführen? Haben sich Zollingers Ansichten über Deutschland geändert? Diese Fragen sollen näher in einem größeren Zusammenhang im Schlußkapitel erörtert werden.

Im Artikel „Schriftsteller und Presse", veröffentlicht im *Geistesarbeiter* (1939, H. 1), schreibt Zollinger ganz pädagogisch und ruhig orientierend. Er berührt die Verantwortung, die auf der Schweiz in dieser Zeit ruht, „wo wir das letzte kleine Refugium freien Deutschtums geworden sind", und wendet sich gegen den Haß fremden Ideologien gegenüber, den er nicht nur unwürdig findet, sondern fast als ein Beweis für Unsicherheit wertet.

Der Artikel „Offener Brief an Jakob Schaffner" ist undatiert und gehört zum Nachlaß Albin Zollingers (*GW*, I, 410 ff.). Er ist ohne Erregung und Ironie geschrieben und kann kaum als mitreißend bezeichnet werden. Der Anlaß des Artikels ist ein Vortrag, den Jakob Schaffner in Zürich gehalten hatte[3]. In den Jahren 1936—38 trat er — wie Walter Wolf es ausdrückt — in der Schweiz als „Paradepferd" der „Nationalen Front" auf (*Faschismus in der Schweiz*, 514). Während Zollinger den Dichter Schaffner würdigt, distanziert er sich von dessen politischer Auffassung und behauptet, daß Schaffner sich ein Idealbild von Deutschland geschaffen habe. Er erinnert an die Konzentrationslager und weist in diesem Zusammenhang auf eine neuerschienene Broschüre von Thomas Mann hin, der ein anderes Deutschland als Schaffner gesehen hat. Gerade durch diese Schrift kann man den Artikel einigermaßen datieren. Die betreffende Broschüre muß diejenige sein, die unter dem Titel *Vom zukünftigen Sieg der Demokratie* Ende des Jahres 1938 in Zürich erschienen ist. Der Artikel Zollingers kann also kaum vor November-Dezember 1938 verfaßt worden sein[4].

Am Anfang des Artikels „Das schweizerische Feuilleton" (*GW*, I, 415 ff.) berührt Zollinger kurz die Beziehungen der schweizerischen Literatur zu Deutschland. Auch dieser Aufsatz ist undatiert, aber aus inhaltlichen Gründen, in erster Linie wegen des maßvollen Tenors, scheint es natürlich, ihn in denselben Zeitabschnitt wie die beiden anderen zu verlegen. Zollinger meint hier, daß die deutsche Dichtung während der Epoche des Nationalsozialismus in Verfall geraten sei und ihre Größe verloren habe. Der Name Hitler wird zwar auch genannt, diesmal aber handelt es sich nicht um einen Angriff sondern um eine Mahnung an seine Landsleute, Selbstkritik zu üben: die Schweizer sollen etwas weniger auf Hitler schimpfen und stattdessen an die „eigene Wäsche" denken.

In diesen drei Artikeln, vor allem im ersten und dritten, kann man von einer fast offiziellen Haltung bei Zollinger sprechen: er ermahnt die Schweizer sich nicht allzu sehr an der Kritik gegen Hitler zu engagieren! Wir möchten jedoch konstatieren, daß diese maßvolle Artikulation dem Publizisten Zollinger weit weniger als der frühere, stark polemische und kämpferische Tonfall paßt.

Belletristisch greift Zollinger das Thema Deutschland in seinen drei letzten Romanen auf, die genau die Problematik in seiner Publizistik der dreißiger Jahre spiegeln, wobei doch das Bild in einem dieser Werke, nämlich *Bohnenblust*, ziemlich kompliziert ist. In dem Roman *Die große Unruhe* spielt Deutschland eine verhältnismäßig kleine Rolle. Der Autor behandelt zwei verschiedene Haltungen: in Berlin begegnet der Leser dem überzeugten Nationalsozialisten Manfred sowie anderen SA-Leuten. Dort befindet sich aber auch die Schweizerin Mela, die scharf gegen das Vorgehen der Nazis reagiert. Im Roman *Pfannenstiel* tritt das deutsche Problem in den Vordergrund. Verschiedene Aspekte werden seitens der beiden Hauptpersonen, Stapfer und Byland, angelegt. Es geht hier um Gegensätze, die sich allmählich steigern; zuletzt aber kommt es doch zu einem Ausgleich und zur Versöhnung. Diese beiden, die in bezug auf Abessinien und Spanien eine gleichartige Haltung einnehmen, zeigen in ihrer Auffassung von Hitlers Deutschland einen deutlichen Unterschied. Beide sind Anhänger von Demokratie und Freiheit. Während Stapfer jedoch eine objektivere und verständnisvollere Haltung zeigt, ist Byland aggressiv, aber auch klarblickender. Stapfer kann — im Gegensatz zu Byland — am allgemeinen Haß gegen Hitler nicht teilnehmen. Er versucht, Hitler mehr nach psychologischen als politischen Gesichtspunkten zu beurteilen (225), und hat ferner das Bedürfnis, Deutschland von einem kulturhistorischen Ausgangpunkt aus zu verteidigen:

> „Falls die Feindschaft von heute echt ist — was ich allem Anschein entgegen nicht glaube — dann war die Freundschaft von gestern gelogen; gelogen die Kenntnis der deutschen Kultur, gelogen die Liebe zu ihren Dichtern, Denkern und Künstlern, an denen sie uns zu unserer Verkleinerung maßen." (228).

Beim deutschen Einmarsch in Österreich stellt Stapfer sich immer noch verständnisvoll, Byland dagegen reagiert sehr scharf und schreibt jetzt das Gedicht „Lied vom Morgarten". Es kommt zu einem offenen Bruch zwischen den beiden Freunden. Ein Jahr nach dem „Anschluß" Österreichs besetzt Hitler Prag; Byland hat recht bekommen. Dieses Ereignis führt Stapfer und Byland wieder zusammen, und damit ist die Verschiedenheit der Verhaltensweise der beiden Hauptpersonen hinsichtlich Deutschland aufgehoben. Das Werk schließt in einer politisch eindeutigen Haltung. Zum Teil spiegelt die Gestaltung des deutschen Problems bei Stapfer und Byland Zollingers journalistische Debatte: bei Byland erkennt man Zollingers Haltung während seiner Tätigkeit in der *Zeit*, bei Stapfer gewissermaßen den gemäßigteren und objektiveren Ton, der Zollingers spätere publizistische Beiträge kennzeichnet.

Der Roman *Bohnenblust* beginnt mit einer Anzahl Episoden aus dem Aktivdienst im Herbst 1939. Stapfer, der einberufen ist und intensiv die Zeitereignisse erlebt, tritt als scharfer Gegner von Hitlers Deutschland auf. In den Barackendiskussionen zeigt er sich nunmehr als Verteidiger der französischen Kultur. (Siehe 7, 34 ff., 44). Der wichtigste Diskussionspartner Stapfers in diesem Roman ist Krannig, in dem Zollinger einen Repräsentanten für die deutsch orientierte Auffassung geschaffen hat. Krannig hat großen Erfolg als Künstler in Deutschland gehabt, ist aber wegen des Krieges gezwungen worden, in die Schweiz zurückzukehren und erlebt seine Heimat als ein Krähwinkel. Ohne Nationalsozialist zu sein — das Politische liegt ihm nicht — hegt er große Sympathien für Deutschland: er glaubt an den deutschen Menschen und an ein neues Europa.

Bei einem Vergleich der beiden Bücher *Pfannenstiel* und *Bohnenblust* findet man, daß im letzteren Deutschland eine erstaunlich kleine Rolle spielt, im Gegensatz zu dessen Bedeutung in *Pfannenstiel* und im Hinblick auf die verschärfte Zeitlage, die den Hintergrund des Romans bildet. Besonders interessant ist die Entwicklung von Stapfer und Byland.

Den Wendepunkt für Stapfer bilden deutlich die Ereignisse in Prag: seine objektiv-betrachtende Haltung verschwindet, und in *Bohnenblust* übernimmt er Bylands Rolle als kämpfender Demokrat. Der Autor motiviert die Meinungsänderung nirgendwo näher und läßt den Leser über die innere Entwicklung von Stapfers Ideen im Dunkeln. Bylands Entwicklung ist besonders eigenartig: die Aggressivität, die in *Pfannenstiel* zum Ausdruck kommt, ist in *Bohnenblust* ganz verschwunden. In diesem Roman äußert Byland kein einziges böses Wort über Hitler oder Deutschland, debattiert überhaupt keine außenpolitischen Probleme mehr, richtet stattdessen seine Kritik gegen die innenpolitischen Verhältnisse und hier in besonderem Maße gegen die damaligen demokratischen Formen in der Schweiz. Gleichzeitig entwickelt er sich immer mehr in militärische Richtung und wird in seiner Schule wegen seiner militärischen Disziplinmaßnahmen berüchtigt. Seitdem er gegen einen jüdischen Schüler Gewalt angewendet hat, fällt sogar der Verdacht des Antisemitismus auf ihn (*B*, 56 ff.).

Der Leser erfährt in *Bohnenblust* nichts über Bylands Meinung von Deutschland. Was hat Byland zu diesem Schweigen veranlaßt? Was denkt er im Grunde über Hitler? Was ist der psychologische Beweggrund für sein immer stärkeres militärisches Engagement? Dies sind Fragen, die unbeantwortet bleiben. Zollinger ist es nicht gelungen, auf überzeugende Weise Bylands psychologische und ideologische Entwicklung darzustellen. Er hat in der Tat diese Gestalt, politisch gesehen, verdächtig gemacht, was auch auf den Autor selbst zurückfällt. Es mag berechtigt sein, im Hinblick auf das Obige von einem künstlerischen Mißlingen zu sprechen.

Gegenüber Hitlers Deutschland kann man — allerdings nur im Roman *Pfannenstiel* — drei verschiedene Verhaltensweisen bei Zollingers Figuren unterscheiden. Krannig ist im hohen Grade deutsch orientiert, ohne jedoch Nationalsozialist zu sein. Byland ist überaus anti-deutsch eingestellt und von Haß gegen Hitler erfüllt. Stapfer tritt als Demokrat und Freiheitsfreund auf, der lange eine verständnisvolle, etwas mehr vermittelnde Haltung einnimmt. Man findet hier eine direkte Parallele zu Meinrad Inglins Roman *Schweizerspiegel*, in dem die drei Söhne der Familie Amman, Severin, Paul und Fred, mit ihren unterschiedlichen Sympathien für die kriegführenden Mächte verschiedene Standpunkte repräsentieren.

Zollingers Gestaltung des Deutschlandthemas in Publizistik und Dichtung zeigt ein uneinheitliches Bild: hier fehlt die Einheitlichkeit z. B. seiner Behandlung des spanischen Bürgerkrieges. Dies beruht zum Teil darauf, daß seine Behandlung der Situation in Deutschland sich über einen längeren Zeitabschnitt erstreckt und dadurch von der Wandlung, die in der Schlußphase seiner schriftstellerischen Tätigkeit stattfindet, beeinflußt wird.

Der Abessinienkrieg

Zum Abessinienkrieg äußert sich Zollinger zum ersten Mal in dem Gedicht „Granatenplantage 1935". Darin reagiert der Autor scharf gegen diejenigen, die wieder die Mächte des Krieges losgelassen haben. Später, als die italienische Eroberung schon abgeschlossen war, greift Zollinger das Thema in seiner Publizistik auf und richtet nun seine Kritik gegen den schweizerischen Bundesrat. Zweimal berührt er die Eroberung 1937 in der Zeitschrift *Die Zeit*. Sie wird kurz erwähnt im Artikel „Die beiden Spanien", in dem Zollinger den übereilten Entschluß der schweizerischen Regierung, den „abessinischen Raub" anzuerkennen, als undemokratisch bezeichnet (*Die Zeit*, 1937, Nr. 5). Ausführlicher wird der Abessinienfeldzug in der Märznummer behandelt, in der Zollingers Beitrag die Rubrik „Es geschehen Zeichen . . . " trägt. Auch hier wird die schweizerische Anerkennung der Okkupation kritisiert:

> „Wahrlich, ich sage euch: Die Regierung eines Kleinstaates, die ihren Stolz so weit vergißt, daß sie heute die Sanktionen der Großmächte zugunsten Abessiniens, morgen deren Ungnade mitmacht, indem sie der afrikanischen Fürsten klugen Protest glaubt unter den Tisch wischen zu dürfen, hat unser Vertrauen verwirkt." (*Die Zeit*, 1937, Nr. 12).

Zollinger spricht des Weiteren von politischer Heuchelei und schließt mit folgender Salve: „Eigentlich, fällt mir auf, fangen die Volksabstimmungen an, bei uns selten zu werden."

Zollinger greift dann das Thema Anerkennung im Roman *Pfannenstiel* auf, jedoch nur einmal in der Einleitung zum Kapitel „Das Aufrichtbäumchen", wo er seine eigenen Ansichten vertritt. Er beginnt mit einem Rückblick auf den Abessinienkrieg und meint, die Sanktionen seien ohne Wirkung geblieben, vermutlich wegen der Tätigkeit der „Krämer", und Addis Abeba sei erorbert worden. „Dem betrübenden Vorgang folgte der Rattenschwanz der Kompromisse, allmählich verblaßte die Schamröte auf dem Antlitz der Menschheit." (211). Zollinger kann nun die Vorgänge mit größerem Abstand betrachten, die kritische Einstellung aber ist dieselbe, wie in seiner früheren Publizistik. Der Abessinienfeldzug spielt jedoch im Roman eine kleine Rolle im Vergleich zu den beiden außenpolitischen Hauptthemen, dem spanischen Bürgerkrieg und der Situation in Deutschland.

Der Abessinienkrieg war für Zollinger von zweifacher Bedeutung: zum einen wurde er dadurch zum ersten Mal seit dem Ersten Weltkrieg mit neuen Kriegsereignissen konfrontiert, zum anderen wurde durch diese internationalen Geschehnisse die Funktion der schweizerischen Demokratie in scharfe Beleuchtung gestellt. Zollingers Kritik mag heftig übertrieben scheinen, ist aber, was Abessinien anbelangt, für die Schweiz, die damals Mitglied des Völkerbundes war, im wesentlichen zutreffend, wie auch für andere europäische Demokratien.

Der spanische Bürgerkrieg

Unter den außenpolitischen Themen dominierte Spanien während Zollingers Tätigkeit als Redakteur bei der Zeitschrift *Die Zeit*, die ja mit dem ersten Jahr des spanischen Bürgerkrieges (1936–37) zusammenfällt. Zollingers erstes Engagement galt dem Fall Mühlestein. Damit rückt auch die schweizerische Neutralitätspolitik ins Bild: die schweizerischen Gesetze verbieten einem Schweizer, in fremden Kriegsdienst zu gehen. Zollinger beginnt seinen Artikel mit der Überschrift „Der Fall Mühlestein" mit folgenden pathetischen Worten: „Das erste Opfer des schweizerischen Faschismus ist bereits gefallen. Es ist kein geringerer als Hans Mühlestein." (*Die Zeit*, 1937, Nr. 10). Der schweizerische Schriftsteller Hans Mühlestein (geb. 1887) hatte bei einer Versammlung in einer Vorstadt von Zürich zugunsten der legitimen spanischen Regierung gesprochen. Nach der Zusammenkunft hatte ein junger Arbeitsloser erklärt, daß er gern nach Spanien fahren möchte um dort zu kämpfen und hatte Mühlestein um Rat gefragt, der ihm empfohlen hatte, zu reisen. Deswegen wurde Mühlestein vor Gericht gestellt und zu einer Gefängnisstrafe verurteilt. Zollinger nimmt ostentativ für Mühlestein Partei: „Lieber Mühlestein, kindsköpfiger Feuergeist, Sie gehen, wenn es dazu kommt, ein wenig für viele von uns ins Gefängnis. Wir weilen bei Ihnen." Zollinger hofft jedoch, daß die nächste Gerichtsinstanz Mühlestein freisprechen werde. Drei Monate später teilt Zollinger in der *Zeit* unter der Rubrik „Das Urteil gegen Dr. Hans Mühlestein rechtskräftig" mit, daß das Urteil bestätigt worden sei. Zollingers Kommentar war sehr kurz gehalten, und da er außerdem unklar formuliert war, wurde er mißverstanden und mehrfach, auch von Mühlestein selbst, so gedeutet, als ob Zollinger seine Auffassung geändert hätte und jetzt von ihm Abstand nähme. Zollinger wurde also gezwungen, in der folgenden Nummer auf die Angelegenheit zurückzukommen. Es geschah mit der Berichtigung „Präzisierung" (*Die Zeit*, 1937, Nr. 2), worin er betont, daß seine Worte sarkastisch gemeint und gegen die Richter Mühlesteins gerichtet gewesen seien; er hält an seiner früheren Auffassung fest.

Die schweizerische Neutralität wird für Zollinger nur im Zusammenhang mit der Situation in Spanien ein Problem. Er ist also sehr kritisch gegen die Gesetze, die einen Schweizer hindern, nach Spanien zu gehen und dort zu kämpfen. Im obengenannten Streit um Mühlestein deutet er die Anwendung der Gesetze fast als eine faschistische Verschwörung gegen die spanische Regierung. Später, in der Märznummer der Zeitschrift *Die Zeit* (1937), behandelt Zollinger Probleme der schweizerischen Neutralitätspolitik und Demokratie, ist jedoch diesmal bedeutend vorsichtiger. Unter bekannten Schweizern hat er eine Rundfrage veranstaltet, die er hier veröffentlicht und mit einigen Reflexionen einleitet, in denen er sich fragt, wie die Neutralität sich mit menschlicher Rücksichtnahme verbinden läßt. In diesem Zusammenhang geht er auf die Beziehungen zu Spanien ein: „Wie reden wir von dem, was uns auf dem Herzen brennt, wie reden wir etwa von Spanien, ohne schon demnächst mit den Strafparagraphen der dringlichen Bundesbeschlüsse in Konflikt zu geraten?" (*Die Zeit*, 1937, Nr. 12). Zollinger scheint hier die gesetzlichen Bestimmungen zu akzeptieren.

Durch seine Kritik an der Situation in Spanien in der *Zeit* kam Zollinger in Opposition zu einer breiten bürgerlichen Meinung. Im Artikel „Unsere Presse" (1937) richtet Zollinger sehr ernsthafte Anklagen gegen die bürgerliche schweizerische Presse und ihre Einstellung zum spanischen Bürgerkrieg. Er wendet sich gegen die, wie er meint, Demagogie, die getrieben werde und in der die legitime spanische Regierung als die „Roten" bezeichnet werde. Nachdem er die *Neue Zürcher Zeitung* kritisiert hat, geht Zollinger zur Kritik an jenen Gruppen in der Schweiz über, die den Krieg ausschließlich von einem geschäftlichen Gesichtspunkt aus betrachten:

> „Empörender als die Demagogie von Leuten, die ja die wahren Absichten ihrer Entstellungen längst nicht mehr verhelen, häßlicher als die Maske eines Imperialisten ist die Unwahrhaftigkeit unserer Krämer, denen es um viel mehr als ihre investierten Kapitalien in dieser Frage nicht geht." (*Die Zeit*, 1937, Nr. 4).

Zollinger widmete Spanien das gesamte Augustheft 1937, in dem sich Gedichte von Lorca, Radierungen von Goya und Picasso, Interviews und eine Rundfrage an spanische Intellektuelle mit Antworten von u. a. y Gasset und Jimenez fanden. Zollinger betont, daß alle bedeutenden spanischen Schriftsteller, Künstler und Wissenschaftler sich auf die Seite der legitimen republikanischen Regierung gestellt haben. Zollingers wichtigster Beitrag im Heft — und sein bedeutendster überhaupt in der Spaniendebatte — ist der Aufsatz „Die beiden Spanien", den Zollinger zum Jahrestag vom Ausbruch des Bürgerkrieges geschrieben hat.

Der Artikel handelt in hohem Grad von Zollinger selbst: in der Einleitung und verschiedentlich im Verlauf des Artikels bekennt er sich als Demokrat und Schweizer. Er nimmt entschieden für die republikanische Seite Stellung, gegen Franco und gegen Diktatoren überhaupt; er möchte die Wahrheit und Informationen über Spanien und Franco verbreiten und wendet sich gegen die wohlmeinende und zaghafte Unwissenheit, die sich in der Frage „Was können wir eigentlich über Spanien wissen?" äußert. „Ich schreie Protest gegen die Leichtfertigkeit, zu tun als läge Spanien auf dem Mond. Ich schreie Protest dagegen, daß man die Stadtverdunkelung zu einem Volksgaudi macht." (*Die Zeit*, 1937, Nr. 5). Zollinger meint, daß man vieles wissen kann: man weiß z. B., daß Franco deutsche und italienische „Freiwillige" verwendet. Er kritisiert ferner den Mangel an Mitgefühl beim schweizerischen Volk und die Schwäche gegenüber Schlagworten:

> „Es geht uns selber sehr an, wenn wir, als eine der letzten Demokratien, so weit sind, dem Verteidigungskampf einer werdenden ohne brüderliche innere Anteilnahme zusehen zu können, wenn wir, was schlimmer ist, den Vernebelungsmanövern gar zu verdächtiger Regie erliegen und uns das Urteil mit den Schlagworten anderer erleichtern."

Ein bedeutender Teil der schweizerischen Öffentlichkeit und nicht zuletzt der bürgerlichen Presse hatte für Franco und gegen die republikanische Regierung Partei genommen. Zollinger reagiert in seinem Artikel gegen diese Stellungnahme: er finde es unbegreiflich, meint er, daß ein demokratisches Volk sich auf dieselbe Seite stellen könne wie „Großgrundbesitzer, Bankiers, Monarchisten, Militärs und Herrenpfaffen". Im Hintergrund sieht er eine Reihe von Krämern und Spekulanten, die ihre Absichten hinter Aushängeschildern von Vaterland und Religion verbergen. Schließlich greift er die Demagogie der bürgerlichen Journalisten an.

Zollingers Artikel, der ein scharfer, persönlich geschriebener, zum Teil pathetischer Beitrag zur Spaniendebatte ist, macht einen überzeugenden Eindruck und bezeichnet einen Höhepunkt in Zollingers publizistischer Tätigkeit. Der Artikel ist eine Huldigung an den spanischen Freiheitskampf, d. h. an den Kampf gegen Franco und zugleich ein Mahnruf an die schweizerische Öffentlichkeit, in dem Zollinger sich gegen „demokratiewidrige" Erscheinungen in der Heimat und gegen gewisse Seiten der offiziellen schweizerischen Politik wendet. Er möchte seine Landsleute dazu bringen, auch der republikanischen Seite ein wenig Gerechtigkeit widerfahren zu lassen.

In derselben Nummer der *Zeit* (August 1937) gibt es auch einen lyrischen Teil, zu dem Zollinger mit der Übersetzung von zwei spanischen Gedichten beigetragen hat. Das erste ist von Lorenzo Varela und heißt „Auf einen jugendlichen Helden" (*GW*, IV, 515 f.). Es ist eine Huldigung an einen jungen Spanier, einen Knaben, der während der Kämpfe bei Madrid fällt. Im anderen Gedicht, „Verratenes Volk", das von Arturo Plaja verfaßt ist, schildert der Dichter das Dunkel und die Bitterkeit, die über dem jetzt von Blut und Tod gezeichneten spanischen Volk liegen (517).

Die Auffassung, die Zollinger in der Debatte in der *Zeit* zum Ausdruck bringt, spiegelt sich direkt im Roman *Pfannenstiel* wider. Der spanische Bürgerkrieg wird in diesem Roman in fünf Abschnitten auf den letzten fünfzig Seiten des Buches behandelt. Der Leser kann hier der Entwicklung des Krieges vom Anfang bis zum Ende in übersichtlichen Zügen folgen. Der erste und ausführlichste Abschnitt (211—14) folgt unmittelbar auf den Abessinienkrieg im Kapitel „Das Aufrichtbäumchen". Der Bürgerkrieg wird aus verschiedenen Perspektiven behandelt: zuerst erwähnt der „allwissende" Autor Mussolinis Legionen und Guernica und schildert, wie die Sympathien des schweizerischen Bürgertums auf die Seite Francos geschwenkt sind. Dann wird über die Auffassung der Pfannenstieler berichtet: ihre Sympathien sind ganz auf der Seite der Republikaner. Es gehe, heißt es, hier um einen Freiheitskampf, aber dies scheine dem Schweizer gemeinhin nicht klar zu sein, der in diesem Fall allzu sehr in seinen Vorurteilen befangen sei. Schließlich schildert der Autor nur Bylands Standpunkt. Byland ist darüber erstaunt, daß der spanische Heldenkampf kein Gehör in Rütlis Land findet und reagiert scharf sowohl gegen die Stellungnahme der bürgerlichen schweizerischen Zeitungen als auch gegen die Geschäftsleute.

In einem zweiten Abschnitt (242 f.) läßt der Autor Stapfer seine Auffassung von der Situation in Spanien entwickeln. Den Anstoß zu seinen Reflexionen hat Stapfer beim Zeitungslesen bekommen. Das Neutralitätsproblem und die Frage nach der Verurteilung der Spanienfreiwilligen werden aufgegriffen. Die „fortschrittlichen Patrioten" können den Spaniern nicht anders als nur mit „guten Wünschen" helfen. „Die vertragliche Neutralität zwang sie zu einem Verbalismus, welchen die Besten ohnehin als eine Gefahr des Landes haßten." (242).

Der dritte Abschnitt (250 f.) wird mit einem Referat von Bylands Ansichten eingeleitet. In Nordspanien sind die Nationalisten vorgerückt: es wird von Bestialitäten gesprochen, von Greisen und Kindern auf der Flucht. Das Ich des Erzählers greift dann ein — die Übergänge sind oft gleitend und kaum merkbar — und berichtet über ein kleines Hausfest, das auf Pfannenstiel stattfindet. Die Stimmung wird von der Entwicklung in Spanien beeinträchtigt: Bilbao ist gefallen, Greueltaten an den Besiegten werden verübt.

Im Zusammenhang mit der Schilderung der Ereignisse vom 13. März 1938, dem Tag der Annexion Österreichs durch Hitler, berührt der Autor wieder kurz die Situation in Spanien (256). Byland gibt seinem Mißtrauen gegen den schweizerischen Bundesrat Ausdruck und verwendet starke Worte über dessen Mitglieder.

Ein fünftes Mal wird der spanische Bürgerkrieg auf der vorletzten

Seite des Romans aufgegriffen. Lakonisch konstatiert der Autor: „Madrid war gefallen, ja." (263).

Es mag hier angebracht sein, Zollingers Einstellung und Wirken hinsichtlich des spanischen Bürgerkrieges mit dem übrigen europäischen Kulturleben in Zusammenhang zu bringen. Offenbar hatte dieser Krieg eine mächtige Wirkung auf die Gefühle der Menschen: er wurde für viele europäische Intellektuelle und Schriftsteller ein zündender Funke. Es gibt Autoren, die behaupten, daß kein anderes historisches Ereignis im 20. Jahrhundert, weder der Erste noch der Zweite Weltkrieg, die Gemüter in so hohem Grade aufgewühlt habe [5]. Der spanische Bürgerkrieg wurde als eine Zeitenwende, ein Kristallisationspunkt erlebt. Hier standen zwei ideologische Mächte einander gegenüber: Faschismus und Antifaschismus. Durch diesen Krieg wurde bei einer Reihe von Schriftstellern das Bewußtsein der Notwendigkeit eines politischen Engagements erweckt und die Einsicht, daß der Dichter nicht mehr in seinem elfenbeinernen Turm leben konnte. Unter den europäischen Schriftstellern, die direkt und intensiv an der Sache der legitimen republikanischen spanischen Regierung Anteil nahmen, fanden sich beispielsweise Georges Bernanos, Arthur Koestler, André Malraux, George Orwell und Stephen Spender. Den bedeutendsten von ihnen, Malraux, hatte Zollinger schon vorher in den dreißiger Jahren mit großem Interesse studiert, woraus sich also eine direkte Beziehung zu dieser engagierten Literatur ergibt [6]. Auch für Zollinger erhielt der Bürgerkrieg eine besondere Bedeutung, indem er hierdurch einen Gipfelpunkt in seinem zeitkritischen Engagement erreichte. Er war allerdings — durch seine Stellungnahme gegen den Nationalsozialismus — schon ein engagierter Autor, aber durch den spanischen Bürgerkrieg bekam seine demokratische und antifaschistische Auffassung klarere Konturen, und auf eine natürliche Weise wurde sein Kampfgeist entfaltet und verschärft. Ein Schriftsteller wie Zollinger konnte hier eine Art persönlicher Identifikation finden, die später der Ausbruch des Zweiten Weltkrieges nicht bieten sollte. Das spanische Ringen gab seiner Stellungnahme und Darstellung in Publizistik und Dichtung eine Einheitlichkeit, Klarheit und Intensität, die er in keiner anderen Frage erreicht hat. Sicherlich steht auch die Wandlung seiner pazifistischen Anschauung im Zusammenhang mit dem spanischen Bürgerkrieg. Dieser wurde der direkte Anlaß eines intensiven innenpolitischen Engagements für Demokratie und Humanität, gegen Kapitalismus, Bürgertum und Konservatismus. Gleichzeitig aber war es für Zollinger wichtig zu betonen, daß er kein Marxist sei. Die kommunistische Propaganda nutzte geschickt den spanischen Bürgerkrieg für ihre eigenen Zwecke aus und verstand, Stimmen aus verschiedenen politischen Lagern mit antifaschistischer Prägung aufzufangen und zu sammeln. Besonders in der bürgerlichen und konservativen Schweiz lief man das Risiko, daß ein Engagement für die republikanische Seite als Ausdruck von Kommunismus gedeutet wurde. Darum war es für Zollinger notwendig, sich den Rücken durch persönliche Erklärungen jener Art freizuhalten, die sich im Artikel „Die beiden Spanien" finden.

Publizistik und Dichtung: Ein Vergleich

Für einen Vergleich zwischen Zollingers Publizistik und seiner Dichtung eignet sich der Roman *Pfannenstiel* am ehesten: er ist das einzige von Zollingers Werken, in dem alle die aktuellen außenpolitischen Probleme behandelt werden. Der spanische Bürgerkrieg, der nur im erwähnten Roman aufgegriffen wird, ist von verschiedenen Gesichtspunkten her für einen solchen Vergleich sehr geeignet, u. a. dadurch, daß der Stoff in diesem Fall leicht zu überblicken ist.

Wir nehmen im nachfolgenden einen direkten Textvergleich von sechs Texten des Artikels „Die beiden Spanien" mit Partien aus dem Roman *Pfannenstiel* vor. („Die beiden Spanien" wird *BSp*, *Pfannenstiel Pf* abgekürzt. Die Seitenangaben im ersteren Fall beziehen sich auf die Zeitschrift *Die Zeit*, 1937, H. 5). Die Artikelauszüge seien zuerst genannt.

(1) „Jeder von uns ist heute im höchsten Grade verantwortlich; das ist es, weshalb wir, gegen die eigene Bequemlichkeit, unsere Haut auf Märkte tragen, die wir vordem nicht besuchten." (*BSp*, 130).
Vgl.: „Er (Byland) begab sich damit vollends in die Arena der Polemik, auf den Markt der Gemeinplätze, klaren Bewußtseins und entschlossen, seine Verzierungen nicht zu schonen." (*Pf*, 213).

(2) „Ich lächle nicht mehr, seit wir im eigenen Lande nichts gegen das Demokratiewidrige vermögen, das hier geschieht. (Ignorierung von Volksbeschlüssen, Parteilichkeit in der Verurteilung von Spanienfahrern ...)" (*BSp*, 131).
Vgl.: „Baumgartner sah alldas anders und billigte die Verurteilung der Spanienfahrer, für die Walther Byland sein flammendes Wort eingelegt hatte." (*Pf*, 242).

(3) „(... voreilige Anerkennung des abessinischen Raubes)" (*BSp*, 131).
Vgl.: „Er (Byland) mißtraute noch der Regierung, diesem recht autoritär gewordenen Klüngel von Kapitalherren, die es eilig gehabt hatten, den abessinischen Raub diplomatisch anzuerkennen." (*Pf*, 256).

(4) „Es bleibt mir unerfindlich, wie ein demokratisches Volk sich auf die Seite der summa summarum Großgrundbesitzer, Bankiers, Monarchisten, Militärs und Herrenpfaffen schlagen sollte." (*BSp*, 131).
Vgl.: „Leute wie die Pfannenstieler, sonst für das Schwierige der Differenzierungen da, sahen den Fall durchaus einfach, als Notwehr der Kleinen dem Block der Großgrundbesitzer, Pfaffen und Monarchisten gegenüber." (*Pf*, 212).

(5) „Es gibt schöpferische Kapitalisten, auch heute noch; aber es gibt ungleich
viel mehr Krämer und Spekulanten, heimliche Usurpatoren, die mit Vorliebe edle Begriffe wie Vaterland und Religion zum Schild ihrer Machen-
schaften nehmen." (BSp, 131).
Vgl.: „Die Welt marschierte in Sanktionen, in mehr nicht als Sanktionen,
welche zudem versagten, durch die Tätigkeit der Krämer vermutlich." (Pf,
211). — „Der Faschistengeneral verteidigte mit den Kapitalanlagen der
erbosten Tellensöhne, so sah es Doktor Byland, Gott strafe ihn." (Pf,
213).

(6) „Wenn sie (‚diese Mehrheit bürgerlicher Schreiber'), in bewußter Spekulation auf das selbst in Linkskreisen überhandnehmende Mißtrauen gegen Rußland, von der Volksfront frischweg nur als von den ‚Roten' reden,
dann ist das von einer kaum mehr glaubhaften Frivolität." (BSp, 132). —
„Da unsere bürgerliche Presse sich nicht genug tun kann darin, die
anarchistischen Bilderstürmereien auszumalen ..." (BSp, 132).
Vgl.: „Von den in Todesnot kämpfenden Bergarbeitern und Bauern sprachen die Herrenblätter Helvetiens nicht anders als von den Roten, einer
Meute kulturloser Bilderstürmer." (Pf, 213).

Die Ansichten in den obigen Zitaten aus den „Beiden Spanien" stimmen
mit den Zitaten aus *Pfannenstiel* inhaltlich überein. In einigen Fällen,
wie (3), (4) und (6) sind die Formulierungen beinahe wörtlich gleich.
Mit Ausgangspunkt von diesem Textvergleich kann man gewisse Schlüsse
ziehen: aller Wahrscheinlichkeit nach hat Zollinger bei der Ausarbei-
tung der Spanienabschnitte des Romans *Pfannenstiel* den Artikel „Die
beiden Spanien" als Vorlage und Inspirationsquelle benutzt. Einige
andere wichtige Schlußfolgerungen beziehen sich auf die Methode, die
Zollinger in seinen dichterischen Werken hinsichtlich der gesellschaftlichen Problematik verwendet. Es handelt sich um eine direkte und
offene Gesellschaftskritik, die ganz nahe der journalistischen und polemischen Technik liegt, die der Autor oft unmittelbar ins Dichtwerk
überführt, häufig ohne ihr eine durchgearbeitete künstlerische Form zu
geben. Was hier gesagt wurde, gilt für Zollingers erzählerische Werke
im großen ganzen.

Das Europaproblem

Frisch ist der Meinung, daß die „geistige Landesverteidigung" und der
Zweite Weltkrieg dazu beigetragen haben, daß Zollinger und sein
Schaffen in die Enge gedrängt wurden: „Seine Leidenschaft deformierte
sich auf Lokales." (GW, I, 12). Demgegenüber möchten wir behaupten,
daß gerade die Dichtwerke, die kurz vor dem Kriegsausbruch und in der
darauffolgenden Zeit von ihm geschrieben wurden, beweisen, daß Zollingers Ausblick sich eher erweitert und sein europäisches Bewußtsein
sich erhöht und verschärft hatte. Eine Grundlage für Zollingers europäische und internationale Auffassung bilden schon sein Antikapitalismus,
Sozialismus und Pazifismus während der zwanziger Jahre. Mit den

dreißiger Jahren tritt eine spezielle Krisensituation ein, aber mit der Annahme der „geistigen Landesverteidigung" hält sich Zollinger an die humanistischen und ideellen Züge, die an den Völkerbund Anknüpfung haben, für den ja die Schweiz in den Augen der Schweizer und anderer ein Muster bildete. Das Engagement am spanischen Bürgerkrieg bedeutet eine starke europäische Beziehung, wodurch sein Optimismus, Widerstandswille und Kampfgeist sich verstärken. Aber offenbar haben der Ausgang des Bürgerkrieges und die Drohung eines neuen Weltkrieges zu einer Wandlung seiner Stimmungslage geführt: Zollinger sieht pessimistisch auf die Entwicklung und damit tritt für ihn auch Europa und die europäische Zukunft schärfer in den Vordergrund.

Im Roman *Die große Unruhe*, der im Jahre 1939 erschien, und in dem ausschließlich der kurze Zeitabschnitt 1933–34 behandelt wird, gibt es zwei Figuren, die die Angst vor der Zukunft intensiv erleben. Die Schweizerin Mela hat ein Vorgefühl vom Untergang: „Alles kommt mir vor wie eine tolle Lustfahrt stracks in den Abgrund." (231). Der andere ist der litauische Flüchtling Laikis, der seinen Sohn, Stanislavo, aus Argentinien heimgebracht hat. Bei der Begegnung mit Europa, mit dessen Unruhe, Arbeitslosigkeit und Streiks, erschrickt er und erschießt seinen Sohn, um ihm eine ungewisse Zukunft zu ersparen (307).

Europa steht auch im Vordergrund in dem Gedicht „Europäische Dämmerung" in der Sammlung *Stille des Herbstes*, die schon vor Kriegsausbruch erschien. Das visionäre Untergangsthema des Gedichtes ist eine Parallele zu den Stimmungen in der *Großen Unruhe* und in den späteren Romanen *Pfannenstiel* und *Bohnenblust*, die während des Krieges entstanden. Der pessimistischen Vision von Europa begegnet man in diesen beiden Romanen in der Gestalt Seume Hansens, eines Wanderers und Bohemiens, der als eine Personifikation des Europaproblems betrachtet werden kann. Für ihn hatte es früher keine Grenzlinien zwischen den Staaten gegeben: ganz Europa war sein Vaterland. Aber wegen der politischen Veränderungen ist es ihm immer schwieriger geworden, die Grenzen zu überschreiten. Sein Pessimismus läuft in die Vision eines zerschlagenen Europas aus:

> „Was soll man Europa wünschen? Einen Krieg? In zehn Jahren, die Gott mir schenke, komme ich zurück. Ist's kein Sarkophag, so ist's doch ein Haufen Schutt. In meinen Segeltuchschuhen wandere ich von Trümmer zu Trümmer, stochere mit dem Stock in der Gotik: sieh da, ein Schnörkel von Chartres! Eine Nase Michelangelo. Hier stand die Sixtina." (*Pf*, 198).

In *Bohnenblust* wird erzählt, wie Seume Hansen noch einmal in die Schweiz zurückkehrt und wieder Stapfer aufsucht. Der ausgebrochene Krieg hat weitere Wanderungen unmöglich gemacht; Seume kann nicht länger in dieser Welt der Grenzwachen, Fremdenpolizisten und Papierformalitäten leben. Er ist krank und findet einen Zufluchtsort auf Pfannenstiel, wo er nach einiger Zeit stirbt (98 f., 241 f.). Seumes Lebenslauf, seine Erkrankung und sein Tod werden zu einem symbolischen Bild vom Schicksal Europas.

Auch Stapfer erlebt stark die Ungewißheit und Angst vor dem Kommenden und denkt mit Sorge an die Opfer des Krieges und an seine eigenen Freunde in den betroffenen Ländern: „Europa, was tust du!" (38). In der Diskussion mit Krannig sieht Stapfer ein größeres Europa vor sich, als Krannigs Deutschland: „Sie (unsere Wasser) gehn auch nach Frankreich und Holland und ins Meer der letzten gemeinsamen Menschlichkeit." (101).

Byland greift in *Pfannenstiel* den schweizerischen Provinzialismus an und sieht vor seinem Inneren — wie Stapfer — den Himmel über aller Menschheit (145). Byland behauptet, daß es nicht genüge, die Freiheit und Unabhängigkeit der Heimat zu verteidigen: „Wir hätten darüber hinaus Europa in unseren Gemarkungen zu erhalten. Jacob Burckhardts Europa der Individualität, Goethes Europa der Persönlichkeit. (244; vgl. 246). Gerade in dieser Krisenzeit werden also die Grenzen des Nationalismus und des Provinzialismus durchbrochen.

Für Stapfer und Byland erhält der Europagedanke nie eine zukünftige, politische Bedeutung; es handelt sich nicht um die Vereinigten Staaten Europas. Für Byland ist Europa eine Kulturlandschaft, für Stapfer eine menschliche Gemeinschaft. Es ist kein Zufall, daß Burckhardts Name genannt wird. Bylands Auffassung von Europa als einer Kulturgemeinschaft ist auch Zollingers eigene und stimmt mit Burckhardts überein. Zollingers Interesse für Burckhardt geht aus einem Brief vom 26. Juli 1940 an Ludwig Hohl hervor, worin er schreibt, daß er die Briefe Jacob Burckhardts lese, die er übrigens mehrmals zitiert. Der Roman, von dem er hier spricht, muß *Pfannenstiel* sein. Zollinger hatte sogar Pläne, ein Zitat von Burckhardt als Motto zu verwenden. Aufschlußreich ist folgender Abschnitt aus dem Brief an Hohl:

> „Noch ein Wort von B: ‚Untergehen können wir alle; ich aber will mir wenigstens das Interesse aussuchen, für welches ich untergehen soll, nämlich die Bildung Alteuropas.' (Dieses Wort setze ich vielleicht meinem Romänchen als Motto voran)." (*Briefe von Albin Zollinger an Ludwig Hohl*, 52 f.).

Zollinger betrachtet Europa mit Unruhe und Pessimismus. Der engere politische Aspekt ist in den Hintergrund gerückt: das, was die Menschen in dem Europa, das jetzt von Untergang bedroht ist, vereint, ist eine gemeinsame Kultur und Zivilisation. So erscheint Zollinger in der Endphase seiner zeitengagierten Dichtung als Europäer und Humanist in der Nachfolge Jacob Burckhardts.

Zusammenfassung

Der Anlaß zur Wandlung Zollingers zum Zeitdichter in den dreißiger Jahren scheint ziemlich eindeutig das damalige Zeitgeschehen zu sein. Er besaß bereits eine radikale politische Anschauung, von Sozialismus und Pazifismus geprägt, die sich zum ersten Mal in der Erzählung *Die Gärten des Königs* manifestierte, wobei offenbar der Erste Weltkrieg ein auslösender Faktor war. Jedoch hatte der Autor die Darstellung in diesem Werk historisch drapiert, und er verzichtete in der Folge bis in die dreißiger Jahre auf jegliche Zeitkritik. Anscheinend hatte Zollinger bedeutende Hemmungen, wie künstlerische Introversion und einen starken Hang zur Geborgenheit und Idylle, zu überwinden, ehe er es wagte, öffentlich aufzutreten.

Als Zollinger nach 1933 seine Hemmungen überwunden hatte, trat allmählich eine gewaltige Steigerung seines Engagements ein, was sowohl durch die Publizistik wie die Dichtung zum Ausdruck kam. Im Kampf gegen den Faschismus und für die Demokratie wurde es für ihn später natürlich, die „geistige Landesverteidigung" zu akzeptieren. Gewisse negative Folgen dieser Bewegung sind wohl von dichterischem Gesichtspunkt aus zu notieren, aber gegenüber beispielsweise Max Frisch möchte man eher die positive Wirkung der Bewegung bei Zollinger unterstreichen. Gerade dieses Engagement gab seiner schriftstellerischen Tätigkeit Sinn und Einheit und bildete die Voraussetzung für seine enorme Produktivität im späteren Teil der dreißiger Jahre — sicher mit Auswirkungen auch auf sein lyrisches Schaffen.

Bemerkenswert bei Zollinger ist die Entwicklung während der Endphase seiner literarischen Laufbahn, wo er die Zeitkritik ganz aufgibt. Im Roman *Bohnenblust* spielt sie zwar immer noch eine bedeutende Rolle, gleichzeitig aber geschieht gerade in diesem Werk eine Wendung zum Idyllischen. In der Erzählung *Der Fröschlacher Kuckuck* wird die Gesellschaftskritik durch die Märchenform maskiert, und nachher — in Werken wie *Das Gewitter* und *Die Narrenspur* — ist die Kritik ganz verschwunden: die Idylle tritt an erste Stelle. Auch in der Publizistik führt die Entwicklung von der Zeitkritik fort. Die späteren Ausführungen sind ziemlich gemäßigt, und nach Kriegsausbruch kommen überhaupt nur wenige Beiträge vor. Was ist der Grund für diese entscheidende Wandlung? Es handelt sich hier um komplizierte Probleme, worüber Zollinger selber keine Informationen gibt. Wir werden zunächst verschiedene mögliche Ursachen aufzeigen und daraus einige Schlüsse ziehen.

Hat sich Zollingers Auffassung in bezug auf die Gesellschaft und besonders auf Deutschland geändert? Gewisse Zeichen im Roman *Bohnenblust* können in einer derartigen Richtung gedeutet werden. Es handelt sich hier um Bylands — schon erwähnte — eigenartige Entwicklung: während er im Roman *Pfannenstiel* gegen Hitler sehr feindlich eingestellt ist, hüllt er sich im Roman *Bohnenblust* hierzu in Schweigen, verhält sich gelegentlich sogar antisemitisch, sein Patriotismus steigert sich zum rabiat Kriegerischen, hinsichtlich Schule und Erziehung vertritt er ein Elitedenken und wendet sich gegen eine mittelmäßige Demokratie. Byland wird als Zollingers alter ego betrachtet, was auch zweifellos zum größeren Teil im Roman *Pfannenstiel* und teilweise im Roman *Bohnenblust* zutreffend ist. Weist nun Bylands etwas eigenartige Einstellung im letztgenannten Roman auf eine Veränderung bei Zollinger selbst hin? Traugott Vogel behauptet, daß keine wesentliche Veränderung in Zollingers Haltung gegenüber Hitler und dem Dritten Reich eingetreten sei; möglicherweise sei sein antikapitalistischer Radikalismus ein wenig gemäßigt worden. Was Vogel mündlich erklärt hat, kann teilweise durch Zollingers Briefe bestätigt werden. In einem Brief aus dem Aktivdienst vom 27. Mai 1940 schreibt Zollinger somit: „Ich bin heiter. Ich glaube an die Vernichtung sämtlicher Tyrannen. Jetzt noch und noch lange. Uns kann's freilich den Kopf kosten." (*BF*, 84). Auch in einem späteren Brief — ebenfalls aus dem Grenzdienst — von Ende April 1941 kommt dieselbe kritische Einstellung gegen Hitler zum Ausdruck (ebd. 88).

Zu Zollingers abnehmender publizistischer Aktivität können zwei Ursachen beigetragen haben: teils hatte er nach der Tätigkeit in der *Zeit* und in der *Nation* kein festes Podium für seine Journalistik, teils können die pressepolitischen Verhältnisse und die immer stärker verschärfte Zensur in der Schweiz eine Rolle gespielt haben. Vom Frühling 1938 an soll es für Zollinger kaum mehr möglich gewesen sein, eine seriöse Zeitung oder Zeitschrift zu finden, in der er gegen das nationalsozialistische Deutschland scharf polemisieren konnte[1]. Gerade dieser Umstand könnte den schon erwähnten gedämpften Ton in Zollingers späteren Ausführungen über Deutschland erklären.

Psychologische Ursachen können auch eine Rolle gespielt haben. Der äußere politische Druck auf die Schweiz und die Ereignisse in Europa, z. B. der Ausgang des spanischen Bürgerkrieges, schufen bei Zollinger — wie wir im vorigen Kapitel gesehen haben — Pessimismus hinsichtlich der Zukunft Europas. Dies kann dazu beigetragen haben, die schöpferische Kraft zu dämpfen, Resignation hervorzurufen. Aber auch im persönlichen Leben lag offenbar ein starker Druck vor: u. a. durch Probleme in der Ehe, im Lehrerberuf usw. Es gibt aber andere psycho-

logische Umstände, die wahrscheinlich noch tiefer bei Zollinger verankert sind, und die wir abschließend erörtern wollen. Es handelt sich
um jenen Gegensatz, jene Spannung, die im Roman *Bohnenblust* von
besonderem Interesse ist. Byland und Bohnenblust stehen als zwei
Gegenpole, die zwei verschiedene Lebensstile repräsentieren. Über dem
ersteren ruht Friede und Stille, er steht den Streitfragen des Tages fern
und opfert sich ohne Diskussion und Worte in selbstlosem Handeln
für Dorf und Gemeinschaft. Byland dagegen polemisiert und ist heftig
engagiert an den Tagesproblemen. Bohnenblust repräsentiert jene
Innerlichkeit, zu der sich Byland — überraschenderweise — bei einer
Gelegenheit unter dem Hinweis auf Stifter bekennt.

> „Die Verabsolutierung der Umstände, die Politisierung, dieses Pochen
> aufs Äußere, ist eine Ausflucht unserer Zeit. [...] Wesentlichkeit ist
> nicht vorzutäuschen; sie wächst im Maße der Verinnerlichung, die unserer
> Leistung erreichbar ist, jener Leistung, um die es im ‚Nachsommer' geht."
> (*B*, 229).

Bei der Rückkehr zur Verinnerlichung und Idylle hat Stifter zweifellos
für Zollinger eine Bedeutung gehabt. Aber das Idyll ist dennoch kein
neues Element in Zollingers Werk: das Idyllische spielt in seiner gesamten Prosadichtung eine bedeutende Rolle; man kann ihm von der
Novelle „Der Apfelzweig" bis in sein letztes Werk folgen[2]. Die Idylle
ist hauptsächlich an das einfache Behagen des Landlebens oder an das
Glück einer vergangenen Kindheit geknüpft. Der Umfang und die Intensität der Idyllenschilderung wechselt von Werk zu Werk, aber die
Kontinuität geht klar hervor, wenn man die Erzählung „Der Apfelzweig" mit dem Roman *Bohnenblust* vergleicht, obgleich zwischen diesen Büchern über zwanzig Jahre liegen. Die idyllischen Motive und
Bilder dieser Werke zeigen eine überraschende Ähnlichkeit: man kann
geradezu von einem Kreis sprechen, der sich schließt. Die Dichtung
Zollingers hat ihren Ausgangspunkt in der Idylle und sie mündet in die
Idylle. Sie erhält übrigens ein spezielles Interesse dadurch, daß sie ein
wichtiges Verbindungsglied zwischen Zollingers Prosadichtung und
seiner Lyrik ist[3]. Die erwähnte Spannung zwischen Idylle und gesellschaftlichem Engagement in *Bohnenblust* ist an sich nichts Einzigartiges:
sie ist bereits in seinem Frühwerk, der Dichtung am Ende des Ersten
Weltkrieges, vorhanden und wird dann später während der zweiten
Hälfte der dreißiger Jahre wieder aktualisiert. Sie kommt in einer von
ihm geschaffenen charakteristischen Figur zum Ausdruck, in dem Träu-
mer und dem idyllisch veranlagten Menschen, der gleichzeitig soziales
Mitgefühl besitzt und lebendiges Interesse für die Zeitereignisse hegt.
Die Gefahren des Zeitengagements kommen vor allem bei zwei Gestalten zum Vorschein, die eine fast symbolische Bedeutung für Zollingers
ganze Dichtung erhalten, nämlich bei René und Byland, von denen die

eine am Anfang seines Schaffens steht, die andere an dessen Ende. Der friedliche René wird in den Sturm der Zeitereignisse hineingezogen, zerbricht aber unter dem äußeren Druck und endet in Geistesverwirrung. Der Dichter Byland stürzt sich in die Debatte seiner Zeit, was aber für ihn gefahrvoll ist, da er zweimal an Geistesverwirrung erkrankt. Es ist sicher kein Zufall, daß Zollinger diese Symbole geschaffen hat: sowohl das Idyllische wie der Wille zur Gesellschaftskritik hat bei ihm persönlich eine tiefe Verankerung. Gelegentlich hat er sich selbst als eine idyllische Natur bezeichnet. Wir können hier auf zwei Briefe an Traugott Vogel hinweisen, der eine von 1933, der andere von 1935. Im ersten schreibt Zollinger: „Ich bin wohl allzu idyllisch veranlagt, um dieses Tier (betrifft das Manuskript eines neuen Romans von Vogel) mit ins Bett zu nehmen." (BF, 61). Im zweiten bemerkt er: „Ich bin wahrscheinlich eine idyllische Natur im schlechten und guten Sinne." (ebd. 66).

Zusammenfassend möchten wir feststellen, daß zu Zollingers Verzicht auf die Zeitkritik mehrere Faktoren beigetragen haben können, aber die psychologischen Umstände, die zuletzt behandelt wurden, sicherlich eine entscheidende Rolle gespielt haben. Nach 1933 trat Zollinger mit Zögern aus der Idylle in das Kampfgetümmel hinaus. Da er auf die Dauer die Spannung nicht ertragen konnte, die das Engagement am Zeitgeschehen mit sich führte, zieht er sich mit dem Roman *Bohnenblust* in die Geborgenheit, Kindheit und Mütterlichkeit zurück und endet in der Sackgasse der Idylle. Indem er offensichtlich als Zeitdichter nicht standgehalten hat, mag man mit gewissem Recht von einer Flucht in die Idylle sprechen.

Die Gesellschaftskritik, die Zollinger in seiner Publizistik und Romandichtung übt, ist von Ehrlichkeit, Ernst und Verantwortungsgefühl geprägt; oft wird die Gefühlsintensität zum Pathos und zu heftigem Engagement gesteigert. Die Kritik mag ab und zu übertrieben wirken, und ihr kann zuweilen eine gewisse Naivität nicht abgesprochen werden. Aber es gibt in den besten Abschnitten dieser Publizistik eine ungewöhnliche Kraft, einigemal mit Ironie geschärft, worin er mit einer Art künstlerischen Instinkts politischen Scharfblick bei der Beurteilung des Zeitgeschehens zeigt. In den dichterischen Werken ist es Zollinger nicht immer gelungen, die verschiedenen Komponenten und Tendenzen, in erster Linie die polemisch-politischen Elemente, zu einer künstlerischen Einheit zu verschmelzen; wir denken auch an die mißlungene Gestaltung von Bylands späterer Entwicklung in *Bohnenblust*. Abschließend möchten wir aber doch betonen, daß gerade Zollingers intensives Engagement, mag es nun innenpolitischen oder außenpolitischen Fragen gelten, seine Romane belebt, ihnen heute — nach dreißig Jahren — wieder erneute Aktualität schenkt und beim heutigen Leser immer noch Interesse erweckt.

Zollinger starb im Jahre 1941. Frisch stand damals am Anfang seiner schriftstellerischen Laufbahn. Aber schon um diese Zeit kannte er Zollingers Schriften sehr wohl. Obwohl Frisch gewisse Seiten in Zollingers Prosadichtung von verschiedenen Gesichtspunkten aus kritisiert, hegt er große Sympathie für ihn und hat sich für sein Werk eingesetzt. Zweifellos hat Zollinger eine gewisse Rolle für Frisch gespielt: als Künstlergestalt, kämpfender Demokrat und unerschrockener Publizist. Zollinger gehört durch sein patriotisches Engagement für die „geistige Landesverteidigung" einer vergangenen literarischen Epoche an, aber durch seinen Radikalismus und seine scharfe Kritik am Bürgertum der Schweiz, durch seine „non-konformistische" Einstellung, weist er nach vorn: er zeigt jenen Weg, den Frisch und Dürrenmatt betreten sollten.

Orientierung über Frisch und sein Werk

Biographisches

Seine Jugend und frühere Entwicklung hat Frisch in einer kurzen Selbst-
biographie geschildert, die im *Tagebuch 1946–1949* (274–282) enthalten ist. Die Biographie erstreckt sich bis zum Jahre 1948, wo die Arbeit
an dem vierten Schauspiel, *Als der Krieg zu Ende war*, gerade abgeschlossen war. Die wichtigsten Punkte in dieser, Frischs eigener, Version werden nachfolgend wiedergegeben.

Frisch wurde 1911 in Zürich geboren. Der Vater war Architekt ohne
Fachausbildung. Der Großvater, ein österreichischer Einwanderer, war
Sattler gewesen. Nach der Matura studierte Frisch zwei Jahre an der
Universität Zürich. Sein Hauptfach war Germanistik, aber er besuchte
auch Vorlesungen in anderen Fächern. U. a. hörte er Wölfflin in Kunstgeschichte. Er fühlte sich an der Universität nicht wohl und mußte allmählich seine mangelnde wissenschaftliche Veranlagung erkennen. Als
Frisch 22 Jahre alt war, starb sein Vater, worauf er seine Studien unter-
brechen und sich einige Jahre als Journalist ernähren mußte. Als Re-
porter machte er seine erste Auslandsreise, die ihn nach der Tschechoslowakei, Ungarn, Serbien, Griechenland und Konstantinopel führte.
Die Reiseerlebnisse inspirierten ihn zu seinem ersten Roman, *Jürg
Reinhart* (1934). Zwei Jahre später gab Frisch den Journalismus auf
und setzte sich wieder auf die Schulbank. Die Frau, die er heiraten
wollte, wünschte nämlich, daß er einen „anständigen bürgerlichen Beruf"
ergriffe. „Sie sagte nur, was ich selber dachte; immerhin war es ein
Schock, zum erstenmal die ernsthafte Vorstellung, daß das Leben mißlingen kann." (*TB*, 278). Ein Freund erbot sich, ihm mit Geld für die
kommenden Studienjahre beizustehen. Frisch entschloß sich, in die
Fußtapfen seines Vaters zu treten und Architekt zu werden. Im Jahre
1936 begann er als fünfundzwanzigjähriger seine Ausbildung an der
bekannten Eidgenössischen Technischen Hochschule in Zürich. Während der Studienjahre ergriff ihn mehrmals das Gefühl, daß er seine
Jugendjahre vertan habe und er nie sein Ziel erreichen würde. Die Wahl
eines Architekturstudiums hing damit zusammen, daß er sich zu einem
Arbeitsgebiet hingezogen fühlte, wo er schaffen und gestalten durfte,
wo es etwas Greifbares gab, „die stoffliche Gestalt". Inzwischen ließ
er sein zweites Buch, die Erzählung *Antwort aus der Stille* (1937) erscheinen. Obwohl es eine günstige Kritik erhielt, beschloß Frisch kurz
danach, mit jeglicher schriftstellerischer Tätigkeit aufzuhören. Alle Entwürfe und Tagebuchnotizen wurden feierlich verbrannt. Während zweier

Jahre hielt er sein Versprechen, aber nach der Mobilmachung beim Kriegsausbruch 1939, nachdem er als Artillerist eingerückt war, nahm er das Tagebuchschreiben wieder auf — in der Überzeugung, daß die Schweiz in den Krieg hineingezogen werden und er selber nie wiederkehren würde. Die Aufzeichnungen wurden bearbeitet und erschienen später in Buchform unter dem Titel *Blätter aus dem Brotsack* (1940). Damit war Frisch zur Schriftstellerei zurückgekehrt. Einige Jahre später (1943) ließ er wieder einen Roman, *J'adore ce qui me brûle oder Die Schwierigen* herausgeben. Danach hat er vielerlei geschrieben: Romane, Tagebücher und Schauspiele. Gerade beim Kriegsausbruch hatte Frisch seine erste Stelle in seinem neuen Fach erhalten, und im folgenden Jahr konnte er seine Ausbildung beenden. Als Architekt hat Frisch bedeutende Erfolge gehabt. So bekam er — nachdem er einen ausgeschriebenen Wettbewerb gewonnen hatte — den Auftrag der Stadt Zürich, das Freibad Letzigraben zu bauen. Im Jahre 1943 konnte er zusammen mit seiner Frau, die auch ausgebildete Architektin war, ein eigenes Architekturbüro eröffnen. Das gab ihm größere Möglichkeiten, über seine Zeit zu disponieren. Fortan vereinte er die Berufe des Architekten und des Schriftstellers.

Im Jahre 1954 gab Frisch jedoch seine Tätigkeit als Architekt auf. Schon während der späten vierziger Jahre ein reger Reisender, besuchte er Amerika 1951/52 als Rockefellerstipendiat und danach noch dreimal, 1956, 1963 und 1970. 1960—65 war er in Rom wohnhaft. Seitdem ist er wieder in der Schweiz, jetzt in Berzona im Tessin, ansässig[1].

Dichtung und Publizistik

Nach dem Debütroman *Jürg Reinhart. Eine sommerliche Schicksalsfahrt* (1934) folgte zunächst die ebenfalls in konventionellem Stil gehaltene Erzählung *Antwort aus der Stille. Eine Erzählung aus den Bergen* (1937). Nach einigen Jahren Pause kam er mit dem auch schon obenerwähnten kleinen Prosabuch *Blätter aus dem Brotsack* (1940) wieder. Mit der Arbeit *J'adore ce qui me brûle oder Die Schwierigen* (1943) knüpfte Frisch an seine frühere Romandichtung an. Der erste Teil des Buches ist eine Zusammenfassung der Erstlingserzählung *Jürg Reinhart*[2]. In künstlerischer Hinsicht hatte er damit einen weiten Schritt über seine Produktion der dreißiger Jahre hinaus getan. Nach *Bin oder die Reise nach Peking* (1944 geschrieben und im folgenden Jahr herausgegeben), einer poetisch feinfühligen Erzählung in romantischem Stil mit eingeschobenen tagebuchartigen Reflexionen, folgte das Schauspiel *Santa Cruz. Eine Romanze*, das die Einleitung zu Frischs Dramatik ausmacht. Das Stück ist im Herbst 1944 geschrieben, aber die Uraufführung hat erst zwei Jahre später stattgefunden. In Buchform lag es 1947 vor. Mit seinem lyrisch-romantischen Charakter und mit seiner Spannweite zwischen Traum und Wirklichkeit knüpft *Santa Cruz* an das eben erwähnte Prosabuch *Bin* an. *Nun singen sie wieder. Versuch eines Requiems* wurde als erstes Schauspiel 1945 uraufgeführt und erschien im folgenden Jahr im Druck. Auch in diesem Stück gibt es lyrisch-poetische Züge, aber diese stehen hier im Kontrast zu den Macht- und Gewalttendenzen der Zeit. Den Hintergrund bildet der Zweite Weltkrieg. Das Stück *Die chinesische Mauer* wurde zum ersten Mal 1946 aufgeführt und ist als Buch 1947 erschienen. Der Autor nennt das Stück eine Farce. Auch hier spielt das Machtproblem eine wichtige Rolle und wird unter der Perspektive der Atombombe mit Beispielen aus verschiedenen historischen Epochen beleuchtet. Das Stück wurde in einer völlig neubearbeiteten Version 1955 herausgegeben. *Als der Krieg zu Ende war* (1949) ist ein realistisches Stück im Gegensatz zu den vorigen [3]. (Der ursprüngliche Titel war „Ihr Morgen ist die Finsternis") [4]. Die Handlung spielt in der Ruinenstadt Berlin von 1945—46. Hier, wie auch im vorigen Stück, existiert eine gewisse kabarettistische Komponente. Unter dem Titel *Tagebuch mit Marion* gab Frisch 1947 ein Tagebuch heraus, das später als erster Teil in dem 1950 erschienenen *Tagebuch 1946—1949* enthalten ist. Der Inhalt ist kaleidoskopisch, bewußt fragmentarisch und besteht aus Naturskizzen, Reiseeindrücken, Reflexionen, Aphorismen, Kurznovellen usw. Die dramatische Linie wurde mit *Graf Öderland* (1951) fortgesetzt. Dieses Schauspiel ist später einige Male neubearbeitet worden und liegt seit 1961 in einer endgültigen Fassung vor [5]. Es handelt von Mord und Revolte, von Aufbruch aus den Pflichten und dem Einerlei des Alltages. Die Komödie *Don Juan oder Die Liebe zur Geometrie* (1953) ist der Form nach ein konventionelles Schauspiel in fünf Akten. Frisch hat hier auf seine eigene Weise das Don-Juan-Motiv variiert: Don Juan bleibt für ihn eine intellektuelle Gestalt. Auch dieses Stück ist später neubearbeitet worden und liegt in der neuen Fassung im Sammelband *Stücke II* (1962) vor [6]. Im selben Jahr, 1953, brachte Frisch im Radio einige bearbeitete oder speziell für dieses Medium geschriebene Werke: *Orchideen und Aasgeier*, als „Mexiko-Hörbild" charakterisiert, ferner die Hörspiele *Rip van Winkle* und das allerwichtigste, *Herr Biedermann und die Brandstifter* [7]. Hier wird gezeigt, wie Leichtgläubigkeit, Schwäche, schlechtes Gewissen und Verlogenheit in Verbindung einen Menschen zu einem leichten Opfer der Rücksichtslosigkeit zweier Brandstifter machen. In diesem Zusammenhang kann auch das Funkgespräch *Der Laie und die Architektur* und das Hörspiel *Herr Quixote*, 1954 bzw. 1955, genannt werden [8]. Von den erwähnten Hörspielen sind nur *Herr Biedermann und die Brandstifter*

(1956) und *Rip van Winkle* (1969) separat herausgegeben worden[9]. 1954 publizierte Frisch den Roman *Stiller*, sein bisher wichtigstes und auch umfangreichstes Werk. Es bedeutete in technischer Hinsicht den Versuch einer Neuorientierung im Vergleich zu dem Roman *Die Schwierigen*. Noch mehr experimentell ist der Roman *Homo faber. Ein Bericht* (1957). Die Grundstruktur ist in beiden Fällen die Tagebuchform. Stiller ist Künstler, Homo faber Ingenieur. Während des Jahres 1958 trat Frisch mit zwei Theaterstücken hervor, die zusammen aufgeführt werden sollten. *Biedermann und die Brandstifter. Ein Lehrstück ohne Lehre* ist eine Erweiterung des früher erwähnten Hörspieles. Es ist von Frisch als eine Äußerung des schwarzen Humors charakterisiert worden, was er dadurch ausglich, daß er es zusammen mit einem Einakter, einem Sketch, mit dem Titel *Die große Wut des Philipp Hotz*, aufführen ließ[10]. Das Schauspiel *Andorra* (1961) war Frischs größter Publikumserfolg und wurde auch außerhalb Europas aufgeführt[11]. Es ist ein Spiel über Vorurteile und Rassenverfolgungen in einem Kleinstaat. Mit dem bedeutungsvollen Roman *Mein Name sei Gantenbein* (1964), der von Liebe und Ehe sowie von menschlichen Rollen und Identitäten handelt, hat Frisch sein Experimentieren mit der Romantechnik vollendet. Eine Episode des Romans liegt einem Drehbuchentwurf zugrunde, den Frisch unter dem Titel *Zürich-Transit. Skizze eines Films* (1966) veröffentlicht hat[12]. Frischs jüngstes dichterisches Werk ist das Schauspiel *Biografie: Ein Spiel* (1967)[13]. Die Hauptfigur, Professor Kürmann, widmet sich der Verhaltensforschung. Auf der Bühne werden drei mögliche Versionen von Kürmanns Leben während seiner letzten sieben Jahre dargestellt. Aber welche Version man auch spielt, welche Wahl Kürmann auch zu treffen versucht, ist der Ausgang jeweils derselbe: unheilbare Krankheit und Tod.

Frischs Dramatik liegt nunmehr chronologisch geordnet in einer gesammelten Ausgabe, unter dem Titel *Stücke I—II* (1962), vor. Unter dem Titel *Erzählungen des Anatol Ludwig Stiller* kam 1961 eine Anzahl Texte aus dem Roman *Stiller* heraus. *Ausgewählte Prosa* (1961) (mit einem Nachwort von Joachim Kaiser) ist der Titel eines schmalen Bandes, der etwa 20 Kleintexte, hauptsächlich aus dem *Tagebuch 1946—1949*, enthält. Ferner sei erwähnt, daß Frisch auf Schallplatten (Suhrkamp Verlag) Abschnitte aus dem *Tagebuch 1946—1949*, *Stiller* und aus dem bei der Aufnahme noch nicht abgeschlossenen Roman *Mein Name sei Gantenbein* gesprochen hat[14]. Frischs Arbeiten sind in eine Vielzahl von Sprachen übersetzt worden, wobei die meistübersetzten Werke *Stiller*, *Homo faber*, *Andorra* und *Mein Name sei Gantenbein* waren[15].

Frisch hat als Publizist eine beachtliche Leistung vollbracht. Seine Tätigkeit umfaßt Reden, Reisebriefe, Feuilletons und aktuelle Fragen.

Über die zahlreichen Beiträge, die im Laufe der Jahre in Zeitschriften und Zeitungen in der Schweiz und in Deutschland erschienen sind, beabsichtigen wir keine vollständige Bibliographie zu präsentieren.

Die Mehrzahl besagter Publikationen findet man in der *Neuen Zürcher Zeitung,* wo Frisch Anfang der dreißiger Jahre als Journalist tätig war. Alles in allem handelt es sich bis einschließlich 1966 um etwa 90 von ihm in dieser Zeitung signierte Beiträge. Mehr als die Hälfte von diesen sind während der Jahre 1932–35 veröffentlicht worden[16]. Es ist charakteristisch, daß es den früheren wie den späteren Beiträgen an kontroversiellem Inhalt fehlt. Für den Polemiker Frisch hat die *NZZ* — wie für den Polemiker Zollinger — ihre Spalten nie geöffnet.

Frischs wichtigstes Engagement als Publizist ist mit den beiden Broschüren *Achtung: die Schweiz* (1955) und *Die neue Stadt* (1956) verknüpft, die er zusammen mit Lucius Burckhardt und Markus Kutter herausgab. Im Zusammenhang mit diesen Schriften machte Frisch eine Reihe von Ausführungen in der *Weltwoche* in den Jahren 1955–56.

In der *Weltwoche* hat Frisch auch Rezensionen und Beiträge zur literarischen Debatte veröffentlicht. Seine erste Besprechung erschien 1949 (6. Mai), und zwar über Dürrenmatts Schauspiel *Romulus der Große.* Während der sechziger Jahre wurde die *Weltwoche* zu Frischs wichtigstem öffentlichen Forum. In die öffentliche Debatte hat er durch seinen Beitrag „Endlich darf man es wieder sagen" (23. 12. 1966) eingegriffen. Es handelt sich hier um einen scharfen Angriff gegen eine Rede mit dem Titel „Literatur und Öffentlichkeit", die der Literaturhistoriker Emil Staiger in Zürich am 17. 12. 1966 gehalten hatte[17]. Neben der *Weltwoche* hat die radikale Zeitschrift *Neutralität,* gegründet 1963, eine wichtige Rolle für Frischs späteres öffentliches Auftreten gespielt.

Für eine Reihe anderer Publikationen hat Frisch einzelne Beiträge geliefert. Das Problem der Kultur in Deutschland berührte er im Artikel „Kultur als Alibi" in der Zeitschrift *Der Monat* (1949, Nr. 7). Die amerikanische Kultur ist im Aufsatz „Unsere Arroganz gegenüber Amerika" in der *Neuen Schweizer Rundschau* (1953, Nr. 10) behandelt worden[18]. Die Frage nach Heimat und Vaterland wird im Artikel „Die andere Welt" in *Atlantis* (1945, Nr. 1/2) aufgeworfen. Sein eigenes Schrifttum kommentiert Frisch in einem Beitrag in *Akzente* (1955, Nr. 5) mit dem Titel „Zur chinesischen Mauer"[19].

Das Verhältnis des Dichters zur Gesellschaft ist von ihm in einer Anzahl wichtiger Beiträge diskutiert worden. Es handelt sich hier hauptsächlich um Reden. Eine Ansprache zum schweizerischen Nationalfeiertag brachte die *Zürcher Woche* am 9. 8. 1957 unter dem Titel „Max Frischs ungewöhnliche Festrede". Als Frisch den Georg Büchner-Preis in Darmstadt bekam, hielt er eine Ansprache über „Das Engagement des Schriftstellers heute", die in der *Frankfurter Allgemeinen Zeitung* am 14. 11. 1958 gedruckt wurde[20]. Genau einen Monat später nahm Frisch den Literaturpreis der Stadt Zürich entgegen. Die Rede, die er bei diesem Anlaß hielt, „Öffentlichkeit als Partner", erschien in der Schrift *Öffentlichkeit als Partner* (1967), die darüber hinaus mehrere der oben-erwähnten Ansprachen und Artikel enthält[21]. Ferner finden sich dort einige andere Ausführungen von Interesse, von denen wir noch drei nennen wollen. Bei der Dramaturgenkonferenz in Frankfurt a. M. 1964 hielt Frisch eine Ansprache, die in der *Neuen Rundschau* (1965, Nr. 1) und später in der obenerwähnten Schrift unter dem Titel „Der Autor und das Theater" veröffentlicht wurde. Frisch erörtert hier u. a. die politische Funktion des Theaters sowie dessen Beziehungen zur Gesell-schaft. Die „Schillerpreis-Rede", die er 1965 in Stuttgart gehalten hat, gibt einige Ansichten über Wilhelm Tell und traditionelle schweizerische Geschichtsauffassung wieder[22]. Besonders wichtig ist die Rede „Über-fremdung 2" (1966), in der Frisch eingehend seine Auffassung von schweizerischer Mentalität und Eigenart darlegt. Der Artikel „Unbe-wältigte schweizerische Vergangenheit?", der in der Zeitschrift *Neutra-lität* (1965, Nr. 10) herauskam, hat eine lebhafte Debatte hervorgeru-fen[23]. Mit dieser Vergangenheit versteht er die Jahre 1933—45 und die schweizerische Flüchtlingspolitik. Die Demokratie in der Schweiz erörtert Frisch in zwei späteren Beiträgen in der *Weltwoche*: „Demokratie ohne Opposition?" (11. 4. 1968) und „Wie wollen wir regiert werden?" (13. 12. 1968).

Ideologie und Politik

In Frischs früherem Werk kommt keine bestimmte politische oder gesell-schaftliche Anschauung zum Ausdruck. Erst mit dem Ende des Zweiten Weltkrieges wird für Frisch eine „schweizerische Ideologie" aktuell: er eignet sich nun in gewisser Weise ein herkömmliches, schweizerisches Ideengut an; mag es sich nun um die Kulturauffassung handeln, die Be-griffe von Freiheit und Demokratie, der Schweiz als Idee usw. Diese Gedanken werden in publizistischen Beiträgen, in seinem *Tagebuch* sowie in den dichterischen Werken behandelt. Seit der zweiten Hälfte der fünfziger Jahre strebt Frisch bewußt nach einer Emanzipation von diesem herkömmlichen Ideengut und glaubt auch, eine Gesinnung er-reicht zu haben, die er anti-ideologisch nennen möchte. Aber erst seit den sechziger Jahren kann man bei ihm tatsächlich in größerem Umfang eine Loslösung von diesem Ideengut feststellen.

Gleichzeitig mit dem Zunehmen seiner Kritik gegen die traditionellen schweizerischen Ideen stellt er sich in immer höherem Grad in Opposi-

tion zur offiziellen schweizerischen Politik und den aktuellen schweizerischen Gesellschaftsverhältnissen. Frisch wendet sich gegen den Konservatismus in seinen verschiedenen Formen. Diese Einstellung ist verständlich, wenn man an die große Bedeutung denkt, die die zeitweise
mit rein utopischem Denken verbundene Zukunftsidee für Frisch hat.

In Frischs allgemeiner politischer Auffassung spielt die Idee der Veränderung eine entscheidende Rolle. Man begegnet ihr zum ersten Mal
in seiner Publizistik im Artikel „Stimmen eines anderen Deutschland?"
(*Neue Schweizer Rundschau*, 1946, Nr. 9), der von Ernst Wiechert handelt, bei dem man — laut Frisch — keine Veränderung in der Denkart
bemerken kann. Ihm wird Brecht gegenübergestellt und wahrscheinlich
finden wir hier bei Frisch zum ersten Mal Brechts Namen. Der Begriff
Veränderung kommt auch im Artikel „Death is so permanent" (ebd.
1946, Nr. 2) vor. In beiden Artikeln handelt es sich um die kulturelle
und politische Situation in Deutschland.

Die Problematik der Veränderung greift Frisch etwas später in seinem
Tagebuch in einigen Notizen von einem Besuch in Prag im Frühling
1947 (164—167) auf. Er diskutiert mit einigen jungen Schauspielern, von
denen offenbar einige kommunistisch inspiriert sind:

> „Verändern wollen wir alle — darin sind wir uns einig, und es geht je-
> desmal nur darum, wie die Veränderung möglich sein soll; es ist nicht die
> erste Nacht, die wir dieser Frage opfern. Die einen glauben, es bleibe
> uns nur noch die Entdeckung der menschlichen Seele, das Abenteuer der
> Wahrhaftigkeit, und sie sehen keine anderen Räume der Hoffnung. Die
> anderen dagegen sind überzeugt, daß sich der Mensch in dieser Welt,
> so wie sie ist, nicht verändern kann; also müssen wir vor allem die Welt
> verändern, die äußere, damit der Mensch, der ihnen als Erzeugnis dieser
> äußeren Welt erscheint, sich seinerseits erneuern kann." (165).

Frisch ist sich mit den übrigen Anwesenden darüber einig, daß die Gesellschaft und die ökonomischen Verhältnisse verändert werden müssen.
Aber er ist nicht mit denen einig, die diese Veränderung mit Gewalt
durchführen wollen. Er betont die Würde des Menschen. Diese bestehe in der Wahl, in der Möglichkeit zu wählen. In diesem Zusammenhang kommt auch der Begriff Verantwortung ins Bild. „Erst aus der
möglichen Wahl gibt sich die Verantwortung; die Schuld oder die Freiheit." (166).

Etwas später, im Oktober gleichen Jahres, greift Frisch in seinem
Tagebuch wieder den Begriff der Veränderung auf, diesmal bei Brecht:
„Was Brecht betrifft, um den es in diesem Aufsatz geht, frage ich mich,
ob ein Nihilist, ein wirklicher, imstande wäre, eine Veränderung zu
wollen. Brecht aber, das weiß auch dieser Kritiker, will durchaus eine
Veränderung, eine ganz bekannte, genau beschreibbare." (201).

Die Diskussion, die Frisch in seiner Publizistik zu jener Zeit führt, spiegelt sich in seiner Dichtung wider. Das betrifft in erster Linie die erste Fassung (I. F.) des Stückes *Die chinesische Mauer*, worin der Begriff Veränderung eine bedeutende Rolle spielt, vor allem in den Gesprächen zwischen dem „Jungen Mann" und Mee Lan (I. F.: 46, 101, 107 f., 110 ff.). Ferner gibt es in der ersten Fassung noch ein Gespräch über die Veränderung der Welt zwischen dem „Frack", dem „Cut" und der „Toga" (ebd. 127 f.), das jedoch in der neuen Ausgabe gestrichen ist (vgl. II. F.: 145—48).

Auch im Roman *Stiller* spielt die Idee der Veränderung eine gewisse Rolle. Bisweilen wird stattdessen das Wort Verwandlung verwendet, wie im folgenden Beispiel, wo Stiller sich über den Verteidiger Bohnenblust äußert: „Er ist (begreiflicherweise) gegen die Zukunft. Jede Verwandlung ängstigt ihn. Er verspricht sich mehr von der Vergangenheit." (257). Bohnenblust ist ein karikierter Repräsentant des Konservatismus. In Stillers Gespräch mit Sturzenegger (318—29) spielt die Kritik bezüglich der mangelnden Zukunftsperspektive eine bedeutende Rolle. Stiller ist der Meinung, daß die Schweizer ein Volk seien, das nicht die Zukunft sondern die Vergangenheit wolle. Er fragt sich u. a., warum man nicht gewisse unzweckmäßige Gesetze ändere:

> „Worin bestünde denn die Freiheit einer demokratischen Verfassung, wenn nicht eben darin, daß sie dem Volk immerfort das Recht gibt, seine Gesetze im demokratischen Sinn zu verändern, wenn es nötig ist, um sich in einem veränderten Zeitalter behaupten zu können? Es fragt sich nur, ob sie wollen. Ich verwahre mich gegen die gefährliche Meinung, daß Demokratie etwas sei, was sich nicht verwandeln kann..." (327 f.).

Im Roman *Stiller* begegnet man einem anderen Aspekt des Begriffs Veränderung als in der *Chinesischen Mauer*, wo die Möglichkeiten des Künstlers, durch seine Kunst die Welt zu beeinflussen und zu verändern, behandelt werden. Im Roman handelt es sich nicht um die Möglichkeiten des Künstlers in dieser Hinsicht, sondern um Kritik an einer schweizerischen Attitüde, um die Notwendigkeit von Veränderungen in der schweizerischen Gesellschaft. Gleichartige Gedankengänge findet man in der Broschüre *Achtung: die Schweiz*, in der Frisch und seine beiden Mitarbeiter die Notwendigkeit einer Wandlung und Veränderung sowie die Bedeutung von neuen Vorbildern und Ideen betonen. Sie kritisieren den schweizerischen Traditionalismus und die Angst vor der Zukunft[24][25]. Dieselbe Problematik greift Frisch im Vortrag „Der Autor und das Theater" und im Roman *Mein Name sei Gantenbein* auf. Im Schauspiel *Biografie: Ein Spiel* wird sie ebenfalls kurz gestreift im Zusammenhang mit Professor Krolevsky, der die Arbeit für die kommunistische Partei als das einzige Mittel sieht, um die Welt zu verändern (48).

Auffallend in der ganzen Debatte, die Frisch um das Problem der

Veränderung führt, ist sein Anknüpfen an Brecht, dessen Namen man bereits in den ersten Erörterungen nach Kriegsende begegnet und an den sich auch die Diskussion während der sechziger Jahre knüpft. Daß diese Idee eine wichtige Rolle für Brecht spielt, ist naürlich: sie gehört zur marxistisch-leninistischen Ideentradition. In welchem Grad sich in diesem Zusammenhang Frisch von Brecht direkt hat beeinflussen lassen, kann aus dem vorhandenen Material nicht herausgelesen werden. Aller Wahrscheinlichkeit nach hat Frisch jedoch eine gewisse Bestärkung und Inspiration durch Brecht erhalten.

Wie weit Frisch die Gesellschaft verändern möchte, hat er keinesfalls in allen Punkten klargemacht. Offenbar will er eine Veränderung in sozialistischer Richtung. Er macht jedoch an dem Punkt halt, wo der Sozialismus in Diktatur überzugehen droht. Schon im *Tagebuch* lehnt er eine kommunistische Gewaltlehre ab. Bezeichnend für Frischs Position Ende der sechziger Jahre ist seine Ansprache anläßlich der sowjetischen Okkupation der Tschechoslowakei, worin er von der sozialistischen Gesellschaft als einer „erstrebenswerten Gesellschaft" spricht (*Tschechoslowakei 1968*, 28). Aber er wendet sich entschieden gegen die Okkupation und gegen die Form, die der Sozialismus in Rußland bekommen hat. Er redet hier von „Kremltum". Frisch sieht vor sich eine Zukunft, die nicht auf Koexistenz, sondern auf Kooperation zwischen Ost und West gebaut ist. Er denkt sich eine Synthese von Demokratie und Sozialismus: „Aber die Hoffnung kann ich deswegen nicht auswechseln; ich habe nämlich nur eine: daß das Versprechen, das dort Sozialismus heißt, und das Versprechen, das hier Demokratie heißt, zu verwirklichen sind durch ihre Vereinigung." (34).

In Frischs politischer Anschauung zu Beginn der 50er Jahre existiert ein merkbares Element von Planung, anfänglich im Zusammenhang mit Architektur und Städtebau: „Freiheit durch Plan." Er wünscht u. a. schon damals, daß die Gemeinde den Besitz von Grund und Boden übernehmen solle. Das ist eine Auffassung, die als sozialistisch interpretiert werden könnte. Obwohl die erläuternden Beiträge, die Frisch zu seiner politischen Auffassung selber gegeben hat, fragmentarisch sind, kann seine Auffassung während der zweiten Hälfte der sechziger Jahre in kurzen Worten als radikal und demokratisch mit beträchtlicher Sympathie für den Sozialismus definiert werden [26].

In seiner „Büchner-Rede" nimmt Frisch gegen die Ideologien seiner Zeit Stellung, mögen sie nun aus dem Osten oder dem Westen kommen [27]. Er will sich auch nicht länger für irgendeine schweizerische Ideologie engagieren. In den sechziger Jahren hat man in der Schweiz häufig den Ausdruck „Nonkonformist" verwandt. Als solcher bekennt sich Frisch ausdrücklich in einem Fernseh-Film, der von ihm selbst handelt und worin er besonders betont, er meine mit Nonkonformist, daß er keiner politischen Partei angehöre[28]. Man kann in diesem Zusammenhang auf das Schauspiel *Biografie: Ein Spiel* hinweisen, in dem sich dieses Problem widerspiegelt. In einer seiner Lebensrollen bezeichnet sich Kürmann, die Hauptfigur, als Nonkonformisten: er ist ein intellektueller Protestant, der sich an keine bestimmte politische Partei binden kann (48).

Frisch befindet sich in der Tat in einem politischen Dilemma. Ende der fünfziger Jahre tritt er mit einer anti-ideologischen Haltung hervor, in den sechziger Jahren nennt er sich einen Nonkonformisten. In dieser Rolle, als eine Art nicht parteigebundener Oppositioneller, geht er dennoch von gewissen politischen Bewertungen und Ideen aus, die als „ideologisch" bezeichnet werden müssen. Wir kommen nicht umhin, eine offenbare Unklarheit in Frischs Stellungnahme konstatieren zu müssen.

Zeitkritik: Einteilung in Perioden

Während der zweiten Hälfte der vierziger Jahre erfährt Frischs literarisches Schaffen eine bedeutende Umwandlung. Die drei Schlüsselwörter sind „Surrealismus", „Dramatik" und „Gesellschaftsengagement", die miteinander nahe verbunden sind. Frisch mußte den Weg über Surrealismus und dramatisches Schaffen gehen, um Zeit- und Gesellschaftsfragen in seine Dichtung einführen zu können. Mit *Bin oder die Reise nach Peking* geschieht sein Durchbruch zum Surrealismus, der seinerseits Frischs dramatischem Schaffen den Weg bahnt und zwar dem Erstlingswerk *Santa Cruz*. Mit dem zweiten Schauspiel *Nun singen sie wieder* (1945) tut Frisch den Schritt zur Zeitkritik.

Zunächst möchten wir die Behandlung der Gesellschaftsfragen in Frischs Werk in vier Perioden einteilen, wobei natürlich eine gewisse Schematisierung unumgänglich ist. Der erste Zeitabschnitt, in dem die erzählende Prosa dominiert und der die Zeit bis 1945 umfaßt, ist von dem völligen Fehlen jeglicher Gesellschaftsdebatte gekennzeichnet. Den eigentlichen Schlußpunkt dieser Periode bildet der Roman *Die Schwierigen* (1943), wobei *Bin* und *Santa Cruz* zunächst Übergangswerke zur zweiten Periode werden, die mit *Nun singen sie wieder* eingeleitet wird. Damit hat Frisch in die Gesellschaftsdebatte eingegriffen. Während des ersten Teils dieser Periode, die sich im ganzen bis in die Jahre 1957—58 erstreckt, dominiert seine Dramatik. Aber die Zeitprobleme spiegeln sich auch im *Tagebuch* und in einzelnen seiner publizistischen Ausführungen wider. In den Jahren 1952—57 steht die schweizerische Gesellschaftsproblematik im Vordergrund. Es herrscht hier bei ihm, besonders während der fünfziger Jahre, eine stark ausgeprägte parallele Entwicklung von Dichtung und Publizistik. Das Jahr 1957, in dem *Homo faber* erschien und Frisch seine „Festrede" hielt, bedeutet zwar einen Wendepunkt, aber es kann zweckmäßig sein, die Scheidelinie zur dritten Periode mit der „Büchner-Rede" 1958 zu ziehen. Der dritte Zeitabschnitt wird von einer Entwicklung von den Gesellschaftsproblemen weg gekennzeichnet. Diese Tendenz ist schon in *Homo faber* bemerkbar. Mit den Schauspielen *Biedermann und die Brandstifter* (1958) und *Andorra* (1961) hat Frisch die konkreten gesellschaftlichen Probleme verlassen: es handelt sich hier um Gleichnisse oder kaschierte Problematik. Während der nächsten Jahre nach 1958 äußert sich Frisch in seiner Publizistik nur wenig über die Gesellschaft und verzichtet im allgemeinen darauf, schweizerische Probleme zu diskutieren. Die vierte Periode, die etwa 1964 beginnt und immer noch andauert, wird von einer scharfen und bemerkungswerten Trennung von Journalistik und Dichtung charakterisiert. Innerhalb der Dichtung verzichtet Frisch auf eine direkte und offene Gesellschaftskritik: hier sei auf den Roman *Mein Name sei Gantenbein* (1964) und das Schauspiel *Biografie: Ein Spiel* (1967) hingewiesen. Dagegen kehrt Frisch jetzt zur Gesellschaftsdebatte in publizistischer Form zurück und engagiert sich intensiv an sowohl schweizerischen als auch internationalen Problemen, vielleicht intensiver als je zuvor.

Die Kunst, der Künstler und die Gesellschaft

Die Künstlergestalt

Die Künstlergestalt spielt als Haupt- oder Nebenfigur eine wichtige Rolle in Frischs Werk bis Mitte der fünfziger Jahre: in den Erzählungen *Jürg Reinhart*, *Antwort aus der Stille*, *Die Schwierigen* und *Stiller*, ferner in den Schauspielen *Santa Cruz* und *Die chinesische Mauer*. In diesem Kapitel werden wir uns auf die vertiefte und ausführlichere Gestaltung konzentrieren, die in den Romanen stattfindet.

Im Erstlingswerk *Jürg Reinhart* (1934) hat die Hauptperson einen freien Beruf als Journalist. Er fühlt sich als Außenstehender, als ein nicht-handelnder Betrachter und träumt von der großen Tat. Anläßlich eines Aufenthalts am Mittelmeer nimmt er die Malerei seiner Kindheit wieder auf und entschließt sich für die künstlerische Laufbahn[1]. Im Roman *Die Schwierigen* (1943) handelt es sich eigentlich um eine Fortsetzung des ersten Werkes: Frisch hat nämlich Auszüge aus *Jürg Reinhart* als ersten Teil in den neuen Roman eingehen lassen. In diesem darf der Leser dem weiteren Schicksal des jetzt in der Schweiz, offenbar in Zürich, etablierten Kunstmalers Reinhart folgen. Die Zusammenfügung ist lose, und das bedeutet, daß der junge und der etwas ältere Reinhart nicht viel gemeinsam haben[2]. Reinharts Lebensweg ist eigenartig: er beginnt als Künstler, wird dann Kontorist und endet als Gärtner. Während der Künstlerperiode, die neun Jahre dauert, arbeitet er zeitweise inspiriert, ist ziemlich fleißig, wenn auch nicht besonders erfolgreich[3]. Als Reinhart ein Alter von etwa dreißig Jahren erreicht hat, wendet er sich plötzlich von der Malerei ab, verbrennt sämtliche Bildwerke und verkauft die Rahmen, da er Geld braucht. „Geld war am Ende doch wichtig, mächtiger, als er hatte glauben wollen." (*DS*, 232). Die vergangenen Jahre erscheinen ihm als ein Irrtum: endlich will er erwachsen werden und sich seinen Lebensunterhalt selbst verdienen.

Die Künstlerpersönlichkeit Reinhart wird am besten bei einem Vergleich mit der Hauptperson im Roman *Stiller* (1954) verständlich. Anatole Stiller ist Bildhauer gewesen, genau wie Reinhart ein fleißiger, mittelmäßig begabter Künstler ohne größeren Erfolg. Eines Tages gibt er seinen Künstlerberuf auf und verläßt seine Frau. Sieben Jahre lang versucht er dann in Amerika ein neues Dasein[4]. Bei der Rückkehr in die Schweiz — jetzt unter dem Namen Mr White — weigert sich Stiller, sein früheres Leben und seine Künstlerschaft zuzugeben. Nachdem er vom Gericht zur Identität mit Stiller verurteilt worden ist, beginnt er in einem ländlichen westschweizerischen Milieu mit handwerksmäßiger Produktion von Keramik, „swiss pottery", für die Touristen.

Die Schilderung von Stillers Künstlerleben ist im Roman auf zwei Atelierszenen konzentriert und umfaßt ferner gewisse Ausstellungsvorbereitungen, ein Zusammentreffen mit Kunstkritikern und Stillers Kommentare zur eigenen Kunstausübung[5]. Das alles wird in Tagebuchform dargestellt, d. h. ausschließlich aus Stillers Perspektive.

Stillers Ausbruch kommt durch eheliche und künstlerische Schwierigkeiten zustande. Der Aufbruch von der Kunst ist von verschiedenen Faktoren bestimmt worden: u. a. dem Mißtrauen gegen die eigene schöpferische Tätigkeit und vielleicht auch gegen die Kunst an sich, sowie vom Erlebnis der mangelnden persönlichen Reife. Dieser letzte Faktor ist wichtig. Bei der ersten Konfrontation mit seinem alten Atelier macht Stiller folgende Reflexion: „ . . . und was in Bronze bleibt, ist nicht genug, um Zeugnis eines erwachsenen Mannes zu sein. Kein Wunder, daß Stiller (einmal muß er es ja auch gesehen haben) gegangen ist!" (477). Bereits hier kann man einen Vergleich mit Reinharts Entwicklung im Roman *Die Schwierigen* anstellen. Als Reinhart erzählt, warum er seine Malerei aufgegeben und seine Gemälde zerstört hat, wiederholt er mehrmals: „Einmal muß man erwachsen werden" (232), was bei ihm einen anderen und männlicheren Beruf ausüben heißt. Es handelt sich im Grunde um folgendes Problem: Kann ein wirklicher Mann sich der Kunst widmen? Die Antwort, die Frisch hier gibt, ist offenbar ein Nein.

Stillers obenerwähnter aufgezwungener Atelierbesuch endet mit einem Wutausbruch: er zerschlägt alles, was zerschlagen werden kann (*St*, 488, 494–97). Diese Szene möchten wir symbolisch deuten: Stiller vernichtet alle seine Schöpfungen genau wie Reinhart seine Gemälde und Skizzen verbrennt. In beiden Fällen handelt es sich um Zerstörungssucht. Sowohl Stiller als auch Reinhart setzen ihrer künstlerischen Laufbahn dadurch ein Ende, daß sie ihre Schöpfungen vernichten. Eine solche Deutung aber ist keineswegs die einzig mögliche. Der Wutausbruch im Roman *Stiller* kann ganz aus der momentanen Situation entstanden sein, als Reaktion dagegen, daß Stiller gezwungen wird, sich mit der Vergangenheit, mit Stillers Kunst zu identifizieren. Hier begegnen wir übrigens einer Widerspiegelung von Frischs eigenen Erlebnissen: wie bereits erwähnt verbrannte Frisch in den dreißiger Jahren ja auch sein bisheriges literarisches Werk.

Zwischen Stiller und Reinhart finden sich noch mehrere Ähnlichkeiten. Die beiden gehören zum selben Persönlichkeitstyp, von geringem Selbstvertrauen und mangelnder Tatkraft gekennzeichnet. Beide befinden sich in finanziellen Schwierigkeiten, wobei ihnen von ihren Freundinnen, Sibylle bzw. Yvonne, Geld vorgestreckt wird. Yvonne findet Reinhart unmännlich, Stiller kämpft oft mit dem Gefühl, nicht männlich genug zu sein. Beide tauschen ihre Identität: Reinhart tritt unter dem Namen Anton, Stiller als Mr White, auf. Reinhart begeht Selbstmord, Stiller macht in Amerika einen Selbstmordversuch. Beide brechen aus dem Künstlerdasein aus, um eine neue Lebensform, „ein wirkliches Leben" zu finden, jedoch ohne daß es ihnen gelingt.

Es gibt jedoch auch bedeutende Unterschiede zwischen den beiden im Abstand von zehn Jahren entstandenen Werken *Die Schwierigen* und *Stiller*, die die Entwicklung Max Frischs widerspiegeln. Der Unterschied wird vor allem durch zwei Komponenten markiert, nämlich das gesellschaftliche Engagement bei Stiller, worauf wir in einem späteren Kapitel zurückkommen werden, sowie die ästhetische Technik des Dichters, d. h. seine Art, die künstlerischen Mittel anzuwenden. Im Roman *Die Schwierigen* arbeitet der Autor, u. a. bei der Ausformung von Reinharts Gestalt, mit Ernst, Einheitlichkeit und Unmittelbarkeit. Im Roman *Stiller* handelt es sich um Distanz, wechselnde Perspektive, Ironie, Bewußtsein und „schwarzen Humor". Stiller betrachtet seine künstlerische Tätigkeit mit dem Abstand von sieben Jahren; er blickt auf sie mit Ironie [6]. Dasselbe gilt nicht für Reinhart. Stiller wird seinerseits Gegenstand der Ironie des Autors. Dies kommt beispielsweise durch den Gegensatz zwischen Stillers früherer Tätigkeit als ernsthaft arbeitender, zielstrebiger Bildhauer und seiner letzten Beschäftigung als Souvenirhersteller zum Ausdruck.

In den Romanen *Die Schwierigen* und *Stiller* hat Frisch zwei Menschentypen in rein künstlerischen Berufen geschaffen. Die Mitteilungen über Reinharts und Stillers künstlerische Probleme, über ihren Kampf mit dem Stoff und über ihre künstlerischen Erlebnisse sind jedoch sparsam. Reinhart und Stiller werden als fleißige Arbeiter beschrieben, und es scheint, als ob es an der wirklichen Kunstleidenschaft mangelt. Als sie aus der Künstlerexistenz aufbrechen, scheint es ohne irgendwelche Aufopferungen zu geschehen; den künstlerischen Drang scheinen sie nicht allzu stark zu verspüren. Es handelt sich hier um zwei mittelmäßige und — jedenfalls in ihren eigenen Augen — mißglückte Künstler, deren weiteres Leben auch ein Mißlingen ist. Frisch hat kein vertieftes und überzeugendes Bild der Probleme dieser Künstler geschaffen. Er hat nicht die Fähigkeit oder den Willen gehabt, die Probleme der Kunstausübung beim einzelnen Menschen zu spiegeln. Unseres Erachtens müßte es doch möglich sein, das künstlerische Leben in irgendeiner Weise mit einem normalen Dasein zu verbinden. Die Gedanken werden weder weitergeführt noch auf eine fruchtbare Weise entwickelt. Wir müssen uns fragen, ob der Aufbruch von der Kunst mit den Problemen der Kunst zusammenhängt und nicht überwiegend von einem allgemein mißlungenen Leben veranlaßt ist. Wir möchten behaupten, daß Reinhart und Stiller deswegen als Künstler Mißerfolg haben, weil sie auch in jener anderen Lebenssituation Mißerfolg haben würden.

Der Tagebuchroman *Homo faber* (1957) ist das dichterische Werk, das zeitlich als nächstes auf Stiller folgte (abgesehen von der revidierten Ausgabe der *Chinesischen Mauer*). Bei einem ersten Kontakt mit dieser Arbeit kann es scheinen, als ob sie von geringem Interesse für die Themen sei, die im vorliegenden Abschnitt erörtert wurden. Bei näherer Untersuchung des Romans zeigt sich jedoch, daß er eine wichtige Position in Frischs Entwicklung gerade in bezug auf die künstlerische Problematik einnimmt.

Zum ersten Mal hat Frisch im Roman *Homo faber* einen Techniker als Hauptgestalt auftreten lassen. Die Perspektive ist geschlossener als in *Stiller* und auf den Tagebuchverfasser selbst konzentriert. Der Charakter des Romans geht schon aus dem Untertitel hervor: „Ein Bericht". Hier wird ein Bild von dem einseitigen und engstirnigen Ingenieur Walter Faber vermittelt, dessen Mentalität sich in Exaktheit und Sachlichkeit manifestiert, und der sich in der Welt der Mathematik, Statistik und Maschinen bewegt. Er lehnt das Lesen von Romanen ab und langweilt sich bei Museumsbesuchen. An Phantasie mangelt es ihm, und sein Erlebnisfeld ist streng begrenzt. Er ist kritisch gegenüber allem Romantischen und von Gefühlen sagt er: „Gefühle, so habe ich festgestellt, sind Ermüdungserscheinungen, nichts weiter, jedenfalls bei mir." (*HF*, 130).

Die Vereinfachung in der Beschreibung von Walter Faber aber ist weitgehend. Faber wird zu einem Typus; in gewisser Hinsicht steht er fast an der Grenze zur Karikatur. Er ist mit ironischer Distanz geschildert, was besonders in dem langen Abschnitt deutlich wird, in dem Faber über Hygiene, Abtreibung, Überbevölkerung usw. reflektiert (*HF*, 148—52). Ironisch ist sein Schicksal auch insofern, als dieser Mann, der nur mit dem Wahrscheinlichen rechnet, gerade von dem Unwahrscheinlichen, vom Zufall, getroffen wird: die junge Frau, der er während einer Reise über den Atlantik begegnet, und die er später liebt, erwies sich als seine Tochter.

Den Namen Homo faber hat er von seiner Freundin Hanna Landsberg, einer in die Schweiz geflüchteten Jüdin, die er seinerseits „Schwärmerin" und „Kunstfee" nennt. Hanna repräsentiert also in diesem Werk den Künstlermenschen. Man könnte sagen, daß Frisch mit diesen beiden Gestalten einen Homo faber gegen einen — wie Huizinga ihn nennt — Homo ludens gestellt hat. Dasselbe Begriffspaar kann mit noch größerem Recht verwendet werden, wenn man Faber als eine Kontrastfigur zum Künstler Stiller sieht. Die Entwicklung in Frischs dichterischem

Werk bildet in der Tat eine Parallele zu der Kulturentwicklung, die J. Huizinga in seinem bekannten Werk *Homo ludens* skizziert, und wo er gerade von einem Homo faber spricht. Huizinga meint, daß die Spielfunktion des Kulturprozesses, nicht zuletzt innerhalb der Kunst und Dichtung, seit dem letzten Jahrhundert einer nüchternen und prosaischen Nützlichkeitsgesinnung gewichen sei[7].

Wenn wir versuchen, die Stellung des Romans *Homo faber* in Frischs Produktion zu definieren, erscheint dieses Werk als ein Gegenpol zu seiner früheren Dichtung und speziell zum Roman *Stiller*. Künstlerischem Schaffen, Gefühl, Phantasie, Subjektivität und Individualismus stehen Technik, Objektivität, Gemeinnutz und praktisches Wirken für die Menschheit gegenüber.

Aber der Gegensatz ist nur scheinbar. In Wirklichkeit liegt *Homo faber* in vieler Hinsicht auf einer Linie mit Frischs vorhergegangenem Werk. Zum Beispiel zeigt Faber als Menschentyp trotz allem viele Übereinstimmungen mit Stiller. Wie dieser ist Faber ein wandernder Emigrant, der sich in der Heimat nicht einordnen kann. Auch hat er dasselbe Bedürfnis, seine Männlichkeit zu manifestieren: „Ich stehe auf dem Standpunkt, daß der Beruf des Technikers, der mit den Tatsachen fertig wird, immerhin ein männlicher Beruf ist, wenn nicht der einzigmännliche überhaupt." (109).

Faber ist ein einsamer Mensch, ebenso kontaktlos wie Stiller. Auch Faber mißlingt eine Lösung seiner wichtigsten Alltagsprobleme, beispielsweise der von Frau und Ehe. Faber bleibt ledig, wird aber in dieselbe Situation wie Reinhart und Stiller gestellt: er erweist sich als Vater eines ihm unbekannten Kindes.

Der Roman *Homo faber* ist sowohl ein Gegenpol als auch eine Fortsetzung des Romans *Stiller* und Frischs früherer Produktion. Stillers Entwicklung deutet auf den Homo faber hin. Stiller verläßt die rein ästhetische Tätigkeit und geht zu einer nützlicheren Arbeit über. In Fabers Gestalt ist die anti-ästhetische Haltung auf die Spitze getrieben: der Ingenieur Faber verachtet die Kunst oder versteht sie nicht. Aber zugleich hat die Nützlichkeitsthese, die in seiner Gestalt symbolisiert wird, eine ironische Bedeutung. Der Autor kritisiert auf diese Weise ein Zeitereignis, jene Kulturentwicklung, auf die Huizinga hinweist.

Daß es motiviert ist, den Roman *Homo faber* unter diesem Aspekt zu behandeln, geht aus einer späteren Äußerung von Frisch hervor. Im Artikel „Die Schweiz ist ein Land ohne Utopie" (*Ex libris*, 1960, H. 3) sagt er u. a. folgendes: „Die Problematik des Schweizer Schriftstellers [...] beschäftigt mich nicht mehr, nachdem ich mich mit ihr jahrelang [...] auseinandergesetzt habe. Im Homo faber gelang es mir dann zum erstenmal mich ganz von ihr zu lösen."

Zusammenfassend möchten wir feststellen, daß die Romane *Stiller* und *Homo faber* in ihrer gegenseitigen Polarität einen Schlußpunkt bilden, d. h. eine Auflösung der künstlerischen Problematik bei Frisch. Der Künstler verschwindet aus Frischs dichterischer Welt und es ist folgerichtig, daß dies mit dem Schwank *Die große Wut des Philipp Hotz* (in: *Hortulus*, 1958, H. 2) im Zeichen des Lächerlichen geschieht. Während nahezu 25 Jahren (1934–58) hat die Künstlergestalt in verschiedenen Variationen eine wichtige Funktion in Frischs Werk innegehabt, indem er durch sie seine belletristischen Ziele, Absichten und Erlebnisse kanalisieren konnte.

Die Spannung zwischen dem Künstler und der bürgerlichen Umwelt

Die Spannung zwischen dem künstlerischen Individuum und der bürgerlichen Umwelt kommt markant in einer Anzahl von Frischs Werken aus seiner früheren Zeit zum Ausdruck. In einigen Fällen wird diese Spannung bei Menschen beschrieben, die zwar nicht selber Künstler sind, die jedoch einen Künstlertraum in sich tragen oder in ihrer Jugend irgendeine Beziehung zur Kunst gehabt haben. Die drei Gestalten, an die wir in diesem Zusammenhang denken, sind die Hauptpersonen in den Werken *Antwort aus der Stille*, *Santa Cruz* und „Skizze" im *Tagebuch*.

In der Erzählung *Antwort aus der Stille* (1937) ist die Hauptgestalt, häufig der „Wanderer" genannt, Schweizer, lebt in soliden bürgerlichen Verhältnissen, ist Dr. phil. und Leutnant der Reserve, und seine Hochzeit steht nahe bevor. Er ist jedoch mit seinem Leben nicht zufrieden, hat Angst, daß das Ungewöhnliche ausbleiben könnte: er möchte kein Durchschnittsmensch werden (74). In jüngeren Jahren hatte der „Wanderer" sein Leben anders gelebt: damals war es von Freiheit, Phantasie und dem Künstlerischen geprägt. Als Siebzehnjähriger hatte er sich nicht als ein gewöhnlicher Mensch gefühlt, sondern als ein Künstler oder Erfinder. Es ist offenbar die Erinnerung an diese Jugendjahre, die dem „Wanderer" vorschwebt, als er sich entschließt, aus seinem bisherigen Dasein aufzubrechen und die große Tat zu wagen: den immer noch unbesiegten Nordgrat zu besteigen. Mit dieser Tat glaubt er Befreiung aus dem Durchschnittlichen zu erreichen und dort das wirkliche Leben zu erleben (86)[8].

Antwort aus der Stille gehört nicht zu den besten von Frischs Werken: die Schilderungen der Eroberung dieses Alpengipfels ist sentimental und zum Teil banal. Die Darstellung hat jedoch Interesse dadurch, daß sie in so hohem Grad die in vorliegendem Abschnitt aktuelle Problematik spiegelt.

Im Schauspiel *Santa Cruz* (1944) repräsentiert der Rittmeister den nüchtern arbeitenden und ordentlichen Alltagsmenschen: er ist „ein Mann von Ordnung", in der Tradition wohl verankert, Besitzer eines Gutes, seit mehreren Jahren verheiratet und hat aus dieser Ehe ein Kind. Mit viel Genauigkeit und Pflichttreue verrichtet er seine tägliche Arbeit, wobei er oft wiederholt: „Ordnung muß sein . . . " (23, 25). Bei diesem Mann gibt es jedoch unter der Oberfläche eine verdrängte Sehnsucht nach jenem anderen Leben, das er nie hat leben dürfen. In seiner Jugend — vor siebzehn Jahren — hatte er die Möglichkeit, ein anderes Leben zu wählen, wählte aber die Sicherheit. Eines Nachts überwältigt ihn diese Sehnsucht, und er bricht von Gut und Familie auf.

Zum Rittmeister gibt es in diesem Schauspiel eine Gegenfigur. Es ist der Vagant, Pelegrin, der eine doppelte Funktion hat: einerseits ist er eine selbständige Gestalt, ein Gegenspieler zum Rittmeister, ein Repräsentant des freien, schöpferischen, kompromißlosen Lebens, andererseits ist er der Ausdruck einer bestimmten Seite des Rittmeisters, nämlich der seiner Sehnsucht nach dem anderen, nicht erlebten Leben. In dieser Hinsicht ist Pelegrin ein Stück vom Rittmeister selbst, das aus dessen Unterbewußtsein hervortritt; er wird ein symbolischer Repräsentant der Träume und der Sehnsucht des Rittmeisters. Eine solche Deutung gibt der Autor selber, indem er auf das Vorsatzblatt folgendes Motto gesetzt hat: „Unser Gegenspieler, das nicht gelebte Ich, als dichterische Gestalt[9]."

In diesem Schauspiel ist das Meer, nach dem der Rittmeister sich sehnt, ein Symbol für das wirkliche Leben, für das Unerhörte, für das Abenteuer und die unbegrenzten Möglichkeiten, während Land und Haus Symbole für die Geborgenheit werden, für die Sicherheit aber zugleich auch für die Enge und die Begrenzung.

Die „Skizze" im *Tagebuch* hat ein spezielles Interesse dadurch, daß sie als eine Vorstudie zum Roman *Stiller* betrachtet werden kann, u. a. wegen des Identitätsproblems. Die Hauptgestalt in dieser „Skizze", Heinrich Gottlieb Schinz, kommt aus guter Familie, lebt selber in einer harmonischen Ehe mit vier Kindern und ist im Beruf erfolgreicher Advokat und außerdem Major der Reserve. In der Stadt genießt er ein gutes Ansehen und hat mehrere ehrenamtliche Aufträge erhalten. Seine Jugendjahre aber — meint er — gestalteten sich anders: damals fühlte er sich als ein geistig lebendiger Mensch. Als Jüngling spielte er Klavier, als Student machte er ausgedehnte Reisen und studierte eine Zeitlang im Ausland. Bevor er sich für die Jura bestimmte, war er im Zweifel, ob er sich nicht lieber der Kunstgeschichte oder Naturwissenschaft widmen sollte. Er versuchte sich auch in der Poesie. Eines Tages bricht er nun unerwartet aus seinem bisherigen Leben auf, löst in seinem Berufe einen Skandal aus, und seine solide, bürgerliche Stellung wird zerstört.

Zwischen den drei obenerwähnten Hauptpersonen, dem „Wanderer", dem „Rittmeister" und Schinz, gibt es verschiedene Ähnlichkeiten: sie leben alle in einem sehr geborgenen, bürgerlichen Milieu, geraten allmählich in Konflikt mit ihm und erheben sich im Trotz dagegen. Die Unzufriedenheit schafft also eine Spannung, die nach Aufbruch drängt. Die Auflösung geschieht doch etwas verschiedenartig. Der „Wanderer" und der „Rittmeister" kehren zum Dasein des Alltages zurück, ersterer in einer positiven, letzterer in einer negativen Resignation. Bei Schinz ist der Fall komplizierter: es handelt sich hier um eine tiefere Symbolik, sogar mit Kafka-Stimmungen. Schinz endet in der Rolle eines Taubstummen, abseits vom Leben.

Eine der Triebkräfte dieser Revolte ist die Erinnerung an ein anderes Leben, das die drei in der Jugend gelebt haben, ein Leben, das der Gegensatz zum Einerlei des Alltages und zu den Pflichten des Bürgertums ist. Bei dem Rittmeister kommt dieser Zug in Pelegrins Gestalt zum Ausdruck. Dieses geträumte Künstlerleben wird als das wirkliche Leben aufgefaßt, als ein freies und wanderndes Dasein. Es handelt sich hier um deutlich romantische Tendenzen, die sich auch in dem Aufbruch und der Flucht der dichterischen Gestalten manifestieren.

Zunächst werden wir einige reine Künstlerpersönlichkeiten in Frischs Werk behandeln: Pedro in *Santa Cruz*, Reinhart in den *Schwierigen* und Stiller im gleichnamigen Roman. Im Stück *Santa Cruz* kommen eigentlich zwei Künstlerfiguren vor: Pedro und der obenerwähnte Pelegrin. Pedro befindet sich in einer scharfen gesellschaftlichen Spannungssituation. Die Kameraden haben ihn an Bord des Schiffes Viola in Ketten geschlagen, weil er Dinge erzählt hat, die — wie sie behaupten — Unwahrheit und Lüge sind. Einer von ihnen ermahnt ihn: „Du sollst uns nicht sagen: die Sterne singen. Wenn man es gar nicht hört. Es ist nicht wahr, was du erzählst. Darum haben wir dich gefesselt." (47). Jedoch möchten die Matrosen, daß Pedro mit dem Erzählen fortfahren soll — weil sie sich langweilen. Frei soll er erst an dem Tag werden, wo sie mit eigenen Augen sehen können, daß eine einzige seiner Erzählungen wahr ist. Pedro verliert schließlich die Geduld: „Bis ihr es seht, ihr, die Blinden! Ihr mit dem unheilbaren Besserwissen eurer Mehrheit, ihr gräßliches Pack, ihr mit dem unverschämten Anspruch eurer Öde und Langeweile, ihrer Leere, ihr Faß ohne Boden, ihr Publikum..." (47 f.). Diese Szene möchten wir als symbolisch für die Stellung eines Schriftstellers überhaupt — und nicht zuletzt in der Schweiz — bezeichnen. Nirgends in Frischs Werken ist der Gegensatz zwischen Künstler und Gesellschaft so stark wie hier. Dies ist u. a. aus einem Grunde erklärlich:

Santa Cruz ist Frischs romantischste Schöpfung. In diesem Stück gibt es also zwei Künstlergestalten, die beide hinsichtlich ihres Typus einheitlich sind — ohne Kompromißwillen. Pelegrin, der die wichtigste Rolle spielt, wird jedoch nie eine für die Umgebung feindliche und gefährliche Erscheinung: für den Rittmeister, zum Beispiel, ist er im Gegenteil das Bild von etwas Erstrebenswertem, ein Ziel der Sehnsucht.

Die Polarität zwischen dem Künstler und der bürgerlichen Umwelt kommt im Roman *Die Schwierigen* in der Hauptfigur, Reinhart, und seinem Verhältnis zu den drei Nebenfiguren klar zum Ausdruck. Nachdem Reinhart sein Künstlertum aufgegeben hat, nimmt er eine Stelle in einem Büro an. Eine Zeitlang wird seine Lebensauffassung in hohem Grade bürgerlich, beispielsweise in seiner Einstellung zu Arbeit, Geld und Ehe. Nach einer Übergangszeit des Verfalls und Wirtshauslebens kommt Reinhart schließlich als Gärtner auf einen Bauernhof. Vergebens hat er nach einem „wirklichen", d. h. gestaltenden Leben gesucht. Er kann sich ebensowenig im künstlerischen Schaffen wie in einem rein bürgerlichen Milieu zurechtfinden.

Die Kritik am Bürgertum wird in den Beziehungen des Künstlers Reinhart zu dem Obersten und dem Leutnant Amman sehr deutlich. Der Oberst ist ein Exponent des absoluten Bürgertums: bei ihm gibt es keine Schwäche, keine Sehnsucht nach einem anderen, freieren Dasein; er ist wie der „Rittmeister" in *Santa Cruz* ein Landjunker und ist sich deutlich bewußt, daß er dem Großbürgertum angehört. Mit den Jahren ist er immer mehr von der Vergangenheit, von der Geschichte seiner Familie, von Waffen und antiquarischen Sammlungen gefesselt worden. Er ist vom Pflichtgefühl gegenüber Heimatstadt und Vaterland erfüllt (221 ff.). Auf Grund dieser Gesinnung ist es erklärlich, daß der Oberst die Bekanntschaft seiner Tochter Hortense mit dem Kunstmaler Reinhart als eine große Gefahr für seine bürgerliche Existenz auffaßt. Er setzt alles daran, die Liebesgeschichte zwischen den beiden zunichte zu machen, was ihm auch gelingt.

Leutnant Amman, der von Reinhart porträtiert werden will, sitzt in Uniform Modell. Amman stammt aus einer reichen Familie, ist verwöhnt, zu vorbildlichem Benehmen erzogen. Anfangs fällt es Reinhart schwer, ihn zu ertragen, da er bei ihm das Gefühl der Überheblichkeit des wohlbestellten Spießbürgers und die Verachtung für den Künstler ahnt. Auf folgende Weise deutet er Ammans Gedanken:

> „Unser Verhältnis zu ihm (dem Künstler): Achtung für das Talent, so es wirklich vorhanden ist, Distanz von seiner Person auf jeden Fall, ein bißchen Neid um seine zigeunerhaften Freiheiten, ein bißchen Verachtung, ein bißchen Gönnertum und Herablassung, ein bißchen Unbehagen ringsum, man duldet ihn durchaus als eine Schrulle der Natur, ein großes Kind, eine Art von Hofnarr für den bürgerlichen Feierabend..." (170).

Bei der dritten Nebenfigur handelt es sich bemerkenswerterweise um die umgekehrte Situation. Dort ist es der Bürger und Büroangestellte Reinhart, der Alois begegnet, einem früheren Malerkollegen. Alois lacht über Reinhart wie über einen Fastnachtsnarren. Jetzt ist Reinhart ein Außenstehender, ein Überläufer und Verräter. Im Künstlercafé stellt Alois Reinhart mit den Worten vor: „Er ist überhaupt ein Spießer geworden." (265).

In den *Schwierigen* handelt es sich nicht um ein einseitiges Spannungsverhältnis: hier geht es sowohl um die Kritik am Bürgertum, als auch um die Sehnsucht nach gerade diesem bürgerlichen Dasein. Im Roman *Stiller* ist ebenfalls eine zweiseitige Kritik vorhanden, nämlich gegen das reine Künstlerdasein und die Kunstausübung in Stillers Person, sowie auch gegen die schweizerische Auffassung von Kunst und Dichtung. Aber der Abstand zwischen den beiden Romanen ist — wie wir im vorigen Abschnitt gesehen haben — sehr groß. Zwischen ihnen liegt eine Zäsur. Stiller ironisiert nach seiner Rückkehr aus Amerika über die traditionell romantischen schablonenhaften Vorstellungen von einem Künstler; er nimmt seine eigene Kunst nicht mehr ernst.

Wenn wir die Tendenzen zusammenfassen, die in den oben behandelten Werken zum Ausdruck kommen, finden wir ein Bild, das sehr komplex, zum Teil verwirrt, ist. Bei den Figuren der „Wanderer", der „Rittmeister" und Schinz schildert Frisch den Aufbruch vom bürgerlichen Alltag zu einem geträumten, freien Künstlerdasein, wobei ihnen die Flucht jedoch nicht gelingt. In den Romanen *Die Schwierigen* und *Stiller* geht es im Gegenteil um einen Aufbruch — und zwar einen definitiven — von der Kunst. Bei all diesen Figuren ist eine ambivalente Haltung vorhanden. Sie befinden sich im Verhältnis zu ihrer Umgebung in einem Zustand der Spannung, der Flucht, Aufbruch, Handlung, Auslösung verlangt. Das Zentrale ist die Unzufriedenheit dieser Gestalten mit ihrem Leben und ihrer Umgebung. Sie suchen nach etwas, was Frisch in seinem früheren Werk oft das „wirkliche Leben" nennt. Weder im Alltagsleben noch im künstlerischen Schaffen können sie Befriedigung finden.

Sucht man einen gemeinsamen Nenner dieser verschiedenen und widersprüchlichen Leitgedanken, liegt es nahe, auf Frischs eigene Biographie hinzuweisen.

In diesem hier berührten Problemkomplex erscheint auch unmittelbar das Motiv der Spannung zwischen Künstler und Gesellschaft. Im Roman *Die Schwierigen* wird es durch die Kritik an gewissen typischen Vertretern des Bürgertums sichtbar. Auch wenn nirgendwo offen gesagt wird, daß es sich hier um eine schweizerische Umgebung handelt, so bedeutet die Auseinandersetzung dennoch indirekte Kritik an der schweizerischen bürgerlichen Einstellung. *Santa Cruz* ist das einzige von

Frischs Werken, in dem ein kompromißloser Künstlerwille vorhanden ist. Frisch zeichnet hier ein allgemeines Milieu ohne direkte schweizerische Anknüpfungen. Eine gezielte Kritik an der schweizerischen Einstellung wurde in dichterischer Form erst von Stiller formuliert, obwohl gerade Stiller selber unfähig ist, seine eigene künstlerische Tätigkeit fortzusetzen. Ausschlaggebend hierfür ist, daß Frisch im *Tagebuch*, das zwischen den Werken *Die Schwierigen* und *Santa Cruz* sowie dem Roman *Stiller* erschienen ist, eine klare Vorstellung von der Stellung des Künstlers in der Schweiz erreicht hat. Erst im *Tagebuch* hat Frisch seine wichtige Auseinandersetzung mit der romantischen Künstlerschau. Es wäre undenkbar, daß ein Werk wie *Santa Cruz nach* dem *Tagebuch* geschrieben sein könnte.

Wir werden uns zunächst bei der Debatte im *Tagebuch* aufhalten, in der Frisch Kritik an der Situation des Künstlers in der Schweiz übt. Von besonderem Interesse sind zwei Abschnitte: der erste (I) kann der Zeit zwischen März und August 1947 zugeschrieben werden, der zweite (II) der Zeit zwischen Januar und April 1948. In (I) äußert Frisch sein Mißfallen an den herrschenden Beziehungen zwischen dem Künstler und dem schweizerischen Volk. Er ist der Ansicht, daß man in der Schweiz zwar auf die großen Toten, wie Pestalozzi, Gotthelf, Burckhardt, Keller, stolz ist, jedoch die noch lebenden Künstler anders behandelt.

> „Immer wieder auffallend ist die Art, wie sie mit ihren einheimischen Künstlern umgehen, wie sie ihnen auf die Schulter klopfen bestenfalls mit dem Ton einer warnenden Anerkennung. [. . .] Der erwähnte Mangel an Selbstvertrauen, der sich so und so verrät, macht unsere Künstler nicht bescheiden, was jedenfalls ein Gewinn wäre, sondern unsere Landsleute, wenn wir auf sie angewiesen sind, machen uns nur kleinmütig, und die unvermeidliche Kehrseite davon ist das Anmaßende, also wiederum eine Verkrampfung." (169).

In (II) stehen als Ausgangspunkt einige Reflexionen anläßlich Ramuz' Tod. Ramuz mußte den Schriftstellerverein um Geld für seine letzte Operation bitten. Es dauerte aber nicht lange nach seinem Tod, bis man ihn in die vaterländische Reihe stellte: „Gotthelf, Keller, Meyer, Spitteler, Ramuz . . ." (250). Frisch schreibt weiter:

> „Die Stellung des Schriftstellers in der Schweiz, selbst eines einmaligen wie Ramuz, überhaupt die Stellung des Künstlers, der Intellektuellen, sofern ihre intellektuelle Leistung nicht gerade der Industrie dient, ist eine erbärmliche, erbärmlich mindestens im Vergleich zum durchschnittlichen Wohlstand unsres Landes." (250).

Frisch ist über die Einstellung der Zeitungspresse empört: ein Honorar zu bezahlen, das ein Ingenieur oder Arzt verlangen würde, kommt für sie nicht in Frage. Die Zeitungen nutzen die durch die Zahlungsunfähigkeit der Verleger entstandene Notlage der Schriftsteller aus. Die schweizerischen Auflagen sind zu klein, trotz eines relativ großen Leserkreises. So ist der Schriftsteller darauf angewiesen, einen anderen Beruf nebenbei auszuüben. Für Frisch ist es also um diese Zeit ganz natürlich, daß der Schweizer Schriftsteller einen Nebenberuf hat — wie in seinem eigenen Fall. Er scheint jedoch nicht an die Möglichkeit zu denken, daß für den schweizerischen Schriftsteller sich ein neuer großer Markt in Deutschland erschließen könnte. Folglich wird er trotz seiner scharfen Kritik an gewissen Zuständen zuletzt überraschend gemäßigt in seinen Reflexionen und lehnt jegliche Bitterkeit ab: „So kann sich der schweizerische Schriftsteller, meine ich, jederzeit auf einer Zigarettenschachtel ausrechnen, daß er unmöglich leben kann — und dennoch keinen Grund hat, deswegen bitter zu sein." (251).

Daß Frisch so relativ milde urteilt, beruht sicher darauf, daß er in jener Herbheit, mit der die Schweizer ihren Dichtern und Künstlern begegnen, etwas Positives aus ethischer und politischer Sicht findet. Wir haben Anlaß, in einem späteren Abschnitt des vorliegenden Kapitels auf diesen Standpunkt zurückzukommen.

Frisch, Thomas Mann, Hermann Hesse

Die Künstlergestalt in Frischs Dichtung ist aus einer ziemlich begrenzten schweizerischen Perspektive gezeichnet. Es mag hier angebracht sein, den Gesichtskreis zu erweitern und einen Vergleich mit der Darstellung des Künstlers in der deutschsprachigen Prosadichtung anzustellen und dabei einige der hervorragendsten Vertreter des zwanzigsten Jahrhunderts auszuwählen, nämlich Thomas Mann und Hermann Hesse, bei denen die Künstlerproblematik eine wichtige Rolle spielt. Gegen diesen Hintergrund tritt Frischs Gestaltung des Problems in starkem Relief hervor.

Schon in Thomas Manns früherem Werk werden Kunst und Krankheitssymptome miteinander verbunden[10]. Die Hauptperson in *Tonio Kröger* (1903) steht außerhalb des normalen und harmonischen Lebens. Für ihn ist jede andere Lebensform als die des Künstlers ausgeschlossen. auch wenn ihm das Kampf und Schmerz bereitet. Er verachtet den Dilettanten. Der wirkliche Künstler hat die Kunst nicht als bürgerlichen Beruf: er ist ein Prädestinierter, ein Verdammter (Thomas Mann: *Ges. Werke*, VIII, 297).

In Manns letztem großen Werk, *Doktor Faustus* (1947), ist der krankhafte Zug noch sichtbarer. Hier muß jedoch sofort betont werden, daß dieses Werk — wie Mann selbst in der *Entstehungsgeschichte des ‚Doktor Faustus'. Roman eines Romans* hervorhebt — eine Parabel ist, die gleichzeitig ein Bild der historischen Entwicklung Deutschlands gibt.

Es handelt sich also um eine doppelte Symbolik. Wir werden hier nur die künstlerische Seite der Problematik des *Doktors Faustus'* berühren. Adrian Leverkühn leidet, wie auch Nietzsche, an der „genialen Krankheit", die sein Künstlertum auf ein höchstes Niveau steigert. In Leverkühns schöpferischer Tätigkeit gibt es ein dämonisches Element: er schließt einen Pakt mit dem Teufel. Ebensowenig wie für Tonio Kröger ist für Leverkühn ein anderes Dasein als das des Künstlers möglich. Gesellschaft und Zeitereignisse haben wenig oder kein Interesse für ihn. Bei einer Gelegenheit äußert er jedoch einige Worte über die Aufgabe der Kunst in der Gesellschaft, die überraschend scheinen:

> „Die ganze Lebensstimmung der Kunst, glauben Sie mir, wird sich ändern, und zwar ins Heiter-Bescheidenere, — es ist unvermeidlich, und es ist ein Glück. Viel melancholische Ambition wird von ihr abfallen und eine neue Unschuld, ja Harmlosigkeit ihr Teil sein. Die Zukunft wird in ihr, sie selbst wird wieder in sich die Dienerin an einer Gemeinschaft, die weit mehr als ‚Bildung' umfassen und Kultur nicht haben, vielleicht aber eine sein wird. Wir stellen es uns nur mit Mühe vor, und doch wird es das geben und wird das Natürliche sein: eine Kunst ohne Leiden, seelisch gesund, unfeierlich, untraurig-zutraulich, eine Kunst mit der Menschheit auf du und du . . ." (Mann: *Ges. Werke*, VI, 429).

Diese Ansichten kann Zeitblom, Leverkühns Biograph, nicht akzeptieren. Er ist der Meinung, daß sie nicht mit Leverkühns natürlicher Gesinnung übereinstimmen. „Kunst ist Geist, und der Geist braucht sich ganz und gar nicht auf die Gesellschaft, die Gemeinschaft verpflichtet zu fühlen." (ebd.). Zeitbloms Betrachtungsweise entspricht dem, was Mann in seinen späteren kritischen Aufsätzen und Reden als die Auffassung des deutschen Bürgertums bezeichnet hat. Was Leverkühn äußert, stimmt keineswegs mit seiner im Roman gestalteten Lebensform überein, aber wohl mit dem, was Mann in publizistischem Zusammenhang nach dem Durchbruch des Nationalsozialismus angeführt hat.

Der sehr einsame Harry Haller in Hesses Roman *Der Steppenwolf* (1927) ist ein ausgeprägter Bohemien. Bei ihm, wie bei Manns Gestalten begegnet man einer Kombination von Krankhaftem und Genialem. Haller ist ein Buch- und Gedankenmensch, ein sporadischer Dichter, ein Genie des Leidens im Nietzschestil. Er haßt die Zufriedenheit des Bürgers, „diese fette gedeihliche Zucht des Mittelmäßigen, Normalen, Durchschnittlichen" (Hermann Hesse: *Ges. Schriften*, IV, 209). Im Abschnitt „Tractat vom Steppenwolf" wird der Gegensatz zwischen Bürgertum und Boheme in Hallers Leben entwickelt. Haller kann sich nie denken, einen praktischen Beruf auszuüben, eine Stelle zu haben, bestimmte Zeiten einzuhalten usw. Er verachtet das Bürgerliche, gleichzeitig aber liebt und bewundert er die kleine bürgerliche Welt: er ist ein „Zwangshäftling des Bürgertums" (ebd. 238). Dieselbe Polarität gibt es in Tonio Krögers Persönlichkeit. „Sondern das Normale, Wohl-anständige und Liebenswürdige ist das Reich unserer Sehnsucht, ist das Leben in seiner verführerischen Banalität!" (Mann: *Ges. Werke,* VIII, 302). Gerade dieser Zwiespalt, diese Sehnsucht nach dem bürger-lichen Leben bleibt für Kröger eine Inspirationsquelle.

Einem Verwandten zu Harry Haller begegnet man in Fritz Tegula-rius im Werk *Das Glasperlenspiel* (1947). Dieser ist ein schwieriger Problemmensch, dessen Krankheit aus der Unfähigkeit zur Anpassung besteht, aus einer gänzlich individualistischen Einstellung (Hesse: *Ges. Schriften,* VI, 366). Er ist genial, was das Glasperlenspiel betrifft, aber es mangelt ihm an Gemeinschaftsgefühl. Im Kapitel „Die beiden Pole" treten die Gegensätze zwischen Tegularius und Josef Knecht, der Haupt-gestalt des Buches, am deutlichsten in Erscheinung. Knecht, dessen Ver-antwortungsgefühl für Land und Volk durch historische Studien ge-stärkt worden ist, ist sich der Gefahren bewußt, die Kastalien drohen, sowohl durch das Spiel an sich, das in seiner weit getriebenen Voll-kommenheit und Schönheit eine Gefahr ist, als auch durch einen Men-schentyp von Tegularius Art.

Die obengenannten Gestalten in Manns und Hesses Werken haben eine ausgeprägte Einsamkeit und Genialität gemeinsam. Das Dämoni-sche ist eine Eigenschaft, die vor allem an Leverkühn geknüpft ist. Sie stehen alle — mit Ausnahme von Knecht — über und außerhalb der bür-gerlichen Gesellschaft, allerdings bisweilen mit einer Sehnsucht nach ihr, aber ohne Gedanken und Willen, das Künstlerdasein zu verlassen. Irgendwelche Gesellschaftsinteressen sind weder bei Kröger, Haller noch Tegularius vorhanden. Bei Leverkühn schimmern sie nur einmal, bei jener obenzitierten Gelegenheit, durch. In Knechts Gestalt dagegen tritt die Verantwortung für die Gesellschaft markant hervor. Dies kann einen Fingerzeig für Manns und Hesses spätere Entwicklung geben: sowohl *Doktor Faustus* als auch *Das Glasperlenspiel* repräsentieren das Schlußstadium der Dichtung dieser Autoren.

Alle besagten Figuren zeigen eine Attitüde des Übermenschen. Der Zusammenhang zwischen Nietzsches Werk und Biographie und bei-spielsweise *Doktor Faustus* ist bekannt. Im Roman *Steppenwolf* wird Nietzsche einige Male erwähnt. Tonio Krögers Einstellung deutet in dieselbe Richtung. Die Gestalt bei Frisch, die den Personen in den oben behandelten Romanen von Mann und Hesse am nächsten steht, ist der „Wanderer" in der Erzählung *Antwort aus der Stille,* der während einer gewissen Entwicklungsperiode gewisse Nietzsche-Tendenzen zeigt. Der Ausgang geschieht jedoch in einer ganz anderen Richtung: der „Wan-derer" paßt sich der bürgerlichen Gesellschaft voll und ganz an. Wie bei Tonio Kröger und Harry Haller findet man bei Reinhart im Roman

Die Schwierigen eine Sehnsucht nach dem bürgerlichen Leben, aber die folgende Entwicklung ist auch in diesem Fall anders. Der Abstand zwischen Manns und Hesses Künstlerfiguren einerseits und Frischs Gestalten andererseits ist bedeutend. Weder Reinhart noch Stiller sind dämonisch oder genial: sie sind durchschnittlich begabt, ziemlich alltäglich ohne starke Spannungen und Leidenschaften; es fehlt das krankhafte Element. Der Aufbruch aus der Kunst ist für beide eine ziemlich leichte und natürliche Sache. Beide gehen zu anderen und nach bürgerlichen Gesichtspunkten nützlicheren Tätigkeiten über.

Frisch hat in Reinhart und Stiller zwei „verhinderte" Künstler dargestellt. Aber deren Mißlingen beruht nicht in erster Linie auf Schwierigkeiten mit der Kunst, sondern auf psychologischen sowie äußeren Umständen anderer Art. In *Tonio Kröger* und im *Steppenwolf* wird über das künstlerische Erlebnis und die antibürgerliche Problematik in einer intensiveren und tieferen Weise als in irgendeiner von Frischs Arbeiten Rechenschaft abgelegt.

Mit diesem kurzen Vergleich war es weder möglich noch unsere Absicht, die komplizierte Gesellschaftsproblematik bei Mann und Hesse sowie ihre Entwicklung ausführlich zu beleuchten. Unsere Absicht war vielmehr, die Unterschiede aufzuzeigen, die zwischen Mann und Hesse einerseits und Frisch andererseits bei ihrer Gestaltung des Künstlers vorhanden sind. In diesem Unterschied spiegelt sich eine spezielle persönliche Problematik bei Frisch wider, gleichzeitig aber handelt es sich um etwas mehr: man mag darin eine Äußerung einer deutschschweizerischen literarischen Tradition spüren — die im Gegensatz zur herkömmlichen deutschen Auffassung gesehen werden kann —, geprägt von Realismus und antiromantischer Einstellung und voll Mißtrauen gegen den reinen Künstler und die reine Kunst.

Kunst und Politik

Die Frage nach Kunst und Politik wurde für Frisch gegen Ende des Zweiten Weltkrieges aktuell. In den folgenden Jahren reifte seine Auffassung, die er ziemlich ausführlich im *Tagebuch 1946–1949* vorlegt. Schon vorher hat er die Problematik im Stück *Nun singen sie wieder* belletristisch behandelt, und sie spiegelt sich auch an anderen Stellen in seinem dichterischen Werk wider. Im vorliegenden Abschnitt konzentrieren wir uns auf die Jahre des Durchbruchs, d. h. 1945–1951.

Es ist bemerkenswert zu sehen, daß die Probleme, die mit Kunst und Gesellschaft zusammenhängen, in Frischs früherem Werk keine Bedeutung haben. Erst im Roman *Die Schwierigen* wird die ästhetische Problematik angedeutet. Reinhart hat erfahren, daß die Schönheit allein

nicht genügt: als er sich dazu entschließt, die Kunst zu verlassen,
spielen ethisch-ästhetische Erwägungen dabei eine gewisse Rolle. Die
Ursache zu diesem Entschluß entnehmen wir zwei Gesprächen Reinharts mit den Freundinnen Yvonne und Hortense (148—150, 232—234).
Im ersten Gespräch ist Reinhart der Ansicht, daß es etwas anderes auf
der Erde geben muß als nur das Schöne, im zweiten behauptet er, daß er
bisher nur das Leben genossen, nicht wirklich gearbeitet und auch nicht
gelebt habe. In beiden Fällen wird ein deutlicher Gegensatz augenschein-
lich. Auf der einen Seite steht die Schönheit, der Kunst- und Gefühls-
genuß, auf der anderen das, was sein sollte: die Arbeit, das Kind usw.
Es handelt sich noch nicht um gesellschaftliche und politische Probleme.
Im Hinblick hierauf lebt Reinhart in einem eigenartigen Vakuum, getrennt von den ihn umgebenden Zeitereignissen, d. h. vom Weltkrieg.

Jedenfalls bedeutet der Roman *Die Schwierigen* einen wichtigen
Schritt in Frischs Entwicklung zum vollen Bewußtsein über das Zusam-
menspiel von Kunst und Gesellschaft. Im *Tagebuch* verlangt er, daß die
künstlerische Aufgabe nicht von den gesellschaftlichen und politischen
Aufgaben getrennt werden darf. Findet eine solche Trennung statt,
ergibt sich das, was Frisch „moralische" oder „sittliche Schizophrenie"
nennt, ein Begriff, der eine bedeutsame Rolle im *Tagebuch* spielt. Frisch
hat Angst vor einer solchen Kunst, die — wie er meint — für Deutschland
kennzeichnend sei. Ihr stellt er eine schweizerische Kulturauffassung
gegenüber. Frisch erörtert diese Probleme im *Tagebuch* bei drei Gelegenheiten: 115 (1), 169 f. (II) und 326—330 (III). Diese drei Abschnitte
stammen vom Oktober 1946, aus der Zeit zwischen März und August
1947 und schließlich vom November 1948.

Wenn auch der Ausdruck „moralische Schizophrenie" nicht im Stück
Nun singen sie wieder erwähnt wird, ist es jedoch dieses Thema, das das
Hauptproblem in diesem Schauspiel bildet. Das Schöne wird hier nicht —
wie im Roman *Die Schwierigen* — mit der bürgerlichen Arbeit konfrontiert, sondern mit Macht und Gewalt. Die Handlung bildet der Zweite
Weltkrieg und die Situation in Deutschland. Zwei der Hauptfiguren
des Stückes leiden gerade an „moralischer Schizophrenie": der „Oberlehrer" und sein Sohn. Der Oberlehrer ist ein gebildeter Humanist, der
in der Welt der Schönheit lebt und stets vom Schönen redet[11]. Er hat
mit seinem besten Schüler, Herbert, Cello gespielt, hat Malerei interpretiert, er hat seine Schüler über die Freiheit des Geistes und über Mut
in der Welt der Dichtung unterrichtet. Im Grunde ist er jedoch ein feiger
und vorsichtiger Mensch, der den politischen Forderungen der Behörden
nachgibt. Karl ist wie der Vater ein Anbeter des Schönen und liebt Poesie, besonders Mörike. Er beugt sich den Gewaltsforderungen und wird
gegen sein Gewissen ein Kriegsverbrecher.

Herbert, der den Oberlehrer bewundert hat, hat früher in einer wunderbaren und innerlichen Weise musiziert [12]. Während des Krieges hat er sich jedoch als Offizier zu einem rücksichtslosen Ausüber der Macht entwickelt: er erschießt Geiseln, verbrennt Frauen und Kinder. Es ist deutlich, daß seine Veränderung im Zusammenhang mit der Reaktion gegen seinen von ihm früher bewunderten Lehrer steht. „Der Geist gab nach, wir klopften dran, und es war hohl. Das war die Enttäuschung." (Nsw, 89). Der Begriff „Geist", den Herbert so oft verwendet, erhält im aktuellen Zusammenhang eine vielschichtige Bedeutung: beispielsweise Humanismus, Schönheit, Freiheit [13]. Dem „Geist" gegenüber stellt Herbert die „Gewalt". Mit Macht scheint er diesen Geist herausfordern und ihn bezwingen zu wollen. „Wir griffen zur Macht, zur letzten Gewalt, damit der Geist uns begegne." (Nsw, 15). Das Ende der Beziehungen zwischen Herbert und dem Oberlehrer ist, daß Herbert — nachdem er den Schönheitskult seines Lehrers verhöhnt hat — Befehl gibt, den Oberlehrer zu erschießen.

Herbert, der sich wegen seiner Enttäuschung über den Oberlehrer zu einem rabiaten Kriegsverbrecher entwickelt hat, ist von psychologischem Gesichtspunkt aus nicht besonders überzeugend geschildert, besitzt jedoch als dramatische Figur, als Gegengestalt zum Oberlehrer, eine bedeutende Kraft. Herbert kann nicht als sittlich schizophren bezeichnet werden: als Kriegsverbrecher scheint er keine geistigen oder kulturellen Interessen mehr zu haben. Er ist ebenso konsequent in seiner Gewaltausübung wie in seinem früheren Schönheitskult. Zweifelsohne ist Herbert eine Illustration jener ästhetischen Lebensanschauung, die nicht die Fähigkeit hat, eine gesellschaftliche Verantwortung hervorzurufen.

Der Oberlehrer kann als ein Prototyp für eine Anzahl Gestalten gesehen werden, die in den nächsten Jahren in Frischs Dichtung wiederkehren. In der Skizze „Harlekin" im Tagebuch findet man Dr. Knacks. Es handelt sich hier darum, eine Erklärung zu unterschreiben, daß man die Leiche eines chinesischen Mandarins nicht gesehen habe, obwohl alle Anwesenden sie bemerkt haben. Das ganze geschieht unter Drohung von dem mächtigen Gottlieb Knoll. Dr. Knacks Handlungsweise kommentiert der Dichter folgendermaßen:

> „Knacks, der Doktor, nimmt langsam seine Füllfeder; er ist kein Träumer mehr, kennt die Historie, die Praxis, die Literatur, weiß, daß wir dem Greuel nicht mit eigner Tat begegnen können, sondern einzig und allein mit Vertrauen in die Metaphysik. Das heißt: er unterschreibt." (395) [14].

Die Ironie, die Frisch hier anwendet, tritt auch in zwei anderen Werken in Erscheinung. Im Stück Als der Krieg zu Ende war gibt es den Musiker und Mozartspieler Halske. Er ist Vertreter jenes ästhetischen

Menschentyps, der ausschließlich für seine Kunst lebt und mit Politik nichts zu schaffen haben möchte. Er fragt, was Mozart mit dem Dritten Reich zu tun habe und erklärt später: „Ich mische mich nicht in Politik, wissen Sie, grundsätzlich." (64). Im Schauspiel *Graf Öderland* (1951) ironisiert Frisch über zwei sogenannte Kulturträger, d. h. Künstler, von denen der eine es verstanden hat, während mehrerer verschiedener Regime gut zu essen und zu trinken. Er meint: „Ich verstehe nichts von Politik, wie gesagt." (99) [15].

Frisch kritisiert in den obigen Fällen — direkt oder indirekt — einen Kulturtypus, der speziell von moralischer Schizophrenie gekennzeichnet und seiner Meinung nach für Deutschland bezeichnend ist. Seine starke Skepsis gegen deutsche Kultur kommt im *Tagebuch* zum Ausdruck, wo er sich im Abschnitt (II) gegen jene Einstellung wendet, die meint, daß man Kultur besitze, wenn man Symphonien habe. In der Schweiz hingegen ist Kultur eine Sache des gesamten Volkes: man erkennt sie nicht allein am Flügel sondern auch und noch mehr dadurch, wie man beispielsweise seine Untergebenen behandelt (170). Der wichtigste Abschnitt ist (III), in dem schweizerische und deutsche Anschauungen noch ausführlicher gegenübergestellt werden. Es gehe nicht — meint Frisch — den Begriff Kultur einzig und allein auf die Kunst zu reduzieren. Die ästhetische Kultur werde von einer scharfen Scheidung zwischen Kultur und Politik gekennzeichnet. Die Kultur sei in diesem Fall ein Art Götze, wobei man sich mit künstlerischen und wissenschaftlichen Leistungen begnüge aber das Menschliche vergesse. Im Gegensatz dazu ist Frisch der Ansicht, zur Kultur gehöre auch die Politik. Vielen sei Politik etwas Schmutziges, etwas, was im Gegensatz zum Kulturschaffen stehe; besonders Deutsche wollten als geistige Menschen erscheinen und hätten Angst vor dem Wort Spießer. Wenn sie Gottfried Keller begegnet wären, hätten die meisten von ihnen ihn sicherlich als Spießer klassifiziert. Frisch betont den Unterschied zwischen deutschem und schweizerischem Denken in dieser Hinsicht. Die schweizerische Auffassung formuliert er folgendermaßen:

> „Das jedem Volk unerlässliche Gefühl, Kultur zu haben, beziehen wir kaum aus der Tatsache, daß wir Künstler haben. [...] Unter Kultur verstehen wir wohl in erster Linie die staatsbürgerlichen Leistungen, die gemeinschaftliche Haltung, mehr als das künstlerische oder wissenschaftliche Meisterwerk eines einzelnen Staatsbürgers. Auch wenn es für den schweizerischen Künstler oft eine trockene Luft ist, was ihn in seiner Heimat umgibt, so ist dieses Übel, wie sehr es uns persönlich trifft, doch nur die leidige Kehrseite einer Haltung, die, von den meisten Deutschen als spießig verachtet, als Ganzes unsere volle Bejahung — eben weil die gegenteilige Haltung, die ästhetische Kultur, zu einer tödlichen Katastrophe geführt hat, führen muß." (329).

Frisch macht sich hier zum Wortführer eines schweizerischen Standpunktes und akzeptiert die Nachteile zum Vorteil von gesellschaftlichem Bewußtsein und Menschlichkeit. Einem so deutlichen Bekenntnis zur Heimat begegnet man später nie mehr in Frischs Werk. Von speziellem Interesse ist die sehr weite Deutung, die Frisch der schweizerischen Kulturauffassung gibt.

Die ästhetische Kunstauffassung steht für Frisch im Zusammenhang mit der Romantik, mit der er im *Tagebuch* eine Auseinandersetzung hat. Es handelt sich um einen Abschnitt vom Jahre 1948, den wir hier in extenso zitieren, da er in hohem Grad bezeichnend ist.

> „Unsere Schablone vom Künstler:
> Daß ein Mensch, der innerlich ist, nicht höflich sein kann oder darf; das Innerliche und das Höfliche als unvereinbare Gegensätze; das Unbändige als Zeichen eines echten Menschen; der Künstler als Außenseiter — und zwar nicht darum, weil er eine andere Art von menschlicher Gesellschaft erstrebt, sondern einfach darum, weil ihn die menschliche Gesellschaft nichts angeht, und zwar auf keinen Fall, so daß er sie auch nicht verändern muß — Punktum!
> Es fragt sich, ob diese romantische Schablone jemals stimmte, ob sie für einzelne Völker stimmte, beispielsweise das deutsche, ob sie für uns und unsere Zukunft stimmt. Jedenfalls stimmt sie nicht für den griechischen Künstler, der sich seiner Polis verpflichtet wußte; nicht für Dante, den die Verbannung traf; nicht für Goethe; nicht für Gottfried Keller, der Staatsschreiber wird und seine Mandate zum eidgenössischen Bettag schreibt; nicht für Gotthelf; nicht für die modernen Franzosen, die Dichter bleiben, auch wenn sie staatliche Ämter bekleiden."
> (62).

Frisch wendet sich also scharf gegen die Ansicht, daß der Schriftsteller außerhalb der Gesellschaft stehen solle. Damit polemisiert er auch gegen seine frühere romantische Auffassung und gegen seine eigenen romantischen Künstlerfiguren: der Künstler soll Verantwortung für seine Mitmenschen, seine Umgebung, für die Gesellschaft übernehmen.

Welche Folgen hatte die neue Auffassung und diese Kritik an der deutschen Kulturtradition für Frischs folgende schriftstellerische Tätigkeit? Die Antwort ist klar und eindeutig: Frisch entwickelt sich zu einem politisch engagierten Schriftsteller und schafft in seinem dichterischen Werk einen neuen Künstlertyp, der im Zeitgeschehen lebt und Verantwortung für die Gesellschaft hat.

Der zeitkritisch engagierte Künstler

In seinem gesellschaftlichen Engagement führt Frisch eine schweizerische Tradition, nicht zuletzt die von Gottfried Keller fort, weshalb es angebracht sein könnte, sich anfangs ein wenig bei Keller und seinem Roman *Der grüne Heinrich* aufzuhalten. Darin kommt bei dem jungen Heinrich das Spannungsverhältnis zwischen Künstlerschaft und Bürgertum sehr ausgeprägt zum Vorschein. Er bildet sich zum Kunstmaler aus, fühlt sich aber unsicher und als Außenseiter. Nach den Emigranten- und Studienjahren kehrt er jedoch mit einem neuen Blick auf die Gesellschaft in die Heimat zurück. Er ordnet sich — es handelt sich hier um die II. Fassung des Romans — in die soziale Gemeinschaft ein und nimmt ein Amt als Gemeindebeamter an [16].

Im Zusammenhang mit der Schilderung von Heinrichs Rückkehr in die Schweiz wird ein positives Bild von der schweizerischen Gesellschaft gegeben, die gerade in einer starken Umwandlung begriffen ist. Heinrich spricht treffend von dem politischen Laboratorium der Schweiz. Er ist ein enthusiastischer Demokrat und bekennt sich zu der Ideologie der Mehrheit. Die Majorität ist für ihn die einzige wirkliche und notwendige Macht im Land; er will sich engagieren und in das Gesellschaftsleben hineinwachsen:

> „Da wandelte ihn feurige Lust an, sich als der einzelne Mann, als der widerspiegelnde Teil vom Ganzen zu diesem Kampf zu gesellen und mitten in demselben die letzte Hand an sich zu legen und sich mit regen Kräften zurechtzuschmieden zum tüchtigen und lebendigen Einzelmann, der mit ratet und mit tatet und rüstig darauf aus ist, das edle Wild der Mehrheit erjagen zu helfen, von der er selbst ein Teil ist . . . " (Gottfried Keller: *Sämtliche Werke in acht Bänden*, III, 883).

Das obige Zitat ist der I. Fassung des Romans entnommen. In der II. Fassung kehren die erwähnten Gesichtspunkte in beinahe gleichlautenden Formulierungen wieder. Aber außerdem sind einige Reflexionen hinzugekommen, die auf größere Distanz und verschärfte kritische Gesinnung zeigen (siehe ebd. IV, 824 f.). Vor allem im Schlußkapitel, „Der Tisch Gottes", das ganz neugeschrieben ist, läßt sich seine Kritik am schweizerischen Volk stark wahrnehmen.

Heinrich Lees Entwicklung spiegelt Kellers eigenen Weg. Die künstlerische Tätigkeit war Keller nie genug: als Staatsschreiber in Zürich fand er den Weg ins Bürgertum zurück; nur auf diese Weise konnte er ein volles persönliches Selbstgefühl gewinnen. Sowohl Heinrich Lees als auch Gottfried Kellers Entwicklung geht von einer rein ästhetischen Lebensform zu einer Ethik der Gemeinschaft [17].

Lange bevor die Frage nach der gesellschaftlichen Verantwortung für Frisch aktuell wurde, hat offenbar Keller und *Der grüne Heinrich* eine rein persönliche Bedeutung für ihn gehabt. In Frischs Autobiographie, wie sie im *Tagebuch* dargestellt ist, findet man mehrere Berührungspunkte mit Kellers Biographie: Anpassungsschwierigkeiten, das tastende Suchen nach einem Lebensweg, das Spannungsverhältnis zwischen Künstlerschaft und Bürgertum. Frisch erklärt hier, daß *Der grüne Heinrich* während dieser Gährungs- und Übergangszeit für ihn der beste Vater sei, den er sich denken könnte (*TB*, 278 f.).

Frisch hat für seine belletristische Gesellschaftskritik die dramatische Form gewählt. Von Interesse in diesem Zusammenhang ist, was er in zwei Artikeln unter der Rubrik „Über Zeitereignis und Dichtung" äußert, in der *Neuen Zürcher Zeitung* (1945, Nr. 502 u. 504) anläßlich der Vorführung des Stückes *Nun singen sie wieder* veröffentlicht. Aus den beiden Ausführungen läßt sich die Vorsicht und das Zögern, mit denen Frisch sich einem zeitgenössischen Thema genähert hat, wahrnehmen. Frisch fragt sich, ob er selber und sein Volk, als verschont und außenstehend, das Recht haben, sich über das Zeitgeschehen zu äußern. Zuletzt gebe es jedoch zwei Umstände, die dies motivieren könnten: der Neutrale habe einen besseren Überblick als die Kämpfenden, und er sei nicht in Versuchung, Rache zu üben. Danach greift Frisch den künstlerischen Aspekt auf und gibt aufs neue seinen Bedenken Ausdruck. Er stellt einige Vergleiche mit historischer Dichtung an und diskutiert dann die Methoden, dem Aktuellen ein geschichtliches Kleid zu geben. Ein solches Verfahren wird von ihm jedoch abgelehnt. Aus den Schlußworten im zweiten Artikel geht hervor, wie stark Frisch die Kriegsereignisse erlebt hat. Dies ist speziell interessant im Hinblick auf den surrealistischen Zug, der mit *Bin* in Frischs Dichtung hineinkommt und den Weg für seine Dramatik und sein Zeitengagement bahnt. Hier bestätigt Frisch selbst unsere früheren Beobachtungen:

> „Der Traum aber, glauben wir, sei die einzig unbestechliche und die letzte hörbare Stimme, die wir befragen können, um sicher zu sein, was unter der Oberfläche uns wirklich bewegt, was auszusprechen wir mindestens versuchen sollten im Maße unserer Mittel." (*NZZ*, 1945, Nr. 504).

Der Traum, als ein Ausdruck des Unbewußten, ist für Frisch ein Beweis für die Stärke und die Echtheit eines Erlebnisses. Die Gedankengänge können direkt an Äußerungen in *Bin* angeknüpft werden. Auch in *Nun singen sie wieder* verwendet Frisch die Traumtechnik. In dem einleitenden Kommentar sagt er u. a. folgendes: „Es sind Szenen, die eine ferne Trauer sich immer wieder denken muß, und wäre es auch nur unter dem unwillkürlichen Zwang der Träume, wie sie jeden Zeitgenossen heimsuchen." (7).

Frisch setzt die Gesellschaftskritik in seinem nächsten Stück, *Die chinesische Mauer*, fort. Seine Kritik erhält hier in verschiedener Hinsicht eine andere Gestaltung. Frisch schafft ein Musterbeispiel des „positiven Helden". Die Hauptperson, der „Junge Mann", sympathisiert mit dem Volk und wendet sich gegen die Repräsentanten der Alleinherrschaft und der Macht; er stellt seine Dichtung in den Dienst der Demokratie. Der „Junge Mann" ist ein Moralist, ein pathetischer Prediger ohne Humor und Selbstironie.

Der zweite Schritt in Frischs Entwicklung als zeitkritischer Autor ist, daß er in publizistischer Form konkrete und naheliegende Probleme aufgreift: zuerst in seinen Reflexionen im *Tagebuch*, dann in einer Reihe Artikel. Sein Engagement wächst und erreicht mit der Broschüre *Achtung: die Schweiz* einen Höhepunkt. Er beginnt also mit den prinzipiellen Fragen, mit der Umwelt, mit der kulturellen und politischen Situation in Deutschland, und erst allmählich nähert er sich der schweizerischen Problematik, die er zuletzt — und das ist der dritte Schritt in diesem Entwicklungsgang — in erzählerischer Form, mit dem Roman *Stiller*, behandelt.

Im Roman *Stiller* (1954) spielt das Engagement und die Gesellschaftskritik eine bedeutende Rolle. Der Bildhauer Stiller hat — ohne einer Partei anzugehören — einen politischen Standpunkt. Von seinem Freund Sturzenegger wird er als ein romantischer Sozialist beschrieben (321). (Der Leser bemerkt jedoch nicht besonders viel von diesem Sozialismus). Von politischer Bewußtheit zeugt auch Stillers Bibliothek. Während des Kampfes in den dreißiger Jahren zwischen Faschismus und Demokratie engagierte er sich intensiv und ging sogar als Freiwilliger in den spanischen Bürgerkrieg. Stiller wird Frischs schärfster Kritiker an der Schweiz.

Ungefähr gleichzeitig mit dem Roman *Stiller* lag die Schrift *Achtung: die Schweiz* vor. Es herrscht eine bemerkenswerte Einheit in Frischs Werk um diese Zeit: mit Energie, Optimismus und Enthusiasmus ist er bestrebt, die Gesellschaft zu verändern und drückt diesen Willen sowohl in seiner Publizistik als auch in seinem dichterischen Werk aus. Der Moralist Frisch kann zufrieden sein: er hat es erreicht, ein Schriftsteller zu sein, der Verantwortung für seine Gesellschaft übernommen und seine Feder in den Dienst jener Ideen gestellt hat, an die er glaubt.

Im Jahre 1955 erschien eine zweite Fassung der *Chinesischen Mauer*. Ein Vergleich zwischen den beiden Fassungen ist aufschlußreich. In der I. Fassung kommt der Begriff Veränderung in vielen Zitaten vor, in der II. Fassung nur in zwei Repliken (I. F.: 46, 101, 107 f., 110, 111 f.; II. F.: 123). Es handelt sich inhaltsmäßig um zwei zentrale Fragen, nämlich die Fähigkeit des Künstlers, durch seine Kunst die Welt zu verändern, sowie den Willen, für die in der Schrift angeführten Gedanken einzustehen. Der Ausgangspunkt in der ersten Version ist der feste Glaube des „Jungen Mannes", daß der Dichter die Welt verändern könne. Aber vor der Wirklichkeit zögert er anfangs. Ebensowenig wie der „Heutige" ist er bereit, sein Leben für seine Ideen zu wagen. Es liegt jedoch ein Unterschied zwischen den beiden Gestalten vor. Der „Junge Mann" stellt in diesem Zusammenhang an Mee Lan nur eine Frage, allerdings rhetorisch, über den Sinn, sich foltern zu lassen. Der „Heutige" dagegen erklärt kategorisch, daß er nicht imstande sei, die Welt zu ändern — nicht einmal dadurch, daß er sein Leben opfere. In der I. Fassung scheint Mee Lan nicht an der Behauptung zu zweifeln, daß

ein Dichter die Welt verändern könne. In der II. Fassung aber erklären
sowohl Mee Lan wie der „Heutige", daß der „Heutige" ein „Ohnmächtiger" sei. Es geht hier um einen deutlich ausgesprochenen Pessimismus
ohne Ausweg.

Die Problematik in der *Chinesischen Mauer*, II. F., deutet auf die
Neuorientierung hin, die ab Mitte der fünfziger Jahre in Frischs Auffassung von Kunst und Gesellschaft stattfand: er verliert den Glauben
an die Möglichkeiten des Schriftstellers politisch-gesellschaftlich durch
sein Werk zu wirken. In den nächsten Jahren schwindet auch sein Optimismus in bezug auf die Möglichkeiten der politischen Publizistik: sie
bietet für ihn kein geeignetes Forum mehr. Aus späteren Äußerungen
ergibt sich, daß Frisch über den geringen Effekt seiner Versuche innerhalb der schweizerischen Gesellschaft zu wirken, enttäuscht war. Er
zieht sich zurück. Einen augenfälligen Ausdruck dieser Einstellung kann
man wohl in der Tatsache sehen, daß Frisch für einige Jahre die Schweiz
verläßt.

In der „Büchner-Rede" (1958) legt Frisch zum ersten Mal öffentlich
über die Wandlung seiner Anschauung Rechenschaft ab. Die Veränderung betrifft sowohl seine Auffassung von der Schweiz und von den
traditionellen politischen und ideologischen Ideen als auch deren Gestaltung im dichterischen Werk. Frisch hat in der Rede seinen Standpunkt
von Georg Büchner und dessen Werk ausgehend formuliert. Büchner
wird von Frisch als ein politisch engagierter und antiideologischer Dichter charakterisiert. Frisch beabsichtigt offenbar, dieser zweifachen Charakteristik auch für sich selbst Gültigkeit zu geben. Frischs politisches
Engagement — wie es in der Rede ausgedrückt wird — gilt paradoxerweise einem „Anti-Engagement". Frisch sagt, daß sein Engagement als
Dichter nicht auf die Schweiz oder ein spezielles Land hinziele: er nehme
gegen eine nationale und vaterländische Politik, gegen Grenzen und
Frontlinien, gegen die Einteilung in beispielsweise Ost und West,
Stellung. Die Aufgabe des „Anti-Engagements" sollte darin bestehen,
die Ideologien aufzulösen.

> „Wir können das Arsenal der Waffen nicht aus der Welt schreiben, aber
> wir können das Arsenal der Phrasen, die man hüben und drüben zur
> Kriegführung braucht, durcheinanderbringen, je klarer wir als Schrift-
> steller werden, je konkreter nämlich, je absichtsloser in jener bedin-
> gungslosen Aufrichtigkeit gegenüber dem Lebendigen, die aus dem
> Talent erst den Künstler macht. Alles Lebendige hat es in sich, Wider-
> spruch zu sein, es zersetzt die Ideologie . . . [. . .] Was die Zeitungen,
> im Auftrag der Macht, täglich in schlachtbereite Fronten bringen, wir
> zersetzen es mit jeder echten Darstellung einer Kreatur." (*Öffentlich-
> keit als Partner*, 46).

Um diese Ziele künstlerisch zu verwirklichen, weist Frisch auf zwei Wege
hin. Er sagt: „Unsere erste Station ist die Ironie." (52). Diese Ironie

solle in erster Linie gegen eine vaterländische Politik gerichtet sein. Der zweite Weg bestehe in der Schaffung einer „absichtslosen" Dichtung. Frisch spricht weiter von der „Wahrhaftigkeit der Darstellung". Er ist offenbar der Meinung, daß eine lebendige, wahrhafte und echte Dichtung auf die Ideologien zersetzend wirken würde, auch wenn sie die Ideologien nicht direkt behandelt oder kritisiert, ja, gerade dadurch, daß sie das nicht tut. Abschließend äußert Frisch:

> „Es ist eine Resignation, aber eine kombattante Resignation, was uns verbindet, ein individuelles Engagement an die Wahrhaftigkeit, der Versuch, Kunst zu machen, die nicht national und nicht international, sondern mehr ist, nämlich ein immer wieder zu leistender Bann gegen die Abstraktion, gegen die Ideologie und ihre tödlichen Fronten, die nicht bekämpft werden können mit dem Todesmut des einzelnen; sie können nur zersetzt werden durch die Arbeit jedes einzelnen an seinem Ort." (55).

Die Ansprache ist eine persönliche Deklaration und ein literarisches Programm, das gewisse Seiten der späteren Entwicklung in Frischs Werk erklären könnte. Einige kritische Gesichtspunkte wären jedoch hier zu dem, was Frisch „absichtslose" Darstellung nennt, am Platz. Daß eine solche Dichtung an sich auf die Ideologien zersetzend wirken würde, ist wenig überzeugend: die Geschichte beweist das Gegenteil.

Im Roman *Mein Name sei Gantenbein* versucht Frisch offenbar, eine „absichtslose" Dichtung zu schaffen: er verzichtet im großen ganzen auf Gesellschaftskritik, d. h. eine offene und direkte Debatte. (Wie „absichtslos" seine Darstellung in Wirklichkeit ist, ist eine andere Frage: der aufmerksame Leser findet immer noch hier und da eine verschleierte oder indirekte Kritik oder Ansätze zu einer solchen).

Es besteht ein gewisser Zusammenhang zwischen der „Büchner-Rede" und einer anderen Ansprache in den sechziger Jahren, „Der Autor und das Theater" (1964), die auch wichtig ist, um Frischs Position als zeitengagierter Schriftsteller zu beurteilen. U. a. ist diese Rede eine Auseinandersetzung mit Brecht und es ist verständlich, daß Frisch dabei auf das Problem der Veränderung zu sprechen kommt. Brecht sei — meint Frisch — von der erzieherischen Wirkung seines Theaters überzeugt. Frisch bezweifelt jedoch, daß Brechts Stücke für auch nur einen einzigen Zuschauer eine Änderung der politischen Denkart bedeutet haben (ÖP, 72 f.).

Die These Frischs erscheint jedoch fraglich: es ist nicht unwahrscheinlich, daß Brecht wirklich eine Bedeutung — vielleicht eine große Bedeutung — in der besagten Hinsicht gehabt hat. Aber noch wichtiger ist, daß Frisch durch das, was er hier behauptet, seine eigene frühere Auffassung, sein eigenes Werk, desavouiert: nämlich gerade den Ausgangspunkt seiner zeitengagierten schriftstellerischen Tätigkeit ab 1946.

Im Anschluß daran gibt Frisch eine überraschende Interpretation. Er meint, daß das politische Engagement bei Brecht etwas Sekundäres, d. h., eine Folge der künstlerischen Gestaltung sei. „Der Wille, die Welt zu verändern, als eine Verlängerung des künstlerischen Gestaltungsdranges?" (ÖP, 79). Frisch stellt sich selbst die Frage: Wenn er in einem Stück die Gesellschaft verändern möchte, ist es um der Gesellschaft willen oder um des Stückes willen? „Will ich, als Stückeschreiber, wirklich beitragen zur Verwirklichung einer politischen Utopie, oder aber (dies der Verdacht) lieben wir die Utopie, weil das für uns offenbar die produktivere Position ist?" (ÖP, 80).

Frisch eröffnet hier eine interessante Perspektive und beleuchtet Brecht aus einem neuen Einfallswinkel. Nun kann man aber mit gutem Recht davon ausgehen, daß für Brecht seine politische Auffassung doch etwas Primäres war. Frisch befand sich um diese Zeit — also in den Jahren nach der „Büchner-Rede" — in einem Stadium von „Anti-Engagement". Verhält es sich so, daß Frisch jene Jahre als künstlerisch improduktiver erlebte als die vorhergehenden, da er wirklich stark politisch engagiert war?

Frisch ist skeptisch gegenüber dem Gedanken, daß ein Autor in seiner Dichtung Politik betreiben sollte. Er fragt sich in der betreffenden Rede („Der Autor und das Theater"), ob politische Dichtung irgendeine Mission habe; es wird im besten Falle Literatur. „Aber zu meinen, der Schriftsteller mache Politik, indem er sich ausspricht zur Politik, wäre eine Selbsttäuschung." (ÖP, 82). Letztlich glaubt Frisch jedoch, daß das Theater eine gewisse politische Funktion habe. Daraus folge eine Verantwortung des Autors, und man müsse zwischen einer aus gesellschaftlichen Gesichtspunkten verantwortlichen und einer unverantwortlichen Darstellung unterscheiden (ÖP, 85). Auch wenn die Dichtung die Welt vielleicht nicht verändere, so könne sie sie doch in Frage stellen. Frisch glaubt an eine gesellschaftliche Aufgabe der Sprache, von der mehr als von einem politischen Programm abhängt:

> „Drum muß die Literatur an der Zeit bleiben; sie bringt, sofern sie lebendig ist, die Sprache immer und immer wieder auf dem Stand der Realität, auch die Literatur, die nicht programmatisch eingreift, vielleicht vor allem die Literatur, die nicht programmatisch eingreift. ‚Geht einmal euren Phrasen nach bis zu dem Punkt, wo sie verkörpert werden,' sagt Büchner im Danton: ‚Blickt um euch, das alles habt ihr gesprochen'."
> (ÖP, 88).

Zweifellos ist es eine wichtige Aufgabe, die politischen Phrasen und die ideologische Sprache zu demaskieren und zu kritisieren, aber dies muß doch auf eine konkrete und direkte Weise geschehen. Frisch stattdessen denkt sich offenbar eine mystische, indirekte Beeinflussung durch die Sprache des literarischen Werkes. Das ist ein zweifelhafter Standpunkt.

Während Frisch in seinem weiteren belletristischen Werk auf die politische Debatte verzichtet, zeigt er in seiner Publizistik ein erneutes und sogar wachsendes Engagement. In dieser Phase, also ab 1964, findet man eine sehr charakteristische Einteilung in Frischs Ausübung der gesellschaftlichen Kritik mit einer deutlichen Trennung zwischen Dichtung und Publizistik.

Wir werden zunächst noch ein Dokument aus den sechziger Jahren studieren, das von Bedeutung ist, um Frischs Stellungnahme zu den gesellschaftlichen Fragen zu beleuchten. Es handelt sich um den Artikel „Demokratie ohne Opposition?" (*Die Weltwoche*, 11. 4. 1968), worin Frisch die Notwendigkeit einer politischen Opposition hervorhebt.

> „Wo und wie soll sie sich manifestieren? Sie bleibt Gespräch, Publizistik, und selbst wenn man zur Demonstration übergeht, bleibt es eine Opposition, die nichts Offizielles nach sich ziehen kann, schlimmstenfalls ein Straßenverbot, bestenfalls eine offizielle Caritas-Aktion für die Opfer, eine achtbare Aktion, die aber keine Veränderung bewirkt, sie nicht einmal intendiert. Unsere Opposition bleibt hinter Glas."

Frisch spricht ferner von einer „Privat-Opposition" und fährt fort: „Unsere Opposition also bleibt theoretisch, und da sie ohne Praxis bleibt, unsere Praxis repressiv, unsere Staatsbürgerlichkeit ohne Relevanz für die Bewegung der Welt." Frisch gibt hier in der Tat ein Bild von seiner eigenen Tätigkeit als politischer Persönlichkeit in den sechziger Jahren. Er ist aber im Grunde sehr pessimistisch im Hinblick auf den Wert einer solchen Opposition und einer derartigen politischen Aktivität. Es ist im Grunde dasselbe Gefühl politischer Ohnmacht, dem man schon lange vorher begegnet, beispielsweise im Stück *Die chinesische Mauer*, II. F.; auch in der „Büchner-Rede" spricht er von „unserer Ohnmacht". Der Schriftsteller kann also nicht viel erreichen, weder durch seine Dichtung, noch durch seine Publizistik. Die Frage, die man hier stellen muß, ist: Warum fährt Frisch damit fort, etwas auszuüben, was er doch als mehr oder weniger sinnlos erlebt? Wäre es nicht konsequenter und ehrlicher mit dieser Form von politischer Aktivität aufzuhören? Das wäre nämlich richtig, wenn sich die Dinge wirklich so verhalten, wie Frisch behauptet. Hier müssen Einwände gegen Frisch selbst und seine Deutung der eigenen Rolle erhoben werden. In der Tat kann ein Auftreten von Frisch, d. h. des bekannten Schriftstellers Max Frisch, zweifelsohne die öffentliche Meinung beeinflussen und vielleicht dadurch auf weite Sicht die Gesellschaft verändern.

Frisch befindet sich in einer heiklen Lage hinsichtlich der Ausübung von Gesellschaftskritik als Privatperson und als Schriftsteller. Er zweifelt an seiner Aufgabe, kann sich jedoch nicht mehr in die Isolierung zurückziehen, und fühlt sich gezwungen, sich mit politischen Problemen zu beschäftigen, teils aus einem direkten und starken Interesse, teils wegen seiner moralistischen Einstellung, aus Verantwortungsgefühl.

Volk, Staat und Schweizer Standpunkt

Volkscharakter

Die Auseinandersetzung mit der schweizerischen Mentalität spielt eine bedeutende Rolle in Frischs Werk. Sie ist ein wichtiger Teil seiner Gesellschaftskritik: die schweizerische Gesellschaft — „eng", „konservativ", „materialistisch" — sieht Frisch als ein Spiegel des schweizerischen Nationalcharakters. Er behandelt das Thema sowohl in der Dichtung als auch der Publizistik, wobei die dichterische Darstellung zugespitzter und ironischer ist.

Im *Tagebuch* kommen einzelne Notizen über schweizerische Mentalität vor. Die Reflexionen finden gewöhnlich im Zusammenhang mit Reisen im Ausland statt: die Begegnung mit dem Fremden gibt zu Vergleichen mit der Heimat Anlaß. Während eines Besuches in Deutschland im Mai 1946 erlebt Frisch eine Gastfreundlichkeit, die größer ist als die, der er in der Schweiz begegnet ist, und er fühlt sich dort „leichter und freier" als zusammen mit den Landsleuten (40). In einem Abschnitt, „Café de la Terrasse" überschrieben (1947), spricht Frisch von den Hemmungen, den Verkrampfungen und der Empfindlichkeit für Beurteilungen seitens der Ausländer. „Irgendwie fehlt uns das natürliche Selbstvertrauen." (169). Auch in dichterischer Form berührt Frisch die Frage im *Tagebuch* und zwar in der Skizze „Marion und die Marionetten" (1946). Aus dem Zusammenhang geht hervor, daß mit Andorra, wo Marion lebt, die Schweiz gemeint ist. Die Skizze hat durch Marion einen direkten Zusammenhang mit dem vorhergehenden Abschnitt, der eine Notiz aus Zürich ist. Andorra wird auf folgende Weise charakterisiert: „Andorra ist ein kleines Land, sogar ein sehr kleines Land, und schon darum ist das Volk, das darin lebt, ein sonderbares Volk, ebenso mißtrauisch wie ehrgeizig, mißtrauisch gegen alles, was aus den eignen Tälern kommt." (12). Die Kleinheit des Landes erzeugt nicht nur Mißtrauen zwischen den Andorranern sondern auch eine Angst von bestimmter Art: „eine lebenslängliche Angst, daß er (ein Andorraner) die Maßstäbe verliere." (ebd.).

Diesem Andorra-Bild muß ein wichtiger Platz in Frischs Entwicklung gegeben werden: hier hat Frisch etwas Zentrales über die Schweizer ausgedrückt; Andorra kann als Ausgangspunkt für seine weitere Kritik gesehen werden.

Eingehender beschäftigte sich Frisch mit dem schweizerischen Volkscharakter nach der Amerikareise 1951—52. Aufs neue ist er der Heimkehrende, der sein Volk von außen her betrachtet. Die Begegnung mit der „großen Welt" wurde von entscheidender Bedeutung für Frisch und seine Einstellung zu den Landsleuten, die er nun mit geschärftem Blick beobachten kann. Seine Ansichten legt er im Vortrag „Cum grano salis" dar. Er behandelt und kritisiert hier in erster Linie die schweizerische Architektur und den schweizerischen Städtebau. Die Mängel, die er findet, spiegeln Mängel bei dem schweizerischen Volk wider: „Architektur ist nur Ausdruck einer allgemeinen Geisteshaltung . . ." (Werk, 1953, Nr. 10).

Exakt dieselben Ansichten über die Schweizer kommen in Stillers Gespräch mit dem Architekten Sturzenegger im späteren Roman Stiller zum Ausdruck. Es gibt hier außerdem zwei Symbolbilder, die in diesem Zusammenhang interessieren. Als Stiller nach seiner Ankunft in der Schweiz ins Gefängnis kommt, wird für ihn die Zelle zum Symbol für die Kleinheit des Landes:

> „Meine Zelle — ich habe sie eben mit meinem Schuh gemessen, der nicht
> ganz dreißig Zentimeter hat — ist klein wie alles in diesem Land, sauber,
> so daß man kaum atmen kann vor Hygiene, und beklemmend gerade da-
> durch, daß alles recht, angemessen und genügend ist. Nicht weniger und
> nicht mehr! Alles in diesem Land hat eine beklemmende Hinlänglich-
> keit. Ich habe gemessen: Länge 3,10 Meter, Breite 2,40 Meter, Höhe 2,50
> Meter." (18).

Es liegt nahe, einen Vergleich mit Andorra im Tagebuch anzustellen, dem Frisch in dieser Zelle eine schweizerische Konkretion gegeben hat. Diese äußere Kleinheit und Begrenzung drücken ihren Stempel auch auf die Menschen. Dies gilt für den Verteidiger Bohnenblust, den man als eine Symbolgestalt, eine Verkörperung der in Frischs Augen schlechtesten Eigenschaften des Schweizers sehen kann. Wir haben Anlaß, uns ausführlicher bei Bohnenblust aufzuhalten. Diese Karikatur ist nämlich mit einer geschickten Ironie und Bösartigkeit geschaffen, zu der kein anderer lebender Schweizer Schriftsteller imstande wäre. Bohnenblust lehnt jede Kritik an der Schweiz ab. Er erwartet — wie Sturzenegger — daß die Schweiz gelobt wird: „Man ist hier sehr empfindlich." (St, 27). Stiller berührt die Vorstellung von der Kleinheit und der Größe der Schweiz. Bohnenblust spricht dabei von der geistigen Größe des Landes und weist auf verschiedene historische Persönlichkeiten hin. Stiller ist jedoch mehr interessiert an gegenwärtigen Manifestationen schweizerischer, geistiger Größe. Er gibt eine Charakteristik des konservativen Bohnenblusts: „Jede Verwandlung ängstigt ihn. Er verspricht sich mehr von der Vergangenheit; dabei weiß er sehr wohl, daß nicht die Vergangenheit kommt, sondern die Zukunft, und das macht ihn gegenüber der Zukunft nur noch unwilliger." (St, 257). Die ermahnende Rede, die Bohnenblust Stiller hält, ist ein sarkastischer Höhepunkt in der Schilderung von Bohnenblust. Auf eine treffende, boshafte und amüsante

Weise wird Bohnenblusts Begrenzung, Selbstzufriedenheit, Heuchelei und Verlogenheit dargestellt. In seiner moralistischen „Predigt" weist Bohnenblust u. a. auf die Heimat hin: „Nirgends so schön wie in der Heimat, ab und zu eine Reise natürlich, damit wir die Heimat aufs neue schätzen lernen, aber Wurzeln braucht der Mensch und gewiß auch der Künstler . . . " (*St*, 490). Stiller wird ermahnt zu glauben — aber mit echter schweizerischer Mäßigung: „[. . .] ein bißchen Glauben an Gott und an Frau Julika, an die Ehe, an die Schweiz . . ." (*St*, 493).

Die Ansichten, die im Roman *Stiller* erscheinen, finden sich auch in der Broschüre *Achtung: die Schweiz* wieder, wo der Konservatismus des Schweizers, seine Angst vor der Zukunft, seine Traditionsgebundenheit und sein Mangel an lebendiger Geistigkeit hervorgehoben werden. Man denkt an Ausdrücke wie Mumifikation und Mumie, die in bezug auf die Schweiz verwendet werden. In der „Festrede" (1957) kehren nämliche Gesichtspunkte wieder. Frisch ist der Meinung, daß die Schweizer vor allem Neuen, vor Risiken, vor Ideen Angst hätten. Die gegenwärtige Schweiz lebe, als ob sie keine eigenen Ideen hätte. Er warnt ferner seine Landsleute vor ihrer Tendenz zur Selbstüberschätzung. Während der sechziger Jahre hat Frisch nur bei einzelnen Gelegenheiten das Thema des schweizerischen Nationalcharakters aufgegriffen, u. a. ausführlicher in der Rede „Überfremdung 2" (1966). Irgendwelche neuen Ansichten sind jedoch kaum hinzugekommen. „Schweizerisch gleich konservativ" heißt einer der Untertitel (*ÖP*, 125). Es mangele dem Schweizer an progressiver Gesinnung: die Zukunft werde als Gefahr erlebt; es fehle auch an wirklichem Selbstvertrauen. Als typisch schweizerisch bezeichnet Frisch folgendes: „Hang zum Pragmatischen, Mißtrauen gegen Utopien, Meisterschaft im Maßhalten, Solidität, die sich gegenüber flinken Angebern angenehm ausnimmt, gegenüber andern etwa biedermännisch . . ." (*ÖP*, 115). Wenn Frisch zuerst das Pragmatische, das Mißtrauen gegen Utopien, erwähnt, so hat das einen bestimmten, persönlichen Grund, was sich auch aus dem Zusammenhang im Text ergibt, nämlich Frischs Enttäuschung darüber, daß die Schweizer seine eigenen Utopien in *Achtung: die Schweiz* nicht akzeptierten.

Es ist kein schönes Bild, das Frisch von seinen Landsleuten zeichnet, es ist sehr einseitig, durch und durch negativ, von Angriffslust und Ranküne durchzogen. Frisch versucht nirgendwo, Licht und Schatten zu verteilen, Positives hervorzuheben, oder etwa den Schweizern gerecht zu werden. Man kann hier einen Vergleich mit beispielsweise Gottfried Keller anstellen, der u. a. das Thema Kleinheit-Größe in dichterischer Form behandelt hat. In seinem Roman *Der grüne Heinrich* (I. Fassung) versucht Keller ein Gleichgewicht zwischen den kritischen und den positiven Gesichtspunkten zu schaffen. Heinrich Lee war früher der

Ansicht, der Schweizer sei kleinlich und engherzig, aber nach den Aus-
landsjahren konstatiert er, daß man beim Anblick des Umwandlungs-
prozesses, den die Schweiz durchmachte, die Kleinheit des Landes vergesse, „da an sich nichts klein und nichts groß ist" (Keller: *Sämtliche
Werke in acht Bänden*, III, 878).

Frischs Ansichten über die negativen Eigenschaften des Schweizers
sind größtenteils traditionelle Klischeevorstellungen und keinesfalls originell. Verschiedenes von dem, was er aufnimmt, finden wir schon früher beispielsweise bei Keyserling und Zollinger. Er herrscht somit eine
große Übereinstimmung zwischen Frischs Ansichten und Keyserlings in
dessen Werk *Das Spektrum Europas*. Zu Albin Zollinger finden sich jedoch noch mehr Verbindungen. Das Selbständige bei Frisch liegt fast
ausschließlich in seiner literarischen Behandlung, seiner überlegenen
Ironie, seiner Aggressivität. Nur bei einer seiner Behauptungen könnte
man annehmen, daß Frisch etwas Originelles ausdrückt: und zwar, indem er die Angst als einen Schweizer Charakterzug kennzeichnet. Der
Angstbegriff, der weder bei Keyserling noch bei Zollinger vorkommt,
könnte als etwas Zeittypisches gesehen werden, als ein Ausdruck des
modernen existentiellen Angsterlebnisses. Doch begegnet man fast
derselben Angstauffassung bei C. G. Jung in seinem Aufsatz „Die
schweizerische Linie im Spektrum Europas" in der *Neuen Schweizer
Rundschau* (1928).

> „Eine Idee bedeutet für jene (Engländer, Amerikaner und Deutsche) in
> der Regel kein Risiko, wohl aber für den Schweizer. Für ihn ist eine
> neue Idee etwas wie ein unbekanntes, gefährliches Tier, dem man ent-
> weder tunlichst aus dem Wege geht oder sich wenigstens mit äußerster
> Vorsicht nähert." (*Jung: Psychologische Betrachtungen*, 200).

Wenn Jung die wichtigsten Züge des schweizerischen Nationalcharakters
zusammenfaßt, so stimmt das Bild in mehreren Punkten mit sowohl
Frischs als auch Keyserlings Ansichten überein. Einen augenfälligen
Unterschied zwischen Frisch und Keyserling einerseits und Jung andererseits gibt es jedoch. Für Jung beinhaltet der schweizerische Konservatismus etwas Positives. Gerade durch diese Verbundenheit mit der
Vergangenheit habe die Schweiz, meint Jung, eine wichtige Aufgabe
unter Europas Nationen zu erfüllen (201).

Heimat und Vaterland

Zum ersten Mal begegnet man bei Frisch dem Begriff „Vaterland" in
seinem Buch *Blätter aus dem Brotsack*, geschrieben während des Aktivdienstes im Herbst 1939. Darin sagt er u. a.:

> „Wir werden geboren und haben nicht um unser Leben gebeten, nicht
> unser Vaterland gewählt. Einmal im Leben aber, ja, wie hangen wir
> daran, und wie lieben wir auch das Land, das unser Vaterland ist, selbst

wenn es nicht in aller Mund wäre, selbst wenn es uns schmerzt. Wir haben Menschen gesehen, denen man das Vaterland aus der Seele gerissen hatte, so daß sie langsam daran verbluten. Aber auch wir, die wir eine Fahne haben, einen Flecken auf der Erde, wo uns nur das Gewissen gebietet, müssen eine letzte Heimat erst suchen, und wer weiß, ob sie auf dieser Erde ist? Wir wollen das Grenzenlose, ob man es Herrgott nennt oder anders, nicht preisgeben und aus dem Boden, den es uns lieh, niemals einen Götzen machen, der den Menschen in uns erwürgt; wir werden unser Vaterland lieben und es verteidigen, niemals es anbeten." (10 f.).

Man findet in diesem Zitat ein deutliches Bekenntnis zum Vaterland. Zugleich aber schwingt ein gewisser Vorbehalt mit. Frisch greift auch den Begriff „Heimat" auf, der hier einen fast metaphysischen Akzent erhält.

Während der Kriegsjahre publizierte Frisch den Roman *Die Schwierigen* (1943), in dem der Krieg jedoch nicht den Hintergrund abgibt. Nur eine der Nebenfiguren hat eine militärische Anknüpfung, nämlich der Oberst, der einen Eindruck von Solidität und Ehrbarkeit erweckt. Er ist konservativ und historisch verankert, ohne jedoch Nationalist zu sein, loyal und fast demütig in seinem Wirken. Frisch scheint in dieser Figur die Vaterlandsliebe vorsichtig zu bejahen, da er den Oberst nicht als Karikatur zeichnet.

Gegen Kriegsende änderte sich Frischs Auffassung. Wir möchten hierzu auf den Artikel „Die andere Welt" (1945) verweisen. Das Wort Vaterland kommt in diesem Zusammenhang überhaupt nicht vor, sondern der Begriff Heimat steht im Zentrum. Frisch knüpft gewissermaßen an eine Tendenz an, die im obigen Zitat aus den *Blättern aus dem Brotsack* zum Ausdruck kommt: eine Sehnsucht nach etwas, was die Grenzen des eigenen Vaterlandes sprengt. Im Artikel „Die andere Welt" wird Heimat etwas, was sich „rings um die Erde" erstreckt, etwas, was sich darauf gründet, daß man ein Mensch ist. Das Menschliche tritt in den Vordergrund.

Es ist interessant, den Inhalt des Artikels mit einem Abschnitt des Schauspiels *Nun singen sie wieder* zu vergleichen, und zwar mit einem Gespräch zwischen dem Hauptmann und dem russischen Priester. Der Offizier äußert: „Unser wirkliches Leben, am Ende ist es im Anblick eines Kindes, das den Krug hält, im Wehen eines Windes..." (72). Er fährt fort:

„Ich habe das Gefühl von einer ganz anderen Welt, Väterchen, die es gibt... eine Heimat, die uns nicht trennt. Wer sie nicht überall hat, der hat sie nirgends. Nicht alles ist eins! Das meine ich nicht. Man kann den anderen kein Bruder sein, wenn man sich selber aufgibt... Ich habe das Gefühl von einer Heimat, die man hätte entdecken sollen, eine Heimat, die rings um die Erde geht." (73) [1].

Die angeführte Replik des Hauptmanns kehrt in nahezu identischer

Wortwahl in verschiedenen Abschnitten des Artikels wieder, nur wird dort der Ausdruck Heimatlichkeit eingesetzt, wo im Stück das Wort Heimat verwandt wird, was aber kein eigentlicher Bedeutungsunterschied zu sein scheint.

Die aktuellen Texte entstanden einige Monate vor Kriegsende. Der Artikel erschien im Januar-Februarheft 1945 der Zeitschrift *Atlantis*. Das Schauspiel wurde — nach den eigenen Angaben des Autors auf dem Vorsatzblatt — im Januar 1945 geschrieben. Auf Grund dieser Angaben kann jedoch nicht ausgemacht werden, welcher der beiden Texte der primäre sein könnte. Das Wichtigste ist, daß es sich hier um für den Verfasser wesentliche Ideen handelt, die sich gleichzeitig sowohl in seiner Dichtung als auch Publizistik abzeichnen.

Während des Krieges bejahte zwar Frisch den Verteidigungswillen und den Aktivdienst, gegen Kriegsende jedoch änderte er seine Einstellung: in beiden der obigen Texte kommt eine Ablehnung des Krieges zum Ausdruck. Der Autor weist auf eine andere und wirklichere Welt als diejenige des Krieges hin. Was er hier sagt, ist in der Tat der Ausgangspunkt des späteren Pazifismus, dem man in seinen Werken begegnet. Es handelt sich um einen zum Teil romantischen und sentimentalen Traum vom Menschen und der Menschheit. Alle Menschen sind Brüder: also dürfen sie nicht gegeneinander Krieg führen.

Im *Tagebuch* berührt Frisch bei zwei Gelegenheiten das Thema Heimat—Vaterland. Das erste Mal (1947) schreibt er, nachdem er seine Liebe zur Idee der Schweiz bekannt hat, daß er nichts anderes als Schweizer sein möchte, und:

> „Nach der Idee, die unsere eigentliche Heimat ist, sind es natürlich auch einzelne Landschaften, die man liebt, aber erst in zweiter Linie; am wenigsten weiß ich, ob ich unsere Landsleute liebe — sicher nicht mehr als die entsprechenden Gesichter aus anderen Völkern, und es erschiene mir nicht einmal als Ziel, im Gegenteil; Liebe zum Vaterland, so verstanden, wird zum Verrat an der Heimat; unsere Heimat ist der Mensch; ihm vor allem gehört unsere Treue; daß sich Vaterland und Menschheit nicht ausschließen, darin besteht ja das große Glück, Sohn eines kleinen Landes zu sein." (170).

Frisch kann also immer noch das Vaterland akzeptieren. Aber gewisse Formen der Vaterlandsliebe lehnt er bestimmt ab.

Im zweiten Abschnitt (1949) aus dem *Tagebuch* schreibt Frisch unter dem Titel „Heimat" u. a.: „Die Summe unsrer Sitten und Unsitten, eine gewisse Gewöhnung, das Gemeinsame einer gleichen Umgebung ..." (404). Wenn er weiterhin sagt, daß die Heimat nicht etwas sei, was an „Ländereien" gebunden ist, so setzt er ganz allgemein den Gedankengang in *Nun singen sie wieder* über die Heimat als etwas Grenzenloses fort. Er wiederholt auch hier genau den Satz „Heimat ist der Mensch".

Aber eine wichtige Einschränkung ist hinzugekommen: er spricht jetzt vom Menschen, „dessen Wesen wir vernehmen und erreichen". Er nennt auch die beschränkende Einwirkung der Sprache. Es besteht also ein offenkundiger Unterschied, wenn man die Ansichten im eben erwähnten Schauspiel mit denjenigen im Artikel „Die andere Welt" vergleicht.

Im *Tagebuch* gibt Frisch dem Begriff Heimat eine Reihe verschiedener Bedeutungen, weshalb der Ausdruck zuletzt unklar und schwebend wird.

Die Amerikareise 1951—52 hatte zur Folge, daß Frisch seine Kritik an der Schweiz und den Schweizern verschärfte. Gleichzeitig wuchs sein Antimilitarismus und sein Pazifismus. Er gerät in einen immer deutlicheren Gegensatz zu der offiziellen Schweiz und einer breiten öffentlichen Meinung. Die Stimmungen spiegeln sich im Roman *Stiller*, wo Stiller einen deutlichen Angriff gegen die Vaterlandsliebe richtet. Er wendet sich gegen die Einstellung, die sein Verteidiger, Bohnenblust, vertritt: „Er nennt es anders, ich weiß, die Verlogenheit in ihrer gefährlichsten Form, nämlich wenn sie mit einer Fahne antritt, mit dem Anspruch heilig und unantastbar zu sein; er nennt das Vaterlandsliebe." (259).

Frischs Mißbilligung der Verteidigungsmentalität, jener „geistigen Landesverteidigung", die auch nach dem Zweiten Weltkrieg in der Schweiz weiter gedeiht, läßt sich auch in der Schrift *Achtung: die Schweiz* wahrnehmen. Später — in den sechziger Jahren im Vortrag „Überfremdung 2" — hat er sich ebenfalls gegen diese, wie er meint, typisch schweizerische Haltung, gewandt (*ÖP*, 133 f.).

Die Auseinandersetzung, die Frisch mit dem schweizerischen Traditionalismus in den Schriften *Stiller* und *Achtung: die Schweiz* führt, trägt sicher zu seiner zunehmenden Kritik des Vaterlandsbegriffs bei, was sich speziell in seiner Ansprache am schweizerischen Nationalfeiertag 1957, „Festrede", erkennen läßt. Auffallender als vorher werden die zwei Begriffe Heimat und Vaterland einander gegenübergestellt, wobei er den ersteren akzeptiert, jedoch den letzteren ablehnt. Mit Heimat meint er — wie im früher angeführten Zitat im *Tagebuch* — die Schweizer und die schweizerische Landschaft. In der „Festrede" bezieht er den Begriff Heimat ausschließlich auf die Schweiz und die Schweizer, während er im *Tagebuch* wie in den früher behandelten Schriften den Menschen über die Grenzen hinaus, das gemeinsam Menschliche, mit einbegreift.

Die „Büchner-Rede" (1958) wurde zuerst unter dem Titel „Das Engagement des Schriftstellers heute" und später ganz kurz nur als „Emigranten" veröffentlicht. In erster Linie ist die Ansprache eine Auseinandersetzung mit dem Begriff des Vaterländischen. Eine deutliche antimilitaristische Tendenz ist hier ersichtlich: Frisch wendet sich in der Ansprache gegen militärischen und anderen Zwang, den der Staat über das Individuum ausüben kann. Nachdem er sich als Schweizer bekannt hat, erklärt er, daß sein schriftstellerisches Engagement weder der Schweiz noch einem anderen Land gelten könne: es gelte der „Vaterlandslosigkeit" [2].

> „Nicht zufällig habe ich mich mit Emigranten befaßt. Das Emigrantische, das uns verbindet, äußert sich darin, daß wir nicht im Namen unserer Vaterländer sprechen können noch wollen; es äußert sich darin, daß wir unsere Wohnsitze, ob wir sie wechseln oder nicht, überall in der heutigen Welt als provisorisch empfinden. [...] Unser Wohnort soll uns das unausgesprochene Gefühl der Unzugehörigkeit gestatten." (*Frankfurter Allgemeine Zeitung*, 14. 11. 1958).

Frisch möchte allerdings den Begriff Heimat behalten und spielt auf seine Reflexionen im *Tagebuch* (404) an (er erkennt die Zugehörigkeit zu einer Heimat an, die gegen andere Staaten deutlich abgegrenzt ist), behauptet aber ferner: „Wir sind also nicht heimatlos, indem wir vaterlandslos sind. [...] Wir sind Emigranten geworden, ohne unsere Vaterländer zu verlassen."

Während zweier Jahrzehnte hat sich Frisch mit den Begriffen Vaterland und Heimat beschäftigt: sie sind seit 1945 immer mehr als zwei Gegenpole hervorgetreten, wobei „Vaterland" eine immer negativere Bedeutung erhalten hat, „Heimat" dagegen eine positive. Mit der „Büchner-Rede" ist Frisch — so wie er seine eigene Situation deutet — nicht nur vaterlandslos sondern auch in gewisser Hinsicht heimatlos geworden. Er will Distanz erreichen, eine gefühlsmäßige Emanzipation; offenbar möchte er von der ganzen schweizerischen Problematik frei werden, die ihn während so langer Zeit und so intensiv engagiert hat. Dennoch will er nicht fliehen, sondern in der Schweiz bleiben. Die Lösung, den Ausweg — an sich sehr aufschlußreich — findet er in der Konstruktion eines Emigrantenbegriffs. Er möchte bei seinem Volk leben — aber als ein Fremder, als Emigrant. Der Autor spricht selber im obigen Zitat von einem „Gefühl der Unzugehörigkeit", und in einem anderen Abschnitt wird das „Emigrantische" als ein „Gefühl der Fremde schlechthin, das übrigens nicht melancholisch ist, ein klares und trockenes Gefühl" charakterisiert. Diese Lebenshaltung zu gestalten ist eine originelle Idee, aber sie praktisch durchzuführen, ist in hohem Grad problematisch, vor allem für eine Persönlichkeit wie Frisch mit seiner gefühlsmäßigen Gebundenheit an seine Umgebung. Wie zu erwarten war, ist es Frisch nicht gelungen, diese innere Emigration zu verwirklichen: zwei Jahre nach der „Büchner-Rede" verließ er die Schweiz, um sich auf fünf Jahre in Rom anzusiedeln.

Frischs Entwicklung nach 1945 ist ganz eindeutig in bezug auf die Schweiz: er lehnt jedes militärische Engagement für sein Schweizer Vaterland ab und entwickelt sich immer entschiedener in pazifistischer Richtung. Zweifellos herrscht ein ehrlicher Friedenswille hinter seiner Einstellung. Es gibt aber auch einen anderen Zug: parallel mit jener Entwicklung steigert sich die Kritik an der Schweiz und nicht zuletzt an der schweizerischen Verteidigungsmentalität. Unbehagen und Unlust vor der schweizerischen Gesellschaft und vor den Schweizern trägt sicher dazu bei, den Pazifismus bei Frisch zu entfalten und zu stärken.

Schon in dem zu Beginn des Abschnittes angeführten Zitat aus der Schrift *Blätter aus dem Brotsack* spricht Frisch von der Situation des Emigranten: vom Leiden, das durch den Verlust des Vaterlandes verursacht wird. Er hat die Emigranten im Zürich der dreißiger Jahre und der Kriegszeit selbst aus der Nähe erleben können. Bald nach Kriegsende kam er in engen Kontakt mit dem Emigranten Bertolt Brecht. Die „Büchner-Rede" handelt in erster Linie von dem nach Zürich geflüchteten Emigranten Georg Büchner. Das Emigrantenmotiv hat Frisch belletristisch bereits einige Male vor der „Büchner-Rede" gestaltet.

In der „Skizze" im *Tagebuch* wird die Hauptfigur mit Namen Schinz ein Emigrant. „Ich muß hinaus, ich muß, ich kann es nicht aushalten, Unrecht zu sehen und zu schweigen . . . " (*TB*, 453). Er wird jedoch an einer Grenzstation zurückgehalten und muß „schwarz" über die Grenze gehen. „Plötzlich ist man ein Emigrant. Das ist schon öfter vorgekommen! Man sieht die Dinge etwas anders, als die andern sie lehren." (*TB*, 455). Auf der anderen Seite der Grenze wird er festgenommen und verhört.

Im Roman *Stiller* kommt das Motiv wieder. Stiller kehrt nach einer siebenjährigen Emigration, die gleichzeitig eine Art Flucht gewesen ist, wieder zurück. Schinz verwendet, wie auch Stiller, einen fingierten Namen, wird ebenfalls vor Gericht gestellt und kommt ins Gefängnis. Der Unterschied zwischen den beiden ist, daß Stiller freiwillig zurückkehrt, während Schinz über die Grenze zurückgezwungen wird. Auch nachdem Stiller sich nach außen hin den Verhältnissen in der Heimat angepaßt hat, fühlt er sich als innerer Emigrant. Bei einer Gelegenheit nennt Stiller sich und seine Frau „ein schweizerisches Inland-Emigranten-Ehepaar" (511).

Die Hauptgestalt im Roman *Homo faber* ist seit vielen Jahren ein Emigrant, der nur sporadisch und widerwillig seine schweizerische Heimat besucht. In seinem Falle wird jedoch der Begriff Emigrant nicht markiert. Einen echten vaterlandslosen Emigranten gibt es jedoch im Roman: nämlich die aus Deutschland während der dreißiger Jahre geflüchtete Jüdin Hanna, die in der Schweiz eine zufällige Freistätte findet.

Ein sinnverwandtes Motiv findet sich im Schauspiel *Graf Öderland*, das zwischen der „Skizze" und *Stiller* publiziert wurde. Auch im Falle des Grafen-Staatsanwaltes handelt es sich um einen Aufbruch. Öderland befindet sich an der Grenze, die mit Stacheldraht versperrt ist. Nachdem er drei Zöllner getötet hat, passiert er die Grenze[3]. Öderland wird in der dritten Szene des Stücks („Hütte im Wald") als der „Fremde" bezeichnet[4].

In den obigen Texten hat Frisch das Emigrantenmotiv aus verschiedenen Angriffswinkeln bearbeitet. Er benutzt die klassische Variante mit dem vertriebenen Flüchtling, aber auch ein für ihn noch persönlicheres Motiv: vom Menschen, der freiwillig aus dem Unbehagen des eigenen Landes flieht; die Flucht wird — wie für Stiller — der letzte Ausweg. Das Motiv kann bisweilen eine tiefere symbolische Bedeutung erhalten, wie im Stück *Graf Öderland*, das damit gewisse Berührungspunkte zur „Büchner-Rede" hat: der Graf ist nicht nur ein Mörder, sondern auch ein Fremdling in der Welt, ein Bild der zeittypischen Entfremdung, der „Alienation".

Die Schweiz als Idee

Frisch hat nie den Beweis einer speziell historischen Ader geliefert oder ein tieferes Interesse für Schweizer Geschichte gezeigt — außer in einem einzigen Fall: mit großem Enthusiasmus hat er jener traditionellen Geschichtsschreibung gehuldigt, die behauptet, die Schweiz sei aus einer Idee entstanden. Dies war eine Hypothese, aus der Frisch für die Zukunft Inspiration schöpfte. Frischs Stellungnahme zu dieser Hypothese bei verschiedenen Anlässen ist in hohem Grad für seine Entwicklung bezeichnend.

Im *Tagebuch* kommt diese idealistische Geschichtsauffassung zum ersten Male zum Ausdruck. Frisch bekennt sich hier zur „Idee der Schweiz" (170). Es geht nicht daraus hervor, ob Frisch dabei an die alte Eidgenossenschaft oder an 1848 denkt; wahrscheinlich meint er beides. Im Artikel „Cum grano salis" gibt Frisch seiner Bewunderung Ausdruck für das, was mit der Verfassung vom Jahr 1848 geschaffen wurde. Damals hätte, meint er, eine lebendige Epoche existiert: die Schweizer hätten einen Entwurf für die Zukunft gehabt (*Werk*, 1953, 327). Im Roman *Stiller* verwendet er exakt dieselbe Formulierung — allerdings mit gewisser ironischer Distanz (326). Frisch sagt hier nicht ausdrücklich, daß die Schweiz aus einer Idee entstanden sei, aber daß er das meint, läßt sich aus der Broschüre *Achtung: die Schweiz* erkennen. In dieser Schrift behauptet er, daß 1848 die neue Schweiz gegründet wurde. „Sie war der Entwurf einer Schweiz, die erst gebildet werden sollte und in hohem Grade auch gebildet worden ist." (52). In einem anderen Zusammenhang äußert er sich in derselben Schrift ganz eindeutig: „Dabei ist die Schweiz nichts anderes als eine Idee, die einmal realisiert worden ist." (7).

Es ist wahrscheinlich, daß Frischs Aktivität und Einsatz, d. h. sein Engagement im Zusammenhang mit *Achtung: die Schweiz*, durch seine damalige Geschichtsauffassung veranlaßt wurden, mit der seine Überzeugung von der Bedeutung der Utopie für die Schweizer zusammenhängt.

Der kleine Beitrag „Die Schweiz ist ein Land ohne Utopie" in *Ex libris* (1960) zeigt in einer bemerkenswerten Weise den nächsten Schritt in Frischs Entwicklung. Wie der Titel sagt, glaubt Frisch nicht mehr, daß Utopien die Schweizer beeinflussen können. Zu diesem pessimistischen Schlußsatz ist er nach der öffentlichen Debatte um die Schrift *Achtung: die Schweiz* und deren Aufnahme gekommen. Immer noch bewahrt er jedoch seine alte Geschichtsauffassung und konstatiert, daß die Schweiz „aus nichts anderem als einem utopischen Gedanken entstanden ist" (*Ex libris*, 1960, Nr. 3).

Die letzte Stufe dieser Entwicklung ist die „Schillerpreis-Rede" 1965, wo Frisch seine Ansichten gänzlich revidiert. Er lehnt nunmehr den Gedanken ab, daß die Schweiz aus einer Idee entstanden sein solle und ist der Ansicht, daß er selbst an einem schweizerischen „Selbstmißverständnis" engagiert gewesen sei, zu dem Schiller mit seinem Wilhelm Tell-Drama beigetragen habe. Schiller baue, meint er, in seinem Schauspiel auf dem deutschen Idealismus auf, aber in jenem Geist hätten Schweizer nie gehandelt und würden auch nie handeln.

> „Die Meinung, die Eidgenossenschaft sei hervorgegangen aus einer Idee, hat mich zu Forderungen verleitet, unser Land müßte Ideen zu verwirklichen versuchen auch heute, zu Hoffnungen also, und dann, da sie sich als wirklichkeitsfremd erwiesen, zu Unmut und zu Verurteilungen, die gegenstandslos sind; die Eidgenossenschaft, die so manche ideologische Reformation überstanden hat, ist eben ihrem Ursprung nach nicht ideologisch, sondern ein Fall, der nachträglich ideologisiert worden ist, ein geschichtliches *Happening*, Resultat einer Rebellion, aber nicht einer Revolution." (ÖP, 91).

Frisch meint, daß er mit diesem seinem neuen Standpunkt der historischen Wirklichkeit näher gekommen sei. Die Schweizer sind nicht Idealisten im deutschen Sinn, sondern Pragmatiker, und „unter Pragmatikern gibt es kein Engagement an einer Utopie" (ÖP, 92).

Wenn Frisch von „geschichtlichem Happening" spricht, mag das zwar scherzhaft und treffend ausgedrückt sein, deckt aber kaum die historische Wirklichkeit; dagegen hat Frisch sicher recht, wenn er von der idealistischen Deutung der Geschichte Abstand nimmt und behauptet, die Schweiz sei „nachträglich ideologisiert" worden. Seine Geschichtsauffassung ist realistischer geworden, wobei es sich jedoch nicht um eine marxistisch-materialistische Deutung handelt. Frisch hat zur Schweiz in historischer Hinsicht Distanz erreicht und kann nunmehr objektiver als früher, ja, sogar mit Selbstkritik, seine eigene Entwicklung beurteilen. Es ist interessant zu notieren, wie stark er seine Abhängigkeit vom Glauben an die Schweiz als Idee betont und die Bedeutung dieses Gedankens für seine politische Aktivität hervorhebt. Es ist durchaus möglich, daß diese etwas ruhigere Auffassung von der Schweiz seine Rückkehr aus Italien in die Heimat allmählich erleichtern konnte.

Freiheit

Der Begriff Freiheit gehört mit dem Thema Demokratie-Diktatur zusammen, das im nächsten Abschnitt behandelt werden soll. Wir haben jedoch Anlaß, den Begriff aus speziellen Gesichtswinkeln her anzugreifen, da er in Frischs Werk während einer langen Zeitperiode eine bedeutende Rolle spielt. Hier folgt zunächst eine Untersuchung des Freiheitsbegriffs bei Frisch während der Jahre 1947–1965. Es zeigt sich, daß Frisch die Freiheit aus verschiedenen Aspekten betrachtet, und sie bei ihm eine Reihe verschiedener Bedeutungen erhält.

Zum ersten Mal begegnet man dem Problem der Freiheit im *Tagebuch* in einigen Reflexionen von 1947 unter der Rubrik „Unterwegs". Frisch geht von einem für ihn entscheidenden Satz aus: es gibt keine absolute Freiheit, nur verschiedene Grade der Freiheit. Im Anschluß hieran wird ein Gespräch mit einem schweizerischen Bürgersohn, einem Akademiker, wiedergegeben, der meint, der schweizerische Staat sei der einzige, in dem es Freiheit gebe. „Nicht zu erschüttern ist sein Glaube, daß es Freiheit geben kann, Freiheit für alle, daß es sie gibt — und zwar bei uns . . . " (203). Frischs Kommentar hat einen sozialen Aspekt: ein jeder fühle sich — wie dieser Akademiker — in einer Gesellschaft frei, die seinen Vorteil schütze. Zum Schluß bringt Frisch einige Reflexionen über das Thema Verlogenheit, die offenbar durch dieses Gespräch veranlaßt worden sind. Die Ansichten, die Frisch im *Tagebuch* vorlegt, werden in der Tat für seine gesamte zukünftige Auffassung vom Begriff Freiheit bestimmend.

Im Artikel „Cum grano salis" greift Frisch das Problem Freiheit im Anschluß an die Architektur auf. Er behauptet, daß es sehr wenig individuelle Freiheit in bezug auf z. B. Wohnungsfragen gebe. Ferner meint er, daß es nicht mehr möglich sei, auf dieselbe Weise wie während des 19. Jahrhunderts zu bauen: es sei nicht mehr genug Spielraum hinsichtlich der Bodenfläche übrig. Etwas anderes sei daraus entstanden: die Freiheit der Mächtigen. In der Fortsetzung stellt Frisch die Frage, was man eigentlich unter Freiheit versteht: „Jeder einigermaßen Aufrichtige weiß, daß es sie so, wie die Festreden sie schildern, nicht gibt. Gibt es somit überhaupt nichts, was den Namen Freiheit verdient?" (*Werk*, 1953, Nr. 10). Die letzte Chance zu individueller Freiheit liege paradoxerweise in der Planung. Frisch wiederholt später, daß hier für den Schweizer eine neue Form der Freiheit zu erobern wäre: „Die Freiheit durch Plan."

Im Roman *Stiller* wird ein langer Abschnitt einer Diskussion zwischen Bohnenblust und Stiller über die Freiheit gewidmet (258—261). Man findet sogleich die Parallele zum *Tagebuch*. Stiller sagt einleitend, daß er nicht die Schweiz sondern die Verlogenheit hasse und fährt fort: „Als Häftling, mag sein, bin ich besonders empfindlich auf ihr Schlagwort von der Freiheit. Was, zum Teufel, machen sie denn mit ihrer sagenhaften Freiheit?" (258). Stiller ist der Ansicht, daß man, wenn man eine freie Meinung in wesentlichen Dingen und gleichzeitig eine Familie haben wolle, viel Geld haben müsse. Auch in der Schweiz herrsche das Geld. Stiller fährt mit einigen Formulierungen fort, die mit denen im *Tagebuch* übereinstimmen: „Wahrscheinlich kann es überhaupt keine Freiheit geben, wie man sie hierzulande zu haben behauptet; es gibt nur Unterschiede in der Unfreiheit und ich gebe gerne zu, daß sie eine vergleichsweise milde Form von Unfreiheit haben." (*St*, 258 f.). Man könne nicht, meint Stiller, mit Schweizern über Freiheit diskutieren: sie mißbilligten, daß man die Freiheit nicht als ein schweizerisches Monopol betrachte, sondern als ein Problem. Er findet, daß auch die staatsbürgerliche Freiheit, deren die Schweizer sich rühmen, als ob sie die einzige menschliche Freiheit wäre, ziemlich angenagt sei. Auch die Schweiz als Staat sei im Grunde unfrei:

„Ich kann mir ausrechnen, daß sie als ganzes Land, als Staat unter Staaten, genau so unfrei sind wie irgendein Kleiner unter Größeren, das ist nun einmal so, nur dank ihrer Unwichtigkeit (ihrer heutigen Geschichtslosigkeit) können sie sich selbst zuweilen in dem Anschein gefallen, unabhängig zu sein, und auch dank ihrer kaufmännischen Vernünftigkeit . . . " (*St*, 260 f.).

In der Broschüre *Achtung: die Schweiz* wird das Freiheitsproblem sehr ausführlich behandelt, besonders im Kapitel „jaja, aber . . . ", in dem die Beziehung zwischen Städteplanung und Freiheit erörtert wird. Frisch schließt hier direkt an den Artikel „Cum grano salis" an. Der Schweizer, wird gesagt, hasse schon das Wort Planung, er möchte nur die Freiheit. Aber die Spekulation, die mit dem Boden getrieben werde, habe — meinen Frisch und seine Mitverfasser — nichts mit Freiheit zu tun. „Es ist nichts zu machen, so lange wir die Freiheit, die unsere Vorfahren ziemlich mühsam erstritten haben, verwechseln mit der Freiheit desjenigen, dessen Beruf nun einmal der Kauf und die Nutzbarmachung von Grundstücken ist." (27). Eines Tages aber werde man auch in der Schweiz zur Planung gezwungen werden, denn die Freiheit beginne knapp zu werden. Während der letzten Jahrzehnte sei die Schweiz immer enger und begrenzter geworden.

„Es handelt sich um die Frage nach der Freiheit — in unserem Zeitalter, und zwar nicht um die Rhetorik der Freiheit, sondern um die Praxis der Freiheit. Wir sind der Meinung, daß die Freiheit nicht in einem freien Laufenlassen der Dinge besteht, jetzt weniger als je. Der heißeste Freiheitsdurst ist nicht imstande, die Landreserve der Schweiz auch nur um einen Quadratmeter zu vermehren." (28).

Vor allem zwei Dinge kann man in der obenerwähnten Diskussion beobachten. Der Begriff Freiheit erhält eine über die der früheren Werke hinausgehende Bedeutung, nämlich geographisch-lokale Bewegungsfreiheit. Ferner wird hervorgehoben, daß es wesentlicher sei, die Freiheit zu praktizieren als von ihr zu reden (vgl. 33). Die letzterwähnte Ansicht stimmt ganz mit dem Schluß von Frischs „Festrede 1957" überein (*Zürcher Woche*, 1957, Nr. 32). In der Einleitung dieser Rede ironisiert Frisch über die vielen feierlichen Festreden über die Freiheit. Er stellt später die Frage, was die Schweizer meinen, wenn sie die Freiheit besingen. Er spielt dabei auch auf die Freiheit des Arbeitgebers und des Arbeitnehmers an, und verwendet hierbei Formulierungen, die sowohl aus *Tagebuch* als auch dem Roman *Stiller* bekannt sind:

„Jeder Arbeitnehmer hat die Freiheit zu sagen, was ihm in seiner Bude nicht paßt, und jeder Arbeitgeber — auch ein schönes Wort, er gibt sie nicht, sondern er nimmt sie, weil er sie braucht und bezahlt — hat die Freiheit, mich zu entlassen, und ich habe die Freiheit, eine andere Stelle zu suchen.

Ist das schon Freiheit? Wir meinen, daß kein Mensch auf dieser Erde so frei ist, wie man dem Schweizer einredet, daß er frei ist, und doch gibt es, wenn auch keine absolute Freiheit, Unterschiede in der Unfreiheit, die ins Gewicht fallen, die wir, bei aller Kritik an der Schweiz, nicht vergessen dürfen."

Auch in der „Büchner-Rede" und im Schauspiel *Andorra* greift Frisch wieder das Problem der Freiheit kurz auf[5]. In den sechziger Jahren kommt er abermals auf die Problematik des ökonomischen Liberalismus zurück und geht jetzt sogar einen Schritt weiter. Er äußert erhebliche Bedenken und sieht in der Doktrin vom freien Unternehmertum, die er ironisch das schweizerische „National-Dogma" nennt, eine große Gefahr (*ÖP*, 108).

Frischs Auseinandersetzung mit dem Begriff Freiheit ist im Grunde eine Auseinandersetzung mit der Schweiz, eine Seite der Kritik Frischs an seiner Heimat. Es sind ernsthafte Angriffe, die er dabei gegen die schweizerische Gesellschaft richtet. Einer der Leitgedanken in seinen Reflexionen betrifft die Heuchelei. Er wendet sich dagegen, daß so viel und so schön über die Freiheit in der Schweiz geredet wird und ist der Meinung, daß dies in Verlogenheit ausartet, da die schönen Worte der Wirklichkeit nicht entsprechen. In diesem Punkt handelt es sich also um eine moralistische Kritik. Die Freiheitstradition ist in der Schweiz stark, und Frisch hat damit recht, daß Vieles und Feierliches über diese Freiheit geredet wird.

In Frischs Augen herrscht offenbar in der Schweiz fast eine Art „Manchesterliberalismus" im Stil des 19. Jahrhunderts. Heftig greift er die Spekulation, vor allem die Bodenspekulation, an. Er möchte diese Freiheit einschränken. Es ist völlig klar, daß die Freiheit für z. B. einen Unternehmer in der Schweiz wahrscheinlich größer ist als anderswo in den westeuropäischen Demokratien. Entscheidend aber ist, daß Frisch nicht aussagt, wie weit — seiner Ansicht nach — diese Einschränkungen gehen sollen.

Frisch polemisiert stark gegen die Auffassung, es gebe eine absolute Freiheit in der Schweiz. Aller Voraussicht nach wird aber kein verantwortlicher Schweizer Politiker oder Historiker behaupten wollen, daß dort eine Art „absolute Freiheit" herrsche. Eine derartige Freiheit hat es nie in der Schweiz oder irgendwo anders gegeben. Frisch behauptet, in der Schweiz seien „verschiedene Grade der Freiheit" oder „Unterschiede in der Unfreiheit" vorhanden. Gerade an diesem Punkt kann die Kritik gegen ihn angesetzt werden: er macht sich hier einer Begriffsverwechselung schuldig. Er übergeht in seinen Erörterungen eine äußerst wichtige Sache, nämlich das Problem der Gleichheit, das er nie zur Behandlung aufnimmt. Freiheit und Gleichheit gehören jedoch zusammen: sie sind ein zentrales Begriffspaar in der politischen Diskussion und in der Geistesgeschichte seit dem 18. Jahrhundert. Freiheit und Gleichheit, d. h. Freiheit des Individuums und Rücksichtnahme auf den Mitmenschen, stehen in einem unauflöslichen Abhängigkeitsverhältnis und Wechselspiel zueinander. Wenn Frisch über verschiedene Grade von Freiheit spricht, beispielsweise auf ökonomischem Gebiet, so handelt es sich im Grunde um ein Problem der Gleichheit. Frisch strebt also eigentlich danach, die Freiheit des Individuums auf verschiedenen Gebieten einzuschränken, um die Gleichheit unter den Menschen zu erweitern.

Demokratie und Diktatur

Zum ersten Mal nimmt Frisch das Thema Demokratie in seiner Erzählung *Bin* (1945) auf, allerdings nur beiläufig in einem parenthetischen Gespräch (89). Im Schauspiel *Die chinesische Mauer* (1947) bekommt das Thema Demokratie-Diktatur dann eine zentrale Stellung. Eine der Hauptpersonen ist der selbstherrliche Kaiser Hwang Ti, der die chinesische Mauer vollendet hat. Sein Gegenspieler ist der junge, moderne Intellektuelle, der in der Ausgabe von 1947 (I. F.) „Junger Mann", in der umgearbeiteten Ausgabe von 1955 (II. F.) der „Heutige" genannt wird.

In der *Chinesischen Mauer* (I. F.) wird „Junger Mann" (wie der „Heutige" in II. F.) drei Alleinherrschern gegenübergestellt: Napoleon, Philip II. und Hwang Ti. In drei Dialogen reagiert „Junger Mann" heftig gegen Diktatur, Macht und Krieg. Seine Reaktion gründet sich auf seine eigenen Erfahrungen aus dem Zweiten Weltkrieg und die Konfrontation mit einer neuen Waffe, der Atombombe (in II. F. der Wasserstoffbombe).

Zusammenfassend kann gesagt werden, daß das Volk in der ersten Fassung gewissermaßen eine größere Rolle spielt, da es dort als selbständiger Chor auftreten darf. Im übrigen scheint in der zweiten Ausgabe keine wesentliche Veränderung der Ansichten vorzuliegen. Bei beiden Hauptpersonen kommt eine deutliche demokratische Gesinnung zum Ausdruck: sie wollen das Menschliche schützen und wenden sich gegen Diktatur und Krieg. Das Stück ist in seiner ersten Version kurz nach Kriegsende geschaffen worden. Daß es auf Hitler und den Zweiten Weltkrieg anspielt, dürfte klar sein. Die zweite Fassung hat dadurch ein aktuelleres Gepräge erhalten, daß Hitler hier ausdrücklich — wenn auch nur beiläufig — erwähnt wird. Sie ist übrigens von größerer Distanz, Sachlichkeit, Ironie und geringerem Pathos als die erste Fassung.

Frisch hat in dieser dichterischen Form den Gegensatz Demokratie-Diktatur sehr eindrucksvoll gestaltet. Demokratie bedeutet hier in erster Linie die Behauptung der Unabhängigkeit und der Freiheit gegenüber dem Gewalt- und Machtstreben der Diktatur. Man braucht kaum darüber zu zweifeln, daß hinter der Gestalt des „Jungen Mannes" Frisch selber steht. Die Tendenz des Schauspiels stimmt mit einzelnen Äußerungen über die Diktatur im *Tagebuch* überein. Auch wenn das Stück auf Hitler gemünzt ist, wird gleichzeitig das Blickfeld erweitert: der Autor bietet ein historisches Exposé an und führt eine Reihe verschiedener Alleinherrscher vor. *Die chinesische Mauer* ist ein Protest, aber ein ohnmächtiger Protest: die Gewaltherrschaft siegt zuletzt in neuer Gestalt. Der Wille zur Demokratie durchdringt das Stück, der Schlußakkord jedoch ist pessimistisch.

Nur bei einer Gelegenheit hat Frisch später das Bedürfnis oder den Anlaß gehabt, einem so deutlichen Bekenntnis zur Demokratie Ausdruck zu geben und zwar kurz im Vortrag „Der Autor und das Theater" (*Neue Rundschau*, 1965, Nr. 1).

Die Skizze „Burleske" im *Tagebuch*, die 1948 geschrieben wurde, nimmt eine Sonderstellung ein, weil sie ohne Assoziationen in politischer oder gesellschaftlicher Richtung gelesen werden kann. Man kann die Skizze auch als eine Allegorie auffassen und ihr von diesem Ausgangspunkt eine ganz bestimmte Deutung geben. Aus der „Burleske" entstand später sowohl ein Hörspiel als auch ein Schauspiel, letzteres mit dem Titel *Biedermann und die Brandstifter* (1958). Burleske bedeutet etwas Scherzhaftes, aber scherzhaft ist die Skizze keineswegs. Sie ist eher moralistisch, u. a. durch die Verwendung der Du-Form, die hier auffordernd wirkt und die Gedanken auf die Zehn Gebote lenkt. U. a. kann eine moralische Lehre herausgelesen werden: wenn du leichtgläubig bist, kann es auf diese Weise geschehen. In der „Burleske" kommen keine Namen und nur drei Personen vor: derjenige der konsequent mit „du" angesprochen wird und die zwei Brandstifter. Es gibt keine Abweichungen oder Kommentare. Die äußerst konzentrierte Skizze verläuft in einem Stück ohne einen Absatz über 6,5 Seiten. Sie ist in sich ein kleines Meisterwerk. Die Hauptperson will als guter und anständiger Mensch leben, er möchte Ruhe und Frieden. In seiner Leichtgläubigkeit versucht er, alles zum Besten zu deuten. Die Brandstifter dürfen bleiben, und er wird ihr Opfer. Charakteristisch für den konzentrierten Stil sind die Schlußzeilen:

> „Du sagst dir mit Recht, daß ein Brandstifter, ein wirklicher, besser ausgerüstet wäre, und gibst auch das, ein Heftlein mit gelben Streichhölzern, und am andern Morgen, siehe da, bist du verkohlt und kannst dich nicht einmal über deine Geschichte verwundern . . . " (*TB*, 249).

Die Stellung der „Burleske" im *Tagebuch* gibt einen Hinweis bei der Deutung: die „Burleske" kommt unmittelbar nach dem Abschnitt, der den Titel „Café Odeon" trägt. Dieser wird lakonisch mit folgenden Worten eingeleitet: „Umsturz in der Tschechoslowakei . . ." (242). Wir deuten die „Burleske" als ein Bild und Echo dieses Umsturzes. Auf der einen Seite stehen die Leichtgläubigkeit und das Wohlwollen, aber auch die Schwäche der Demokratie, auf der anderen steht die methodische Rücksichtslosigkeit der kommunistischen Diktatur. Es ist leicht, Zeile für Zeile eine solche politische Deutung aus dieser Allegorie herauszulesen.

Man bemerkt, daß die Kritik ungefähr gleich stark beide Seiten trifft; es handelt sich also hier nicht um einen pathetischen Angriff auf den Kommunismus. Dies soll jedoch nicht bedeuten, daß Frisch seine Auffassung über das Wesen der Diktatur geändert hat. Seine vorsichtige Stellungnahme ist sicherlich dadurch bedingt, daß er nicht am „Kalten Krieg" beteiligt und in die starken antikommunistischen Strömungen seines eigenen Landes hineingezogen werden möchte. Eine solche Annahme wird durch Frischs folgende schriftstellerische Tätigkeit bestätigt.

Zwanzig Jahre später wurde die Tschechoslowakei von u. a. russischen Truppen besetzt. Frisch nahm aus diesem Anlaß zusammen mit einer Reihe anderer Schriftsteller, u. a. Dürrenmatt, an einer Protestaktion im Basler Stadttheater am 8. September 1968 teil. (Die verschiedenen Ansprachen sind in der Schrift *Tschechoslowakei 1968* veröffentlicht worden). Frisch drückt seine Sympathie für das Volk der Tschechoslowakei und dessen sozialistisches Experiment aus. Er nimmt entschieden von der russischen Invasion und der russischen Politik Abstand. Die Kritik, die er gegen das russische System, das er „Kremltum" nennt, äußert, ist jedoch von einer nuancierten Abwägung gekennzeichnet. Er erzählt beispielsweise von seinen positiven Eindrücken von Reisen in Rußland. Er betont: „Unsere Kritik an der Sowjetunion, eine Kritik ohne Schadenfreude, kann einen Sinn nicht haben: daß sie die Kritik am Westen, unsere Selbstkritik annulliert. Untat gegen Untat aufzurechnen, das bringt uns nicht weiter." (*Tschechoslowakei 1968*, 33).

Im ganzen genommen scheint es, als ob Frisch dazu geneigt wäre, eine kommunistische Diktatur milder zu beurteilen als eine national-sozialistische oder eine faschistische — gerade durch seine jetzt (1968) deutlich hervortretende Sympathie für den Sozialismus.

Nach der Skizze „Burleske" wandte sich Frisch vom Thema Demokratie-Diktatur ab, das für ihn keine Aktualität mehr hatte; er fand es fruchtbarer, die Problematik der schweizerischen Demokratie zu behandeln. In „Cum grano salis" greift Frisch das Problem des Kompromisses auf, das mit der Demokratie zusammengehört, wobei er u. a. bei einer Gelegenheit von dem Mythos des Kompromisses spricht (*Werk*, 1953, Nr. 10). Frisch ist zur Kompromißwilligkeit negativ eingestellt und denkt wohl vor allem an die Folgen auf geistigem Gebiet. Er wendet sich gegen die Erstarrung und meint, ein Volk müsse seine Verfassung ändern können. Im Roman *Stiller* tauchen die gleichen oder ähnliche Ansichten auf. Stiller ist der Meinung, daß der Schweizer nie kompromißlos sei und fährt fort: „Um nicht gröblich mißverstanden zu werden: nicht der politische Kompromiß, der die Demokratie ausmacht, ist das Bedenkliche, sondern der Umstand, daß die allermeisten Schweizer außerstande sind, an einem geistigen Kompromiß überhaupt noch zu leiden." (323). In einem Gespräch zwischen Stiller und Sturzenegger behauptet der letzere, daß die Mängel der schweizerischen Architektur auf den Baugesetzen beruhen. Für diesen Sachverhalt hat Stiller eine einfache Lösung: die Gesetze zu verändern. Kennzeichnend für eine Demokratie sei gerade, daß das Volk seine Gesetze ändere, wenn dieses notwendig werde. (328).

In der Broschüre *Achtung: die Schweiz* versucht Frisch, die Demokratie von einem neuen Gesichtspunkt aus zu diskutieren. Dies geschieht besonders bei einer Gelegenheit, wo es heißt:

> „Die Demokratie ist aber, ihrem Wesen nach, eine Demokratie der grundsätzlichen Alternativen, oder sie ist nicht, und was uns bleibt, ist der demokratische Apparat mit seiner ganzen Umständlichkeit. Genügt der

Gruppenegoismus, um das Parteiensystem zu rechtfertigen? Er genügt nicht einmal, um den demokratischen Anschein endlos aufrecht zu halten." (53).

Das Zitat folgt auf eine Kritik an den parteipolitischen Verhältnissen in der Schweiz. Die Parteien sind einander allzu ähnlich geworden: sie bieten lediglich nicht genügend voneinander abgegrenzte Programmalternativen. Es mangelt ihnen an der gestaltenden Kraft der utopischen Ideen.

Wenn man Frischs Auseinandersetzung mit der schweizerischen Demokratie der fünfziger Jahre studiert, wie sie in den Werken „Cum grano salis", *Stiller* und *Achtung: die Schweiz* sichtbar wird, findet man, daß er sich in hohem Grad gegen die Erstarrung wendet, die — wie er meint — für das schweizerische politische System kennzeichnend sei. Er betont das Bedürfnis von Alternativen in der eidgenössischen Politik, wobei er im Grunde die Notwendigkeit einer politischen Opposition meint. Frischs Kritik richtet sich — wenn es auch nicht deutlich ausgesprochen wird — gegen die ständige Koalitionsregierung in der Schweiz, worin der politische Kompromiß seinen letzten Ausdruck erreicht. Daß er seine Einwände in diesem Zusammenhang nicht klar und bestimmt formuliert, deutet auf eine Vorsicht, die überraschend anmutet. Es handelt sich doch hier um den entscheidenden und „wunden" Punkt: die Koalitionsregierung ist die Stärke und Schwäche des schweizerischen parlamentarischen Systems. Bezüglich seiner „Alternativthese", seiner Betonung der Mängel an Alternativen, leistet Frisch einen eigenen Einsatz; u. a. durch die in *Achtung: die Schweiz* vorgeführten Vorschläge über Städtebau und Stadtplanung, wobei er versucht, eine außerparlamentarische Alternative zu schaffen. Zum Direkteinfluß des Volkes auf das politische Geschehen durch das für die Schweiz typische Referendum, meint er offenbar — um diese Zeit —, daß dieses System befriedigend funktioniere.

Nach der intensiven Debatte um *Achtung: die Schweiz* und die darauf folgenden Schriften verzichtete Frisch für mehr als ein Jahrzehnt darauf, schweizerische Demokratie zu erörtern. Während einer neuen Periode des Engagements in der zweiten Hälfte der sechziger Jahre nahm er aufs neue diese Fragen in Angriff, wobei er in einigen Punkten an seine früheren Ansichten anknüpfen konnte. Die Schärfe der Kritik hat jedoch zugenommen. Im Artikel „Demokratie ohne Opposition?" (*Die Weltwoche*, 11. 4. 1968) spricht er wie in *Achtung: die Schweiz* davon, daß Politik Geschäft sei und als Verwaltung getrieben werde. Es mangele an Alternativen: weder die Sozialdemokratie noch der Landesring böten eine politische Alternative; man mache Kompromisse. In der schweizerischen Demokratie gebe es natürlich theoretische

Möglichkeiten zur Opposition sowohl im Parlament als auch durch das Referendum, aber de facto existiere sie nicht. „Ein politischer Entwurf, eine Opposition im Sinne einer Alternative zum Bestehenden, erscheint in unserem Land überflüssig." Diesen Umstand findet er nun weit ernstlicher als um 1955: er bezeichnet ihn jetzt sogar als Krise der eidgenössischen Demokratie.

Anläßlich der Jugendkrawalle in Zürich im Sommer 1968 wurde Frisch in der *Basler National-Zeitung* interviewt. (Das Interview wurde auch im *Zürcher Student*, 1968, Nr. 4, publiziert; vgl. dazu auch Frischs Beitrag „Jemand hat sich geirrt" im *Zürcher Student*, 1968, Nr. 1). Frisch wendet sich scharf gegen die Gegenmaßnahmen der Behörden, beispielsweise das eingeführte Demonstrationsverbot, gegen die Stellungnahme gewisser Parteien und gegen die Brutalität der Polizei. Er behauptet sogar, daß man auch in der Schweiz faschistisch sein könnte, „sobald sich die geschichtliche Gelegenheit einstellt". Im Beitrag „Wie wollen wir regiert werden?" (*Die Weltwoche*, 13. 12. 1968) unterstützt Frisch die Weigerung der schweizerischen Studenten, das neue Bundesgesetz über die Eidgenössischen Technischen Hochschulen anzuerkennen und ihren Beschluß, zum Referendum zu greifen. Aber, meint Frisch, es werde die Studenten viel Geld kosten, wenn sie diese Form der Demokratie praktizieren wollten. Das Gesetz sei, sagt Frisch, ohne vorhergehende Befragung der Professoren und Studenten zustandegekommen. Er verlangt, daß Studenten und Lehrer ein wirkliches Mitbestimmungsrecht erhalten.

Man findet, daß Frisch während des Jahres 1968 allmählich seine Position ändert: er spricht anfänglich von einer Krise und schließlich von Schein-Demokratie. Er hat sich mit den Studenten solidarisch erklärt, was ohne Zweifel unter dem Eindruck der Mairevolte in Paris geschehen ist. Die Kritik am Auftreten der Polizei in Zürich hat sich später als berechtigt erwiesen, motiviert aber nicht die Andeutung eines zukünftigen Faschismus in der Schweiz.

Auf jeden Fall ist Frischs Vorstellung von der Funktion der schweizerischen Demokratie vertieft und radikalisiert worden; es genügt ihm nun nicht mehr mit Referendum: er möchte einen größeren Grad von Mitbestimmungsrecht auf den Arbeitsplätzen schaffen. Ist es vielleicht dieses Mitbestimmungsrecht, mit dem Frisch jene „Alternative" gefunden hat, die er schon Mitte der fünfziger Jahre suchte? Er hat damit den traditionellen schweizerischen Standpunkt verlassen und befindet sich 1968 weit entfernt von der einfachen und eindeutigen Formel, die er gleich nach dem Krieg im Stück *Die chinesische Mauer* präsentierte.

Moral und Pädagogik

Die moralische und pädagogische Problematik spielt eine bedeutende Rolle in Frischs Werk; er erweist sich darin als Erbfolger einer typisch schweizerischen Tradition. Wie tief diese Problematik bei Frisch verankert ist, zeigt sich schon in seinem Debütroman *Jürg Reinhart* mit seiner Behandlung des Problems Ehrlichkeit-Lüge. Das Thema erscheint auch im ersten Schauspiel, *Santa Cruz*, wieder, in dem Elvira mehrmals wiederholt: „Warum konnten wir nicht ehrlicher sein?" Diese an sich „einfache" moralische Fragestellung wird Bestandteil vieler seiner folgenden Werke [6].

Mitte der vierziger Jahre gewinnt die allgemeine moralische Debatte an Intensität, was direkt mit dem Beginn der Diskussion des Zeitgeschehens in Frischs Werk zusammenzuhängen scheint. Ein neues moralisches Thema tritt mit dem Stück *Nun singen sie wieder* hervor: Das Problem Schuld-Verantwortung, das eine direkte Beziehung zu der Gesellschaftsproblematik hat und später ein wiederkehrendes Thema seiner Werke einschließlich des Schauspiels *Andorra* wird. Dieser Zusammenhang zwischen Ethik und Gesellschaftsdebatte ist außerordentlich wichtig; hier herrscht eine gegenseitige Beeinflussung.

Als Beispiele des intensiven ethischen Engagements im letzten Teil der vierziger Jahre möchten wir die Schauspiele *Die chinesische Mauer* (I. F.) und *Als der Krieg zu Ende war* erwähnen. In beiden Stücken treten die Hauptgestalten als verurteilende Moralisten auf. Parallel mit diesen Werken entstand das *Tagebuch*, was zahlreiche Ausführungen moralisierender und belehrender Art enthält, die sowohl die Gesellschaft als auch die einzelnen Menschen betreffen, wie beispielsweise Frischs Reflexionen über die Liebe unter der Rubrik „Du sollst dir kein Bildnis machen" (31 ff.). Dies ist eine auffordernde und kategorische Formulierung, und Frisch kommt mehrmals auf dieses Thema in seinen Erzählungen sowie seiner dramatischen Dichtung zurück.

Während der fünfziger Jahre nimmt jedoch die moralisierende Gesinnung bei Frisch ab. Bezeichnend ist ein Vergleich zwischen der ersten und der zweiten Fassung der *Chinesischen Mauer* (1947 bzw. 1955). In der ersten Version begegnet man einer oft schwerfälligen, pathetischen und umständlich-moralisierenden Einstellung. In der zweiten Version ist eine Reihe von predigtähnlichen Repliken gestrichen oder umgearbeitet. Wir möchten im Nachfolgenden auf einige Beispiele aus einer einzelnen Szene hinweisen. In der ersten Fassung äußert somit Min Ko („Junger Mann"):

> „Weil er (der Kaiser) weiß, daß er in Wahrheit kein Fürst ist, daß alle diese fürstlichen Gärten nicht ihm gehören, in Wahrheit nicht, und darum, vermute ich, fürchtet er das Reich der Wahrheit. [. . .]. Jede

Lüge ist vergeudetes Leben." (49). — "Weil alles, was er tut, nichts fruchten kann; weil alles, was man außerhalb der Wahrheit tut, der Unsinn ist, die Leere." (50). — „Das Übel, scheint mir, besteht darin, daß man die Mehrzahl aller geborenen Menschen, indem man ihnen Unrecht tut, daran verhindert, reifer zu werden. [...]. Jedes Unrecht, das wir unserem Nächsten tun, verzögert in ihm das Reich der Wahrheit." (54).

Keines dieser Zitate findet sich in der zweiten Fassung (vgl. Szene 7 in II. F.: 45—59).

In dem ungefähr gleichzeitig mit der II. Fassung der *Chinesischen Mauer* herausgegebenen Roman *Stiller* bemerkt man, daß der Autor eine gewisse Distanz zum moralischen Thema erstrebt und auch erreicht. Stiller ist sich seiner eigenen Situation deutlich bewußt: „Er ist ein Moralist wie fast alle Leute, die sich selbst nicht annehmen." (332). Es gibt sowohl Selbstironie als auch Selbstkritik in Stillers Auffassung von sich. In dem Roman begegnet man außerdem einem echten Moralisten, dem Verteidiger Bohnenblust, der über die Ehe als sittliche Aufgabe, über Opfer, über die zehn Gebote Gottes, Pflichtbewußtsein usw. predigt. Er wird — beispielsweise im Gegensatz zum „Jungen Mann" — lächerlich und ironisch geschildert.

Eigenartig ist, daß trotz dieser Veränderung in Frischs dichterischem Werk, die sein zunehmendes Bewußtsein von der moralischen Problematik erkennen läßt, keine Veränderung in seiner Publizistik merkbar wird, wo Frisch im Gegenteil um diese Zeit einen pädagogischen Höhepunkt erzielt. In *Achtung: die Schweiz*, wo Frisch als politischer Volkserzieher auftritt, handelt es sich darum, ganz allgemein das schweizerische Volk zu beeinflussen, Vorbilder zu schaffen, sowie es in positiver Richtung durch neue Ideale und Ziele zu verändern. Bei den Vorbereitungen zu der darauf folgenden Broschüre *Die neue Stadt* schrieb Frisch an seine Mitverfasser Markus Kutter und Lucius Burckhardt den für seine damalige Gesinnung charakteristischen Satz: „Wir sind Prediger." (19. 6. 1955). Auch in der „Festrede 1957" kommen ermahnende und erziehende Ausführungen vor, beispielsweise in bezug auf die Freiheit.

Erst nach dem Mißlingen dieser pädagogischen Aktivität wurde er sich über seine Situation und seine Stellung zur Gesellschaft und Moral klar: er konnte auf seine eigene Entwicklung mit kritischem Blick zurückschauen und war zu einer Umwertung bereit. Diese Veränderung in Frischs Auffassung wird speziell in der Rede mit dem Titel „Öffentlichkeit als Partner" sichtbar, die Frisch am 14. Dezember 1958 hielt[7]. Frisch behandelt eingehend die Frage der Verantwortung des Schriftstellers gegenüber der Gesellschaft und gibt dabei einer persönlichen Ansicht Ausdruck:

„Spreche ich von mir selbst, so müßte ich sagen, daß ich die gesellschaftliche Verantwortung des Schriftstellers nicht bloß angenommen, sondern mich, rückläufig sozusagen, sogar zum Irrtum verstiegen habe, daß ich überhaupt aus solcher Verantwortung heraus schreibe . . . " (ÖP, 60) [8].

Mit beinahe exakt derselben Formulierung kommt Frisch in der Rede „Der Autor und das Theater" (1964) hierauf zurück, wo er übrigens betont, daß es auch andere Triebkräfte für seine dichterische Tätigkeit gibt, z. B. das Bedürfnis nach Kommunikation. So hat auch Frisch letzten Endes selber das entdeckt, was für den Außenstehenden ziemlich selbstverständlich gewesen ist.

Der Umwandlungsprozeß, der Ende der fünfziger Jahre anfängt, schwingt übrigens auch in der „Büchner-Rede" mit, wo Frischs Verzicht auf gesellschaftliches Engagement auf eine natürliche Weise in Zusammenhang mit der moralischen Problematik gebracht werden kann.

In der schriftstellerischen Tätigkeit aus den sechziger Jahren ist die Bewußtseinsveränderung bei Frisch am deutlichsten wahrnehmbar: er verzichtet in Werken wie *Mein Name sei Gantenbein* und *Biografie: Ein Spiel* auf die moralisierende Haltung und auf eine direkte moralische Debatte; in dem Maße, wie ethische Probleme aufgegriffen werden, geschieht es in einer gemäßigten oder verschleierten Form. Das bedeutet nicht, daß Frisch grundsätzlich die Verantwortung des Schriftstellers in der Gesellschaft ablehnt. Er ist vielmehr der Ansicht, daß die Verantwortung allmählich kommt, d. h. wenn der Autor durch seine Werke einen gewissen Einfluß erlangt hat. Es ist eine Verantwortung, die den Dichter trifft, ob er will oder nicht (ÖP, 59 f.).

Wir müssen somit feststellen, daß bei Frisch eine sehr nahe Beziehung zwischen Moral und Gesellschaftsengagement herrscht, vor allem während der intensiven Periode 1945—55. Seine Entwicklung läuft von der Beschäftigung mit dem relativ unkomplizierten ethischen Problem von Wahrheit-Lüge über das Problem Schuld-Verantwortung bis zu einem resignierten Abstandnehmen von dem gesamten Problemkomplex. Die Frage liegt nahe, ob der Moralismus bei Frisch einer religiösen Gesinnung entspringt. Dies scheint nicht der Fall zu sein, da er in seinem Werk überhaupt sehr wenig Interesse an religiösen Problemen zeigt. In erster Linie erscheint er durch seine trocken moralisierende, kritische und erzieherische Einstellung als ein später Nachfolger der Aufklärung des 18. Jahrhunderts.

Architektur und Städtebau

Im Jahre 1942 äußert Frisch sich zum ersten Male öffentlich zum Thema Architektur in der Skizze „Das erste Haus", erschienen am 13. 9. und 20. 9. 1942 in der *Neuen Zürcher Zeitung*. Hierbei handelt es sich um persönliche Erlebnisse angesichts des eigenen Werkes; dagegen finden sich noch keine Spuren einer Gesellschaftskritik. Diesbezüglich kritischen Reflexionen begegnet man erst im *Tagebuch* in einigen Notizen vom September-Oktober 1947, unter dem Titel „Zur Architektur", deren Anlaß eine Auseinandersetzung mit Jacob Burckhardt ist, in der Frisch sich zu einer fast antihistorischen Gesinnung bekennt und sich gegen Burckhardts Geringschätzung der Gegenwart wendet. Frisch lehnt sich gegen die Bewertungen, die im Zusammenhang mit einem Zürcher Architekten-Wettbewerb um den Bau eines neuen Kunstmuseums zum Ausdruck gekommen sind, auf und meint, daß historische Pietät dabei eine allzu große Rolle gespielt habe: „Bildung als Perversion, ins Museale." (193).

Die erwähnten Reflexionen über Burckhardt erhalten u. a. dadurch Gewicht, daß man hier bei Frisch den Beginn der Spannung zwischen Vergangenheit und Zukunft finden kann, die eine so bedeutsame Rolle in Frischs Gesellschaftskritik spielen sollte.

Im *Tagebuch* interessiert sich Frisch hauptsächlich immer noch für das einzelne Bauwerk. Von größter Bedeutung für Frischs weitere Entwicklung wurde seine Reise nach Amerika in den Jahren 1951–52, die sein Blickfeld erheblich erweiterte. Besonders hat die Architektur Mexikos ihm imponiert. In einem Reisebrief in der *Neuen Schweizer Rundschau* (1952, H. 2) mit der Rubrik „Orchideen und Aasgeier" gibt er seiner Bewunderung für das Kompromißlose, Rücksichtslose und Radikale Ausdruck.

Nach der Heimkehr hielt Frisch im Juni 1953 in Zürich vor einer Gruppe von Architekten einen Vortrag, in dem er seine Eindrücke und Gesichtspunkte zusammenfaßte. Die Rede weckte lebhafte Aufmerksamkeit und wurde im Oktober desselben Jahres in der Zeitschrift *Werk* unter dem Titel „Cum grano salis" publiziert. Frisch ist sehr kritisch, und seine Kritik geschieht in der Beleuchtung des Gegensatzes zwischen dem Großartigen, das er während seines Amerikaaufenthaltes erlebt hat, und dem Kleinlichen, das ihm in der Heimat begegnet.

> „Der Heimkehrende [...] ist ziemlich beklommen, wenn er wieder vor unsrer einheimischen Architektur steht, erstaunt über die landläufige Selbstzufriedenheit; der Mythos des Kompromisses, die Flucht ins Detail, die Diktatur des Durchschnittlichen, der Kult des Niedlichen, das auffallende Heimweh nach dem Vorgestern und die gefährliche Meinung, daß Demokratie etwas sei, was sich nicht verwandeln kann." (*Werk*, 1953, Nr. 10).

Kurz vor der Veröffentlichung des Artikels „Cum grano salis" erschien eine Broschüre mit dem Titel *Wir selber bauen unsere Stadt*, die von Markus Kutter und Lucius Burckhardt verfaßt war, und zu der Frisch das Vorwort geschrieben hatte. Damit war eine wichtige Zusammenarbeit etabliert worden, die in zwei weiteren Schriften, nämlich *Achtung:*

die Schweiz und *Die neue Stadt* resultierte. Bei unserer Untersuchung dieser Schriften und der Beziehungen zwischen den drei Autoren war es uns möglich, bisher unveröffentlichtes Material einzubeziehen, auf das sich die folgende Darstellung gründet [9].

Der Anstoß für Burckhardts und Kutters Interesse für den Städtebau kam im Jahr 1949, als die Behörden in Basel einen Umbau- und Sanierungsplan vorgelegt hatten, gegen den die beiden Vorbehalte äußerten. Burckhardts und Kutters Interesse für die betreffenden Probleme manifestierte sich allmählich in der Schrift *Wir selber bauen unsere Stadt* (1953), worin die Städteplanung prinzipiell, sowie speziell mit Rücksicht auf die Verhältnisse in Basel behandelt wird. Sie nähern sich den Problemen als Laien: Burckhardt ist Volkswirtschaftler und Kutter Historiker. Sie behaupten, daß die Baufragen politisiert werden müßten: sie sollten von der Öffentlichkeit und den politischen Parteien erörtert und entschieden werden und nicht von den Beamten in der Verwaltung. Man brauche Ideen und eine Zukunftsplanung. Diese Ideen sollten von den politischen Organisationen erarbeitet werden, die ideologischer als momentan werden müßten. Die Autoren sprechen oft vom Bedürfnis nach Utopien: „Keine Politik ohne Utopie!" (15) oder: „Die Planung macht aus Utopien Wirklichkeit." (20).

Während des Sommers 1953 suchte Kutter brieflichen Kontakt mit Frisch, mit der Bitte, ihm ein Vorwort zu schreiben. In einem Brief vom 12. August erklärt Frisch sich interessiert und verfertigt noch im selben Monat das Vorwort. Am 10. September 1953 erschien die Broschüre dann im Buchhandel. Frisch stimmt in seinem Vorwort im wesentlichen den beiden Autoren zu und schließt mit folgendem Satz, der später mehrmals bei ihm wiederkommen sollte: „Man ist nicht realistisch, indem man keine Idee hat." (9).

Burckhardt und Kutter planten schon eine neue Schrift, die später den Titel *Achtung: die Schweiz* bekam, und an der Frisch als Mitarbeiter tätig war. Die Entstehungsgeschichte dieser Broschüre ist insofern wichtig, als sie Frischs Entwicklung zum gesellschaftskritischen Publizisten bis zu jenem Höhepunkt um 1955—56 erhellt. Wir rekonstruieren ihre Entstehung folgendermaßen. Im November 1953 lag ein Manuskript vor, das den Titel „Landesausstellung 1964" hatte. Die beiden Autoren, Burckhardt und Kutter, waren hier der Ansicht, daß die nächste große Landesausstellung die Form eines Experimentes bekommen solle: eine Stadt sollte nach den modernsten Städtebauprinzipien gegründet werden und dann als Vorbild dienen. Jenes Manuskript diente später als Unterlage für die Diskussionen, die in einer größeren Gruppe stattfanden. Diese Kommission, in der auch Frisch Mitglied war, versammelte sich verschiedentlich während der Zeit von November 1953 bis Januar 1954.

Es scheint, als ob die Teilnehmer, unter denen es einige Experten gab —
u. a. noch einen Architekten —, über alles Wesentliche einig gewesen
seien; die Änderungsvorschläge betrafen hauptsächlich die Finanzierung.
In der Zeit von Februar bis Juli lag die Arbeit darnieder, aber im August
erhielt Frisch das ursprüngliche Manuskript und schrieb es um unter
Berücksichtigung der Einwände, die während der früheren Diskussionen
in der Gruppe geäußert worden waren. Laut Burckhardt verfaßte Frisch
die ganze Broschüre, Kutter dagegen meint, daß Frisch alles, außer einem
Kapitel, wahrscheinlich „Warum soll es nicht möglich sein?", geschrieben habe [10]. Nach Burckhardt brauchte Frisch nur einige Tage, um den
Text auszugestalten. Am 8. September war Frisch fertig und die Schrift
trug jetzt — nach seinem Vorschlag — den Titel „Ist die Schweiz eine
Mumie?" Auf Antrag von Burckhardt wurde jedoch der Titel später in:
„Achtung: die Schweiz" geändert [11]. In vervielfältigter Form lag Frischs
Manuskript im Oktober 1954 fertig vor. Er wurde dann noch einer ge-
meinsamen Diskussion und Überarbeitung unterzogen [12].

Im Januar 1955 erschien die Schrift *Achtung: die Schweiz*, die eine
Auseinandersetzung mit der gegenwärtigen schweizerischen Architektur
und Städteplanung ist, sich aber außerdem zu einer scharfen Kritik an
den geistigen und politischen Verhältnissen in der Schweiz erweitert.
Diese Kritik verfolgt jedoch im Grunde ein positives Ziel, was aus dem
Untertitel hervorgeht. Frisch und seine Mitarbeiter gehen von der Landesausstellung 1939 in Zürich aus, deren Bedeutung sie voll bestätigen:

> „Und es ging damals vor allem darum, sich als Nation zu erkennen, sich
> in diesem Sinn zu wollen. Es wurde eine schweizerische Lebensform
> gezeigt, hervorgegangen aus der Geschichte, und es wurde eine patrio-
> tische Sprache gefunden, die heute noch (wo sie in wesentlichen Punkten
> nicht mehr stimmt) den Wortschatz des Schweizers als Schweizer aus-
> macht." (10).

Diese Ausstellung wäre jedoch, meinen sie, eine Manifestation der Väter
gewesen. Die Schweiz vom Jahr 1955 sei nicht mehr die Schweiz
von 1939 (6 f.). Der Schweizer lebe provisorisch, es mangele ihm an
einer Idee, einer Lebensform, die der jetzigen Zeit angepaßt sei. Veränderung, Verwandlung und Handlung seien notwendig. Die Vorschläge, die vorgelegt worden seien, bezweckten den Bau einer neuen
Stadt, einer Experiment- und Musterstadt, ganz nach den Forderungen
der modernen Zeit geplant. Sie könne zur großen Landesausstellung
1964 fertig stehen und eine Manifestation des gegenwärtigen schweizerischen Lebensstils werden: sie werde zeigen, wie die Schweizer ihr Leben
im Zeitalter der Technik formen. Die Stadt solle eine nationale Angelegenheit werden, ein Gemeinschaftswerk. „Wir wollen die Schweiz als
eine Aufgabe", heißt es in einem wiederkehrenden Satz (19; vgl. 40,
50, 55).

Ein wie großer Teil des Ideeninhalts in der Schrift *Achtung: die Schweiz* stammt von Frisch? Es ist hier angebracht, zuerst einen Vergleich zwischen Frischs Vortrag „Cum grano salis" (*Werk*, 1953, Nr. 10) und der Broschüre *Wir selber bauen unsere Stadt* (abgek.: Wsb) anzustellen. Es zeigt sich, daß in vielen Punkten eine überraschende Übereinstimmung herrscht. Frisch betont das Bedürfnis nach einer modernen Städteplanung. Die Frage der Planung spielt auch eine zentrale Rolle in *Wir selber bauen unsere Stadt* (*Werk*, 1953, 327; vgl. *Wsb*, 20 ff.). Frisch spricht von der Notwendigkeit, den Blick auf die Zukunft zu richten. Die Broschürenautoren sprechen von einem Entwurf für die Zukunft (*Werk*, 1953, 327; vgl. *Wsb*, 26). Während Frisch die Frage stellt: „Haben wir keine Ideen?", verwenden Burckhardt und Kutter wiederholt den Ausdruck Utopie (*Werk*, 1953, 329; vgl. *Wsb*, 15, 20, 25). Frisch und die beiden scheinen hier dieselbe Sache zu meinen. Frisch betont, daß eine offene Diskussion notwendig sei, und daß die betreffenden Fragen letztlich nur vom Volk selber entschieden werden können. Dies ist in der Tat ein Hauptanliegen bei Kutter und Burckhardt: die politischen Parteien sollen diese Fragen aufnehmen und das Interesse und die Debatte bei der Öffentlichkeit wecken (*Werk*, 1953, 329; vgl. *Wsb*, 24). Sowohl Frisch als auch die Broschürenverfasser weisen auf das immer stärker verkleinerte Stück Land hin, das zur Verfügung steht, und erwähnen als Vergleich das 19. Jahrhundert und den damaligen Liberalismus (*Werk*, 1953, 328; *Wsb*, 17, 20 f.). Von beiden Seiten her wird die Frage der Beziehungen zwischen Freiheit und Planung erörtert (*Werk*, 1953, 328 f.; vgl. *Wsb*, 21).

„Cum grano salis" und *Wir selber bauen unsere Stadt* sind ohne Kommunikation zwischen Frisch einerseits und Burckhardt und Kutter andererseits entstanden. Die Autoren sind selbständig zu den gleichen Schlußfolgerungen gelangt. Es gab also gute Voraussetzungen für die Zusammenarbeit, die in der Schrift *Achtung: die Schweiz* manifestiert wurde.

In *Achtung: die Schweiz* findet man alle die wichtigen Gedankengänge von *Wir selber bauen unsere Stadt*, z. B. den zentralen Gedanken, daß Städteplanung eine politische Angelegenheit sein soll. Die für die Broschüre *Wir selber bauen unsere Stadt* und „Cum grano salis" gemeinsamen Gesichtspunkte kehren auch in *Achtung: die Schweiz* wieder, oft in erweiterter Form. Daß Frisch sich mit den Grundgedanken in der Schrift *Achtung: die Schweiz*, also auch mit denjenigen, die von Burckhardt und Kutter ausgehen, solidarisiert hat, ist ziemlich selbstverständlich, da er ihnen ja u. a. seine eigene stilistische Form gegeben hat.

Burckhardt behauptet, daß der pathetisch-polemische Ton in *Achtung: die Schweiz*, den Burckhardt nicht schätze, Frischs Werk sei. Er meint, daß der Inhalt in der ursprünglichen Version, d. h. derjenigen, die von Burckhardt und Kutter verfaßt war, kritisch aber sachlich orientierend sei. Ein Vergleich zwischen den beiden Manuskripten bestätigt Burckhardt in seiner Behauptung. Burckhardt ist ferner der Ansicht, daß Frischs Formulierung wahrscheinlich der Sache nicht förderlich gewesen sei.

Das Funkgespräch *Der Laie und die Architektur*, in der Zeitschrift *Merkur* (1955, 261—78) publiziert, gehört inhaltsmäßig mit *Achtung: die Schweiz* und dem Roman *Stiller* zusammen und ist in bezug auf seine Form ein Mittelding zwischen Dichtung und Journalistik. Der Autor verwendet hier fiktive Figuren, die ihre Ansichten über Architektur und Städteplanung erläutern. Von den vier teilnehmenden Personen repräsentieren zwei, der „Architekt" und der „Laie", der sich als Intellektueller bezeichnet, den Standpunkt des Verfassers. Während die Gesichtspunkte in *Stiller* und *Achtung: die Schweiz* sich ganz auf schweizerische Verhältnisse beziehen, handelt es sich in diesem Funkgespräch um Aspekte mit allgemeiner europäischer Gültigkeit. Offenbar wendet sich das Stück zunächst an ein deutsches Publikum. Der „Laie" und der „Architekt" sind beide kritisch gegenüber Baugesetzen, Bauvorschriften, der Bürokratie und der Herrschaft der Experten. Beide erachten ein stärkeres Element von Demokratie bei der Städteplanung als notwendig: das Volk, die Gesellschaft, soll in höherem Grad die langfristigen Ziele diskutieren und bestimmen. Besonders der „Laie" betont den politischen Gesichtspunkt und äußert u. a.:

> „Städtebau ist Politik. [. . .] Unter Politik verstehe ich nicht Bürokratie! [. . .] Wie soll unsere Zukunft aussehen? Die Frage richtet sich an uns. Was für eine Gesellschaft wollen wir, was für eine Lebensform? Unter Politik verstehe ich, ganz allgemein gesprochen, die Kunst der Planung. Die Kunst, sich von den Gegebenheiten der Gegenwart frei zu machen durch Planung; das heißt: Politik besteht nicht darin, gerade das Allernotwendigste zu tun und innerhalb der Gegebenheiten zu verwalten; Politik besteht darin, die Möglichkeiten in der Zukunft zu erkennen und unter ihnen zu wählen, durch ideologische Entscheidung zu wählen, welcher Art die Gegebenheiten von morgen sein sollen." (*Merkur*, 1955, 276 f.).

Das Zitat oben stimmt teilweise exakt mit den Schlußworten des 10. Kapitels („Unsere Hoffnung") der Broschüre *Achtung: die Schweiz* (54) überein. In der Tat ist das Funkgespräch ein Konzentrat der Ansichten jener Broschüre. Die Ideen werden jedoch im Funkgespräch in gedämpfter Form, d. h. nicht mit der gleichen Ironie oder Polemik vorgebracht. Im Funkgespräch handelt es sich nicht um eine Kritik an speziell schweizerischen Verhältnissen, sondern um eine allgemeine Kritik, die auch auf deutsche Verhältnisse bezogen werden könnte.

Im Artikel „Planung tut not!" in der *Weltwoche* (29. 4. 1955) machte Frisch einen Einwurf in die Debatte, die auf das Erscheinen der Broschüre *Achtung: die Schweiz* folgte, und versucht hier die wichtigsten Diskussionspunkte zusammenzufassen. U. a. wird aufs neue die Notwendigkeit der Zukunftsplanung unterstrichen. In diesem Zusammenhang werden auch Probleme der Demokratie berührt. Dieser Artikel ist dadurch interessant, daß er ein Vorläufer der Schrift *Die neue Stadt* ist: drei Abschnitte des Artikels „Planung tut not!" findet man wörtlich in jener Schrift wieder [13].

Die Zusammenarbeit zwischen Burckhardt, Kutter und Frisch wurde weitergeführt: eine neue Broschüre sollte geschaffen werden. Das Ziel war, als Kommentar und Kritik in ihr eine Reihe der Artikel aufzunehmen, die auf die Schrift *Achtung: die Schweiz* gefolgt waren. In einem Brief vom 19. 6. 1955 an Burckhardt und Kutter schließt Frisch an den gerade erwähnten Artikel in der *Weltwoche* an. Obwohl er gleichzeitig seiner Unlust Ausdruck verleiht, deutet er auf die Notwendigkeit hin, die Debatte fortzusetzen.

> „Eure Texte habe ich mit dem schlechtesten Gewissen empfangen. Ich habe fast nichts, was über die WELTWOCHE hinausreicht; die Sache hängt mir derart zum Hals heraus, daß ich nur allzu sehr geneigt wäre zu sagen: Lassen wirs! Das geht aber nicht. Das erste Pamphlet und dann Schweigen, das wäre zu billig, zu mißverständlich, zu günstig für die Gegner der dummen Sorte, zu schnöde gegenüber allen, die in den Zustand der Begeisterung oder des Interesses versetzt worden sind, zu unverantwortlich. Meines Erachtens (leider) müssen wir die Zweite Broschüre hinkriegen — um so schlimmer, daß mir nichts dazu einfällt . . ."

Nachdem Frisch Burckhardts und Kutters Texte erörtert hat, gibt er einige Ratschläge hinsichtlich Planung und Gestaltung der verschiedenen Ausführungen.

> „Scheut euch nicht vor ähnlichen, sogar gleichen Formulierungen. Wir sind Prediger. Es muß eingehämmert werden. Dabei darf der Gedanke nochmals und nochmals wiederholt werden, nicht aber das illustrierende Beispiel! Das ist wichtig; Wiederholung in Variationen."

In der Schrift *Die neue Stadt*, 1956 erschienen, steht diesmal jeder der drei Autoren für seinen eigenen Beitrag. Frisch berührt verschiedene Themen: Stadt- und Wohnungsplanung, soziologische und verkehrstechnische Probleme. Das vielleicht wichtigste Thema ist jedoch das der Bodenspekulation, womit Frisch an die vorherige Broschüre anknüpfen kann. Er stellt die Frage, ob Spekulation etwas Unvermeidliches, ein Schicksal sei (51). Frisch geht weiter bei diesem heiklen Thema als in *Achtung: die Schweiz* und behauptet, daß die geplante Stadt nur verwirklicht werden könne, wenn Grund und Boden wieder — wie es einmal in der schweizerischen Demokratie war — in den Besitz der Gemeinde kämen (61).

Welche Bedeutung haben die Broschüren *Achtung: die Schweiz* und *Die neue Stadt* für die darauf folgende Debatte gehabt? Die erste Schrift löste eine lebhafte Diskussion aus und ist zur meistdebattierten Broschüre in der Schweiz während der Nachkriegszeit geworden. Sie wurde in mehr als 10 000 Exemplaren gedruckt, was für die Schweiz sehr ungewöhnlich ist, wo eine Schrift selten eine Auflage über 3 000 Exemplare erreicht. Mehr als 200 Zeitungsartikel folgten, die sich mit der Idee beschäftigten. Ganz vereinzelt kommt in diesen Beiträgen ein Enthusiasmus zum Ausdruck, die Mehrzahl aber ist sehr negativ und kritisch[14]. Frisch wurde in der Debatte als Verfasser und Urheber der Idee herausgestellt. Dagegen wehrte er sich, indem er behauptete — und zwar mit Recht —, daß die Idee selber eigentlich von Burckhardt und Kutter stamme[15]. Ebenfalls lebhaft, jedoch positiver, wurde *Achtung: die Schweiz* unter den Studenten an der ETH (Eidgen. Techn. Hochschule) 1955—56 diskutiert. Es ist nicht ausgeschlossen, daß das zukünftige Wirken dieser Studenten von der damaligen Debatte beeindruckt worden ist. Man kann hier auf einen konkreten Fall hinweisen, nämlich auf die junge Gruppe „2000 Brugg", die sich für Terrassenbauten einsetzte, und die von jenen Diskussionen inspiriert wurde. *Die neue Stadt* wurde weit weniger diskutiert, erhielt aber doch eine gewisse Bedeutung: man kann z. B. den Verein „Die neue Stadt" erwähnen, der von positiv gesinnten Personen gegründet wurde[16].

Das Hauptanliegen mit der Schrift *Achtung: die Schweiz* war, die Landesausstellung 1964 in eine bestimmte Richtung zu beeinflussen und zu gestalten. Es ist jedoch den Autoren nicht gelungen, ihre Absicht zu verwirklichen: die Ausstellung zeigte kaum Spuren jener Debatte[17].

Frisch schließt sein publizistisches Engagement im Zusammenhang mit den Städtebaufragen mit drei Beiträgen ab, von denen zwei von einem neuen Amerikaaufenthalt im Herbst 1956 stammen. Dieser nach fünf Jahren erneuerte Besuch, der in gewisser Hinsicht für ihn zu einer Enttäuschung wurde, resultierte in einigen Reisebriefen in der *Weltwoche*. Der Beitrag „Eine Chance der modernen Architektur — vertan" (14. 9. 1956) ist ein Report aus Mexiko, worin Frisch Bericht über Ciudad Universitaria, die neue mexikanische Universitätsstadt, erstattet. Im Jahre 1951 weckte der Bau mit seinen unkonventionellen Voraussetzungen große Hoffnungen, in fertigem Zustand aber erlebt der Autor die Stadt als eine Enttäuschung. Die Ursache, meint er, sei der Mangel an Planung. Im Beitrag „Fort Worth, die Stadt der Zukunft in Texas" (16. 11. 1956), erzählt Frisch von einem amerikanischen Versuch, die Verkehrsprobleme in einer modernen Stadt in einer kühnen und fortschrittlichen Weise zu lösen, die auch für die Schweiz vorbildlich wäre. Zwischen diesen beiden Artikeln fand Frisch auch noch Zeit, in die aktuelle Debatte in seiner Heimatstadt einzugreifen: der Beitrag „Soll Zürich einen Kopf haben?" (5. 10. 1956) ist eine scharfe Kritik an dem Verkehrsplan für Zürich, den eine von den Behörden eingesetzte Kommission vorgelegt hatte. Frisch präsentiert einen Gegenvorschlag.

Damit hörte Frischs gesellschaftliches Engagement praktisch gänzlich auf, und er zog sich für lange Zeit zurück. Es dauerte mehr als ein Jahrzehnt, bevor er sich in einer Debatte über Stadtplanung äußerte: und zwar Ende der sechziger Jahre, da Frischs publizistische Aktivität zu neuem Leben erweckt worden war. Es handelt sich diesmal um einen Vorschlag zur Gesamtkonzeption des „Heimplatzes" in Zürich, den eine Kommission vorgelegt hatte. Anläßlich dieses Vorschlags hat Frisch sich Ende 1968 in die öffentliche Debatte eingeschaltet. An die Zürcher Haushaltungen wurde ein Flugblatt mit dem Titel *Eine Chance für Zürich* verbreitet, das mit „Arbeitsgruppe der SPZ" (Sozialdemokratische Partei Zürich) unterzeichnet war. Zu dieser Gruppe gehörte u. a. Max Frisch. Das Flugblatt war jedoch kein Protest; die Gruppe beabsichtigte lediglich, den Vorschlag zu ergänzen. Die betreffende Debatte über den „Heimplatz" ist in *Züri Leu* am 9. 1. 1969 referiert worden. In derselben Nummer steht ein Interview mit Frisch unter dem Titel „Integration der Kultur", worin er betont, daß das Flugblatt nicht als negative Kritik beabsichtigt sei. Von besonderem Interesse sind seine positiven Schlußfolgerungen; Frisch konstatiert eine Veränderung in einer für ihn annehmbaren Richtung: „Es werden immer mehr soziologische und politische Elemente bei der Planung angewandt. Das Heimplatz-Projekt ist ein Beispiel dieser positiven Wandlung." Die Zeit scheint also für Frisch gearbeitet zu haben, und es ist auch nicht ausgeschlossen, daß *Achtung: die Schweiz* und die Debatte um diese Schrift, jedenfalls auf lange Sicht, die Entwicklung haben beeinflussen können.

Unter allen Umständen bedeutete die negative Aufnahme der Broschüre *Achtung: die Schweiz* und die folgende Debatte für Frisch eine tiefe Enttäuschung. Einen anderen Ausgang hätten übrigens er und seine Mitautoren kaum erwarten können. Es war ein Fehlschluß zu glauben, daß sie durch ihre Schriften ein Aufwachen und eine Erneuerung bei dem erdgebundenen, realistischen und im allgemeinen konservativen Schweizer Volk veranlassen könnten; es war keinen utopischen Ideen zugänglich, am allerwenigsten in der angebotenen Form, in jener Mischung von einerseits hochfliegendem Idealismus, und andererseits scharfer Ironie und Kritik. Als außenstehender Beurteiler findet man den Plan einer derartigen Experimentstadt zwar interessant, aber doch allzu unrealistisch. Das hindert jedoch nicht, daß mehrere von Frischs Vorschlägen wertvoll sein könnten, nicht zum mindesten für die traditionsgebundene schweizerische Architektur. Die heftige und aufgeregte Kritik an Frisch und seinen Mitautoren mutet den Betrachter sehr seltsam an.

Auf jeden Fall handelt es sich um einen für Frisch außerordentlich bedeutungsvollen Zeitabschnitt in seiner Entwicklung als Gesellschaftskritiker und Publizist, die von seinen ersten Bemerkungen zum Thema Architektur über den Aufsatz „Cum grano salis" bis zu der Schrift *Die neue Stadt* hinläuft. Man findet, wie gewisse Ideen wiederkehren und vertieft werden: die Zukunftsidee, die Betonung der Notwendigkeit zu verändern, Neues zu schöpfen, der Wunsch nach größerer Aktivität des Einzelnen — gegen Bürokraten, Technokraten und Fachleute. Das Volk selber soll die allgemeinen gesellschaftlichen Fragen diskutieren (Frisch benutzt in diesem Zusammenhang oft das Wort „Politik"). Letztlich handelt es sich um ein demokratisches Ziel.

Es ist wichtig festzustellen, daß Frischs Gesellschaftskritik, d. h. die Kritik an der Schweiz, einen unmittelbaren Zusammenhang — wie es aus der obigen Untersuchung hervorgeht — mit Architektur und Städteplanung, also mit seinem beruflichen Gebiet, hat. Von diesem konkreten Ausgangspunkt beurteilt er die Schweiz und die Schweizer: Fehler und Schwächen spiegeln sich in der Architektur wider. Mittels seines Fachgebietes arbeitet er sich in die gesellschaftliche Problematik hinein und schafft sich neue Ideen, z. B. die der vertieften Demokratie.

Man sieht die Hauptzüge der Entwicklung: Frisch beginnt mit dem einzelnen Haus und allmählich erweitert sich die Perspektive um letztlich ein ganzes Stadtgebiet zu umfassen. Entscheidend wurde die Begegnung mit der amerikanischen Architektur 1951—52. Diese architektonischen Schöpfungen erhalten für ihn eine fast symbolische Bedeutung: sie werden Bilder der Größe und der Zukunft, und von derartigen Bildern ausgehend, beurteilt Frisch im folgenden seine Heimat. Ein anderer sehr wichtiger Schritt war seine Begegnung mit Burckhardt und Kutter. Alle drei hatten in verschiedener Hinsicht überraschend ähnliche Ideen, aber in einem Punkt übernahm Frisch ihre Ansichten, nämlich in bezug auf die kommende Experimentstadt, die anläßlich der Landesausstellung 1964 verwirklicht werden sollte. Hiermit hatte Frisch ein konkretes Ziel erhalten, das er brauchte und worauf er seinen Idealismus und Moralismus, seine Kritik sowie sein Engagement und politisches Interesse konzentrieren konnte. Die Zusammenarbeit mit Burckhardt und Kutter erfüllte damit eine sehr wesentliche Funktion.

Im Kampf um diese Stadt, um dieses Ziel, kulminiert Frischs gesellschaftliches Engagement und sein publizistisches Werk. Aber auch eine seiner hervorragendsten Leistungen auf dem dichterischen Gebiet, nämlich der Roman *Stiller*, ist eine Schöpfung dieses Engagements und dieses Kampfes.

Publizistik und Dichtung: Ein Vergleich

Es herrscht ein enger Zusammenhang zwischen dem Artikel „Cum grano salis" und demjenigen Abschnitt im Roman *Stiller* — nämlich einem Gespräch zwischen Stiller und dem Architekten Sturzenegger (325—28) —, in dem Frisch seine wichtigste Kritik an der schweizerischen Gesellschaft vorbringt, mit Architektur- und Städtebaufragen im Zentrum. Hier folgt ein Vergleich zwischen den beiden Schriften (an dieser Stelle mögen zwei Zitate genug sein; die übrigen folgen im „Exkurs" unmittelbar nach dem vorliegenden Abschnitt). Der Artikel (C. g. s. abgekürzt) ist der Zeitschrift *Werk*, 1953, Nr. 10, entnommen.

> C. g. c.: „Man kann es Mäßigung nennen, um sich abfinden zu können. Aber ist es gut, daß wir uns damit abfinden? Verzicht auf das Wagnis, wenn er zur Gewöhnung wird, bedeutet im geistigen Bezirk ja immer den Tod, eine gelinde und unmerkliche, aber unaufhaltsame Art von Tod. Und tatsächlich läßt es sich ja mit aller Geschäftigkeit kaum verbergen, daß die schweizerische Atmosphäre heute etwas Lebloses hat, etwas Geistloses in dem Sinn, wie ein Mensch immer geistlos wird, wenn er nicht mehr das Vollkommene will. [...]. Ist es aber nicht so, daß der gewohnheitsmäßige Verzicht auf das Große (das Ganze, das Vollkommene, das Radikale) schließlich zur Impotenz sogar der Phantasie führt? (Und sind wir dieser Impotenz nicht schon sehr nahe?) Die offensichtliche Armut an Begeisterung, die allgemeine Unlust, die uns in der Schweiz entgegenschlägt, sind das keine erschreckenden Symptome?" (*Werk*, 1953, 325).

> vgl. *Stiller:* „Sie selber höre ich von Sturzenegger, nennen es Mäßigung, was mir auf die Nerven geht; überhaupt haben sie allerlei Wörter, um sich damit abzufinden, daß ihnen jede Größe fehlt. Ob es gut ist, daß sie sich damit abfinden, weiß ich nicht. Verzicht auf das Wagnis, einmal zur Gewöhnung geworden, bedeutet im geistigen Bezirk ja immer den Tod, eine gelinde und unmerkliche, dennoch unaufhaltsame Art von Tod, und in der Tat (soweit ich von meiner Zelle aus und auf Grund einiger Ausflüge urteilen darf) finde ich, daß die schweizerische Atmosphäre heute etwas Lebloses hat, etwas Geistloses in dem Sinn, wie ein Mensch stets geistlos wird, wenn er nicht mehr das Vollkommene will. [...]. Ist es aber nicht so, daß der gewohnheitsmäßige und also billige Verzicht auf das Große (das Ganze, das Vollkommene, das Radikale) schließlich zur Impotenz sogar der Phantasie führt? Die Armut an Begeisterung, die allgemeine Unlust, die uns in diesem Land entgegenschlägt, sind doch wohl deutliche Symptome, wie nahe sie dieser Impotenz schon sind ..." (323).

Ein Vergleich zwischen den Zitaten (oben und im „Exkurs") zeigt, daß praktisch vollständige Identität herrscht. Zweifellos hat Frisch den Artikel „Cum grano salis" als Vorlage für den Roman *Stiller* verwandt. Nach seinen eigenen Angaben (siehe das Vorsatzblatt) ist der Roman 1953—54 entstanden.

In *Stiller* ist der Ton persönlicher und kritischer als in besagtem Artikel. Ferner bemerkt man in den verglichenen Abschnitten, daß der

Autor in „Cum grano salis" bei der Schweiz und den Schweizern die Pronomina „wir" und „uns" benutzt, während er im Roman von „sie" und „ihnen" spricht. In beiden Fällen handelt es sich um einen Heimkehrenden, im Roman aber tritt dieser (die Hauptperson) in der Rolle des außenstehenden Fremden auf, während der Artikelverfasser sich gefügiger mit jenen Verhältnissen identifiziert, die er kritisiert.

Von Interesse ist auch ein Vergleich zwischen dem Roman *Stiller* und der Broschüre *Achtung: die Schweiz*. Wir vergleichen hier zwei Dialoge des Romans, zum einen zwischen Stiller und Bohnenblust (*St*, 257), zum anderen zwischen Stiller und Sturzenegger (*St*, 325—28). Beim letzteren handelt es sich also um denselben Dialog wie im Vergleich zwischen „Cum grano salis" und *Stiller*. Der Roman wird zuerst genannt; die Broschüre wird mit „Achtung" zitiert. (Hier werden nur sieben Zitate aufgenommen; die übrigen folgen in dem „Exkurs" unmittelbar nach dem voliegenden Abschnitt).

> *Stiller:* „Die Größe unseres Landes ist die Größe seines Geistes." (257).
> Vgl. *Achtung:* „Man hat uns gelehrt: Die Größe unseres Landes ist die Größe seines Geistes." (6).
> *Stiller:* „Und um nicht zu sagen, daß ich es zum Kotzen finde, frage ich sachlich, ob die Schweiz denn so unerschöpflich viel Land hat, um in diesem ‚Stil' noch einige Jahrzehnte bauen zu können. Das scheint nicht der Fall zu sein." (325).
> Vgl. *Achtung:* „Zwar haben wir bald kein Land mehr, um in dieser Art weiterzudörfeln, aber ein bißchen haben wir schon noch." (27).
> *Stiller:* „Alles andere ist Imitation, Mumifikation, und wenn sie ihre Heimat noch für etwas Lebendiges halten, warum wehren sie sich nicht, wenn die Mumifikation sich als Heimatschutz ausgibt?" (325).
> Vgl. *Achtung:* „Wir verlieren nur die Lebensform der Vorfahren, zwangsläufig, wir mumifizieren sie in Festen; das Schweizertum wird zum Kostüm, das als Kostüm gepflegt wird." (17).
> „Wir wollen die Schweiz nicht als Museum, als europäischen Kurort . . . [. . .]. Oder sind wir bereits eine Mumie, die man besser nicht mehr berührt?" (19).

Aus den betreffenden Beispielen (oben und im „Exkurs") geht hervor, daß eine nahe inhaltsmäßige Übereinstimmung zwischen gewissen Abschnitten im Roman *Stiller* und Teilen der Broschüre *Achtung: die Schweiz* herrscht. In einigen Fällen kommen die Ausdrucksweisen einander sehr nahe, und in zwei Fällen handelt es sich um eine exakt wörtliche Übereinstimmung.

Aller Wahrscheinlichkeit nach hat Frisch den Roman *Stiller* als Vorlage beim Ausarbeiten der Schrift *Achtung: die Schweiz* benutzt. Der 1954 erschienene Roman muß als Manuskript fertig vorgelegen haben, bevor Frisch im September mit der Abfassung des Textes für die Broschüre begann.

Aus den Vergleichen geht deutlich hervor, daß ein Zusammenhang zwischen „Cum grano salis" und dem Roman *Stiller* besteht. Darüber hinaus übernimmt Frisch jedoch auch noch Stoff direkt von diesem Roman in die Schrift *Achtung: die Schweiz.* Das ist ein Beleg u. a. dafür, in welch hohem Grad Frisch bei der Gestaltung der Broschüre *Achtung: die Schweiz* selbständig verfahren ist.

Diese Übereinstimmungen zwischen den verschiedenen Werken sind zwar an sich interessant und wichtig. Aber noch wichtiger sind sie von einem anderen Gesichtspunkt aus: sie lassen nämlich gewisse Schlüsse auf Frischs Methode zu, auf welche Weise er zu jener Zeit seine gesellschaftliche Kritik in Publizistik und Dichtung gestaltete. Frisch verwendet in beiden Fällen dasselbe Material: der publizistische Stoff wird ins Dichterische eingebaut, die Dichtung liefert ihrerseits Stoff für die Publizistik. Das kritische Material wird in beiden Gattungen auf eine gleichartige, direkte und offene Art präsentiert. Frisch erreicht Mitte der fünfziger Jahre seinen Höhepunkt als Gesellschaftskritiker. Innerhalb der Dichtung hat er seine Stärke gerade in der direkten, ironischen Kritik. Gleichzeitig aber handelt es sich hier um einen Schlußpunkt. Ende der fünfziger Jahre bekannte er sich zu neuen ästhetischen Idealen und zu einer neuen künstlerischen Technik.

Exkurs: Vergleich zwischen Publizistik und Dichtung

I. „Cum grano salis" (C. g. s. abgekürzt) und *Stiller.*

C. g. s.: „Es handelt sich bei allem [...] um die Frage, wieweit es einem schweizerischen Städteplaner überhaupt möglich ist, kühn zu sein, zukünftig zu sein in einem Land, das eigentlich nicht die Zukunft will, sondern die Vergangenheit. [...] Eine gewisse Wehmütigkeit, daß das 19. Jahrhundert immer weiter zurückliegt, scheint die hauptsächlichste Aussage im schweizerischen Schrifttum zu sein; in der Architektur: wie zögernd und unlustig wir den Maßstab unsrer Städte ändern, wie wehmütig, wie widerspenstig und halbbatzig." (*Werk,* 1953, 327).

Vgl. *Stiller:* „Es interessiert mich also, wenn wir über Architektur reden, lediglich die Frage, wieweit es einem schweizerischen Städtebauer überhaupt möglich ist, kühn zu sein, zukünftig zu sein in einem Volk, das eigentlich, wie mir scheint, nicht die Zukunft will, sondern die Vergangenheit. [...]. Eine gewisse Wehmütigkeit, daß das neunzehnte Jahrhundert immer weiter zurückliegt, scheint die wesentlichste Aussage im schweizerischen Schrifttum zu sein. Und genau so die offizielle Architektur: wie zögernd und lustlos ändern sie den Masstab ihrer wachsenden Städte, wie wehmütig, wie widerspenstig und halbbatzig." (326 f.).

C. g. s.: „Die Idee, unsere Altstadt abzuschnüren vom Verkehr und als Reminiszenz zu pflegen, ist schön. Und daneben, im geziemenden Abstand, baue man die Stadt unsrer Zeit! [...]. In der Tat machen wir das Verrücktere: wir verpfuschen die Stadt unsrer Vorfahren, ohne dafür eine neue zu bauen." (*Werk,* 1953, 327).

Vgl. *Stiller:* „Die Idee, die Stadt der Vorfahren zu erhalten und als Reminiszenz zu pflegen, finde ich nobel. Und daneben, im geziemenden Abstand, baue man die Stadt unserer Zeit! [...]. In Wirklichkeit machen sie etwas viel Verrückteres: sie verpfuschen die Stadt ihrer Vorfahren, ohne dafür eine neue, eine heutige, eine eigene zu bauen." (324). *C. g. s.:* „Was heißt Tradition? Ich würde sagen: sich an die Aufgaben seiner Zeit wagen mit dem gleichen Mut, wie die Vorfahren ihn hatten gegenüber ihrer Zeit. Alles andere ist Imitation. Oder Mumifikation. Und wer die Heimat für etwas Lebendiges hält, wird sich weigern, Mumifikation als Heimat-Schutz zu bezeichnen —" (*Werk*, 1953, 327). Vgl. *Stiller:* „Was heißt Tradition? Ich dächte: sich an die Aufgaben seiner Zeit wagen mit dem gleichen Mut, wie die Vorfahren ihn gegenüber ihrer Zeit hatten. Alles andere ist Imitation. Mumifikation, und wenn sie ihre Heimat noch für etwas Lebendiges halten, warum wehren sie sich nicht, wenn die Mumifikation sich als Heimatschutz ausgibt?" (325).

II. *Stiller* und *Achtung: die Schweiz.*

Stiller: „Dabei ist unsere Altstadt gar nicht der einzige Schildbürgerstreich . . . " (325).

„... und daß es der größte aller Schildbürgerstreiche ist, wie sie ihr knappes Land noch immer mit solchen Siedlungen verdörfern." (328).

Vgl. *Achtung:* „ . . . eine Schweiz, die nicht einmal weiß, wie sie in Zukunft aussehen möchte, eine lächerliche Schweiz, eine Schweiz mit der blinden Emsigkeit der Schildbürger." (23).

Stiller: „Hat die Schweiz (so frage ich Sturzenegger) irgendein Ziel in die Zukunft hinaus? [...]. Um lebendig zu sein, braucht man ja auch ein Ziel in die Zukunft hinaus. Welches ist dieses Ziel, dieses Unerreichte, was die Schweiz kühn macht, was sie beseelt, dieses Zukünftige, was sie gegenwärtig macht?" (326).

Vgl. *Achtung:* „Wir leben provisorisch, das heißt: ohne Plan in die Zukunft. [...]. Es ist, wie gesagt, kein Zufall, daß die Schweiz immer eine heimliche Angst vor der Zukunft hat; wir leben ohne Plan, ohne Entwurf einer schweizerischen Zukunft." (18).

Stiller: „Was ist ihr Entwurf? Haben sie eine schöpferische Hoffnung? Ihre letzte große und wirklich lebendige Epoche (laut Vorträgen meines Verteidigers) war die Mitte des neunzehnten Jahrhunderts, die sogenannten Achtundvierziger-Jahre. Damals hatten sie einen Entwurf. Damals wollten sie, was es zuvor noch nie gegeben hatte, und freuten sich auf das Morgen, das Übermorgen. Damals hatte die Schweiz eine geschichtliche Gegenwart. Hat sie das heute?" (326).

Vgl. *Achtung:* „1848 wurde die neue Schweiz und ihre Verfassung von den Parteien geschaffen. Von den Parteien, das will sagen: Verfassung und Gesetze wurden nicht nach den bloßen Notwendigkeiten und Bedürfnissen einer augenblicklichen Situation aufgestellt, sondern nach Zielen ideologischer Art. Das ist es, was wir Entwurf nennen. Es wurde eine Schweiz gegründet; die Verfassung war nicht der Gegenwart mit ihren Gegebenheiten abgeschrieben, sondern sie umschrieb die Zukunft, sie war der Entwurf einer Schweiz, die erst gebildet werden sollte und in hohem Grade auch gebildet worden ist." (52).

Stiller: „Was ist eure Idee hier? Die Geschichte wird nicht stehenbleiben, auch wenn die Schweizer es noch so wünschen. [...]. Die Zukunft ist unvermeidlich. Wie also wollt ihr sie gestalten? Man ist nicht realistisch, indem man keine Idee hat." (328).

Vgl. *Achtung:* „Der Schweizer hat Schwierigkeiten mit der Idee; genauer: Schwierigkeiten beim Schritt von der Idee zur Ausführung. Dabei ist die Schweiz nichts anderes als eine Idee, die einmal realisiert worden ist. Man ist nicht realistisch, indem man keine Idee hat.

Daher unsere Frage: Hat die Schweiz, die heutige, eine Idee? Und wenn sie eine hat, wo finden wir die verbindliche Manifestation dieser Idee?" (7).

Die Schweiz und die Umwelt

Frisch und Deutschland

Im Frühjahr 1935 besuchte Frisch zum ersten Male Deutschland. Seine Eindrücke schildert er in drei Artikeln in der *Neuen Zürcher Zeitung* unter dem Titel „Kleines Tagebuch einer deutschen Reise" (30. 4., 7. 5. und 20. 5. 1935). Einleitend berührt er die geistigen Beziehungen zwischen der Schweiz und Deutschland und erwähnt dabei Namen wie Dürer, Bach, Goethe usw. Dieses sein Gefühl der kulturellen Zusammengehörigkeit steht im Gegensatz zu seinem Erlebnis der poltischen Situation in Hitlers Deutschland, die er mit klarem Blick, mit Unbehagen und Bitterkeit durchschaut. In Stuttgart flieht er in ein Konzert, wo er sich wohler fühlt:

> „Es waren deutsche Klänge, die wir nicht mehr missen könnten, und ich wünsche mir, daß ich solchen Urklang nie aus dem Gehör verliere, der doch die Basis einer tiefen Freundschaft war und noch immer sein kann und nicht verschüttet werden darf . . . " (30. 4. 1935).

In Berlin erlebt er das nationalsozialistische Selbstbewußtsein und Machtgefühl, die Propaganda, den Antisemitismus. Frischs Artikel sind von Scharfblick und Ablehnung geprägt, aber dennoch maßvoll und ohne Polemik. Er zeigt keinesfalls eine kämpferische Haltung, sondern eher ein bescheidenes Auftreten — etwas anderes wäre zu jener Zeit in der *NZZ* auch nicht möglich gewesen. Man kann hier — um einen Gegensatz zu suchen — einen Vergleich mit Albin Zollinger in der Zeitschrift *Die Zeit* anstellen. Jedoch der vielleicht wichtigste Grund für Frischs Verhaltensweise war die Tatsache, daß er für ein engagiertes, öffentliches Auftreten noch nicht reif genug war.

Zehn Jahre später kommt Frisch auf die Situation in Deutschland zurück; es geschieht diesmal in dichterischer Form mit dem Schauspiel *Nun singen sie wieder*, das im Januar 1945 geschrieben und kurz vor Kriegsende in Zürich uraufgeführt wurde. Frisch kann sich jetzt mit größerer Autorität als 1935 äußern: er ist nunmehr ein bekannter Schriftsteller in der Schweiz. Es geht ihm hier um ein anderes Deutschland als dasjenige von 1935: ein inzwischen geschlagenes und besiegtes Deutschland. Der Autor nähert sich dem Stoff mit Bescheidenheit, mit der Vorsichtigkeit des Außenstehenden, des Neutralen. Er schreibt im Vorwort: „Wir haben es nicht einmal mit Augen gesehen, und man muß sich fragen, ob uns ein Wort überhaupt ansteht." Er sieht jedoch einen Grund zu seinem Werk: als Neutraler glaubt er sich von der Versuchung des Hasses und der Rache verschont. Das Stück, in dem der Autor mit

verschiedenen Wirklichkeitsstufen arbeitet, kann zum Teil als surreali-
stisch bezeichnet werden. In verschiedenen Fällen, wie bei der Szene, wo
die Toten mitwirken, ist man als Leser-Zuschauer versucht, Parallelen
zu Thornton Wilders Schauspiel *Our Town* zu ziehen, das damals in
Zürich aktuell war [1].

In *Nun singen sie wieder* existieren zwei Hauptprobleme, nämlich die
Beziehungen zwischen Kunst-Politik und die Schuldfrage. Zum Problem
der Relation Kunst-Politik deutet Frisch auf die Schwäche der herkömmlichen deutschen Kulturauffassung hin, die aus einer Flucht in die Welt
der Schönheit besteht. Gleichzeitig führt er damit auch eine Auseinandersetzung mit jener Betrachtungsweise, der er selber in seinen Reise-
artikeln von 1935 Ausdruck gegeben hat, die einen Unterschied zwischen
dem kulturellen Leben und den damaligen politischen Verhältnissen
Deutschlands macht.

Deutlicher und direkter äußert sich Frisch in seinem Aufsatz „Stimmen
eines anderen Deutschland? Zu den Zeugnissen von Wiechert und Bergengruen" in der *Neuen Schweizer Rundschau* (1946, Nr. 9). Frisch
beurteilt die beiden deutschen Autoren, indem er von den beiden erwähnten Hauptproblemen in *Nun singen sie wieder* ausgeht. Der Artikel
ist sehr wichtig, weil Frisch hier zum ersten Male seine neue Auffassung
über Kunst und Politik in publizistischer Form vorlegt.

> „Kein deutsches Kunstwerk wird Deutschland retten, im Gegenteil, die
> Symphonie ist vielleicht der einzige Beweis, den Deutschland nicht mehr
> zu erbringen hat: daß es aus allen Katastrophen früher oder später mit
> Kunstwerken hervorgegangen ist, die ihm selber den Glauben gaben,
> die Kultur über den Kulturen darzustellen, aber noch kaum einmal mit
> der Gestaltung einer staatlichen Gemeinschaft und eines lebbaren Ver-
> hältnisses zu den anderen Völkern, die Kultur haben."

Frisch behandelt zwei Werke von Ernst Wiechert. Das eine ist *Der To-
tenwald. Ein Bericht*, worin Wiechert persönliche Erlebnisse aus der Hitlerzeit wiedergibt; er gehörte der Widerstandsbewegung an und mußte
selber eine Zeit im KZ Buchenwald verbringen. Frisch ist jedoch — und
wie es scheint mit Recht — sehr kritisch gegen diesen KZ-Bericht. Laut
Frisch ist Wiechert nur ein Leidender, ein Klagender, der sich selber und
im Grunde genommen auch das deutsche Volk als unschuldig betrachtet.
Noch kritischer ist Frisch gegen die zweite Arbeit von Wiechert, die Novelle „Der brennende Dornbusch", die sich mit dem Krieg befaßt. Er ist
der Ansicht, daß kein veränderter Ton, keine Ernüchterung vorkomme:
man begegne nur dem „Selbstgenuß der Trauer". Wiechert repräsentiert für Frisch kein neues, kein anderes Deutschland.

Dagegen redet Frisch mit Sympathie von Werner Bergengruen und
dessen Gedichtband *Dies irae*, in dem er — wie er meint — einem anderen

Deutschland begegnet ist. In diesen Gedichten gibt es ein Bewußtsein von deutscher Schuld gegenüber der Welt.

> „Wichtig scheint uns hier, daß nicht nur vom deutschen Leiden oder von einem allgemeinen Leiden gesprochen wird, sondern von dem Vielfachen an Leiden, das Deutsche über die anderen Völker gebracht haben und das ganz genau benannt werden kann."

Zum Schluß wendet sich Frisch an seine eigenen Landsleute. Es ist notwendig, den Deutschen zu helfen; es liegt im eigenen Interesse der Schweizer. Er fügt ein wichtiges „aber" hinzu — mit dem Hinweis auf den „deutschen Abgrund", neben dem die Schweizer leben:

> „Und gerade darum wehren wir uns gegen jede Tendenz, die den vorhandenen Abgrund leugnen, vergessen, ästhetisieren oder sonstwie übertünchen will. Helfen heißt nicht vergessen. Es heißt nur, daß wir uns der Hoffnung auf ein mögliches demokratisches und europäisches Deutschland, die auch für uns die einzige Hoffnung auf Zukunft ist, nicht bloß hingeben, sondern verpflichtet fühlen."

Etwas später — im April-Mai desselben Jahres — hatte Frisch Gelegenheit, nach Deutschland zu reisen. Seine Reiseeindrücke hat er im Artikel „Death is so permanent. Notizen einer kleinen deutschen Reise" wiedergeben, der in der *Neuen Schweizer Rundschau* (1946, Nr. 2) veröffentlicht wurde. Der Reisebericht ist später zum größeren Teil im *Tagebuch* enthalten, teilweise in bearbeiteter Form[2]. Auf dieser Reise wird Frisch direkt mit der deutschen Wirklichkeit konfrontiert. Der Abstand ist groß zwischen der Begegnung von 1935 mit Hitlers Deutschland im Aufstieg und dem Elend vom Jahre 1946. Der bestimmte, um nicht zu sagen verurteilende Ton, den Frisch in „Stimmen eines anderen Deutschland?" verwendet hat, beispielsweise in bezug auf Wiechert, ist hier nicht vorhanden. Er ist demütiger, vorsichtiger — wie im Stück *Nun singen sie wieder*. Er fühlt eine Art von schlechtem Gewissen, wenn er ein Urteil abgeben muß und ferner das Unbehagen des Verschonten. Diese Reise hat nicht dazu geführt, daß etwas eigentlich Neues zu Frischs Auffassung hinzugekommen ist: sie scheint eher eine Bestätigung der Gedanken zu sein, die er schon in „Stimmen eines anderen Deutschland?" vorgebracht hat. Frisch will nicht, daß der Anblick des Elends in Stimmungen und Gefühlserlebnisse ausmündet, sondern möchte eine konkrete Aufgabe formulieren: er will das Elend bekämpfen „mit Brot, mit Milch, mit Obst, mit Wolle...". Sobald das unmittelbare Elend beseitigt sei, so solle der Weg für den nächsten Schritt offen sein: daß das deutsche Volk eine tiefere Erkenntnis erreiche, eine Erkenntnis, daß es Elend über einen großen Teil der Welt gebracht habe. Frisch wünscht eine Verwandlung der Mentalität und Denkart.

Im *Tagebuch* wird der deutschen Problematik ziemlich große Aufmerksamkeit gewidmet. Von Interesse sind u. a. drei Briefentwürfe (143—50), die zum Schauspiel *Nun singen sie wieder* Beziehungen haben.

Ein deutscher Obergefreiter, der in Stalingrad gewesen ist, hat den Vorwurf gegen Frisch erhoben, daß dieser aus der Warte des Verschonten über die Probleme des Krieges und des Todes schreibe. In seiner Antwort behandelt Frisch wiederholt die Frage, ob der Außenstehende und Verschonte das Recht habe, zu richten und zu verurteilen. Seine Kritik kann in einer der Fragen des ersten Briefentwurfs zusammengefaßt werden: „Warum ist es (das deutsche Volk) niemals ein Volk unter Völkern?" (147). Es sei nicht mehr das herrenhafteste, sondern stattdessen jetzt das Volk, das am meisten leide, das von Gott am meisten geprüft sei. Diese Briefentwürfe sind 1946 geschrieben. Zwei Jahre später stellt Frisch im *Tagebuch* die Frage: Was hat Europa zu fürchten? Seine pessimistische Antwort ist: ein Deutschland, das immer noch von der Weltherrschaft träumt.

Erfahrungen von einem Besuch in Polen finden im Schauspiel *Als der Krieg zu Ende war*, das 1947—48 geschrieben und 1949 uraufgeführt wurde, ihren Niederschlag[3]. Es ist ganz realistisch und basiert auf dokumentarischem Material, über das der Verfasser in einem Vorwort Rechenschaft ablegt. Der Abstand zum Stück *Nun singen sie wieder* ist durch diese konkrete Formulierung sehr groß. Die hier merkbare Entwicklung ist teils durch seine Reisen, teils durch die in der Zwischenzeit, namentlich im *Tagebuch*, geführte Debatte bedingt. Die Handlung ist in Zeit und Raum genau festgelegt: sie spielt sich vom Mai 1945 bis Herbst 1946 im okkupierten Berlin ab. Im Zentrum stehen zwei aus deutscher Sicht heikle Probleme: einmal die Liebe zwischen einer verheirateten deutschen Frau, Agnes, und einem russischen Besatzungsoffizier, zum anderen die Entlarvung deutscher Kriegsverbrechen in Polen, begangen von Agnes' Gatten, Horst Anders. Als Enthüller tritt ein junger polnischer Jude auf, einer der Opfer des Nationalsozialismus[4]. Die Schuldfrage ist also klar definiert[5]. Im Schauspiel nimmt Frisch bei der Beurteilung der Deutschen eine ziemlich neutrale Haltung ein. Es kommt keine einseitige Verurteilung des deutschen Wesens vor: dem Kriegsverbrecher Horst wird ein unschuldiger Deutscher, der Lehrer Otto Stegmann, gegenübergestellt.

Der Artikel „Kultur als Alibi" in der Zeitschrift *Der Monat* (1949, Nr. 7) baut in gewissem Maß auf dem Schauspiel *Als der Krieg zu Ende war* auf[6]. Er enthält auch Gedankengänge, die man im *Tagebuch* wiederfindet. Tatsächlich sind gewisse Teile des Artikels Umarbeitungen oder direkte Zitate aus dem Tagebuch[7]. Zum Schluß betont Frisch im Artikel die Notwendigkeit, daß man sich von schweizerischer Seite mit der deutschen Frage beschäftige, und zwar aus Gründen der geographischen Nachbarschaft, sowie der gemeinsamen Sprache. Der Artikel kann als Abrundung und Zusammenfassung dessen, was im *Tagebuch* geschrieben ist, gesehen werden. Frisch summiert zwei Jahre Erfahrungen von Reisen und persönlichen Kontakten in Deutschland: er ist pessimistisch und erklärt sein Unbehagen. Neu im Aufsatz ist seine Behauptung, er sehe Deutschland hier aus einer polnischen Perspektive. Frisch berichtet über den obenerwähnten Besuch, wo er sich in Gettos und Lagern über die Untaten der Nationalsozialisten eingehend informierte. Er betont, wie wichtig es sei, die Verhältnisse an Ort und Stelle zu sehen und zu erleben. Frisch hat wenig Zutrauen zur gegenwärtigen Entwicklung in Deutschland. Über die aktuelle Situation der deutschen Kultur schreibt er bei dieser Gelegenheit:

> „Es wird wieder, als hätte es daran gefehlt, allenthalben nichts als Kultur gemacht, Theater und Musik, Dichterlesungen, Geistesleben mit hohem und höchstem Anspruch; aber meistens ohne Versuch, den deutschen und vielleicht abendländischen Begriff von Kultur, der so offenkundig versagt hat, einer Prüfung zu unterwerfen." (*Der Monat*, 1949, Nr. 7).

Während der fünfziger Jahre hat Frisch nur sporadisch das Thema Deutschland berührt. Seine Skepsis gegenüber der Zukunft, die in Äußerungen im *Tagebuch* und im Artikel „Kultur als Alibi" zum Ausdruck kommt, hat während des neuen Dezenniums jedoch nicht nachgelassen. Im Roman *Stiller* wird die Problematik zweimal aufgegriffen (259 f., 351). Ein zukünftiges, nationalsozialistisches deutsches Regime scheint Stiller gar nicht unwahrscheinlich. Dieses Mißtrauen wird in der „Festnis von Kultur und Politik. Um eine weitere Perspektive über Frischs rede 1957" deutlich, wo Frisch einige Male auf die deutsche Frage zu sprechen kommt. Er ist kritisch gegenüber dem „Adenauer-Deutschland", dessen Demokratie er auf lange Sicht bezweifelt. Im „Nachspiel" zum Schauspiel *Biedermann und die Brandstifter* (1958) schwingen Stimmungen aus der „Festrede 1957" mit. Es handelt sich offenbar um ironische Anspielungen auf jenes Westdeutschland, das die Männer des alten Regimes in Gnaden aufgenommen hat und ihnen wieder erlaubt, führende Positionen einzunehmen.

Ein zentrales Problem im deutschen Themenkomplex ist das Verhält-Einstellung zu diesem Punkt zu erhalten, mag es angebracht sein, einen Vergleich mit der Auffassung eines der maßgebenden, literarischen Vertreter der deutschen Emigranten anzustellen, nämlich Thomas Mann. Über das Verhältnis von Kunst—Politik hat Mann sich bei verschiedenen Gelegenheiten während der dreißiger und vierziger Jahre geäußert: beispielsweise im Artikel „Leiden an Deutschland", Tagebuchnotizen aus den Jahren 1933 und 1934, ferner in den Aufsätzen „Kultur und Politik" (1939), „Schicksal und Aufgabe" (1944) sowie „Warum ich nicht nach Deutschland zurückgehe" (1945)[8]. Das größte Interesse weckt der Artikel „Kultur und Politik", worin Mann einige wichtige Züge seiner eigenen Entwicklung aufzeichnet. Er nimmt auf sein früheres Werk *Be-trachtungen eines Unpolitischen* (1918) Bezug und sagt, daß er darin — im Namen der Kultur — sich der Demokratie widersetzt habe, mit anderen Worten „der Politisierung des Geistes". Mann ist der Ansicht, daß dieses Werk jedoch eine Revision und einen Ausgangspunkt für eine Befreiung aus derjenigen Tradition bedeutete, in der er aufgewachsen war. In dieser „deutschbürgerlichen Geistigkeit" herrschte eine Kultur-auffassung, die Musik, Metaphysik, individuellen Bildungsidealismus usw. umfaßte, wo aber das politische Element geringschätzig ausge-schlossen wurde. Das demokratische Bekenntnis, das er später abgelegt hat und worüber er im Artikel „Kultur und Politik" berichtet, ist von der Einsicht getragen, daß das Politische und das Soziale Teilgebiete des Menschlichen ausmachen. Er definiert Demokratie als die „politische Seite des Geistigen". Mann behauptet, daß es nicht angehe, Geist und Politik zu trennen und sagt, „daß es ein Irrtum deutscher Bürgerlichkeit gewesen war, zu glauben, man könne ein unpolitischer Kulturmensch sein" (Mann: *Ges. Werke*, XII, 854). Mann erklärt, wie es ihm bei einem erneuerten Kontakt mit Schopenhauer — einem Philosophen der außer-halb der politischen Sphäre stehen wollte — bewußt wurde, wie nahe die unglückliche Geschichte Deutschlands und sein Weg in die Kulturkata-strophe des Nationalsozialismus mit der „Politiklosigkeit des bürger-lichen Geistes" zusammenhängen. Zum Schluß legt Mann einen mora-lischen Maßstab an die Politik an. Er nennt sie ganz einfach die „Mora-lität des Geistes".

Manns Entwicklung verlief also unter dem Eindruck des Durchbruchs und der Machtübernahme des Nationalsozialismus von einem ästheti-schen zu einem ethisch-gesellschaftlichen Standpunkt. Die Ansichten, die hier wiedergegeben sind, rühren hauptsächlich von einem Ar-tikel von 1939 her. Aber schon in den erwähnten Tagebuchnotizen von 1933—34 hat Mann einige der Grundgedanken formuliert, die später ausführlich in „Kultur und Politik" behandelt werden.

Wenn also Mann den deutschen, ästhetischen Kulturbegriff in direk-ten Zusammenhang mit der nationalsozialistischen Katastrophe stellt, so herrscht hier eine überraschende Übereinstimmung mit Frischs Auf-fassung. Ob hier eine direkte Beeinflussung durch Mann vorliegt, kann nicht nachgewiesen werden. Daß Frisch gewisse Teile von Manns Pro-duktion gekannt hat, beispielsweise seine Romane, ergibt sich aus seinen eigenen Mitteilungen, dagegen erwähnt er nirgends eine von Manns Schriften über die deutsche Problematik. Indessen kann mit Sicherheit gesagt werden, daß Frisch im Vorsommer 1947 Manns Grundauffassung vom deutschen Ästhetizismus gekannt hat, was aus einem Beitrag im

Zürcher Student (1947, H. 3) mit dem Titel „Kleines Nachwort von Max Frisch" hervorgeht, in dem er einen Vortrag von Mann kommentiert.

Die Ansichten, die Frisch — wie Thomas Mann — vertritt, sind bestechend: Frisch erhielt damit ein Instrument zur Deutung der Hauptursache des nationalsozialistischen Durchbruchs. Die Frage ist jedoch, ob diese Frischs Gesichtspunkte objektiv begründet sind. Daß sie eine gewisse deutsche Wirklichkeit decken, ist offenbar, aber in der Tat gibt es noch eine Reihe andere wichtigere Ursachen historischer und politischer Art, die zu besagter Entwicklung beigetragen haben. Die eigentliche Ursache zur späteren Machtübernahme war die Wirtschaftskrise 1929. Auch wenn man Frischs etwas vereinfachte Erklärung in Frage stellen muß, so kann man nicht umhin zu konstatieren, daß seine Ansichten für ihn selbst außerordentlich fruchtbar gewesen sind. In dieser Kulturauffassung lag eine Erklärung dafür, daß die Schweiz demokratisch war und nicht dem Nationalsozialismus zum Opfer gefallen war. Frischs Ansichten über deutsche Kultur sind an sich nicht originell, aber originell durch ihre Verbindung mit dem Schweizer Standpunkt. Seine Deutung der deutschen Verhältnisse ist gleichzeitig der Ausgangspunkt für seinen Moralismus: der Begriff Verantwortung — politische Verantwortung — kann damit eingeführt und auf die deutsche wie die schweizerische politische Haltung angewandt werden [9].

Frisch versucht nicht, die politische Lage der Schweiz im Verhältnis zu Deutschland im damaligen Europa näher zu analysieren. Ganz allgemein wendet er sich an den einzelnen Schweizer: er müsse materiell helfen, dennoch solle er nicht die deutsche Vergangenheit vergessen. In seiner Kritik an Deutschland nimmt Frisch eine etwas schwankende, teilweise widersprüchliche Haltung ein. Oftmals ist er stark kritisch, bisweilen aggressiv, er richtet und verurteilt, zuweilen jedoch ist er sehr vorsichtig in seinen Urteilen und hat als Neutraler ein schlechtes Gewissen. Die Probleme hängen mit der repräsentativen Haltung zusammen, die Frisch als neutraler Autor einnehmen möchte. Hierbei hat er eine Art Zwischenstellung zwischen dem deutschen und schweizerischen Volk gewählt. Die moralistische Attitüde ist auffallend: er mahnt und gibt Ratschläge, er stellt Anforderungen an die Deutschen, er hält ihnen vor was ihnen obliegt, und wie sie sich ändern sollen, und verlangt gleichzeitig gewisse Dinge von seinen Landsleuten. Das wichtigste Resultat von Frischs Auseinandersetzung mit der deutschen Problematik war jedoch letztlich von persönlicher Art: er hat hier seine erste öffentliche Rolle als Gesellschaftskritiker, als Pädagoge, Moralist und Mahner gespielt.

Das Schuldmotiv

Das Schuldmotiv hat in Frischs Werk eine politische Bedeutung, wobei es sich um die Schuld des einzelnen oder um eine kollektive Schuld handeln kann; Frisch arbeitet mit beiden Begriffen. Das Schuldmotiv in diesem Kapitel zu untersuchen, ist u. a. durch Frischs Auffassung von der Stellung der Schweiz zu ihrer Umwelt sowie ihrer Schuld und Unschuld motiviert. Den Ausgangspunkt der Schuldproblematik bildet dabei die Auseinandersetzung mit dem nationalsozialistischen Deutschland. Der Schuld steht ein anderer moralischer Begriff gegenüber, die Verantwortung, die bei Frisch auch einen politischen Sinn erhält. Dieses Begriffspaar folgt ihm in der Zeitperiode 1945—61, wonach die Schuldproblematik als politisches Problem nachläßt, wohingegen der Begriff Verantwortung auch in den sechziger Jahren eine gewisse Rolle spielt. In der Entwicklung des Schuldmotivs zeichnen sich gewisse Phasen ab. Anfangs beschäftigt er sich mit der konkreten Schuld des nationalsozialistischen Deutschlands gegenüber der Umwelt, während sich seine Aufmerksamkeit in den fünfziger Jahren auf die Schweiz konzentriert. Eine Selbstprüfung steht im Blickpunkt und Frisch führt eine Untersuchung seiner Landsleute durch: Wie steht es um ihre Schuld? Bemerkenswert ist seine Entwicklung bei der Behandlung des Schuldmotivs von einem anderen Gesichtspunkt aus: sie läuft von einem konkreten Ausdruck in den ersten Schauspielen und im Roman *Stiller*, zu einer immer symbolischeren und allgemeineren Form, wie im Stück *Andorra*, das in diesem Zusammenhang einen Abschluß bildet.

Das Schuldmotiv erwies sich für Frisch vom künstlerischen Gesichtspunkt aus als sehr ergiebig: charakteristisch ist, daß er dieses Motiv hauptsächlich in dichterischer Form behandelt.

Die Stücke *Nun singen sie wieder* und *Als der Krieg zu Ende war* handeln von Deutschland und deutschen Kriegsverbrechen. In dem ersteren Werk hat Karl Geiseln auf Befehl erschossen. Karls Vater, der Oberlehrer, versucht die Schuld des Sohnes auf andere zu schieben. Aber für Karl gibt es keine Ausreden mehr: „Es gibt keine Ausflucht in den Gehorsam . . . [. . .] Nichts befreit uns von der Verantwortung, nichts . . ." (*Nsw*, 46). Seine Einstellung ist nun sehr kategorisch. Daß sie auch die des Autors ist, daran braucht man kaum zu zweifeln.

Eine eigenartige Haltung nimmt der russische Priester ein. Er liefert keinen Beweis größeren Mutes: gehorsam führt er Befehle aus, und schwört auch falsch, um sein Leben zu retten. Eine von ihm wiederholte Replik lautet: „Kümmere sich jeder um seine eigene Schuld." (*Nsw*, 18, 77). Welche Funktion hat dieser Priester im Stück? Sind seine Worte eine Ermahnung des Neutralen, des Außenstehenden?

Man kann sich folgende Deutung denken: in Karls Gestalt spricht Frisch zu den Deutschen, in derjenigen des Priesters wendet Frisch sich an seine eigenen Landsleute.

In *Als der Krieg zu Ende war* stellt Frisch noch auffallender Schuld und Unschuld einander gegenüber. Am Ende des II. Aktes enthüllt sich Horst Anders, der Offizier, als Kriegsverbrecher, verneint jedoch seine Mitschuld. Obzwar er in Warschau den Befehl gegeben hat, Tausende von Menschen zu töten, erwartet er keine Vorwürfe von seiner Frau: er schiebt die Schuld auf andere. Frisch hat Horst zwei andere Gestalten gegenübergestellt, von denen die eine Horsts Frau, Agnes, ist. Sie weigert sich, die Verbrechen ihres Mannes zu akzeptieren. Die Spannung wächst und in der Schlußszene verläßt Agnes das Haus und begeht Selbstmord, als eine Art freiwilligen Opfertod.

Karl und Horst sind beide Kriegsverbrecher, jedoch von gegensätzlicher Natur: nur Karl erlangt Einsicht in seine Schuld und ist bereit, die Konsequenzen auf sich zu nehmen. Eine solch tiefere Erkenntnis der eigenen Schuld ist für Frisch — wie er es zum erstenmal deutlich in „Stimmen eines anderen Deutschland?" und später im *Tagebuch* ausgedrückt hat — ein erster Schritt auf dem Weg zu Reife und Besserung. Agnes' kritische Reaktion deutet in dieselbe Richtung. Ihre Haltung und Einstellung hat die Sympathien des Autors: sie nimmt eindeutig Stellung gegen die Kriegsverbrecher des eigenen Landes, auch wenn es sich um den Gatten handelt.

Mit dem Stück *Als der Krieg zu Ende war* hat Frisch das Thema des Kriegsverbrechens und der deutschen Kriegsproblematik verlassen. Das Problem von Schuld und Verantwortung wird weiter behandelt, aber in anderen Formen. Eine Gruppe für sich bilden die Prosaskizze „Burleske" im *Tagebuch* und ihre beiden späteren dramatischen Versionen über Herrn Biedermann. In dem Hörspiel *Herr Biedermann und die Brandstifter* (1953) ist der Standpunkt des Autors zum Schuldthema im Vergleich zu der „Burleske" radikal verändert worden und ein Beispiel für die entscheidende Wandlung, die seine Dramatik und übrigens seine ganze schriftstellerische Tätigkeit durchmacht: die Wandlung von Pathos und predigendem Ernst zu Ironie und Parodie. Ein anderer neuer und stark hervortretender Zug ist der der „Verfremdungstendenzen"; wir finden unschwer Parallelen zu Brechts Technik und Thesen. Der Verfasser kommentiert und greift den Ereignissen vor:

> „Ich habe mit bewußter Absicht eine erfundene Katastrophe gewählt, nämlich den Brand von Seldwyla, um in den geschätzten Hörern keinerlei Erschütterungen auszulösen, keinerlei persönliche Leidenschaft, die uns nur das Vergnügen einer gelassenen und sachlichen Betrachtung verdirbt, das Vergnügen zu erkennen, daß es auch Katastrophen gibt, die nicht hätten stattfinden müssen." (*HB*, 3).

In der „Burleske" vermeidet der Autor selbst jeden sichtbaren Kommentar. Im Hörspiel ist eine besondere Rolle, die des „Verfassers", geschaffen worden, der kritisiert, ins Spiel eingreift und mit der Hauptperson diskutiert. Das Stück ist nach Seldwyla verlegt und bezieht sich damit unmittelbar auf die Schweiz. Dies ist an und für sich nicht erstaunlich: im gleichen Jahr (1953) schrieb Frisch seinen Artikel „Cum grano salis". Die schweizerische Problematik war damit in den Mittelpunkt getreten. Die Verfasserperson im Stück spricht bei einer Gelegenheit ausdrücklich vom „Herrn Biedermann in uns selbst" (HB, 17, vgl. 4), wahrscheinlich eine Travestierung von Max Picards Buchtitel „Hitler in uns selbst" [10]. Damit will er sagen, daß es auch beim Schweizer einen Herrn Biedermann geben könnte, auch in der Schweiz könnte das geschehen, was sich in Deutschland und der Tschechoslowakei im Jahre 1948 ereignet hat.

Biedermann behauptet, daß er unschuldig sei, und er will nicht zur Verantwortung gezogen werden (HB, 4). Die Begriffe Unschuld und Verantwortung sind also hier klar formuliert, was in der „Burleske" nicht der Fall ist. Die Verfasserperson sagt ironisch, daß Biedermann nicht die Schuld an der Katastrophe trage, aber sie ermöglicht habe (HB, 3). Die Verfasserperson glaubt, daß die Weltgeschichte ohne Biedermann ganz anders verlaufen wäre. In einer darauf folgenden Replik spricht er die landläufige Auffassung aus, daß alle historischen Katastrophen unvermeidliches Schicksal sind (HB, 4) [11]. Was er offenbar hier ironisch sagen möchte, ist, daß mit einer solchen Betrachtungsweise der einzelne von der Verantwortung für das Geschehene befreit wird.

Schon im Stück Nun singen sie wieder wird die Auffassung des Oberlehrers über das Schicksalsbetonte in der historischen Entwicklung einer kritischen Betrachtung unterzogen. (88 f.). Im Hörspiel Herr Biedermann und die Brandstifter wendet sich Frisch noch entschiedener gegen eine solche Geschichtsauffassung (4). Er lehnt metaphysische dunkle Spekulationen ab und weist klar auf die Verantwortung des Einzelnen hin. Das Individuum kann nicht dem Schicksal die Schuld an politischen Katastrophen geben. In der Tat polemisiert Frisch damit indirekt gegen Thomas Mann. Zur Problematik von Kultur und Politik stimmen Frischs und Manns Ansichten überein, jedoch nimmt Frisch im Falle Verantwortung eine entgegengesetzte Haltung ein. Bei Manns Deutung der deutschen Geschichte gibt es ein schicksalsbetontes Moment: er sieht hinter der Entwicklung des schuldbeladenen Deutschlands ein ungnädiges und unvermeidliches Schicksal [12].

Bei der Umarbeitung vom Hörspiel zum Schauspiel, das den Titel Biedermann und die Brandstifter (1958) bekommen hat, ist die Verfasserrolle verschwunden und durch Chor und Chorleiter ersetzt worden. Über die Fragen von Schuld und Verantwortung kommt keine Diskussion vor, was insofern erklärlich ist, als ja die Verfasserperson diese Debatte im Hörspiel führte. Nirgends wird der Name Seldwyla erwähnt. Das Schauspiel ist nicht ortsgebunden.

Neu hinzugekommen ist das *Nachspiel,* das dem Schauspiel folgt, worin die biedermännische Schuldproblematik wiederkehrt. Das Paar Biedermann ist in die Hölle gekommen, und es handelt sich dabei um eine gerichtsähnliche Szene, wo die zehn Gebote Gottes eine Art Richtschnur bilden. Die Gatten beteuern, daß sie ohne Schuld seien und daß in Wirklichkeit sie die Opfer seien (*BB,* 137 f., 146, 159). Der Opfergedanke ist neu. Das Thema vom schlechten Gewissen kommt wieder: Biedermann behauptet, daß er kein schlechtes Gewissen wegen der Katastrophe habe; er habe nämlich nur wie alle anderen gehandelt (*BB,* 148).

Beelzebub ist verärgert darüber, daß der Himmel ihn betrogen hat. Er will keine Hölle für Biedermänner, Intellektuelle, Kriegsdienstverweigerer, Taschendiebe, Ehebrecher usw. mehr leiten. (*BB,* 148). Keiner der wirklich großen Schurken ist ihm zugefallen: Marschälle, Minister und Massenmörder sind begnadigt worden (*BB,* 142, 154, 156), und im Himmel tragen sie noch ihre Orden und vergnügen sich auf Festlichkeiten. Eine naheliegende Deutung ist, daß es sich um ein Nachspiel des Zweiten Weltkrieges handelt. Eine solche Deutung wird durch die scharfen Angriffe erhärtet, die Frisch ungefähr gleichzeitig, in der „Festrede 1957", gegen die wiederaufgerüstete Bundesrepublik richtet.

Im Hörspiel ist die Problematik auf Biedermanns Person konzentriert. Im Schauspiel ist die Perspektive andersartig. Im *Nachspiel* wird Biedermanns Schuld und Versäumnis mit den Handlungen der Generäle und Massenmörder kontrastiert. Man kann sagen, daß sich so gesehen Biedermanns persönliche Schuld verringert hat. Zwar ist Biedermann zur Hölle verwiesen worden, dennoch wird er aller Wahrscheinlichkeit nach aus der Verdammnis gerettet. Die großen Verbrecher befinden sich auf freiem Fuße und demzufolge läßt der Autor auch Biedermann frei werden.

Frisch ist also auf diese Weise auf das Thema Kriegsverbrechen zurückgekommen. Sein Aspekt ist jedoch anders als in *Als der Krieg zu Ende war.* Mit pessimistischer Ironie betrachtet Frisch eine Entwicklung, die in eine ganz andere Richtung gegangen ist, als er damals gehofft hatte.

Im Roman *Stiller* knüpft Frisch an die Fragestellungen des Hörspiels *Herr Biedermann und die Brandstifter* sowie des Schauspiels *Biedermann und die Brandstifter* an. Im Hörspiel betont die Verfasserperson,

daß Herr Biedermann in Seldwyla nicht so unschuldig sei, wie er geltend machen möchte. In *Stiller* wird der Ton verschärft und die Probleme
werden verdeutlicht. Es handelt sich nun eindeutig um die Schweiz:
Stiller greift den schweizerischen Unschuldsmythus an. Daß Stillers
Ansichten auch Frischs sind, darüber braucht kaum ein Zweifel zu
herrschen. Stiller wendet sich dagegen, daß die Schweizer sich nachträglich als ganz anders als die Deutschen darstellen wollen und behaupten,
sie hätten nie auf eine solche Weise handeln können (259, 350).

Die deutsche Problematik ist im Roman *Stiller* in den Hintergrund
getreten und stattdessen hat Frisch eine schweizerische Selbstprüfung
in den Mittelpunkt gestellt. Diese Entwicklung wird noch markanter im
Schauspiel *Andorra*, in dem die Unschuldsproblematik aus *Stiller* weiter verfolgt wird. Das Gerichtsmotiv aus diesem Roman und aus dem
Stück *Biedermann und die Brandstifter* ist in *Andorra* noch profilierter.
Die weiße Farbe wird zum Symbol der Unschuld, die über dem Kleinstaat Andorra ruht. Ganz in dieses Bild paßt die Überzeugung der Andorraner von ihrer eigenen Unschuld. Der Doktor spricht diese Überzeugung aus: „Unsere Waffe ist unsere Unschuld. [...] Ein Volk wie
wir,das sich aufs Weltgewissen berufen kann wie kein anderes, ein Volk
ohne Schuld." (69). Gegenüber den weißen und unschuldigen Andorranern stehen die Schwarzen, d. h. die Bevölkerung der benachbarten
judenverfolgenden Großmacht, die schließlich Andorra überfällt.

Trotz allem ist das von seiner eigenen Unschuld so überzeugte Andorra schuldbeladen, und zwar im Hinblick auf die Behandlung von
Andri. Es handelt sich sowohl um eine kollektive als auch um eine persönliche Schuld. Der Dichter läßt die betroffenen Andorraner wie vor
einem Gericht auftreten, wo das Publikum gleichzeitig Zuschauer und
Richter sein darf. Nur der Pater gesteht seine Schuld. Die übrigen wäl-
zen — wie Biedermann — die Schuld auf andere ab und weigern sich, die
Verantwortung für ihre Handlungen auf sich zu nehmen.

Ein zweites und wichtiges Schuldproblem ist die feige Kapitulation
der Andorraner vor den Schwarzen. Dieses Thema berührt der Autor
zwar nicht direkt — wohl aber indirekt mit Ironie. Durch die Schwarzen
kann man unschwer Assoziationen zum „Dritten Reich" erhalten, und
Andorra ist zum Teil ein Modell der Schweiz. Sicherlich spielt die Problematik teilweise direkt auf die Schweiz an, während sie jedoch gleichzeitig eine weitere, generelle Beziehung erhält. Mit Andorra hat Frisch
einen hypothetischen Fall konstruiert: so können die Schweizer handeln,
wenn sie in dieselbe Situation gerieten. Sie sind im Grunde nicht so
unschuldig. Daß Frisch die Schuld der Schwarzen nicht aufgreift, kann
auf seiner Ansicht beruhen, daß das Problem der deutschen Schuld
selbstverständlich und ein für ihn persönlich erledigtes Problem ist.

Bei der Behandlung des Schuldmotivs in den obigen Werken ist jene moralistische Gesinnung, die für Frischs gesellschaftliche Auffassung bestimmend ist, augenfällig. Absolute Ansprüche werden an den einzelnen gestellt: nichts darf ins Dunkel gezogen werden, keine Flucht ist möglich, der Mensch kann sich der Verantwortung nicht entziehen, er muß seine Schuld bekennen, Einsicht erlangen, sich ändern. Diese Anforderungen werden zuerst an die Deutschen gestellt, dann an die Schweizer und zuletzt an jeden Menschen, unabhängig von nationaler Zugehörigkeit.

Die Frage nach einer Schweizer Schuld hat in den sechziger Jahren eine besondere Aktualität durch das verspätete Zustandekommen einer Diskussion über die Behandlung von Flüchtlingen aus dem Hitler-Deutschland erhalten.

Neutralität: Zwischen Ost und West

Die schweizerische Neutralität im Zweiten Weltkrieg bildet in Frischs Werk kein wesentliches Problem. Während des Krieges berührte er sie überhaupt nicht und wesentlich später auch nur sporadisch. Vom offiziellen schweizerischen Standpunkt ist das Verhältnis zu Deutschland, wie für andere neutrale Kleinstaaten, z. B. Schweden, ein fühlbares Problem, dem man am liebsten ausweicht. Der übliche nachträgliche Vorwurf ist der der allzu großen Zugeständnisse unter dem Deckmantel der Neutralität gegenüber Hitler-Deutschland. Im Roman *Stiller*, etwa zehn Jahre nach dem Kriegsende erschienen, läßt der Autor Stiller eine gewisse Skepsis gegenüber der schweizerischen Haltung ausdrücken: Stiller meint, die Anpassung an Hitler sei zu groß gewesen (269; vgl. 350 f.). Diese Auffassung ist an sich nicht überraschend, erstaunlich aber ist, daß Karl Schmid in dem Frisch-Essay in der Schrift *Unbehagen im Kleinstaat* (188 f.) den berührten Romanabschnitt angreift. Er ist der Ansicht, dieser Abschnitt enthalte eine antischweizerische Tendenz. Schmids Deutung ist jedoch fragwürdig. Er mißt außerdem einem einzigen Zitat eine allzu große Bedeutung bei. Nichts weist darauf hin, daß Frisch nicht grundsätzlich die von der Schweiz damals geführte Neutralitätspolitik akzeptiert. Über seine persönliche Einstellung hat Frisch später in dem Interview „Und die Schweiz?" in der Zeitschrift *Neutralität* (1964, Nr. 5) Rechenschaft abgelegt. Während der Zeit der Grenzbesetzung, sagt er, sei er bereit gewesen, bis zum Äußersten gegen Hitler, den er als seinen Feind betrachtete, zu kämpfen, und innerlich habe er sich mit den Alliierten verbündet gefühlt. Dieses Bekenntnis wurde zwei Jahrzehnte nach dem Krieg abgelegt und mag dahingestellt sein. Es gibt jedoch keinen Anlaß, zu bezweifeln, daß Frisch privat wirklich jene Ansichten gehabt habe, die er hier vorbringt.

Wenn Frisch später auf die Neutralität während der Hitlerzeit zurückkommt, so handelt es sich — wie beispielsweise im Schauspiel *Andorra* — eher um eine Mahnung zum Maßhalten: der Schweizer möge sich nicht nachträglich der schweizerischen Politik während der Kriegsjahre und eines Widerstandswillens gegen Hitler rühmen.

Nach Kriegsende begann Frisch, sich öffentlich an der Neutralitätsdebatte zu beteiligen. Das Verhältnis zu Deutschland war jetzt völlig verändert, und Frisch mahnt — wie im vorigen Kapitel gezeigt — seine Landsleute, die Deutschen nicht zu richten. Im Stück *Nun singen sie wieder*, im Artikel „Death is so permanent" und im *Tagebuch* werden keine Probleme der offiziellen schweizerischen Neutralitätspolitik behandelt, sondern die Frage, auf welche Weise ein neutraler Dichter, ein Außenstehender, und ein neutrales Volk, wie das schweizerische, Deutschland betrachten solle und was sie an Positivem für eine Koexistenz leisten könnten. Frisch spricht von der günstigen Position des Neutralen, die darin bestehe, daß er von Rachsucht frei sei. Der Verschonte habe hier eine bestimmte Aufgabe: „Die selten gewordene Freiheit, gerecht zu werden." (*TB*, 150).

Diese Neutralitätsdiskussion verlor jedoch bald an Bedeutung und wich einem neuen Thema, dem der Beziehungen zu der neuen Machtgruppierung Ost-West. Ab 1948 herrscht der kalte Krieg, und dieses Problem steht im Zentrum von Frischs anschließenden Reflexionen über die Neutralität. Das Vorwort zum Stück *Als der Krieg zu Ende war* (1949) behandelt die Ost-West-Problematik im allgemeinen, aber noch nicht im besonderen die Stellung der Schweiz dazu. Frisch lehnt den Gedanken ab, daß das Schauspiel ein Beitrag zur Auseinandersetzung zwischen den beiden Machtblöcken sei (9).

Eine solche Gruppierung muß für Frisch unwillkommen gewesen sein. Er hatte ja nach Kriegsende die Oststaaten bereist und dabei eine Menge positiver Erlebnisse gehabt, über die er z. B. im *Tagebuch* berichtet (siehe auch den Beitrag „Kleines Nachwort" im *Zürcher Student* 1947). Einige Jahre später kehrte Frisch ebenfalls mit starken Eindrücken und positiven Impulsen aus Amerika zurück (siehe z. B. den Artikel „Unsere Arroganz gegenüber Amerika" in der *Neuen Schweizer Rundschau* 1953, Nr. 10). Abschließend können wir jedoch konstatieren, daß gerade durch diese Aufteilung der Welt in zwei Blöcke die schweizerische Neutralität für Frisch etwas Spannendes, Bedeutsames und sein Schaffen Befruchtendes wird, etwas, für das er sich engagieren kann.

Unter diesen Umständen war es für Frisch wichtig, für sich selbst und für die Schweiz einen selbständigen Weg zu finden. Ein Zeugnis dieses Strebens ist die Schrift *Achtung: die Schweiz*. Frisch und seine Mitautoren sind der Meinung, daß der Kampf zwischen Ost und West nicht der Macht gelte, sondern Ideen, Stilen und Lebensformen. Sie lehnen den Ausdruck „kalter Krieg" ab. In diesem Kampf, meinen sie, könne die Schweiz nicht abseits stehen: sie solle sich an der Debatte über die Lebensformen dieses Jahrhunderts beteiligen. Als einen Beitrag zu dieser Debatte schlagen sie das Projekt einer neuen Stadt vor, die eine eigene moderne schweizerische Lebensform zeigen solle. Der Begriff Lebensform wird mit verschiedenen Bedeutungen verwendet: einerseits ist die „neue Stadt" — ein rein technisches Projekt — Ausdruck einer schweizerischen Lebenform, andererseits werden die politischen Gegensätze zwischen Ost und West zu einer Frage der Lebensform reduziert. Es zeugt von ziemlicher Naivität zu glauben, dieses Projekt könne eine Alternative bieten, eine politische Möglichkeit, die Kluft zu überbrücken. Jedenfalls handelt es sich bei ihren Vorstellungen um eine Art aktive Neutralität und damit de facto um eine Anlehnung an eine schweizerische geistesgeschichtliche Tradition, u. a. dadurch, daß der Schweiz hier eine missionierende Aufgabe erteilt wird.

Frisch weigert sich, für die eine oder andere Weltmacht Stellung zu nehmen. Diese Unwilligkeit tritt auch einige Jahre später wieder in Erscheinung, diesmal in der „Büchner-Rede" 1958. Er spricht hier von den Dogmen in Ost und West, und daß diese keine annehmbaren Alternativen seien.

Ausführlich hält sich Frisch bei der Neutralitätspolitik im oben erwähnten Interview „Und die Schweiz?" in der Zeitschrift *Neutralität* (1964, Nr. 5) auf. Er kommt auf die Frage des kalten Krieges zurück und ist der Meinung, daß die Schweizer sich in allzu hohem Grad auf die eine Seite, d. h. gegen die Sowjetunion, gestellt haben: die Schweiz sei außenpolitisch neutral, aber in Wirklichkeit „eine Enklave im Westen". Man zeige eine „übertriebene Linientreue zum Westen". Er ist gegen die offizielle Neutralität; diese hätte im Spiel zwischen Ost und West aktiver benützt werden können:

> „Die große Chance, die diese Neutralität bietet, oder vielleicht wäre es sogar eine Verpflichtung, ich meine die Möglichkeit, in der Auseinandersetzung dieses Jahrhunderts, die mit dem Cliché ‚Ost und West' oder ‚Kommunismus und Kapitalismus' abgestempelt ist, eine intellektuelle Instanz zu sein und ein Forum abzugeben, ich möchte fast sagen: ein geistiges Genf! Ich frage mich oft, warum diese Chance nicht wahrgenommen worden ist."

Frisch hat hier Ideen von *Achtung: die Schweiz* weiterverfolgt: die Schweiz solle eine aktive Rolle spielen. Es ist jedoch unklar, was er unter „intellektueller Instanz" versteht, und wie man die beiden Machtblöcke beeinflussen sollte. Wichtig ist, daß Frisch sich nun darüber im klaren ist, daß eine Scheidelinie zwischen der offiziellen Außenpolitik und der Gesinnung der meisten Schweizer, die sich zum Westen bekennen, verläuft. Wenn Frisch sich für eine derartige aktive, engagierte Neutralität zum Fürsprecher macht, steht er nicht ganz allein, da sich in den sechziger Jahren andere schweizerische Schriftsteller auch für einen „Ethos der Mitte" interessiert haben, wie es Kurt Marti ausdrückt[13]. Aber bei der Öffentlichkeit hat es wenig Verständnis für diesen Standpunkt gegeben.

Im Vortrag „Überfremdung 2" (1966) greift Frisch wieder das Neutralitätsproblem auf. In zwei Punkten knüpft er an das Interview aus dem Jahr 1964 an: er ist kritisch gegen die traditionelle, passive Neutralitätspolitik, die er als die spezielle Doktrin des Landes bezeichnet, und befürwortet eine aktive Neutralität. Er spricht ferner von einer „parasitären Isolation" (ÖP, 108). Dieser Gesichtspunkt ist jedoch insofern neu, als es sich nun um Hindernisse für eine europäische Integration handelt. Frisch sympathisiert plötzlich mit den Integrationsbestrebungen. Letztlich aber zielt diese Kritik auf die schweizerische Gesellschaft im allgemeinen ab, und er kann damit an seine Gesellschaftskritik aus den fünfziger Jahren anknüpfen. Er wendet sich gegen die Vorstellung von der nationalen Souveränität und Eigenständigkeit, die, wie er meint, das politische Denken in der Schweiz bestimme, und die überholt sei. Diese Eigenart könne nicht nur durch eine Verteidigungsmentalität geschützt werden.

Was hat nun die „Überfremdung" in der Überschrift des Artikels mit der Neutralität zu tun? Frisch denkt dabei an die ausländischen Arbeitskräfte in der Schweiz, die zu einem ernsthaften Problem geworden sind. Frisch weist auf das Paradoxe der Situation: die Schweiz stehe außerhalb der europäischen Integration, gleichzeitig aber wird das Land — mit Frischs Worten — passiv integriert, d. h. es ist von fremden Arbeitskräften wie kein anderer Staat in Europa überschwemmt. Es scheint, als ob Frisch mit gewisser Befriedigung, ja, sogar mit einem hämischen Lächeln, diese Entwicklung betrachtet. Er befürwortet eine veränderte Politik gegenüber den ausländischen Arbeitskräften: eine positive Einstellung, die zum Zeichen einer aktiven Neutralitätspolitik werden könnte. Zweifelsohne ist die Deutung des Begriffs „aktive Neutralitätspolitik", die Frisch damit geliefert hat, etwas eigenartig und überraschend.

Für eine derartige Auffassung von der Neutralitätspolitik kann Frisch wohl kaum irgendwo größeres Gehör finden. Noch isolierter dürfte er mit seinen Ansichten stehen, die er im Artikel „Demokratie ohne Opposition?" in der *Weltwoche* (11. 4. 1968) vorlegt. Wie in „Überfremdung 2" ist er der Ansicht, daß man die Schweiz nicht für sich selbst sehen könne. Offiziell sei die Schweiz zwar politisch neutral, aber realiter sei sie integriert. Mehrmals wiederholt Frisch im Artikel die Worte von der „Integration in die US-Herrschaft". „Ihre Neutralität (heute) ist das korrekte Schweigen eines Vasallen." Frisch ist sehr kritisch gegen die Politik der USA. Er steht also fern von jener Position, die er Anfang der fünfziger Jahre eingenommen hat. In besonderem Grad scheint der Vietnamkrieg Frisch zu empören, aber er weist auch auf die Politik der USA in Südamerika hin[14].

Frisch hat also entdeckt, daß die Schweiz integriert ist. Man bemerkt die Widersprüche: im Artikel „Überfremdung 2" ist die Schweiz gar nicht integriert, zwei Jahre später gehört sie dem „Herrschaft-System" der USA an. Klar ist unter allen Umständen: eine „dritte Instanz" zwischen den beiden großen Machtblöcken kann die Schweiz — ebensowenig wie andere neutrale Kleinstaaten — ausmachen. Offiziell ist die Schweiz neutral, aber durch Kultur und demokratische Gesinnung gehört sie der westlichen Welt an.

Verfolgt man Frischs Ansichten über schweizerische Neutralität, sieht man, daß seine Einstellung je nach der äußeren Situation wechselt: ab Kriegsende über den kalten Krieg bis zum späteren Teil der sechziger Jahre mit dem Vietnamkrieg. Besonders deutlich ist die Veränderung seiner Auffassung von den USA. Die Akzente sind verschoben worden: Frisch kann nicht mehr an eine vermittelnde Rolle für die Schweiz zwischen Ost und West glauben. Das war eine utopische Idee — nicht mehr. Als Frisch in der zweiten Hälfte der sechziger Jahre seine publizistische Gesellschaftskritik wieder aufnimmt, spielt die Neutralitätsproblematik eine spezielle Rolle, indem sie quasi zu einem Angelpunkt geworden ist, von dem aus Frisch aufs neue seine Heimat und ihre Stellung in der Welt kritisieren kann.

Frisch und Zollinger

Zollinger ist der deutschschweizerische Schriftsteller, dem Frisch sein größtes Interesse gewidmet hat. Zum ersten Mal äußert sich Frisch öffentlich über Zollinger in einer Besprechung in der *Neuen Zürcher Zeitung* am 22. 11. 1940 von Zollingers Roman *Pfannenstiel*. Frisch ist voller Bewunderung, meldet gleichzeitig aber auch Bedenken an. Er schreibt u. a.:

> „Es ist das verunglückte Werk eines glühenden, eines echten, eines vulka-nischen Dichters unserer Tage, unserer Nähe." [...]. „Nichts wäre leichter als die Mängel dieses Buches aufzufahren, wenn nicht Herrlich-keiten dazwischen blitzten, die bedeutend sind. Schau der Landschaft, zum Beispiel, nicht Schilderungen! Schwingungen, die erheben, und Rücksichtslosigkeiten der Seelenkenntnis!"

Was Frisch besonders beanstandet, ist das, was er „polemischen Jour-nalismus" nennt:

> „Diskussionen, Meinungen, die nichts bloß Teil der Menschen sind. [...]. Meinungen einfach, die dem Dichter durchgehen, Broschüren, die reden, geistvoll und glänzend zum Teil, die nicht mehr gestalten, sondern reden und eifern aus der Überfülle eines wachen und kämpferischen Herzens, aus einer leidenschaftlichen Trotzliebe zur Heimat, die die Heimattümelei mit der Faust schlägt!"

Seine erste und einzige persönliche Begegnung mit Zollinger fand im Herbst 1941 statt. Frisch erzählt hierüber im *Tagebuch* (175–178). Ein bereits verabredetes Zusammentreffen ist nicht mehr zustandegekom-men, da Zollinger einige Wochen später starb. Frisch schrieb den Nekro-log in der *Neuen Schweizer Rundschau* (Nov. 1941, H, 7) unter der Rubrik „Albin Zollinger. Zu seinem Gedächtnis." Obwohl Frisch hier auf die Schwächen in Zollingers Prosabüchern hinweist, hat Frisch sie auf eine Weise gelesen, die ihn ihre Mängel vergessen ließ: „Man liebt sie, wie unter Zwang, um der Glut ihres Herzens willen, um einer Sprache willen, [...] um einer ungestümen Echtheit willen." Eine Seite von Zollingers Kunst, die er vor allem hervorhebt, ist das Fanatische in seinem künstlerischen Schaffen, das Unbedingte, „das Wagnis auf Le-ben und Tod". Zum Schluß läßt Frisch eine echte Verzweiflung und Traurigkeit über Zollingers plötzliches Hinscheiden erkennen.

Zum Jahrestag von Zollingers Tod schrieb Frisch einen längeren Auf-satz in der *Neuen Schweizer Rundschau* mit dem Titel „Albin Zollinger als Erzähler" (Okt. 1942, H. 6), worin er Zollingers letzte erzählerische Werke, nämlich von dem Roman *Die große Unruhe* (1939) an, würdigt. Er nimmt dabei auch die postum erschienenen Werke auf. Einleitend bringt er einige der Ansichten vor, die bereits aus dem Nekrolog bekannt sind. Frisch macht ferner geltend, daß Zollinger ein Lyriker ersten Ranges war — aber kein sogenannter guter Erzähler. „Und wir wollen ihn auch nicht dazu ernennen. Er war mehr." Von dem Roman *Die große Unruhe* hat Frisch u. a. den Eindruck, daß das Buch chaotisch, ein Mosaik, sei. Speziell richtet er seine Aufmerksamkeit hier auf die Sprache. Wie bereits in der Rezension in der *NZZ* spendet Frisch der Landschaftsschilderung im Roman *Pfannenstiel* sein Lob und spricht hier vom „Hymnus eines Besessenen." Er ist jedoch bedeutend milder in seiner Beanstandung der Schwächen des Buches als in der NZZ-Besprechung. Den postumen Roman *Bohnenblust* behandelt Frisch anerkennend und verweilt dabei u. a. bei der Schilderung eines Flüchtlingsschicksals. Im Anschluß an diese drei Romane stellt er einige zusammenfassende Reflexionen an. In verschiedener Hinsicht seien diese Romane, meint er, mißlungen: sie ergreifen nicht durch die Handlung, durch ihre Architektur, selten finde man eine eigentliche Epik. Stattdessen gebe es etwas anderes: nämlich die Sprache. Ferner nimmt Frisch den polemischen Zug auf, den er schon in seiner Rezension in der *NZZ* kritisiert hat. Er ist der Ansicht, daß die Polemik Zollinger bis zu einer Aufopferung seiner Kunst getrieben habe. Zollinger wurde „Polemiker aus Verzweiflung". Frisch kehrt zu diesem Thema zurück, wenn er Zollingers zwei letzte Werke behandelt. „In Überwindung der Polemik, die immer eine Rechthaberei und somit unkünstlerisch ist, war ihm inzwischen eine höhere Stufe gelungen: im ‚Fröschlacher Kuckuck'." Dieses Buch rühmt Frisch dann als „ein beglückendes Meisterwerk der reinen Dichtung". Auch Zollingers letzte Novelle, *Das Gewitter*, bezeichnet er als Ausdruck einer reinen Dichtung.

Was Frisch hier über Polemik und reine Dichtung bei Zollinger sagt, ist außerordentlich wichtig, aber nicht im Hinblick auf Zollinger — sondern auf Frisch. Frischs Ansichten geben nämlich ein Bild von seiner eigenen ästhetischen Auffassung während der ersten Kriegsjahre. Polemik wird von ihm als etwas Unkünstlerisches bezeichnet: ein gesellschaftskritisches Engagement in dichterischer Form wäre zu jener Zeit für Frisch offenbar ganz undenkbar. Die grundlegende Wandlung, die in dieser Hinsicht bei ihm einige Jahre später mit dem Kriegsende eintrat, ist bemerkenswert.

Es dauerte mehr als ein Jahrzehnt, bis Frisch aufs neue irgendwelche öffentliche Äußerungen über Zollinger machte. Er konnte nunmehr Zollinger und sein Werk aus größerem Abstand betrachten, und einige neue Gesichtspunkte sind hinzugekommen. Im Jahre 1958 hielt Frisch somit, als ihm der Literaturpreis der Stadt Zürich verliehen wurde, eine Rede mit dem Titel „Die Öffentlichkeit als Partner", die auch in der

Neuen Zürcher Zeitung referiert wurde. Frisch geht von einem Satz Zollingers aus: „Öffentlichkeit ist die Einsamkeit außen." Auch später kommt Frisch in der Ansprache auf Zollinger zurück und vergleicht seine eigene Situation mit Zollingers damaliger:

> „Im Gegensatz zu ihm (Frisch) war Albin Zollinger auf die Schweiz allein angewiesen, die damals von feindlichen Mächten umgeben war, so daß für den Dichter keine Entdeckung von außen kommen konnte. Warum aber waren wir nicht imstande, Zollinger berühmt zu machen? Dieser Dichter starb 1941 ohne Echo, so wie seine Arbeit ohne Echo geblieben war. Albin Zollingers Werk, so betonte Frisch, sei gescheitert, weil wir ihn nicht getragen haben." (*NZZ*, 15. 12. 1958).

Der betreffende Vortrag lieferte den Titel zu einem späteren Buch, das 1967 herausgegeben wurde, und in dem Frisch eine Anzahl Ansprachen und Artikel aus den fünfziger und sechziger Jahren zusammengestellt hat. In der aktuellen Zürcher-Rede hat Frisch gewisse Änderungen gemacht und läßt merkwürdigerweise Zollingers Namen weg. Der Autor begnügt sich mit folgender Bemerkung: „Öffentlichkeit ist die Einsamkeit außen, schrieb ein Dichter, den ich liebe." (*ÖP*, 56).

Das nächste Mal kommt Frisch auf Zollinger bei der Herausgabe von dessen *Gesammelten Werken* zurück. Für den ersten Band, *Gesammelte Prosa* (1961), schrieb Frisch eine Einführung, mit dem Titel „Nachruf auf Albin Zollinger, den Dichter und Landsmann nach zwanzig Jahren." Zwanzig Jahre sind vergangen, seitdem Frisch seine Aufsätze in der *Neuen Schweizer Rundschau* schrieb. Er beginnt mit der Szene, die aus dem *Tagebuch* bekannt ist, wo er von seiner einzigen persönlichen Begegnung mit Zollinger erzählt. Er zitiert ferner einige Seiten aus dem Artikel vom Jahr 1942 „Albin Zollinger als Erzähler". In diesem Abschnitt wiederholt Frisch, was er damals bewundernd über Zollinger als Künstler gesagt hat, und zitiert ferner zweimal folgenden Satz: „Man lese Zolinger nicht als Erzähler, sondern als Sprachschöpfer, um das Wundern zu lernen." Frisch bekennt immer noch — nach zwei Jahrzehnten — seine Treue und Liebe zu Zollinger. Gleichzeitig aber betrachtet er ihn mit etwas kühlerer Distanz. Er sieht in mancher Hinsicht pessimistisch auf Zollingers Werk: er glaubt nicht, „daß sein Ruhm je kommen wird" (*GW*, I, 10), und verweist auf die historische Situation, d. h. den Krieg: zu einer anderen Zeit hätte Zollinger Erfolg und Berühmtheit erlangt.

Ob Zollinger unter anderen Umständen Ruhm und Erfolg hätte erzielen können, ist fragwürdig, aber sicher ist, daß er damals Schwierigkeiten hatte, sich bei seinen Zeitgenossen durchzusetzen. Auch nach seinem Tode ist es für sein Werk nicht leicht gewesen, über die Grenzen der Schweiz hinaus zu gelangen. Frisch beurteilt jedoch allzu pessimistisch. Während der sechziger Jahre ist die Aufmerksamkeit in erhöh-

tem Maße auf Zollinger und sein Werk gerichtet worden. Das trifft nicht
zuletzt für die Kritiker und Literaturwissenschaftler zu.

In seinem Nachruf nennt Frisch Zollinger ein Opfer der Zeitumstände.
Auch hier muß man Frischs Auffassung in Frage stellen: nur teilweise
war Zollinger ein Opfer, und was wichtiger ist, gerade durch jene Umstände wurde er ein Zeit- und Gesellschaftsdichter. In seinem Artikel
von 1942 sprach Frisch von Aufopferung, damals von einem anderen
Ausgangspunkt: das Opfer stand im Zusammenhang mit dem, was
seiner Ansicht nach eine unkünstlerische polemische Gesinnung bei
Zollinger war. Als Frisch im „Nachruf" Albin Zollingers Lebenswerk
„das Vermächtnis eines Opfers" nennt, so denkt er auch an das Lokale
in Zollingers späterer Dichtung. Frisch hat jedoch den provinziellen
Zug überbetont. Er ist da, aber es gibt auch andere, universelle Tendenzen. Frisch urteilt hier aus seiner eigenen, gegenwärtigen Position.
Als Frisch diesen „Nachruf" schreibt, ist er selber Emigrant und hat
die Schweiz hinter sich gelassen. Er spricht hier als der international
anerkannte Autor, dem es geglückt war, alle provinziellen, schweizerischen Schranken zu durchbrechen.

Die Frage, die sich erhebt, ist, ob und, gegebenenfalls, in welchem
Umfang Zollinger eine Bedeutung für oder einen Einfluß auf Frisch,
der Zollingers Werk so gut kennt und es so positiv würdigt, gehabt hat.
Dabei denkt man an die Sprache, einen Punkt, in dem Frisch ungeteilte
Hochachtung für Zollinger hegt. Daß eine sprachliche oder stilistische
Beeinflussung vorliegen könnte, behauptet Hans Schuhmacher in einer
Rezension von 1945 über *Bin oder Die Reise nach Peking* in der *Neuen
Schweizer Rundschau* (1945, H. 5), wo er auch den optischen Zug und
die filmische Bildtechnik erwähnt. Inwieweit aber ein solcher sprachlicher Einfluß auf Frischs Produktion vorhanden ist, verlangt eine besondere Untersuchung, wobei auch seine Publizistik berücksichtigt werden
müßte. Einzelne Beobachtungen deuten jedoch darauf hin, daß ein
derartiger Einfluß nicht allzu bedeutend ist. Daß die von Frisch sehr
bewunderten Naturschilderungen Zollingers aus Zürichs Umgebung
eine Rolle gespielt haben können und beispielsweise im Roman *Stiller*
in der Pfannenstiel-Beschreibung durchschimmern, ist nicht ausgeschlossen. Zollingers Romantechnik kann kaum eine nennenswerte Bedeutung für Frisch gehabt haben. Dieser hatte ja von Anfang an einen
deutlichen Blick für Zollingers Schwächen in dieser Hinsicht und kann
sicher hier nicht viel zu lernen gehabt haben.

Damit sind wir bei der für beide zentralen Gesellschaftsproblematik
angelangt. Frisch setzt sich nicht mit der gesellschaftlichen Auffassung
bei Zollinger auseinander — abgesehen von einer gewissen Kritik an
Zolingers Engagement an der „geistigen Landesverteidigung". Eine

unmittelbare Erklärung dafür hat man in der Tatsache zu suchen, daß es eigentlich nicht viel zu erörtern gibt: die Übereinstimmung zwischen den Ansichten der beiden Autoren ist nämlich überraschend groß.

Die Situation in Deutschland wird — zu verschiedenen Zeitpunkten — für beide Schriftsteller der Anlaß zu ihrer Zeitdichtung. Für Zollinger ist 1933 das entscheidende Jahr, für Frisch dagegen das Kriegsende. Keiner von ihnen war von Anfang an dazu geneigt, derartige Probleme öffentlich zu diskutieren. Die Entwicklung läuft ähnlich: beide gehen von einer Situation in Deutschland aus und kommen dann auf eine innere schweizerische Problematik zurück.

Die Zeitumstände sind für ihre jeweilige Stellungnahme zum Pazifismus und zur Verteidigung bestimmend gewesen. Bei beiden Autoren zeigt sich zu einem bestimmten Zeitpunkt ein stark markierter Pazifismus, aber ihre Entwicklungslinien sind verschieden. Den Schnittpunkt könnte man auf das Jahr 1940 verlegen: beide befinden sich im Aktivdienst, Zollinger veröffentlicht den Roman *Pfannenstiel* und Frisch das Tagebuch *Blätter aus dem Brotsack*, in welchen beiden Werken der Verteidigungswille und das Vaterländische ihren Höhepunkt erreichen. Bei Zollinger begegnet man in den zwanziger Jahren einer pazifistischen Einstellung, aber ab Mitte der dreißiger Jahre zeigt er ein zunehmendes Interesse an der geistigen und militärischen Landesverteidigung. Frisch geht den entgegengesetzten Weg: die Entwicklungslinie seiner vaterländischen Gesinnung erreicht ihren Höhepunkt — wenn auch keinen auffällig starken — in den *Blättern aus dem Brotsack*, um dann einen fallenden Bogen zu beschreiben.

Für Zollinger sowohl als auch Frisch spielt die Freiheitsidee eine wichtige Rolle. Bei Frisch ist das Problem bewußter, und er ist weit mehr analytisch reflektierend. Für Zollinger wurde — wegen der Zeitlage — die äußere, nationale Freiheit das Zentrale. Alle beide bekennen sich eindeutig zur Demokratie und nehmen gegen Hitler, Nationalsozialismus und Faschismus Stellung. Es gibt große Ähnlichkeiten in ihrer Haltung zum spanischen Bürgerkrieg, wie sie sich in den Romanen *Pfannenstiel* und *Stiller* spiegelt. Stillers Kritik an der Stellungnahme der bürgerlichen schweizerischen Presse stimmt auch ganz mit dem überein, was Zollinger in den Ansichten der Hauptfiguren im Roman *Pfannenstiel* und in seiner Publizistik ausdrückt.

In der Auffassung der Schweiz, von Volk und Gesellschaft, finden wir bei beiden Schriftstellern dieselbe Haß-Liebe oder Trotz-Liebe. Sie treten als Pädagogen und Volkserzieher auf, gleichzeitig aber auch als scharfe Kritiker. Mit ihrer Kritik an der Schweiz können sie an eine schweizerische Tradition — mit Ausgangspunkt in Gottfried Kellers *Martin Salander* — anknüpfen. Somit sind beide auch sehr kritisch gegen das schweizerische Bürgertum und wenden sich u. a. gegen den Krämergeist und die geschäftsmäßige Gesinnung. Bemerkenswert ist die Ähnlichkeit, die in ihrer Stellungnahme zum schweizerischen Konservatismus, ein für beide zentraler Punkt, zum Vorschein kommt. Der Schweizer, meinen sie, pflege die Vergangenheit, die Geschichte und die Tradition, er habe vor der Zukunft Angst, und es mangele ihm an fortschrittlichem Denken; der Blick sei nach rückwärts statt nach vorn gerichtet.

In ihrer Kritik stehen die beiden Autoren auf demselben festen Bewertungsgrund, wobei die humanistische Anschauung eine entscheidende Rolle spielt. Keiner von ihnen ist ein Revolutionär. Beide sind jedoch politisch linksgerichtet, mit Sympathie für den Sozialismus; aber keiner möchte parteipolitisch gebunden sein. Frisch hat sich während der sechziger Jahre mit einem modernen Ausdruck als Non-Konformist charakterisiert, eine Bezeichnung, die sehr wohl auch auf Zollinger passen könnte.

Zollinger und Frisch haben Gesellschaftsprobleme sowohl in dichterischer als auch in publizistischer Form behandelt. Man findet, daß sie, um ihre Kritik in der Dichtung auszudrücken, während einer bestimmten Zeitperiode eine gleichartige, direkte Methode verwandt haben, die der Publizistik sehr nahe liegt. Hinsichtlich der publizistischen Kritik ist es interessant zu sehen, wie stark sie sich im Tonfall ähneln, wenn man Zollingers journalistisch-politische Angriffe Mitte der dreißiger Jahre mit den aggressiven Ausführungen Frischs aus dem Jahr 1968 vergleicht.

Es herrscht also eine frappante Übereinstimmung der gesellschaftlichen Ideen von Frisch und Zollinger. Ob hier eine Beeinflussung durch Zollinger vorliegt, ist im Detail nur schwer nachzuweisen, aber im Grunde nicht so wesentlich. Wichtig ist, daß Frisch in Zollinger einem ähnlichen Geist begegnet ist, bei dem er, mehr als bei einem anderen Schriftsteller aus dem zwanzigsten Jahrhundert, an eine schweizerische Tradition der Gesellschaftskritik und Gesellschaftsauffassung anknüpfen konnte. Zollingers Gestalt als freier, mutiger und pathetischer Publizist und Dichter während einiger für die Schweiz kritischer Jahre hat sicher inspirierend und vorbildlich wirken können.

IV. FRIEDRICH DÜRRENMATT

Orientierung über Dürrenmatt und sein Werk

Biographisches

Dürrenmatt wurde 1921 in Konolfingen im Kanton Bern geboren, wo der Vater das Amt eines protestantischen Pfarrers innehatte. Er besuchte in Bern die Schule und studierte dann einige Semester Germanistik und Philosophie an den Universitäten Zürich und Bern. Er beabsichtigte anfänglich, Kunstmaler zu werden, beendete jedoch seine Ausbildung nicht. Einige seiner literarischen Werke hat er übrigens selbst mit Zeichnungen illustriert. Seit 1946 ist er als freier Schriftsteller tätig. Nachdem er einige Jahre in Basel gewirkt hatte, machte er sich am Bielersee ansässig und schließlich, 1952, in Neuenburg [1].

Dürrenmatt ist über seine persönlichen Verhältnisse verschwiegen. Es ist eine Art Programm seiner schriftstellerischen Tätigkeit geworden, die biographischen Faktoren in der Dichtung nicht durchscheinen lassen. Über sich selbst und hierbei hauptsächlich über seine Kindheit erzählt er jedoch in zwei Skizzen, „Vom Anfang her" und „Dokument", die das Werk *Theater-Schriften und Reden* einleiten.

In den letzten Jahren hat sich Dürrenmatt mehr nach außen engagiert. Somit trat er 1968 in die Direktion des Stadttheaters Basel ein, um dort zusammen mit dem Regisseur Werner Düggelin die künstlerische Leitung zu übernehmen (*Die Tat*, 6. 1. 1967). Hier arbeitete er als Regisseur und Dramaturg. In erster Linie seien die Bearbeitungen *König Johann* (nach Shakespeare) und *Play Strindberg* erwähnt, die zu großen Publikumserfolgen wurden. Diese Tätigkeit dauerte jedoch nicht lange: nach einer Meinungsverschiedenheit ist er unerwarteterweise bereits im Herbst 1969 aus der Direktion des Theaters ausgetreten. (Siehe „Rechenschaftsbericht am Basler Theater", *Die Tat*, 16. 10. 1969.) Später wurde er als Berater und Regisseur an das Schauspielhaus Zürich gerufen. Dürrenmatt hat sich auch in anderer Weise aktiv am öffentlichen Leben beteiligt: während des Jahres 1969 hatte die bekannte Zeitung *Zürcher Woche* den Besitzer gewechselt, und als Herausgeber trat Dürrenmatt zusammen mit Markus Kutter u. a. ein. Die Zeitung hat daraufhin den Namen in *Sonntags Journal* geändert.

Dramatik und erzählende Prosa

Dürrenmatts erstes öffentliches Hervortreten als Dramatiker geschah 1947 im Schauspielhaus in Zürich mit *Es steht geschrieben*, einem Schauspiel über die Wiedertäufer in Münster in den dreißiger Jahren des 16. Jahrhunderts[2]. Ebenfalls historisch ist das Thema des Stückes *Der Blinde*, das 1948 uraufgeführt wurde. Die Hauptperson, ein blinder Herzog, lebt während des Dreißigjährigen Krieges in einer Welt der Illusionen: er glaubt, daß er immer noch sein Schloß besitze, aber in Wirklichkeit befinden sich nur Trümmerhaufen um ihn herum. Die Handlung im Schauspiel *Romulus der Große*, dessen Uraufführung 1949 in Basel stattfand, spielt sich in der kaiserlichen Villa auf der römischen Campagna während der 24 Stunden eines Tages im März 476 ab. Im Stück *Die Ehe des Herrn Mississippi* (1952) läßt Dürrenmatt die Hauptfiguren die geistigen und politischen Mächte der Zeit personifizieren. Der grotesk gezeichnete Staatsanwalt will Moses Gesetze wieder einführen und diese mit alttestamentarischer Strenge aufrechterhalten. Ihm steht ein anderer Moralist gegenüber: Saint-Claude, ein idealistisch gesinnter Kommunist. In der Komödie *Ein Engel kommt nach Babylon*, die 1953 in München uraufgeführt wurde, begegnet man einer komisch übertriebenen, mythischen Märchenwelt, Nebukadnezars Babylon, in der die moderne Wirklichkeit mit Bürokratie und Wohlfahrtsgesellschaft durchbricht. Im Vordergrund steht der Kampf des Individuums mit einer wachsenden Staatsmacht. Oft wird die „tragische Komödie" *Der Besuch der alten Dame* (1956) als das bedeutendste Schauspiel Dürrenmatts betrachtet. Das tragische Element, Ills Tod, ist in Komik und Lustigkeiten eingebettet. Die Zeiten sind schlecht in Güllen, aber durch das Eingreifen der Multimillionärin Claire Zachanassian, die hier aufgewachsen ist, wird die Stadt der Hochkonjunktur teilhaftig. *Frank der Fünfte*, mit Premiere 1959 in Zürich, ist zusammen mit dem späteren Schauspiel *Der Meteor* Dürrenmatts umstrittenstes Stück. Es ist ein Singspiel im Brechtstil, in dem Prosaabschnitte und Couplets abwechseln. Im Mittelpunkt steht ein Kollektiv, eine Bank und deren Angestellte. Diese Privatbank ist seit mehreren Generationen, von Frank I. bis zu dem gegenwärtigen Besitzer Frank V., vererbt worden. Die Angestellten sind diesem Unternehmen verschworen, hinter dessen unanfechtbarer Fassade sich eine Gangsterbank verbirgt. Dürrenmatts größter Theatererfolg, ein Welterfolg, ist *Die Physiker* (1962). Allein auf den deutschsprachigen Bühnen wurde das Stück während der Saison 1962–63 1598mal aufgeführt (*Die Tat*, 17. 11. 1963). Möbius, einem der drei Physiker im Schauspiel, ist es gelungen, sehr wichtige wissenschaftliche Probleme zu lösen. Wegen seines Verantwortungsgefühls gegenüber der Menschheit hat er sich dann als geisteskrank in einer Irrenanstalt einschließen lassen. In der Schlußszene muß er jedoch erleben, wie die Chefärztin, die sich als Verrückte erweist, seine Entdeckungen in Beschlag genommen hat und plant, sie zu eigenem Gewinn auszubeuten. *Herkules und der Stall des Augias* (1963) entstand nach einem Hörspiel mit demselben Titel (1954). Der Auftrag des Helden gilt dem Staat Elis, der Ähnlichkeiten mit der Schweiz hat. *Der Meteor* (1966) ist eine Komödie in zwei Akten, in dem die Hauptperson, der Nobelpreisträger Schwitter, sich im Atelier seiner Jugend für den Tod vorbereitet, den er jedoch nicht erleben darf. Ein über das andere Mal scheint er für seine Umgebung tot zu sein, erwacht jedoch immer wieder zum Leben. Das Stück verursachte eine lebhafte Diskussion und erweckte verschiedentlich großes Ärgernis; man sprach hier und da sogar von einem Theaterskandal[3]. Das Schauspiel *Die Wiedertäufer* (1967) ist eine gründliche Neubearbeitung des Erstlingsdramas *Es steht geschrieben*. Die Umgestaltung ist so einschneidend, daß man von einem ganz neuen Stück sprechen kann. Hier begegnet man derselben Problematik wie im *Meteor*: Korruption und Verlogenheit der Gesellschaft. Schließlich seien hier die wichtigsten Bearbeitungen genannt, die Dürrenmatt als Dramaturg am Basler Theater vorgenommen hat, und die als separate Bände erschienen sind. In *König Johann — nach Shakespeare* (1968) hat Dürrenmatt Shakespeares Text verwandt, um seine eigene Zeit widerzuspiegeln: es handelt sich um Geschäfte und Machtpolitik. Die zweite Umarbeitung trägt den Titel *Play Strindberg. Totentanz nach August Strindberg* (1969). Strindbergs Ehedrama wird hier als eine Art Boxkampf in zwölf Runden dargestellt, wobei Dürrenmatt das Groteske und das Antiillusionistische stark hervorhebt. In seinem Nachwort teilt er mit, daß er Strindbergs Dialog benutzt, um einen „Anti-Strindberg-Dialog" zu schaffen. Bedeutend freier bearbeitet als *König Johann* ist *Titus Andronicus. Eine Komödie nach Shakespeare* (1970).

Dürrenmatts Hörspieldramatik, die während eines begrenzten Zeitabschnittes — kaum mehr als einem Jahrzehnt — geschaffen wurde, umfaßt acht Werke: *Der Doppelgänger* (geschrieben 1946, im Druck 1960), *Der Prozeß um des Esels Schatten* (1951 bzw. 1951), *Nächtliches Gespräch mit einem verachteten Menschen* (1952 bzw. 1952), *Stranitzky und der Nationalheld* (1952 bzw. 1952), *Herkules und der Stall des Augias* (1954 bzw. 1954), *Das Unternehmen der Wega* (1954 bzw. 1954), *Die Panne* (1956 bzw. 1960) und *Abendstunde im Spätherbst* (1956 bzw. 1959)[4].

Dürrenmatts erzählende Prosa umfaßt bis 1970 sechs Werke, von denen *Die Stadt* (1952) als das wichtigste betrachtet werden kann. *Die Stadt* ist eine Sammlung von Skizzen und Novellen überwiegend aus den Jahren 1943—46 [5]. Man begegnet hier einer Reihe von Motiven und Symbolen, die in Dürrenmatts späteren Arbeiten wiederkehren. Der Roman *Grieche sucht Griechin*, der unter leichter Tarnung verschiedene schweizerische Motive enthält, erschien 1955, und im folgenden Jahr die Erzählung *Die Panne*, die eine Umarbeitung des schon erwähnten Hörspiels ist. Dürrenmatt hat auch drei originelle Kriminalromane herausgegeben, deren Handlung sich in einem rein schweizerischen Milieu ausspielt. Sie nehmen eine Sonderstellung im Verhältnis zu Dürrenmatts übriger Prosa ein, nicht zuletzt durch ihren Realismus. *Der Richter und sein Henker* (1952) und *Der Verdacht* (1953) wurden zuerst als Feuilletons im *Schweizerischen Beobachter* 1950—51 bzw. 1951—52 veröffentlicht [6]. Der dritte Kriminalroman, *Das Versprechen* (1958), nimmt zweifellos vom künstlerischen Gesichtspunkt aus den ersten Platz unter den drei Romanen ein.

Publizistik

Dürrenmatt hat sich auch einer gewissen publizistischen Tätigkeit gewidmet, die Rezensionen, Artikel, Reden und Vorträge umfaßt. Die Zeitung, in der er das meiste veröffentlicht hat, ist *Die Weltwoche*, in der allein in den Jahren 1951—54 etwa zwanzig Beiträge erschienen. Er hat ferner seine Arbeiten in Vor- oder Nachworten zu mehreren gedruckten Ausgaben seiner Werke kommentiert. Die Mehrzahl der erwähnten Ausführungen ist nunmehr im Band *Theater-Schriften und Reden* (1966) gesammelt, der auch einige früher separat herausgegebene Schriften enthält, unter denen *Theaterprobleme* (1955) besonders ideenreich und bedeutend sind. Ferner sei auch *Friedrich Schiller. Eine Rede* (1960) erwähnt, eine Ansprache, die Dürrenmatt im November 1959 in Mannheim hielt, als ihm der Schiller-Preis verliehen wurde. Auch drei Interviews mit Dürrenmatt sollten hervorgehoben werden. Das erste findet man in Horst Bieneks *Werkstattgespräche mit Schriftstellern* (1962). Das zweite, das außerordentlich wichtig in bezug auf die Schweiz und schweizerische Gesellschaftsproblematik ist, wurde unter dem Titel „Gespräch zum 1. August mit Friedrich Dürrenmatt" in *Ex libris*, 1966, Nr. 8, publiziert. Das dritte, in dem Siegfried Melchinger als Interviewer auftritt, ist unter dem Titel „Wie schreibt man böse, wenn man gut lebt?" in der *Neuen Zürcher Zeitung* am 1. 9. 1968 veröffentlicht worden. Es faßt Dürrenmatts gegenwärtige Ansichten über seine eigene Dramatik und ihre Aufgaben zusammen. In Zusammenhang mit der sowjetischen Invasion in der Tschechoslowakei hielt Dürrenmatt am 8. September 1968 im Stadttheater Basel eine Rede, die zusammen mit Ansprachen von u. a. Max Frisch und Heinrich Böll in der Schrift *Tsche-*

choslowakei 1968 (1968) publiziert ist. Ferner sei hier der große Vortrag erwähnt, den Dürrenmatt 1968 vor Studenten in Mainz hielt, und den er später in bearbeiteter Form mit dem Titel *Monstervortrag über Gerechtigkeit und Recht* (1969) veröffentlicht hat. Zur Publizistik gehört auch sein Reisebericht *Sätze aus Amerika* (1970).

Einige Hauptmotive

Die Entwicklung in Dürrenmatts literarischem Schaffen kann an einigen seiner zentralen Motive studiert werden, unter denen der Tod das am häufigsten wiederkehrende ist. In den frühen Prosaskizzen in der *Stadt* werden das Todes- und Angstmotiv vereint. In der Skizze „Der Hund" wird der Vater von einem riesengroßen, schwarzen Hund zerfleischt. In dem „Theaterdirektor" wird eine Schauspielerin mit Hilfe eines sinnreichen Foltergeräts zerstückelt, und ihr Kopf fährt dann wie ein Ball zwischen die Zuschauer. Die Hauptperson in der „Falle" ist von Angst und Todesfurcht erfüllt und wird sowohl zum Mord als auch zum Selbstmord getrieben. In der Skizze „Der Folterknecht" wird die Welt mit einer Folterkammer verglichen. „Die Welt ist Qual. Der Folterknecht ist Gott. Der foltert." (19). Das Wort Schrei kehrt in fast allen Skizzen wieder. In der Hauptskizze „Die Stadt" reflektiert der Autor: „Wir müssen gefoltert werden, damit wir erkennen, und nur dem Schrei unserer Qual wird eine Antwort zuteil. (111). Offenbar handelt es sich hier um ein Grunderlebnis des Schriftstellers, vielleicht durch Eindrücke aus dem Zweiten Weltkrieg bedingt. Gerade im Krieg, der ein häufig wiederkehrendes Thema ist, kommt die Sinnlosigkeit des Todes am stärksten zum Ausdruck. Bemerkenswerterweise gibt es nur drei Arbeiten, in denen der Tod als Motiv nicht vorhanden ist: *Der Prozeß um des Esels Schatten, Herkules und der Stall des Augias* und *Grieche sucht Griechin.*

Zu Dürrenmatts Welt gehört auch die Kriminalität. Der Tod trifft den Menschen nicht nur durch Krieg und Revolutionen, Naturkatastrophen und Krankheiten sondern auch durch Mord[7]. Neben den Morden — die gewöhnlichste Form des Frevels — begegnet man in Dürrenmatts Dichtung einer Reihe anderer Verbrechen: Kunstbetrügereien, Diebstählen, Brandstiftungen, Veruntreuungen.

Ein wichtiger Motivkreis in Dürrenmatts Werk ist die Frage nach Schuld, Gericht und Strafe. Das Gerichtsmotiv kommt verschiedentlich vor, bisweilen ernsthaft, bisweilen spielerisch dargestellt. Damit hängen gewisse wichtige menschliche Grundtypen zusammen, die Dürrenmatt verwendet: der Staatsanwalt, der Verteidiger, der Richter und der Henker[8].

Grausamkeit und Angst haben einen Gegenpol im Gelächter. Auch wenn der Schrei eine unmittelbare Weise sein könnte, auf das Leiden des Daseins zu reagieren, so wird im Werk *Die Stadt* die Möglichkeit angedeutet, die das Gelächter bietet. Im Abschluß der Skizze „Der Folterknecht" lacht Gott über die menschlichen Plagen, und im „Theaterdirektor" wird das Publikum zum Lachen über die gefolterte Schauspielerin gereizt. Von besonderem Interesse in diesem Zusammenhang ist das zuletzt geschriebene Stück der Sammlung, „Der Tunnel". Der junge Student, dem seine Fettleibigkeit ein Schutz gegen die Gräßlichkeiten des Lebens geworden ist, erlebt im Zug, der durch einen Tunnel in Richtung Abgrund stürzt, eine Art Bekehrung: mit offenen, geradezu gierigen Augen beginnt er die Höllenfahrt zu betrachten und zwar nicht ohne eine gewisse gespenstische Heiterkeit.

Der Mensch kann also der Tragik des Lebens mit einem Lachen begegnen. In dieser Auffassung liegt eine Art Programm: die tragische Komödie ist für Dürrenmatt das natürliche Ausdrucksmittel. Nur drei von seinen dramatischen Arbeiten haben ein ernsthaftes, tragisches Grundgepräge: die frühen *Der Doppelgänger, Der Blinde* und *Nächtliches Gespräch mit einem verachteten Menschen.* Nach 1952, da das zuletzt erwähnte Stück gsechrieben wurde, hat der Dichter ausschließlich Komödien geschaffen.

Einen komischen Typ, einen Menschen, über den man lacht, hat Dürrenmatt in dem Narren gestaltet, der oft als Gegenfigur zum Richter und Henker auftritt; zuweilen kann jedoch eine Verschmelzung von beiden Typen geschehen. Das Narrenhafte wird in der Don Quichotte-Figur personifiziert, die eine wichtige Rolle in Dürrenmatts Werken spielt. Ein typischer Don Quichotte ist Graf Bodo von Übelohe-Zabernsee im Stück *Die Ehe des Herrn Mississippi*, der sein Leben in den Dienst der christlichen Liebe stellen möchte. Alle seine Bestrebungen aber wenden sich ins Lächerliche, und in der Schlußszene tritt er folgerichtig mit einem Helm aus Blech auf dem Kopf auf: „Sieh Don Quichotte von der Manche..." (I. Fassung, 1952, 90)[9]. Der Narr kommt zum ersten Mal als Typus im Stück *Der Blinde* vor, mit der Bezeichnung Don Quichotte zum ersten Mal im Hörspiel *Nächtliches Gespräch mit einem verachteten Menschen.* Der Henker ist als Typ in Dürrenmatts Dichtung älter: er ist bereits im *Doppelgänger* vorhanden.

Diese Hauptmotive sind auch für Dürrenmatts Gesellschaftsauffassung und seine gesellschaftliche Kritik bezeichnend. Er schildert eine Welt, aus dem Krieg geboren, in Angst und Not, in Bosheit, Verderbtheit und Verbrechen. In dieser dualistischen Welt, wo Recht gegen Unrecht, Leiden gegen Genußsucht stehen, ist am Ende die Komik der einzige Ausweg: der Autor verlacht und verspottet die Menschen.

Das Gesellschaftsproblem in Dürrenmatts Dichtung und Publizistik

Bei der Behandlung der gesellschaftlichen Problematik bei Dürrenmatt ist es zweckmäßig, von drei entscheidenden Faktoren in seiner Dichtung auszugehen: nämlich vom Komischen, vom Grotesken und vom Parodistischen. Wenn Dürrenmatt versucht, die Wirklichkeit in eine Theaterfiktion zu transponieren, so geschieht dies vor allem in komischer Richtung. In seinem Gespräch mit Bienek gibt er gewissermaßen eine Definition seiner Kunst:

> „Das Komödiantische ist suspekt, wird nicht voll, nicht ernst genommen. Ich bin jedoch nur von hier aus zu verstehen, vom ernst genommenen Humor her. In diesem paradoxen Satz drückt sich meine Liebe zur Tragikomödie aus. Ich gehe vom Komödiantischen aus, vom Einfall, um etwas ganz Unkomödiantisches zu tun: den Menschen darzustellen – so könne ich vielleicht meine Kunst definieren." (H. Bienek: *Werkstattgespräche mit Schriftstellern*, 102).

Bezüglich des „Einfalls" weist Dürrenmatt in seinem Schaffen mehrmals auf Aristophanes hin, wie in der Schrift *Theaterprobleme*, die den unumgänglichen Ausgangspunkt bei einer Diskussion über Dürrenmatts dramatische Methode bildet (46 f.). Die Rolle der Komödie zu rechtfertigen, ist wohl sein wichtigstes Anliegen in dieser Schrift. Er ist der Meinung, daß eine reine Tragödie, wie z. B. bei Schiller, nicht mehr möglich sei: sie entspreche nicht der Welt und der Gesellschaft unserer Zeit (43 ff., 48, 50). Dieselbe Auffassung wiederholt er in anderen seiner Schriften [10].

Dürrenmatt hat ein eigenartig starkes Bedürfnis, als sein eigener Apologet hervorzutreten. Die These, die er so energisch verficht, daß gerade die komischen Ausdrucksmittel unserer Zeit entsprächen, ist diskutabel. Seine Vorliebe für das Komische ist wahrscheinlich weniger durch theoretische Überlegungen als durch gefühlsmäßige Erlebnisse bedingt (das Gelächter als zweckdienliche Haltung gegen die Grausamkeit der Welt) oder einfach durch seine ausgeprägte Begabung in dieser Richtung. Seine Ansichten scheinen „innere Ausreden", d. h. Rationalisierungen, zu sein.

Das Groteske und die Parodie nehmen ebenfalls einen wichtigen Platz in Dürrenmatts Gestaltung seiner dichterischen Welt ein. Im Aufsatz „Anmerkung zur Komödie" behauptet Dürrenmatt, daß das Groteske Distanz schaffe und man dadurch – wie Aristophanes, Rabelais und Swift – Stücke über seine eigene Zeit schreiben könne (*Theater-Schriften und Reden*, 136) [11]. Durch die Parodie erhielte der Dichter – meint er in seiner Schrift *Theaterprobleme* – Freiheit im Verhältnis zu seinem Stoff. Er denkt dabei in erster Linie an den vorhandenen Stoff,

d. h. historische und literarische Tradition. Mit Recht weist Dürrenmatt auf den Zusammenhang zwischen dem Parodistischen und dem Grotesken hin (55). Gerade wie gegenüber dem Komischen nimmt Dürrenmatt gegenüber dem Grotesken und Parodistischen eine Verteidigungsattitüde ein: er versucht, diese Ausdrucksformen zu motivieren, u. a. dadurch, daß er ihre spezifischen Beziehungen zu unserer Zeit betont.

In seiner Gesellschaftskritik benutzt Dürrenmatt das Komische, Groteske und Parodistische, um Menschen und Vorgänge ins Lächerliche zu ziehen, das Publikum zum Lachen zu bringen. Es handelt sich um eine bewußt angewandte Methode. In *Theaterprobleme* behauptet er, das Einzige, was die „Tyrannen dieses Planeten" fürchten, sei der Spott der Dichter (55). Dazu ist zu sagen, daß Dürrenmatt wirklich versucht, diesen Satz als Programm zu verwirklichen, und wir möchten ihm in diesem Punkt auch gerne zustimmen: wenn der Schriftsteller die Gesellschaft durch seine Dichtung verändern will, so geschieht das nicht durch Pathos oder durch positive Erbauung und Wunschbilder, sondern gerade durch das Verspotten der politischen und ökonomischen Machthaber.

In welchem Grad die Gesellschaftskritik ein zentrales Element in Dürrenmatts Werk ist, kann diskutiert werden. Selbst betont er, daß der Ausgangspunkt seiner Dramatik keine Idee sei. Im „Nachwort" zum Stück *Die Physiker* schreibt er somit: „Ich gehe nicht von einer These, sondern von einer Geschichte aus." (70) [12]. Zweifelsohne hat Dürrenmatt einen ausgeprägten Hang zum Fabulieren, zum Erzählen, aber ebenso deutlich ist, daß seine Auseinandersetzung mit einem Einfall, einer Geschichte, allmählich — bewußt oder unbewußt — ein gesellschaftliches Ziel erhält. Der Stoff, der von Anfang an ganz neutral gewesen sein mag, wird in der Folge in einer bestimmten gesellschaftskritischen Richtung gestaltet.

In Dürrenmatts frühen Werken spielt die Gesellschaftskritik keine nennenswerte Rolle; eine Grenzlinie kann um 1950 gezogen werden, oder genauer 1949 mit dem Schauspiel *Romulus der Große*. Nach diesem Zeitpunkt greift Dürrenmatt in der Mehrzahl seiner Werke Gesellschaftsprobleme auf, wobei jedoch dieser Zug variieren kann und immer von einem unterhaltenden Element balanciert wird.

Dürrenmatt benutzt ferner in seiner Gesellschaftskritik das Paradox, das bei ihm in nahem Zusammenhang mit einer dialektischen Auffassung steht. Die Problematik des Paradoxen hat ihn in seinen theoretischen Schriften von *Theaterprobleme* bis *Monstervortrag über Gerechtigkeit und Recht* beschäftigt [13]. Er zeigt hier dieselbe apologetische Einstellung wie bezüglich des Komischen und Grotesken.

Dürrenmatt betont, daß sein dramaturgisches Denken „auf den Widerspruch zwischen dem Denken und dem Handeln des Menschen" hinweist (*M*, 97). Er erkennt an, daß seine Tätigkeit als politischer Dramatiker widersprüchlich erscheinen kann. Als ein Selbstbekenntnis könnte man wohl folgenden, kurzen Satz sehen: „Wer das Paradoxe sucht, wird selbst paradox." (*M*, 100).

Im Hinblick hierauf ist es verständlich, daß es mit Schwierigkeiten verbunden ist, Dürrenmatts Ansichten über die Gesellschaft herauszufinden. Er arbeitet mit Gegensätzen, die er gleichermaßen kritisiert; charakteristisch ist das, was er im Interview „Wie schreibt man böse, wenn man gut lebt?" (*NZZ*, 1. 9. 1968) äußert: „Dialektik entsteht, wenn der Autor beide Meinungen für gleichberechtigt erklärt." Dürrenmatt fürchtet die Eindeutigkeit und möchte am allerwenigsten mit einer eigenen Deutung seiner Stücke beitragen. Schon in der Schrift *Theaterprobleme* erklärt er: „So wird mein Theater oft vieldeutig und scheint zu verwirren. Auch schleichen sich Mißverständnisse ein, indem man verzweifelt im Hühnerstall meiner Dramen nach dem Ei der Erklärung sucht, das zu legen ich beharrlich mich weigere." (29).

Dürrenmatt scheut offenbar davor zurück, seine Ansichten oder sich selbst auszuliefern; man könnte hier fast von einer Art neurotischer Abgeneigtheit sprechen. Diese Unfähigkeit oder Unwilligkeit, einem Standpunkt Ausdruck zu verleihen, erhebt er nun in der Form des Paradoxen zum Gesetz und zur Notwendigkeit. Dürrenmatt hat recht, allzu recht — was ihn selbst anbelangt —, wenn er behauptet:

> „Der Schriftsteller kann seiner moralischen Aufgabe nur dann nachkommen, ich möchte dieses Wort gebrauchen, wenn er Anarchist ist. Er muß angreifen, aber nicht engagiert sein. Der einzige Platz, der ihm zukommt, ist der zwischen Stuhl und Bank." (Bienek, a. a. O., S. 106).

Das mag zugespitzt erscheinen, deckt aber außerordentlich genau Dürrenmatts eigene Situation und Intentionen. Er will angreifen, aber nicht angeben, von welchen Bewertungen aus er zum Angriff vorgeht. Paradox und Dialektik sind ausgezeichnete und für Dürrenmatt ergiebige dramatische Methoden, aber sie schließen nicht aus, daß der Autor seinen Ausgangspunkt näher definieren könnte. Dürrenmatt beherrscht die technischen Mittel der Gesellschaftskritik, läßt jedoch das Publikum in Unklarheit über seine eigentlichen Ziele. Die Gefahr ist — auf weite Sicht — daß die Methoden für Dürrenmatt ein Spiel werden und daß er am Ende ein reiner Unterhaltungsautor wird. Hat dieser Schriftsteller wirklich eine bestimmte Auffassung, einen eigenen Standpunkt, oder löst sich bei ihm alles nur in einem dialektischen Spiel auf? Das ist die ernsthafte Frage, die man zur Gesellschaftsproblematik in Dürrenmatts dichterischen Werken stellen muß.

In seiner Publizistik verwendet Dürrenmatt dieselben Methoden, wie in seinen belletristischen Werken, vor allem spielt dabei das Paradox

eine wichtige Rolle; er gibt selten seiner Meinung eine deutliche Form:
der Leser muß sie ahnen und erraten. Publizistische Äußerungen über
politische Verhältnisse gab es in den vierziger und fünfziger Jahren
relativ wenige von ihm, aber mit der zweiten Hälfte der sechziger Jahre
findet eine entscheidende Wandlung statt. Dürrenmatt tritt jetzt auf
eine überraschende Weise als politisch stark engagierter Schriftsteller
auf: in Ansprachen, Broschüren und Manifestationen äußert er seine
Ansichten über die Schweiz wie über außenpolitische Fragen; dies geschieht bedeutend offenherziger und klarer als zuvor, wenn auch seine
Vorliebe für das Paradox immer noch ein bezeichnender Zug ist. Besonders wollen wir hierzu auf das „Gespräch zum 1. August" (1966), seinen
Beitrag in der Broschüre *Tschechoslowakei 1968* und auf seine Schriften
Monstervortrag über Gerechtigkeit und Recht (1969) und *Sätze aus
Amerika* (1970) hinweisen.

Ideologie und Politik

Wenn Dürrenmatt die Ideologien und die politischen Systeme behandelt, spielt seine dialektische Einstellung eine entscheidende Rolle. Es paßt seinem dramaturgischen Denken, die Welt in zwei feindliche Lager aufzuteilen, die miteinander in Konflikt liegen. In seinem belletristischen Schaffen behandelt er das Thema Ideologie bereits im Schauspiel *Die Ehe des Herrn Mississippi*, in dem Kritik sowohl gegen Ost als auch gegen West gerichtet wird. Der anti-religiöse Revolutionär Saint-Claude äußert:

> „Der Westen hat die Freiheit verspielt und der Osten die Gerechtigkeit, im Westen ist das Christentum eine Farce geworden und im Osten der Kommunismus, beide Teile haben sich selbst verraten, die Weltlage ist für einen richtigen Revolutionär ideal." (I. Fassung, 1952, 40).

Im Hörspiel *Das Unternehmen der Wega* ist die Welt in zwei kämpfende Gruppen aufgeteilt, sogar die Planeten werden in den Machtkampf hineingezogen. In der Zukunftsvision, die der Autor hier ausmalt, sie betrifft das Jahr 2255, stehen Europa—Amerika auf der einen Seite, Rußland, Asien und Afrika auf der anderen.

In seiner Publizistik beschäftigt sich Dürrenmatt eingehend mit diesem Thema ab Mitte der sechziger Jahre. Im Interview „Gespräch zum 1. August" (1966) spricht er von dem geistigen Kampf, der zwischen einer bürgerlichen Ideologie und der Ideologie des Kommunismus geführt wird. Ausführlicher wird das Problem in jener Ansprache behandelt, die er 1968 bei der Invasion der Tschechoslowakei hielt, worin er scharfe Kritik an der Sowjetunion und deren Kommunismus übt, aber auch gleichzeitig am Westen, beispielsweise an den Vereinigten Staaten, und an gewissen Seiten und Erscheinungen der westlichen Demokratie. „Sartre hat recht, wenn er die USA und die Sowjetunion und ihre Satelliten als Kriegsverbrecher bezeichnet." (*Tschechoslowakei 1968*, 21). Von größtem Interesse ist Dürrenmatts *Monstervortrag über Gerechtigkeit und Recht*, in dem er charakteristischerweise von einer Geschichte aus Tausendundeiner Nacht ausgeht, die er auf seine eigene Weise frei nacherzählt. Die Erzählung handelt vom Propheten Mohammed, der als Zuschauer an einer Quelle sitzt und die Ereignisse betrachtet, die sich dort abspielen. Der Autor gibt die Geschichte ziemlich umständlich mit verschiedenen Variationen wieder und präsentiert dabei verschiedene Modelle. Die Quintessenz der Spiele ist die Darlegung der beiden Hauptmodelle unserer Welt: einerseits das Modell der bürgerlich-kapitalistischen, andererseits das der sozialistisch-kommunistischen Gesellschaft. Das erste Modell nennt der Autor das „große bürgerliche Wolfsspiel", das letztere das „Gute-Hirte-Spiel". Der Dichter, der seine Figuren wie Steine auf dem Schachbrett versetzt, kann, nachdem er verschiedene Kombinationen geprüft hat, auf die Schwächen beider Spiele hinweisen. Beide Spiele sind unbefriedigend: sie basieren auf Ideologien und Macht. Das Resultat ist eindeutig: in beiden Fällen kommt es zu einer ungerechten Gesellschaftsordnung (45).

Die Aufteilung der Welt in zwei Hauptideologien ist von dramatischem Gesichtspunkt aus ergiebig, bedeutet aber eine grobe Vereinfachung der Wirklichkeit. Dürrenmatt läßt damit diese beiden politischen Systeme als gleichwertig erscheinen und verzichtet darauf, die Problematik der Freiheit und der Demokratie zu erörtern, Ideen, die für jene Gesellschaftsordnung, der er selbst angehört, bestimmend sind. Dürrenmatt hat eine typische Zwischenposition gewählt, von der aus er beide Großmachtblöcke kritisieren kann.

Als Dichter sieht Dürrenmatt ab Mitte der sechziger Jahre eine Aufgabe darin, die Ideologien anzugreifen und aufzulösen, welcher Seite sie auch angehören mögen. Im Interview „Gespräch zum 1. August" sagt er, daß es keine Rolle spiele, ob diese Ideologien in dem einen oder anderen Lager beheimatet sind. Auch im Gespräch „Wie schreibt man böse, wenn man gut lebt?" (NZZ, 1. 9. 1968) weist er auf die Gefahr, die seitens der Ideologien droht, hin [1].

Es ist verständlich, wenn Dürrenmatt ein tiefes Mißtrauen gegen die Träger und Interessenten der Ideologien, d. h. die Politiker, hegt, die in seiner Dichtung beliebte Zielscheiben für seine Angriffe sind. Seine Ironie kann an eine schweizerische Adresse gerichtet sein, z. B. wenn er über einen gewissen Typ politischer Phraseologie ironisiert oder die Politik der Vorsicht, der Trägheit und des Konservatismus, für die das Parlamentsmitglied Schwendi im Roman Der Richter und sein Henker und die Diskussionsredner in Elis' Parlament (im Stück Herkules und der Stall des Augias) charakteristische Repräsentanten sind. Andere Figuren aus der reichhaltigen Politikergalerie findet man in den Stücken Die Ehe des Herrn Mississippi, Ein Engel kommt nach Babylon und Das Unternehmen der Wega. Dürrenmatts Politiker sind entweder durch Schäbigkeit, Herrschsucht und reine Schurkerei gekennzeichnet oder durch Heuchelei und Schwäche für Schlagworte und schöne Phrasen. Die Einstellung des Dichters wechselt zwischen leichter Resignation, wie in Augias Reflexionen, und schneidender Ironie, wie im Unternehmen der Wega. Nur den verachteten Einwohnern der Venus gelingt es, die Probleme ihres Zusammenlebens ohne die Einmischung der Politiker zu lösen: „Wir können uns Politik nicht leisten." (21).

Dieselbe Auffassung kommt in Dürrenmatts Publizistik zum Aus
druck, z. B. im „Gespräch zum 1. August". In der Rede „Tschechoslowakei 1968" ist die Einstellung noch verschärft worden: Politik und Verbrechen sind hier identisch. Nachdem er „unser Zeitalter als das der
politischen Verbrechen" bezeichnet hat, behauptet er:

> „Der Erste und der Zweite Weltkrieg, der Faschismus und Neofaschis-
> mus, der Stalinismus, Ungarn, Tibet, der Klan um Tschiangkaischek, der
> Krieg der USA in Vietnam, die politischen Morde in den USA und an-
> derswo, die Genozide, Israel, Biafra, und jetzt die Okkupation der Tsche-
> choslowakei; die Liste der politischen Verbrechen, durch Politiker verübt,
> ist damit nicht abgeschlossen, nur angedeutet." (*Tschechoslowakei* 1968,
> 19).

Dürrenmatt ist ferner der Meinung, daß Politik zu „allen Zeiten" zu
blutigen Kriegen geführt habe; es sei notwendig, die Politik zu „entmythologisieren" (20 f.). Er wendet sich gegen das politische Parteiensystem: es handelt sich um Institutionen, um etwas Mythologisches. In
dem aktuellen Zusammenhang richtet er sich besonders gegen den ortho-
doxen Parteikommunismus, mit seinem Parteiapparat und mit seiner
Geheimpolizei [2].

Aus dem oben Gesagten dürfte ziemlich klar hervorgehen, daß ein
Engagement für eine bestimmte politische Partei für Dürrenmatt undenkbar ist. Im „Gespräch zum 1. August" erklärt er kategorisch, daß
ein Schriftsteller sich nunmehr nicht für eine politische Partei engagieren
könne; er müsse frei stehen und von Fall zu Fall urteilen. Es ist viel
schwieriger, sich Dürrenmatt als Parteimitglied vorzustellen als beispielsweise Zollinger oder Frisch, denn wo würde eigentlich dieser eigen-
willige und unberechenbare Schriftsteller zu Hause sein?

Dürrenmatt meint aber damit nicht, daß der Schriftsteller auf politische Äußerungen verzichten soll. Er will eher behaupten, daß Politik
eine Angelegenheit ist, die nicht nur die Politiker angeht — sondern vor
allem den Nicht-Politiker. Der Dichter, so meint er, sei in gewisser Hinsicht dem Politiker überlegen, u. a. dadurch, daß er nicht an nationales
Denken gebunden sei — der heutige Schriftsteller denke global —, und
ferner durch eine andere Eigenschaft, an der es dem Politiker mangele:
Vorstellungskraft (*Ex libris*, 1966, Nr. 8). Dürrenmatt betont, wie wichtig es ist, daß Menschen wie beispielsweise Frisch sich über politische
Fragen äußern, und er selbst scheue auch nicht davor zurück, sich politisch zu äußern. „Das tue ich jedoch als Privatmann und nicht als Schriftsteller, der sich irgendeiner Partei verpflichtet hat." (ebd.). Wie bereits
erwähnt, hat Dürrenmatts politisches Bewußtsein gerade während der
zweiten Hälfte der sechziger Jahre stark zugenommen, was dazu geführt
hat, daß er öffentlich zu einer Reihe innen- und außenpolitischer Fragen
Stellung genommen hat.

Wenn Dürrenmatt die Berufspolitiker mit Ironie und Sarkasmus geißelt, so geschieht dies mit Recht: kaum eine andere Gruppe in der Gesellschaft mag in höherem Grad der Kontrolle bedürfen. Es muß aber dann sofort hinzugefügt werden — speziell im Hinblick auf Dürrenmatt und sein dialektisches, ideologisches Spiel —, daß eine solche Kritik nur in einem demokratischen Staat möglich ist. Auf der anderen Seite überschätzt Dürrenmatt zweifellos das Urteilsvermögen des Schriftstellers: in der Tat entlarvt sich gerade der Dichter nicht selten als ein politisch naiver Mensch. Dürrenmatt spricht oben ferner davon, daß er sich politisch nur als Privatmann äußere. Das ist jedoch unhaltbar: wenn er in einer politischen Frage öffentlich hervortritt, so erhält seine Erklärung Bedeutung und erregt Aufsehen im höchsten Grade dadurch, daß es der Schriftsteller Dürrenmatt ist, der sich hier ausspricht.

Wenn Dürrenmatt sich mit der Stellungnahme des Dichters zu den Gesellschaftsproblemen auseinandersetzt, so kehren vor allem zwei Begriffe bei ihm wieder: Opposition und Protest. Im „Gespräch zum 1. August" sagt er mit Nachdruck, es sei natürlich, daß der Schriftsteller in Opposition gegen die Gesellschaft stehe. Er zeigt jedoch in diesem Punkt eine etwas undurchsichtige Haltung. In der Schrift *Tschechoslowakei 1968* sagt er beispielsweise, er ergreife das Wort „nicht um zu protestieren, sondern um zu analysieren." (19). Im *Monstervortrag über Gerechtigkeit und Recht* stellt Dürrenmatt die Frage, ob der Protest überhaupt einen Zweck habe (102) [3].

Wenn man nach dem Hintergrund von und nach Ausgangspunkten für Dürrenmatts Gesellschaftskritik sucht, könnte man vor allem auf zwei Umstände hinweisen: den Moralismus und das Kriegserlebnis. Ein Schlüsselzitat scheint uns zu sein, was er in „Fingerübungen zur Gegenwart" (1952) sagt: „Ich bin ein Protestant und protestiere. [...] Ich bin verschont geblieben, aber ich beschreibe den Untergang. [...] Ich bin da, um zu warnen." (*TS*, 45). Der „Untergang", d. h. der Krieg, gibt Dürrenmatt und seiner Dichtung eine ethische Aufgabe; der Moralismus wird für seine Einstellung zu Menschen und Umwelt bestimmend und äußert sich in einer Reaktion auf Unehrlichkeit, Heuchelei, Materialismus, Egoismus und Machtwillen. Die Kritik an diesen menschlichen Eigenschaften erweitert sich zu einer Kritik an den entsprechenden Erscheinungen in der Gesellschaft. In Dürrenmatts frühem Werk ist die Gesellschaftskritik allgemein gehalten, um dann allmählich konkreter zu werden. Er schafft von Anfang an eine Welt, die in Hell und Dunkel, Recht und Unrecht, Gut und Böse eingeteilt ist. Es handelt sich um eine dualistische Auffassung, aber im Anschluß an seinen Dualismus steht sein dialektisches System, in dem allerdings nur die bösen Mächte gegeneinander kämpfen. Als das Üble in höchster Potenz erscheint der Krieg.

Dürrenmatts Antimilitarismus ist aus dem Erlebnis des Zweiten Weltkrieges entstanden, aus fast apokalyptischen Stimmungen, die zuerst in
der Prosaarbeit *Die Stadt* zum Vorschein kommen. Der Pazifismus, der
Widerwille gegen den Krieg, bestimmt nach und nach seine Auffassung
von den Mythen, der Heldenverehrung, der Frage nach Heimat, Vaterland und Verteidigung. In engem Zusammenhang damit steht seine Kritik am Machtstaat, ein Punkt, in dem sein antimilitaristischer und sein
moralistischer Standpunkt zusammenfallen. Ein dritter, wichtiger Aspekt
darf nicht außer acht gelassen werden, nämlich Dürrenmatts Interesse
an wirtschaftlichen Vorgängen: sich mit dem Geld zu beschäftigen,
scheint ihm ein unerhörtes Vergnügen zu bereiten, nicht zum mindesten
in einer grotesk vergrößerten Form. Aber auch hier geht es zutiefst um
eine ernsthafte Auseinandersetzung, um Kritik an der materialistischen
Gesinnung der Menschen. Allmählich entwickelt sich bei ihm eine antikapitalistische Sehweise, eine Kritik an den Großbetrieben, in denen
die Menschen nur Nummern sind. Diese drei Themenkreise, in erster
Linie jedoch Moralismus und Antimilitarismus, repräsentieren etwas
Echtes bei Dürrenmatt. Sie sind entscheidende Kriterien, die Dürrenmatts Schaffen in hohem Maße bestimmen.

Über das bereits oben Genannte hinaus bei Dürrenmatt nach einer
bestimmten Gesellschaftsauffassung zu suchen, erscheint uns ziemlich
fruchtlos. Beispielsweise könnte hier auf die Problemstellung Radikalis-
mus-Konservatismus hingewiesen werden. Dürrenmatt erscheint in vieler Hinsicht als ein sehr radikaler Autor, einer, der sich gegen Konservatismus und historisches Zurückblicken, gegen Mythen und Verteidigungsmentalität wendet. Aller Wahrscheinlichkeit nach ist diese Ablehnung aus seinem Antimilitarismus hervorgegangen. Ferner zeigt sich
bei ihm ein deutlicher Wille, die Gesellschaft zu verändern. Schon im Hörspiel *Herkules und der Stall des Augias* ironisiert er über den schweizerischen Konservatismus und die Abneigung gegen Veränderungen. Im
Monstervortrag über Gerechtigkeit und Recht betont er die Notwendigkeit einer Veränderung der Welt (109), und in der Ansprache „Tschechoslowakei 1968" behauptet er, daß der Kommunismus an sich einen Vorschlag zur Veränderung bedeute (*Tschechoslowakei 1968*, 22). Er kritisiert sowohl den Kapitalismus, als auch verschiedentlich den Antikommunismus in seiner Heimat. Dürrenmatt hat sich positiv über den Kommunismus als Idee ausgesprochen, wie beispielsweise in der Schrift
Tschechoslowakei 1968: „Kommunist ist ein Ehrenname, nicht ein
Schimpfwort, die Prager Kommunisten beweisen es . . ." (18). Bedeutet
dies, daß er sich zu einer sozialistischen Auffassung bekennt? Es mag
möglich sein, daß er zuweilen Sympathien für eine Art ideellen Kommunismus hegt, aber daß er persönlich eine konkrete sozialistische An-

schauung vertritt, scheint ausgeschlossen. Es handelt sich eher um eine
Art Reaktion in gewissen Situationen, um ein Bedürfnis seinerseits,
einem anderen Standpunkt Ausdruck zu verleihen. Sein Antikapitalis-
mus ist von einer spezifischen Art, und was er über Revolutionen im
Monstervortrag über Gerechtigkeit und Recht äußert, ist überaus charakteristisch: „Ich halte Revolutionen oft für sinnvoll, oft für sinnlos." (101).
Eine Revolution in Südamerika kann er sich als sinnvoll vorstellen, dagegen nicht in einer hochindustrialisierten Gesellschaft. Was für eine Art
Organisation, eine sozialistische oder nicht-sozialistische, die hinter der
Revolution steht, scheint ihm gleichgültig zu sein. Letztlich muß man
sich fragen, ob Dürrenmatt nicht im Grunde in verschiedener Hinsicht
koservativ ist. Dies wird u. a. durch seine tiefe, gefühlsmäßige Bindung
an die Schweiz deutlich, was wir im Abschnitt „Dürrenmatt und die
Schweiz" näher erläutern. Aufbruch und Emigration kommen für Dürrenmatt gar nicht in betracht: er fühlt sich anscheinend — all seiner
Kritik zum Trotz — in diesem Land sehr wohl. Im *Monstervortrag über
Gerechtigkeit und Recht* bezeugt er seine Loyalität:

> „Im übrigen bin ich dort ein gehorsamer Bürger, wo Gehorsamkeit dem
> Staate gegenüber am Platze ist; ich halte die Gesetze, zahle die Steuern,
> verfahre mit meinen Mitmenschen und fahre meinen Wagen möglichst
> korrekt." (75).

Zusammenfassend kann festgestellt werden: Dürrenmatt ist sowohl
radikal als auch konservativ, aber welche dieser beiden Seiten zum
Ausdruck kommt, ist zuweilen rein von den Umständen — z. B. der
dichterischen Situation, also der momentan geeigneten Organisation
des Stoffes — abhängig, oft aber geben Moralismus oder Pazifismus den
Ausschlag. Seine Aktionen und Ansichten können häufig unklar und in-
konsequent erscheinen; vermutlich verbirgt er nicht selten eine gewisse
Unsicherheit und Unklarheit des Gedankenganges hinter einem Paradox, dem bewußten Widerspruch. Sicherlich gibt es bei Dürrenmatt keine
bestimmte, durchdachte Gesellschaftsauffassung: das gehört mit dieser
eigenartigen, paradoxen Dichterpersönlichkeit nicht zusammen. Bei ihm
ist die politische Stellungnahme nicht zu berechnen und vorauszusehen;
völlig anders verhält es sich hierin mit Zollinger und Frisch.

Der Künstler und die Gesellschaft

Der Dichter im Bettlerkleid

Die Dichtergestalt kommt in Dürrenmatts belletristischer Produktion verschiedentlich vor. Als Nebenfigur tritt sie in den Stücken *Der Blinde*, *Stranitzky und der Nationalheld*, *Ein Engel kommt nach Babylon* und *Herkules und der Stall des Augias* auf. Eine größere Rolle spielt der Dichter im Roman *Der Verdacht* und als Hauptperson, schließlich, erscheint er in den dramatischen Werken *Nächtliches Gespräch*, *Abendstunde im Spätherbst* und *Der Meteor*. In seiner Darstellung der Dichtergestalt zeigt sich eine bemerkenswerte Veränderung bei ihm Mitte der fünfziger Jahre: in den früheren Werken begegnet man dem armen, verachteten und abhängigen Schriftsteller, in den späteren Werken dem erfolgreichen, anerkannten und wohlhabenden.

Im Schauspiel *Der Blinde* gibt es einen zerlumpten Hofpoeten mit dem kennzeichnenden Namen „Gnadenbrot Suppe". Er ist die einzige Figur in diesem Schauspiel, die der Autor zur Karikatur gemacht hat. Suppe ist jedoch etwas mehr als nur der Narr, wie der blinde Herzog ihn nennt, und erreicht in seinem tragischen Tod eine gewisse Erhabenheit.

Menschlicher gezeichnet ist der Dichter Fortschig im Roman *Der Verdacht*. Durch ihre ernsthafte Tendenz knüpft Fortschigs Gestalt mehr an das Stück *Der Blinde* als an die folgende Produktion an. Fortschig ist ein mißglückter, heruntergekommener und dem Alkohol verfallener Dichter, der in Aussehen und Benehmen ein wenig lächerlich erscheint. Er erzählt, wie er versucht habe, sich mit seiner Schreibmaschine eine menschenwürdige Existenz zu schaffen: er habe Dramen, Gedichte und Erzählungen geschrieben, alles aber sei vergebens gewesen und er habe nicht einmal das Einkommen „eines mittleren Dorfarmen" erreicht. (*Der Verdacht*, 68). Es liegt über dieser Gestalt ein bitterer Ernst, hinter dem man einen selbstbiographischen Zug ahnt.

In den folgenden Werken sind die Dichtergestalten mit größerer Distanz und oft äußerst parodistisch gezeichnet. Der Poet J. P. Whiteblacke im Hörspiel *Stranitzky und der Nationalheld* hat sich in die Journalistik geflüchtet, um sein Brot zu verdienen: er ist ein schikanierter Subalterner des Redakteurs am Sensationsblatt „Epoche", der dem ehemaligen Dichter mit Überlegenheit und Verachtung begegnet. Im Stück *Ein Engel kommt nach Babylon* erscheint eine große Anzahl Dichter, die jedoch nie individuell auftreten. Sie führen ein erbärmliches Dasein und können nicht einmal das Einkommen eines gewöhnlichen Bettlers erreichen;

sie sind damit zufrieden, von den Brosamen zu leben, die vom Tisch eines Gönners fallen. Akki, der allein sich etwa fünfzig Dichter angenommen hat, ist dazu bereit, ihnen einen einfachen Wohnsitz in seiner „Wohnung" unter einer der Euphratbrücken zu geben. Er treibt offenbar diese Wohltätigkeit vornehmlich wegen seines guten Herzens: im Grunde scheint er weder ein Liebhaber der Dichtung noch der Dichter zu sein. Als auch der Polizist beginnt, Poesie zu schreiben, wirft ihm Akki vor: „Was fällt dir ein, Polizist Nebo, Du hast mit dem Dichten aufzuräumen, und es nicht zu vermehren." (I. Fassung, 1954, 47). In der II. Fassung wird geschildert, wie die Dichter endgültig beim Staat in Ungnade fallen. Der Herrscher, Nebukadnezar, ergießt seinen Zorn über sie und klagt sie an, daß sie sich mit erfundenen Gefühlen und Geschichten, d. h. mit solchem, was unwahr sei, beschäftigten. Sie werden verhaftet und zum Tode verurteilt. Singend gehen sie ihm entgegen. Als Nebukadnezar den Gesang hört, fragt er, warum die Dichter so froh sind, wobei Akki antwortet: „Die babylonischen Dichter verbrachten ein so trauriges Leben, daß sie sich nun freuen, in ein anderes zu kommen." (*Komödien*, I, 242; das Zitat fehlt in der I. Fassung). Auch im *Herkules und der Stall des Augias* ist der Held von einer Anzahl Dichter umgeben, die den Auftrag haben, in Buchform Herkules' Leistungen zu verherrlichen. Seine finanzielle Stellung ist jedoch schlecht, weshalb er nur 20 Dichter in seinem Dienst haben kann. Ebensowenig wie Akki ist Herkules an der Dichtkunst als solcher interessiert und meint, daß die Dichter eigentlich ein unnützes Geschlecht seien.

Der wirtschaftliche Faktor spielt in den oben behandelten Werken eine entscheidende Rolle: die Dichterfiguren sind als arme Leute dargestellt, die von der Gesellschaft rücksichtslos ausgenutzt werden und keine Möglichkeit haben, sich finanziell zu behaupten. Dahinter verbergen sich sicher Dürrenmatts persönliche Erlebnisse aus den ersten Jahren als freier Schriftsteller. Allerdings ist der schweizerische Hintergrund nur im Roman *Der Verdacht* deutlich gestaltet, läßt sich aber auch in den anderen Schilderungen wahrnehmen. Es handelt sich also um eine scharfe Kritik an der schweizerischen Gesellschaft und an ihrer Art, ihre Schriftsteller zu behandeln. Gleichzeitig aber sind diese Dichter eine Sammlung lächerlicher und komischer Figuren, mit denen der Autor — abgesehen von Fortschig — kein größeres Mitleid zu empfinden scheint. Dürrenmatt macht sowohl die Gesellschaft als auch ihre Opfer, die Dichter, lächerlich. Darin kommt seine paradoxe Betrachtungsweise und Methode zum typischen Ausdruck.

Die Schriftsteller der Hochkonjunktur

Einen Wendepunkt bildet das Hörspiel *Abendstunde im Spätherbst* (1956): die wirtschaftliche und soziale Situation des Schriftstellers in Dürrenmatts Dichtung ist damit radikal verändert worden. Das Stück trug früher den bezeichnenden Untertitel „Komödie der Hochkonjunktur, ein Beitrag zur Phänomenologie des Schriftstellers" (H. Bänziger: *Frisch und Dürrenmatt*, Aufl. 1960, 169). Dieselbe Anspielung auf die Hochkonjunktur hat das im Jahr zuvor herausgegebene Schauspiel *Der Besuch der alten Dame*, in dem eine große Stadt ihren Anteil an dem wirtschaftlichen Aufblühen erhielt. Im Schriftsteller Korbes, Hauptperson in *Abendstunde im Spätherbst*, hat Dürrenmatt in einer starken Karikatur den erfolgreichen Autor gekennzeichnet. Der arme und lächerliche Schriftsteller vom Typ Fortschig ist einem luxuriös lebenden Dichter von Weltformat, u. a. mit dem Nobelpreis ausgezeichnet, gewichen. Korbes' Werk wird von Mordgeschichten bestimmt — alle in Wirklichkeit begangen. Er hat aus Vergnügen gemordet, wird aber trotzdem nicht nur akzeptiert, sondern sogar bewundert und gefeiert. Er ist der Wunschtraum für Millionen Menschen geworden, und die Gesellschaft verteidigt ihn mit Servilität und Heuchelei.

Der zweite Erfolgsautor ist Schwitter im Stück *Der Meteor*, das zehn Jahre nach dem vorigen geschaffen wurde. Auch Schwitter ist Nobelpreisträger, anerkannt und respektiert von der Gesellschaft. Wie Korbes ist Schwitter ein durch sein Schreiben vermögender Mann. Bei Schwitter ist der geschäftsmäßige Standpunkt noch bewußter:

> „Ich schrieb nur, um Geld zu verdienen. Ich ließ keine Moralien und Lebensweisheiten von mir. Ich erfand Geschichten und nichts weiter. Ich beschäftigte die Phantasie derer, die meine Geschichten kauften, und hatte dafür das Recht, zu kassieren, und kassierte." (67).

Auch in diesen beiden Werken spielt also das Finanzielle eine wichtige Rolle. Aber die Situation ist nun umgekehrt: früher wurden die Autoren ausgenutzt, jetzt haben sie es gelernt, Geld zu verdienen und es anzulegen. Es ist natürlich, auch in diesem Zusammenhang biographische Parallelen zu ziehen; zweifellos gibt es in der Zeichnung von Korbes und Schwitter gewisse selbstironische Züge. Gesellschaft wie Künstler bleiben immer noch — obwohl jetzt von anderen Gesichtspunkten her — lächerlich. Mit Schärfe erscheint hier eine letztlich moralische Kritik: gegen Heuchelei, gegen die Schwäche der Menschen für Macht und Erfolg.

Es liegt nahe, Vergleiche zwischen diesen beiden Werken und Dürrenmatts Ansichten im Rundfunkvortrag „Schriftstellerei als Beruf" (1956, umgearbeitet 1965) [1] anzustellen, der also zwei Jahre vor dem Hörspiel *Abendstunde im Spätherbst* zustandegekommen ist. Auch im Vortrag dominieren die wirtschaftlichen Aspekte zur schriftstellerischen Tätigkeit, und man findet im Vortrag Begriffe wie Konsument, Geschäftspartner, Nachfrage, Exportgeschäft, Konkurrenzfähigkeit, Exportschriftsteller, Kunde, Markt usw. Dürrenmatt erscheint also selbst als ein Geschäftsmann auf dem Gebiet der Dichtung. Seine Äußerung „Geldverdienen ist ein schriftstellerisches Stimulans" (*TS*, 55), stimmt ja ziemlich gut mit Schwitters Intentionen überein. Es geht in dieser Ansprache, und dann besonders in ihrer Umarbeitung, um eine Zuspitzung, um Attitüde und Polemik, aber sicher auch um Ironie und Selbstironie.

Der Dichter, die Gesellschaft und die Freiheit

Die Schriftsteller in den Stücken *Der Blinde, Stranitzky und der Nationalheld* und *Herkules und der Stall des Augias* werden alle von der Gesellschaft schlecht behandelt, aber keiner von ihnen steht in Konflikt mit ihr. Allerdings wird Suppe ermordet, und die Dichter in *Ein Engel kommt nach Babylon* werden zum Tode verurteilt, aber in keinem Fall geschieht dies aus Opposition gegen die Gesellschaft. Fortschig im Roman *Der Verdacht* steht dagegen in einem bitteren, bewußt gegensätzlichen Verhältnis zu seiner Umgebung. Besonders tritt die Konfliktsituation im Hörspiel *Nächtliches Gespräch mit einem verachteten Menschen* in Erscheinung. Dieses Stück wurde im Jahre nach dem *Verdacht* geschrieben, und in seinem ernsthaften Ton knüpft es sowohl an diesen Roman als auch an das Schauspiel *Der Blinde* an. Die Dichterfigur im Hörspiel, ganz unpersönlich der „Mann" genannt, nimmt eine Sonderstellung unter Dürrenmatts Dichtergestalten ein. Es gibt nichts von Komik oder Karikatur bei ihm. Allerdings empfindet er seine eigene Situation zusammen mit dem Henker-Mörder als lächerlich (33 f.), aber das tut der Zuhörer-Leser nicht. Zwei Hauptthemen in *Nächtliches Gespräch* sind die Freiheit und der Tod. Der Hintergrund ist eine Diktatur, wobei es jedoch nicht deutlich wird, ob der Autor an Hitlers Deutschland oder an einen der kommunistischen Staaten denkt. Auf jeden Fall ist der einsame Mann-Schriftsteller ein Opfer des Machtstaates geworden: er ist in Ungnade gefallen und zum Tode verurteilt worden. Seine Bücher, die verboten sind, werden doch im geheimen gelesen. Sein Leben ist ein Kampf für die Sache der Freiheit gewesen, und bis zu seinem Tod hat er gegen Verbrechen protestieren wollen, die an der Menschheit begangen werden (14, 29). Der Kampf geht auch um die materiellen Bedingungen des Menschen: „Ich habe für ein besseres Leben auf dieser Erde gekämpft, dafür, daß man nicht ausgebeutet wird wie ein Tier, welches man vor den Pflug spannt: Da, geh, schaff Brot für die Reichen!" (44). Ehe der Tod den Mann-Schriftsteller trifft, gibt er einem starken Glauben an die Zukunft Ausdruck: „Nichts ist verloren von dem, was wir taten. Immer aufs neue wird der Kampf aufgenommen, immer wieder, irgendwo, von irgendwem und zu jeder Stunde." (46).

Nirgendwo sonst hat Dürrenmatt eine solche Dichterpersönlichkeit dargestellt, breit gezeichnet, voll Würde und Menschlichkeit. Der Konflikt mit der Gesellschaft hat für den Dichter unerhörte Risiken mit sich geführt: es geht um sein Leben. In geringem Ausmaß zeichnet sich bei Dürrenmatts Dichtergestalten ein Wille ab, die Gesellschaft zu verändern. Die beiden Ausnahmen sind Fortschig, der ausschließlich Kritiker ist, und besonders der Schriftsteller in *Nächtliches Gespräch,* der bestimmte, positive Ziele bezüglich der Gesellschaft hat. Er ist jedoch auf Grund der herrschenden politischen Verhältnisse ein machtloser Mensch. In dieser Gestalt hat Dürrenmatt einen selbständigen, verantwortungsvollen, politisch bewußten Schriftsteller geschaffen. Später hat er nie versucht, eine solche Idealfigur darzustellen, sondern hat mit verschiedenen negativen Modellen in einer demokratischen Umgebung gearbeitet: entweder sind die Dichter passive Opfer oder auch verstehen sie es, wie Korbes und Schwitter, die Gesellschaft zynisch für eigene Zwecke auszunutzen.

Wenn auch Dürrenmatt in seinen dichterischen Werken vermieden hat, positive Lösungen für die Beziehungen zwischen Dichter und Gesellschaft vorzulegen, wird doch seine Auffassung ziemlich deutlich in seiner Publizistik aus den sechziger Jahren. Als Moralist fühlt er seine Verantwortung für die Gesellschaft und ist ferner u. a. der Meinung, daß Veränderungen notwendig seien. Dagegen zeigt er zuweilen eine schwankende Haltung hinsichtlich der Bedeutung und Möglichkeiten des Schriftstellers, die Welt beeinflussen zu können.

Die wichtige Frage ist, welche Bedingungen für die Kritik und den Protest des Schriftstellers gelten. In einem Diktaturstaat, wo die politische Freiheit fehlt, hat der Schriftsteller — wie wir aus dem Beispiel in *Nächtliches Gespräch* gesehen haben — keine Möglichkeiten zu wirken. In der Folge hat Dürrenmatt sich in seinen Dichtungen innerhalb demokratischer Staaten aufgehalten, in denen die politische Freiheit eine Selbstverständlichkeit ist. Er hat sich dann stattdessen auf eine andere Seite des Freiheitsproblems konzentriert, nämlich auf die ökonomische Freiheit. In den früheren Arbeiten herrscht eine finanzielle Unfreiheit für den Schriftsteller, aber mit *Abendstunde im Spätherbst* und *Meteor* haben Dürrenmatts Dichtergestalten die begehrte finanzielle Unabhängigkeit erlangt. Im Vortrag „Schriftstellerei als Beruf" wird die Freiheit völlig zu einem finanziellen Problem. Die Voraussetzung für die

Kritik des Dichters sei, heißt es, einerseits, daß er keine Verpflichtungen gegenüber der Gesellschaft habe, und andererseits, daß diese ihrerseits keine Schuldigkeiten, beispielsweise wirtschaftlicher Art, gegenüber dem Verfasser habe. (*TS*, 53).

Dürrenmatt hat das Hauptgewicht in allzu hohem Grad auf die wirtschaftliche Perspektive gelegt, ist sich aber offenbar selbst mitunter der Einseitigkeit seiner Einstellung bewußt. Schwitter im Stück *Der Meteor*, der eine finanzielle Unabhängigkeit erreicht hat, empfindet schließlich sich selbst als unfrei; er verwendet sogar den Ausdruck korrumpiert: die Anerkennung der Gesellschaft hat eine neue Unfreiheit geschaffen [2]. Eine derartige finanzielle Unabhängigkeit zu erzielen, wie diejenige, die Dürrenmatt selbst erreicht hat, ist wenigen Autoren vergönnt. Die meisten müssen sich mit wenigem zufrieden geben und sind in vielen Fällen auf die Hilfe des Staates, Stipendien usw. angewiesen. Wenn man, wie Dürrenmatt im Vortrag „Schriftstellerei als Beruf", behauptet, daß der Kampf des Dichters um die Freiheit sich in erster Linie auf einer ökonomischen Ebene abspielen muß, ist dies allzu übertrieben. Die Frage nach der Möglichkeit des Dichters, als Gesellschaftskritiker zu wirken, hat mehrere andere Aspekte: auch Schriftsteller in kleinen und schwierigen wirtschaftlichen Verhältnissen — und vielleicht gerade deshalb — sind in hohem Grad wirkungsvolle Kritiker an der Gesellschaft.

Die Schweiz und die Literatur

In allen seinen früheren Werken — d. h. vor Mitte der fünfziger Jahre — beanstandet Dürrenmatt sehr die Art und Weise, wie die Gesellschaft ihre Dichter behandelt. Am allerstärksten treten diese Vorhaltungen im Roman *Der Verdacht* hervor, wo sie sich direkt gegen die Schweiz richten. Fortschigs Kritik an der Schweiz gilt vor allem der Stellung des Schriftstellers. Im Gespräch mit dem Polizeikommissar Bärlach geht er in seinen Angriffen von seiner eigenen Situation aus: „Kommissiär! Versündigen Sie sich nicht an einem Dichter, an einem schreibenden Menschen, der das unendliche Pech hat, in der Schweiz leben zu müssen und, was noch zehnmal schlimmer ist, von der Schweiz leben zu müssen." (67). In einem folgenden Zitat wird klargemacht, worin dieses Pech besteht: die herrschende und geschäftsmäßige Mentalität hat nichts übrig für die geistige Kultur. Im Zitat wird auf ein berüchtigtes Nazi-Wort angespielt.

> „Da soll man für die Freiheit und Gerechtigkeit und für jene andern Artikel einstehen, die man auf dem vaterländischen Markt feilbietet, und eine Gesellschaft hochhalten, die einen zwingt, die Existenz eines Schlufis und Bettlers zu führen, wenn man sich dem Geist verschreibt, anstatt den

Geschäften. Man will das Leben genießen, aber keinen Tausendteil von diesem Genuß abgeben, kein Weggli und kein Räppli, und wie man einmal in einem tausendjährigen Reich den Revolver entsicherte, sobald man das Wort Kultur hörte, so sichert man hierzulande das Portemonnaie." (68 f.).

Diese sehr bittere und persönlich gehaltene Klage über schweizerische Mentalität und Kulturfeindlichkeit ist sicher Dürrenmatts eigene damalige Ansicht. Später behandelt er diese Probleme mit größerem Abstand, aber die Kritik bleibt — wenn auch gemäßigt und weniger persönlich. Im Stück *Herkules und der Stall des Augias* ist der Hinweis auf die Schweiz offensichtlich. Herkules teilt die allgemeine, in Elis herrschende Auffassung, daß die Sprache nur praktischen Zwecken dienen kann. Phyleus, Augias' Sohn, konstatiert beispielsweise: „Wir kennen keine Gedichte. Wir brauchen die Sprache nur, um Vieh einzuhandeln." (*GH*, 180). Der Ton ist hier ein anderer als im *Verdacht*: wohlwollender, nachsichtiger und humoristischer. Dasselbe kann über den Vortrag „Schriftstellerei als Beruf" gesagt werden; die eigenen Erfolge veranlassen nunmehr Dürrenmatt, die Schweiz und die Probleme des Künstlers mit größerer Distanz und Überlegenheit zu betrachten und zu behandeln. In diesem Vortrag werden bestimmte, konkrete Probleme aufgegriffen, u. a. die Ursachen für die schwierige Situation des Schriftstellers in der Schweiz. Als eine erste Ursache weist Dürrenmatt auf die Mentalität hin: „Die Künstler sind nun einmal in der Schweiz immer noch etwas Dubioses, Lebensuntüchtiges und Trinkgeldbedürftiges, wohnhaft in jenem stillen Kämmerlein, das bei jeder offiziellen Dichterehrung vorkommt". (*TS*, 51). Als eine zweite Ursache wird auf die Kleinheit des Landes und die Mehrsprachigkeit hingewiesen[3]. Wenn ein Autor Erfolg haben und von seiner Arbeit leben wollte, sei er auf den ausländischen Markt angewiesen. „In unserem Lande ist die Schriftstellerei als Beruf nur als Exportgeschäft möglich." (*TS*, 54). Mit Dürrenmatts Vokabular ist also die Schweiz ein schlechter und begrenzter Markt. Hierzu möchten wir einen Einwand vorbringen: Dürrenmatt erwähnt nicht, daß ein wichtiger Teil dieses Auslandes dieselbe Sprache hat, wie das Kulturgebiet, dem er selbst angehört. Die Ausgangsposition ist in Wirklichkeit einzigartig vorteilhaft, weit günstiger als für Schriftsteller in anderen europäischen Kleinstaaten.

Was Dürrenmatt über Mentalität und Kulturverhältnisse in der Schweiz zu sagen hat, ist an sich nicht originell: es handelt sich hier um eine bereits fest etablierte kritische Tradition. Er scheint kein Bedürfnis zu haben, die Schweiz auf dem kulturellen Gebiet gegenüber Deutschland hervorzuheben. Im Gegenteil weist er darauf hin, daß die Abhängigkeit der Schweiz von Deutschland gegenwärtig eine offensichtliche, ökonomische Realität sei, wobei er besonders auf eine Institution als wesentlich, ja lebenswichtig für den deutschschweizerischen Dichter verweist: den Rundfunk und das Fernsehen in der Bundesrepublik (*TS*, 54).

Im Roman *Verdacht* greift Dürrenmatt scharf die Geschäftsmäßigkeit der Schweizer an. Es ist eigenartig und komisch zu sehen, wie Dürrenmatt später dieses Vokabular selber übernommen hat, und es beispielsweise im Vortrag „Schriftstellerei als Beruf" verwendet — allerdings mit Sarkasmus und Ironie — aber sicher auch in vollem Ernst. Er kann damit dieselbe Sprache wie seine Landsleute reden: er behandelt die Probleme der Kunst als sachliche, finanzielle und geschäftliche Angelegenheiten. Hier gibt es keinen Platz für eine romantische Auffassung vom Künstler. Dürrenmatt will den Schweizern gegenüber die Schriftstellerei als etwas Praktisches betonen und sagt somit, auf die Rubrik des Vortrages anspielend: „Beruf: Dieses Wort sei hier in einem praktischen Sinne genommen zur Bezeichnung einer Tätigkeit, durch die versucht wird, Geld zu verdienen." (*TS*, 50). Auch der Blick auf die Heimat ist zugespitzt praktisch: die Schweiz wird zu einem einzig und allein geeigneten Arbeitsplatz für den deutschschweizerischen Schriftsteller reduziert.

Dürrenmatts Auffassung der sozialen und wirtschaftlichen Situation des schweizerischen Dichters kann hart und schonungslos erscheinen. Man denkt hier an seinen Standpunkt, daß die Gesellschaft keine Verpflichtungen gegenüber den Schriftstellern haben soll. Der Staat soll die „Rentabilität" der Schriftstellerei nicht garantieren (*TS*, 53). Auf eine eigentümliche Weise scheint es Dürrenmatt an sozialem Gefühl für die bedrängten Autoren und ihre Situation zu mangeln.

Abschließend möchten wir konstatieren, daß der Widerspruch in Dürrenmatts Ansichten unleugbar ist: er kritisiert die schweizerische Mentalität und die Stellungnahme der Gesellschaft gegenüber Dichtung und Dichtern, gleichzeitig aber mißbilligt er jegliche staatliche Unterstützung. Es ist klar, daß Dürrenmatts literarische und finanzielle Erfolge eine wichtige Bedeutung für die Gestaltung seiner Anschauung gehabt haben, die von dem Bedürfnis bestimmt wird, die Integrität des Autors in der Schweiz zu verteidigen. Dabei ist die Hervorhebung der wirtschaftlichen Unabhängigkeit ein zentraler Punkt geworden.

Volk und Staat

Volkscharakter

Bei den Gestalten in Dürrenmatts Werken bemerkt man eine dominierende Eigenschaft: das Gewinn- und Geldinteresse, d. h. Materialismus. Alles wird einem Erwerbstrieb untergeordnet, der rein verbrecherische Formen annehmen kann, wie im Stück *Frank der Fünfte*, aber auch komisch und relativ erträglich erscheinen kann, wie im Stück *Herkules und der Stall des Augias*. Sicherlich richtet sich Dürrenmatt mit seiner Kritik gerade an seine Landsleute — indem er jedoch gleichzeitig auf etwas allgemein Menschliches anspielt. Dadurch, daß der Autor eine getarnte Form verwendet, ist es nicht möglich, direkt auf Einzelheiten hinzuweisen, die sich speziell auf die Schweizer beziehen. Mit seinen Übertreibungen versucht Dürrenmatt einer Grundeinstellung beizukommen und scheint sich in dieser Hinsicht der schweizerischen Wirklichkeit am weitesten im Stück *Herkules und der Stall des Augias* zu nähern, worin die Bevölkerung des Staates Elis aus gediegenen aber erdgebundenen und von Nützlichkeitsdenken geprägten Menschen besteht.

Eine andere wichtige Eigenschaft, die man oft bei Dürrenmatts Personen findet, ist die Heuchelei, die bewußte oder unbewußte Verlogenheit, mag es sich nun um Politik oder Wirtschaft, um Gesellschaft oder um den Einzelnen handeln. Hinter den Idealen und den schönen Phrasen versteckt sich Bosheit, Machthunger, Egoismus und Gewinnsucht. Genau wie die materialistische Gesinnung kehrt die Heuchelei in den meisten von Dürrenmatts Werken wieder, besonders auffallend in den Stücken *Der Prozeß um des Esels Schatten*, *Das Unternehmen der Wega*, *Der Besuch der alten Dame*, *Grieche sucht Griechin*, *Frank der Fünfte* und *Herkules und der Stall des Augias*. Die Heuchelei kann natürlich nicht als eine spezifisch schweizerische Eigenschaft definiert werden. Dürrenmatt bewegt sich hier in großen Stücken auf einer allgemein menschlichen Ebene. Aber daß er beispielsweise im Stück *Herkules und der Stall des Augias* auf den Schweizer anspielt, dürfte klar sein, was auch für den Vortrag „Schriftstellerei als Beruf" gilt, in dem er einige Reflexionen über den Gegensatz zwischen Kunst und Wirklichkeit, zwischen Ideal und Geschäften macht. (*TS*, 51 f.).

Daß der Schweizer von der Kleinheit seines Landes, von Minderwertigkeitsgefühlen und von einem Mangel an Großartigkeit geprägt sei, ist ein traditionelles Thema, auf das Dürrenmatt im Gedicht „An mein Vaterland" zurückkommt, sowie im Interview „Gespräch zum 1. August", in dem er u. a. äußert: „Aber wir sind kleinlich und pedantisch bis zum Exzess." (*Ex libris*, 1966, Nr. 8).

Dürrenmatt kritisiert in einer Reihe von Dichtwerken und Artikeln den schweizerischen Konservatismus in dessen verschiedenen Formen. Offensichtlich erscheinen Konservatismus und materielle Gesinnung für Dürrenmatt als die wichtigsten Charakterzüge des Schweizers. Sie prägen bestimmte und wesentliche Seiten des Schweizer Gesellschaftslebens, wogegen Dürrenmatt sich in besonderem Grad wendet [1].

Materialismus und Kapitalismus

Die materialistische Gesinnung manifestiert sich in Dürrenmatts Werken durch eine Reihe negativer Eigenschaften, wie Gewinnsucht, Heuchelei und Bestechlichkeit. Beispielsweise wird in dem Stück *Herkules und der Stall des Augias* die Gewinnsucht mit ideellen Phrasen getarnt. Die Gastwirte singen somit in ihrem Chor: „Nicht des Geldes wegen . . . " (*GH*, 169). Im Schauspiel *Romulus der Große* hat Rupf eine bestimmte Erfahrung gemacht: „Alle sind heute käuflich, Majestät." (*Komödien I*, 32; diese Replik ist nur in der II. Fassung vorhanden). Dieser Ausdruck könnte als Motto über mehreren von Dürrenmatts Werken stehen. Die Minister und Beamten um Nebukadnezar herum sind geldhungrige Politiker, die natürlich nichts gegen ein Geldstück in der Hand einzuwenden haben. Im Hörspiel *Der Prozeß um des Esels Schatten* hat sich die Bestechlichkeit bis in den Richterstand hinauf verbreitet; im Roman *Grieche sucht Griechin* sowie im Stück *Frank der Fünfte* spielen Bestechungsgelder eine bedeutende Rolle.

Im Anschluß an diesen Materialismus steht der Kapitalismus, bei Dürrenmatt sowohl vom einzelnen Kapitalisten wie vom Großbetrieb vertreten. Im Schauspiel *Der Besuch der alten Dame* wird das wirtschaftliche Motiv für das Werk im ganzen bestimmend. Die Stadt Güllen befindet sich in einer Rezession mit Arbeitslosigkeit. Als rettender Engel tritt die Milliardärin Claire Zachanassian auf, die der Stadt Millionen und Wohlstand unter einer Bedingung verspricht: daß Ill getötet wird. Die Einwohner der Stadt erliegen der Versuchung des Geldes, suchen aber ihre Handlungsweise und ihren Verrat hinter allerlei Phrasen zu verbergen; der Rektor des Gymnasiums spricht feierlich von Ideal und Freiheit:

> „Es geht nicht um Geld — es geht nicht um Wohlstand und Wohlleben, nicht um Luxus, es geht darum, ob wir Gerechtigkeit verwirklichen wollen, und nicht nur sie, sondern auch all die Ideale, für die unsere Altvordern gelebt und gestritten haben und für die sie gestorben sind, die den Wert unseres Abendlandes ausmachen . . ." (*Komödien I*, 347).

Während der Kapitalismus im Stück *Der Besuch der alten Dame* eine ausschließlich persönliche Repräsentantin in Zachanassian erhält, bekommt er eine allgemeine Repräsentation durch ein Unternehmen im Roman *Grieche sucht Griechin*. Der Autor gibt hier eine scherzhafte Satire über ein Riesenunternehmen, dessen Angestellte nur Rädchen und Nummern in einem unpersönlichen Massenmilieu sind.

Im Stück *Frank der Fünfte* findet man mehrere Hinweise auf die Schweiz; es heißt u. a., daß die Bank, die im Mittelpunkt des Schauspiels steht, in einer Stadt liegt, „deren Redlichkeit und Bürgerfleiß in der ganzen Welt sprichwörtlich geworden ist, und deren Polizei vorbildlich organisiert ist." (17). Die Privatbank Frank des Fünften ist ein Kollektiv, in dem Besitzer und Personal eine Ganzheit gegenüber der Außenwelt bilden. Die Angestellten sind diesem Unternehmen verschworen, und seinetwegen opfern sie das meiste ihres Privatlebens. Hinter einer äußerlich anständigen und unanfechtbaren Fassade verbirgt sich eine Gangsterbank, wo alles dem Geld untergeordnet ist. Franks Privatbank ist ein Symbol für den Materialismus. Aber die Bank ist auch ein Ausdruck des Kapitalismus und ferner ist es eine speziell schweizerische Erscheinung; man ist versucht von einem schweizerischen Symbol zu sprechen, stark gefühlsgeladen, ein Ausdruck des Geldes und der Sparsamkeit, des Fleißes und der Arbeit, der Solidität und Anständigkeit. Es hat Dürrenmatt offenbar amüsiert, gerade dieses Symbol anzugreifen und zu demaskieren.

Die oben behandelten Arbeiten beinhalten eine sozusagen idirekte Kritik, wobei der Leser seine eigenen Schlüsse ziehen kann. Nur in dem frühen Stück *Ein Engel kommt nach Babylon* kommt ein direkter Angriff auf den Kapitalismus vor, und zwar durch Akki. Es ist ihm gelungen, einer Milliardärstochter ihr gesamtes Vermögen abzubetteln und in kurzer Zeit den Reichtum ihrer Familie zu vernichten. Er hat alles verschwendet und in seinem Fall fünf andere Milliardäre mit sich gerissen. „Dies, mein Henker, tat ich als Denker, um einen bösen Beruf zu erlösen." (I. Fassung, 1954, 62).

Quer durch alle Komik, die Dürrenmatt bringt, gibt es offensichtlich eine echt gemeinte Kritik am Wirtschaftssystem der Schweiz und anderer westlicher Demokratien. Auf eine charakteristische Weise wendet er seine Kritik gegen sowohl den Kapitalismus als auch gegen dessen Opfer, also den unterdrückten einzelnen Menschen. Es handelt sich um dieselbe Methode wie bei der Behandlung der Künstlerprobleme.

Es ist zu vermuten, daß Dürrenmatt eine Umgestaltung des wirtschaftlichen Gebietes in irgendeiner Form wünscht: er hat sich ja oft für die Notwendigkeit einer Veränderung der Gesellschaft ausgesprochen. In der Tat macht er jedoch keine Andeutung darüber, wie eine solche Umwandlung aussehen sollte: er präsentiert keine Zukunftsperspektive

oder Vorschläge — sozialistische oder nicht-sozialistische — zu Lösungen.
Er macht überhaupt keine Versuche, sich konkret mit dieser Problematik
in seiner Dichtung oder Publizistik auseinanderzusetzen. Letztlich richtet sich seine Kritik gegen den einzelnen Menschen: gegen bestimmte
Eigenschaften, die bei einem Individuum zum Ausdruck kommen, er
mag nun Kapitalist oder einfacher Angestellter sein. Es handelt sich
um moralistische Kritik, wobei Dürrenmatt offenbar auf eine Veränderung oder Besserung des Einzelnen hofft.

Nation und Vaterland

Um das Problem von Nationalismus, Krieg und Vaterlandsliebe in
Dürrenmatts Produktion zu beleuchten, ist die Skizze „Der Folterknecht" im Prosabuch *Die Stadt* ein geeignetes Beispiel. Sie wurde 1943,
also während des Krieges, geschrieben[2]. Es gibt nichts Direktes über
den Krieg in dieser Skizze, aber daß der Zweite Weltkrieg den natürlichen Hintergrund bildet, braucht nicht bezweifelt zu werden. Die Welt
wird als eine Folterkammer dargestellt. Es kommt eine eigenartige
religiöse Symbolik vor: derjenige, der foltert, ist Gott, und er ist es
auch, der lacht. Grausamkeit und Lachen sind zwei Schlüsselworte für
Dürrenmatts ganze spätere Produktion.

Dem Krieg als Motiv begegnet man in Dürrenmatts zwei ersten
Schauspielen, die sich beide in historischer Zeit abspielen. Im Stück *Es
steht geschrieben* spielt der Krieg als Lebensform eine wichtige Rolle.
Man trifft hier den Alltag des Krieges: Menschen, die verstümmelt und
getötet werden, hungern und leiden. Dürrenmatt hat bereits in diesem
Stück seinen dramatischen Stil gefunden: die Grausamkeiten werden
im Vorübergehen erwähnt, in scherzhaftem Ton. Eine gewisse indirekte
Kritik könnte man jedoch aus einzelnen Äußerungen herauslesen, zum
Beispiel wenn die Gemüsefrau den Dreißigjährigen Krieg, den Ersten
Weltkrieg, die Atombombe, den Zwölften Weltkrieg usw. voraus-
sieht[3]. Hier bricht zweifelsohne der Pessimismus des Dichters durch,
das Mißtrauen gegenüber der Fähigkeit der Menschheit, den Krieg zu
verhindern. Im Stück *Der Blinde* ist der Hintergrund eine Gesellschaft
in Not und Auflösung, verursacht durch den Dreißigjährigen Krieg.
Aber der Krieg an sich ist ebensowenig wie im vorigen Stück ein Problem: er bildet lediglich eine Kulisse.

In zwei folgenden Werken, *Romulus der Große* und *Stranitzky und
der Nationalheld,* ist die Frage nach Krieg und Vaterland von zentraler Bedeutung. Die Hauptperson im Schauspiel *Romulus der Große*
ist Dürrenmatts mächtigste zivile Gestalt. Die Kritik ist klar und eindeutig: Romulus wendet sich heftig gegen Krieg, Gewalt und nationale

Traditionen. Nachdem er jahrelang im geheimen die Liquidierung des römischen Imperiums vorbereitet hat, tritt er nun offen als dessen Richter hervor.

„Das war das Ende des Imperiums, es ist seit 150 Jahren tot. Der Kaiser ist Mensch geworden und das Kaiserreich eine Einrichtung, die öffentlich Mord, Plünderung, Erpressung, Unterdrückung und Brandstiftung auf Kosten der Menschheit betreibt. [...] Ich bezweifle nicht die Notwendigkeit des Staates. Ich bezweifle nur die Notwendigkeit unseres Staates[4]."

Romulus' Skepsis gegenüber dem Begriff Vaterland kommt in einem Gespräch mit der Tochter Rea zum Ausdruck: „Man soll vor allem gegen sein Vaterland mißtrauisch sein. Es wird niemand leichter ein Mörder als ein Vaterland[5]." Der Kaiser bekennt, daß er ein Zivilist ist, der nie die Offiziersehre verstanden hat. Er greift die Gewaltpolitik an, die so große Opfer unter den eigenen und fremden Völkern gefordert hat, und was alles nur um Roms Ehre willen geschehen ist[6]. Romulus' Entwicklung spannt von der lächerlichen Rolle als Hühnerzüchter über die großartige Attitüde als humaner Friedensfreund zu der wieder ein wenig lächerlichen Rolle als Kaiser im Ruhestand. Es ist charakteristisch, daß auch Romulus, der für den Autor eine sympatische Gestalt sein müßte, in einer Don Quichotte-Rolle endet.

In Dürrenmatts Werk begegnet man noch einer Hauptperson, die sich gegen den Krieg wendet, nämlich Stranitzky im Hörspiel *Stranitzky und der Nationalheld*. Er war früher einmal Fußballspieler, ist nunmehr aber ein Invalide, der im Krieg sein Bein verloren hat. Er ist der Repräsentant der Kleinen, der in der Gesellschaft Vergessenen. Wie sein blinder Kamerad Anton, auch er ein Kriegsinvalide, muß Stranitzky sich mit Bettelei ernähren. Stranitzky erhält beim Staatsoberhaupt Moeve Audienz und eine Gelegenheit für die Zurückgesetzten zu sprechen. Er spricht von einem Wendepunkt in der Geschichte: man sollte nun die Armut im Lande abschaffen und zukünftige Kriege unmöglich machen. (*GH*, 143). Der naive Stranitzky glaubt, er könne eine Regierung bilden und wünscht ein Regierungsprogramm vorlegen zu dürfen. Als er versteht, daß sein Anliegen ihm mißlungen ist, verübt er zusammen mit Anton Selbstmord. Zweifellos betrachtet der Autor Stranitzky mit Sympathie, gleichzeitig aber ist jener — wie Romulus — eine lächerliche Figur, was er selbst zugibt: „Ich war ein Narr, ich wollte Minister werden . . . " (*GH*, 149). Ihm gegenüber steht das Staatsoberhaupt Baldur von Moeve, Sieger von Finsterwalde und Saint Plinplin. In Moeve hat Dürrenmatt eine durch und durch komische Figur geschaffen, in der er den demokratischen Nationalhelden lächerlich macht. Moeve lebt in der Welt der Phrasen und dazu gehört sein Sprechen von den Pflichten gegenüber dem Vaterland (*GH*, 142).

Eine der Hauptgestalten im Stück *Ein Engel kommt nach Babylon* ist

Akki. Es liegt nahe, Akki mit Romulus zu vergleichen: alle beide sind, was Dürrenmatt „mutige Menschen" nennt, bei beiden kommt die Gesellschaftskritik in direkter Form zum Ausdruck. Auch Akki erscheint als ein zugleich lächerlicher und ernster Mensch. Der Unterschied liegt darin, daß Akki zu den niedrigsten Schichten der Gesellschaft gehört: er ist der letzte Bettler in Babylon und will seine Tätigkeit nicht aufgeben. Trotz Folterung weigert er sich, Kompromisse einzugehen und sich zu beugen; er möchte seine Freiheit behalten, er will in einer Welt der Mächtigen „bestehen". In einer der sogenannten Makamen kommt Akkis Antipatriotismus und seine Verachtung für militärische Heldentaten zum Ausdruck. Er erzählt, daß er einmal zu einem Generalstitel gekommen sei. Auf diese Weise bekam er die Möglichkeit, 300.000 Soldaten vor ihrer Vernichtung zu retten. „Nun hatte ich Mittel, den Krieg zu bekriegen, und den Sieg zu besiegen." (I. Fassung, 1954, 63). Akki ironisiert den Nationalhelden in einer Replik, die sich jedoch nur in der zweiten Fassung findet: „Vor allem die Nationalhelden bringen die Menschheit um, da kommen nicht einmal die Ärzte mit." (Komödien I, 205 f.). In Akkis Bestrebungen als General liegt eine direkte Parallele zum Agieren des Kaisers Romulus.

Der Neutrale und die Waffenfabrikation ist ein Motiv, das in zwei Werken vom Anfang und der Mitte der fünfziger Jahre wiederkehrt. Im Hörspiel *Der Prozeß um des Esels Schatten* kommt ein Waffendirektor Thykidides in Korinth vor, der als unengagierter Neutraler beiden streitenden Parteien in Abdera Waffen zu verkaufen beabsichtigt. In gleichlautenden Offerten appelliert er sowohl an die Partei der Esel als auch an die der Schatten:

> „Mit größter Anteilnahme verfolgen wir den mutigen Kampf Ihrer Partei. Wir teilen voll und ganz Ihre Ansicht, daß der Friede das höchste Gut ist, doch muß man bei der verbrecherischen Absicht der Gegenpartei auf das Schlimmste gefaßt sein. Die Thykidides Waffen AG in Korinth bietet Ihnen deshalb ihre Hilfe im Kampf um die höchsten Ideale und um den Frieden an und offeriert Ihnen prima Schwerter erster Qualität..." (GH, 80).

Dürrenmatt zielt hier natürlich auf die Schweiz in ihrer doppelten Funktion als Friedensnation und Waffenproduzent ab. Eine neutrale Stellung in diesem Hörspiel hat auch Tiphys, der trunksüchtige, zynische Seekapitän. Zu ihm kommen Repräsentanten der beiden Parteien und bitten ihn, die Tempel der Gegner in Brand zu stecken. Der eine behauptet, es handele sich um die Sache der Freiheit, der andere um die des Vaterlands. Tiphys durchschaut ihre Heuchelei und verhöhnt sie und ihre Ideale. (GH, 83).

Thukidides' Gegenstück ist ein anderer neutraler Waffenproduzent: Petit-Paysan im Roman *Grieche sucht Griechin*. In diesem Roman nimmt ein Unternehmen von gewaltigen Dimensionen, eine Maschinenfabrik, deren Besitzer Petit-Paysan ist, eine zentrale Rolle in der Handlung ein. Dürrenmatt spielt hier auf eine offenbare Realität an, nämlich eine bekannte Maschinen- und Waffenindustrie in einem der Vororte Zürichs. Der Name des Besitzers ist durch eine leichte Französierung maskiert. Als Archilochos, einer der Angestellten in dem Unternehmen, dem wenig informierten Petit-Paysan erzählt, daß es eine Abteilung zur Fabrikation von Geburtszangen neben der Waffenabteilung gibt, ist dieser höchst erstaunt und bemerkt: „Es ist nur gut, daß wir zu den Dingen, die die Menschheit aus der Welt schaffen, auch Dinge fabrizieren, die sie hineinbringen." (73 f.). In Petit-Paysan hat Dürrenmatt eine Gestalt geschaffen, geprägt von unbewußter Heuchelei und einer Verlogenheit, die sich in reinem Zynismus äußert.

Im Hörspiel *Das Unternehmen der Wega* hat Dürrenmatt wieder das Motiv des Krieges aufgegriffen, diesmal in einem utopischen Zukunftsmilieu: es handelt sich um einen universellen Krieg. Zum ersten Mal wird die Wasserstoffbombe in seine Dichtung hineingebracht. Aus den kämpfenden Parteien in Abdera sind zwei kämpfende Weltgruppen geworden. Die Westmächte wollen den Planeten Venus für ihre Zwecke gewinnen. Trotz eines bestimmten Versprechens, Wasserstoffbomben nicht zu verwenden, werden diese doch abgeworfen. Die Menschen der Erde haben die Fähigkeit verloren, miteinander zu leben. Venus' Einwohner dagegen sind gezwungen worden, Zusammenarbeit zu lernen: wenn sie sich nicht selbst helfen, gehen sie zugrunde. Noch eine wichtige Sache hat das Leben sie gelehrt: „Wir können nicht mehr töten." (*GH*, 237). Der Pessimismus des Autors ist offensichtlich: die Menschen der Erde können ihre Gemeinschaftsprobleme nicht lösen. Es handelt sich nicht um eine direkte Kritik, sondern der Schriftsteller folgt dem eingeschlagenen Weg von beispielsweise dem Hörspiel *Der Prozeß um des Esels Schatten*: in Bildern werden die Heuchelei, die Verlogenheit, der Gegensatz zwischen Wort und Handlung aufgezeigt. Von speziellem Interesse ist, daß Dürrenmatt in der Darstellung der Venus-Einwohner ein positives Bild geschaffen hat, eine Art Idealbild der menschlichen Gemeinschaft. Er läßt nicht das übliche Gelächter und die Ironie über sie fallen, sondern der Ernst besteht bis zum Schluß.

Nur in seinen Kriminalromanen verwendet Dürrenmatt ein rein schweizerisches Milieu. Zwei von ihnen werden in diesem Zusammenhang aktuell. Im Roman *Der Richter und sein Henker* gibt es nichts von Krieg; hingegen schimmert ein Stück schweizerischer Vaterlandsliebe durch. Parodistisch gezeichnet ist von Schwendi, ein charakteristischer Typ, den wir beispielsweise aus Bossharts Roman *Ein Rufer in der Wüste* und Inglins *Schweizerspiegel* wiedererkennen. Von Schwendi ist Oberst, Advokat und Parlamentsmitglied. Diese Vereinigung einer zivilen und politischen Tätigkeit mit intensivem, militärischem Engagement ist etwas typisch Schweizerisches und gleichzeitig ein Ausdruck eines traditionellen Patriotismus. Zu den vaterländischen Requisiten im Buch gehört das Dienstzimmer des Polizeipräsidenten Lutz, das der Autor mit Traffelets patriotischen Bildern geschmückt hat. Auch im Werk *Der Verdacht* wird die Frage der Vaterlandsliebe behandelt. Hier steht einerseits der Literat Fortschig mit seiner scharfen Kritik an Bern und der Schweiz, andererseits der Kommissar Bärlach, der ein wenig schulmeisterhaft versucht, diese Kritik zu dämpfen.

Fünf publizistische Beiträge wollen wir hier behandeln, in denen Dürrenmatt auf die Themen Frieden, Krieg und Patriotismus zu sprechen kommt. In zwei Fällen handelt es sich um Reden, die zuerst im Werk *Theaterschriften und Reden* veröffentlicht wurden. Die früheste, die 1957 gehalten wurde, trägt den Titel „Ansprache anläßlich der Verleihung des Kriegsblinden-Preises", in der der 150jährige Friede in der Schweiz Deutschlands Kriegsperioden gegenübergestellt wird. Dürrenmatt spricht vom Frieden als Alltag und betrachtet diese Alltäglichkeit als etwas Wichtigeres als die Mythen der Schweiz. Die andere Rede, vom Jahr 1961, hat den Titel „Autorenabend im Schauspielhaus Zürich". Auch in dieser berührt der Autor die lange Friedensperiode der Schweiz und macht im übrigen zwei Äußerungen von besonderem Interesse. In dem einen Fall wendet er sich gegen die übertriebene Vaterlandsliebe: „Warum gleich mit dem Schlimmsten kommen, warum gleich mit dem Nationalen?" (*TS*, 66). Im zweiten Fall beanstandet er das Heldenbewußtsein des Schweizers: „Er leitet sich geschichtlich von Helden ab, seine Vorstellungswelt ist geschichtlich durchaus eine martialische, heldische." (*TS*, 67). Auch im „Gespräch zum 1. August" nimmt Dürrenmatt die Frage nach dem Heldenmythos auf. Selbstredend hat er nicht viel übrig für Morgarten und Sempach. Interessanter ist sein Versuch, gewisse Teile der Geschichte der Schweiz umzuwerten. Er lehnt die Versuche ab, eine verlogene Geschichte auszumalen und denkt dabei in besonderem Grad an den Zweiten Weltkrieg. Die Schweizer, so meint er, hätten in diesem Fall keinen Anlaß, stolz zu sein: sie seien keine Helden. Stattdessen versuchten viele nunmehr als Helden des kalten Krieges aufzutreten. Dürrenmatt erwähnt „die starre Heldenhaltung, lieber tot als rot" und sagt ferner: „Dem entspricht auch unsere heutige Verteidigungskonzeption, auch sie martialisch und heldisch bis aufs Letzte." (*Ex libris*, 1966, Nr. 8).

In Dürrenmatts Rede „Tschechoslowakei 1968" bilden Politik, Verbrechen und Krieg identische Begriffe. Der Schluß der Rede erhält eine klar pazifistische Tendenz: Dürrenmatt drückt seine Bewunderung für die Tschechoslowakei aus, die sich der Gewalt nicht bedient hat. (*Tschechoslowakei* 1968, 25 f.). Er scheint hier nahezu ein Anhänger des passiven Widerstandes zu sein.

Im *Monstervortrag über Gerechtigkeit und Recht* kommt Dürrenmatt auf einige der Punkte in der Ansprache vom Jahre 1968 zurück. U. a. wiederholt er programmatisch: „Ich halte Krieg prinzipiell für Verbrechen ... " (100). In jenem Abschnitt der Ansprache, den Dürrenmatt „Helvetisches Zwischenspiel" betitelt hat, hält er sich ausführlich bei der „geistigen Landesverteidigung" auf (63, 65, 68, 70, 72 f., 76 f.). Er denkt dabei nicht an die Kriegs- und Vorkriegsjahre sondern an die Aufrechterhaltung dieser Verteidigungsmentalität während der folgenden Jahrzehnte. Er ist ironisch sowie scharf widersprechend und meint sogar, daß diese Einstellung gefährlich sei. U. a. sagt er, daß die Schweiz ein Land ist, das „um sich geistig verteidigen zu können, vom kalten Kriege lebt." (64). Ferner sagt er, diese schweizerische Landesverteidigung eröffne sich als eine Art Staatsreligion (72). Wie gewöhnlich drückt sich Dürrenmatt paradox und ironisch aus: er behauptet, daß er nichts gegen die schweizerische Armee habe („ein Stück Folklore"), gleichzeitig aber hält er sie für überflüssig. Sie ist für einen kleinen Staat unnötig. Er führt damit Gedankengänge in der Ansprache über die Tschechoslowakei aus: „Bei den Kleinstaaten kommt es auf den inneren Widerstand an, nicht auf den Einsatz von Armeen." (77).

Einige der wichtigsten Worte und Begriffe, denen man in den oben behandelten Texten von Dürrenmatt begegnet, sind folgende: Grausamkeit, Krieg, öffentlicher Mord, Nationalheld, Waffenindustrie, Vaterland und Vaterlandsliebe. Sie bilden einen Themenkomplex, auf den das Engagement des Schriftstellers — innerhalb des Rahmens der Dichtung — während einer ziemlich begrenzten Periode konzentriert ist: 1947–1955. Nach 1955 sind diese Motive im großen ganzen verschwunden und scheinen damit ihre literarische Aufgabe erfüllt zu haben. Innerhalb der Publizistik haben diese Themen dagegen immer noch ihre Aktualität: die fünf angeführten Beispiele sind alle nach dem Jahr 1955 entstanden. Eine eindeutige Haltung des Autors kann sowohl aus seinen Dichtungen als auch aus seiner Publizistik herausgelesen werden, nämlich die scharfe Verurteilung von Krieg und Nationalismus.

In welchem Maße richtet Dürrenmatt in den behandelten dichterischen Werken sein Augenmerk auf die Schweiz? Die Stücke *Romulus der Große* und *Das Unternehmen der Wega* haben die Machtpolitik der Großmächte zum Inhalt. Aber wenn Romulus sich gegen die geschichtliche Tradition wendet, so trifft dieses auch für den Kleinstaat Schweiz zu. Eine direkte schweizerische Problematik kommt nur in den beiden erwähnten Kriminalromanen vor. Die Werke *Der Prozeß um des Esels Schatten* und *Grieche sucht Griechin* behandeln zweifellos unter der Tarnung in einem Punkt die Schweiz, nämlich den Waffenhandel der Neutralen. Auch was in den verschiedenen Werken über Vaterlandsliebe und Heldenverehrung gesagt wird, hat seine Geltung für die Schweiz. In den früheren publizistischen Beiträgen verurteilt Dürrenmatt entschieden die traditionelle Pflege von Mythen und Helden aus der Geschichte der Schweiz. In dem bisher jüngsten Beitrag — *Monstervortrag über Gerechtigkeit und Recht* — beanstandet er vor allem die „geistige Landesverteidigung".

Es ist klar, in welch hohem Grade Dürrenmatts Dichtung und Publizistik eine Reaktion auf schweizerischen Patriotismus und schweizerische Verteidigungsmentalität ausmacht. Seine antihistorische Einstellung steht ebenfalls mit dieser Reaktion im Zusammenhang. Ab 1968, also nach der Okkupation der Tschechoslowakei, tritt ein neues Element ins Bild: ein positiv gestalteter Pazifismus, d. h. der Gedanke vom passiven Widerstand. Man fragt sich, ob Dürrenmatt die Konsequenzen seiner Ansichten in diesem Punkt durchdacht hat. Ist er wirklich der Meinung, daß die Schweiz ihre militärische Landesverteidigung abwickeln sollte? Die Entwicklung in der Tschechoslowakei fordert kaum zur Nachahmung auf. Dürrenmatts Auffassung beinhaltet einen Widerspruch, indem ja die „geistige Landesverteidigung", die er bekämpft, im Grunde eine Art solchen inneren Widerstands ist, den er nun in anderen Fällen befürwortet.

Freiheit, Demokratie und Parlamentarismus

Die Probleme, die im Zusammenhang mit Freiheit, Demokratie und Parlamentarismus stehen, werden von Dürrenmatt vor allem in seiner Publizistik der zweiten Hälfte der sechziger Jahre erörtert und da besonders in drei Beiträgen: „Gespräch zum 1. August", „Tschechoslowakei 1968" und *Monstervortrag über Gerechtigkeit und Recht*. Das Thema Freiheit hat Dürrenmatt jedoch im Hörspiel *Nächtliches Gespräch* und später u. a. im Schauspiel *Frank der Fünfte* behandelt und das Thema Parlamentarismus in dem frühen Hörspiel *Herkules und der Stall des Augias*.

Wie wir schon im Kapitel „Der Künstler und die Gesellschaft" gezeigt haben, stehen im *Nächtlichen Gespräch* der Dichter und die politische Freiheit im Mittelpunkt. Späterhin hat Dürrenmatt das Freiheitsproblem des Schriftstellers von u. a. wirtschaftlichen Gesichtspunkten aus behandelt. Die Freiheit des Einzelnen im Verhältnis zum Großbetrieb ist das Thema in Werken wie *Grieche sucht Griechin* und *Frank der Fünfte*[7].

Dürrenmatts Freiheitsbegriff hat sich also im Laufe der Jahre in hohem Grade erweitert. In seiner Publizistik der sechziger Jahre hat Dürrenmatt eine typische Zwischenposition gewählt: er kritisiert die Schweiz und die kommunistischen Staaten in gleichem Ausmaß, d. h. er behandelt sie als gleichwertige Größen.

Im Interview „Gespräch zum 1. August", in dem die Freiheit ein Kernpunkt ist, sagt Dürrenmatt, daß die Wahl nicht so einfach konstruiert sei, daß alles auf den Nenner Freiheit-Diktatur zurückgeführt werden könne. Er wendet sich gegen die in der Schweiz allgemein herrschende Auffassung von der Freiheit als einer ausschließlich politischen Freiheit[8]. Die Freiheit des Einzelnen werde von verschiedenen Kollektiven in der Gesellschaft bedroht, beispielsweise vom Staat oder einem Geschäftsunternehmen. Es gebe auch in der Schweiz viele, denen die Freiheit fehle. „Der Mensch kann frei sein, aber wir müssen sehen, wo und wie er frei sein kann, wo vor allem die Freiheit bedroht ist. Sie ist nicht nur politisch bedroht, sondern auch gesellschaftlich und ökonomisch." (Ex libris, 1966, Nr. 8). In demselben Interview weist Dürrenmatt auf die Gefahren hin, die dem Individuum vom Staat her drohen. Er vergleicht den Staat mit einer Maschine, um die herum zwei Klassen Menschen gruppiert sind: Verwalter und Verwaltete. Er meint, daß die Verwalter, also die Behörden, dazu neigen, ihre Macht zu mißbrauchen. Überraschend und schwerwiegend sind die Worte Dürrenmatts von der Schweiz als einem potentiellen Polizeistaat. Er ist äußerst kritisch gegen das Verhalten der Polizeiorgane während des Zweiten Weltkrieges und denkt hierbei vermutlich vor allem an das Flüchtlingsproblem. Aber er spielt auch auf die heutigen Verhältnisse an: „Wir laufen Gefahr, ein Polizeistaat mit demokratischer Fassade zu werden." (Ex libris, 1966, Nr. 8).

Das Problem einer zunehmenden staatlichen Machtorganisation behandelt Dürrenmatt auch in den Schriften „Tschechoslowakei 1968" (21) und Monstervortrag über Gerechtigkeit und Recht (106 f.) − nun jedoch prinzipieller: er denkt hier auch an die Diktaturstaaten. Die Bürokratie gehört mit einer wachsenden staatlichen Macht zusammen; Dürrenmatt empfindet sie als eine große Gefahr und bezeichnet sie einmal sogar als „ein Ungeheuer" (Ex libris, 1966, Nr. 8)[9].

Im Monstervortrag über Gerechtigkeit und Recht hat die Freiheit eine ganz spezielle Rolle in dem zugespitzten Spiel, das Dürrenmatt dort präsentiert. Er behauptet, Freiheit und Gerechtigkeit seien die beiden Ideen, mit denen die Politik operiere. „Ohne Freiheit wird sie (die Politik) unmenschlich und ohne Gerechtigkeit ebenfalls." (41). Der Idee der Freiheit werde in erster Linie im Wolfsspiel, d. h. in der kapitalistisch-bürgerlichen Ideologie, gehuldigt, während die Gerechtigkeit die oberste Idee in dem Guten-Hirten-Spiel, d. h. in der kommunistischen Ideologie, sei. Diese Gerechtigkeit bestehe darin, die Freiheit eines jeden einzelnen zu beschränken (41).

Dürrenmatt konfrontiert also die Freiheit mit der Gerechtigkeit. Das ist eine Vereinfachung, die nur wenig zutreffend ist, und unfruchtbar als Diskussionsbasis. Die logische Fragestellung wäre stattdessen hier gewesen: Freiheit kontra Gleichheit.

Dürrenmatt ist in seiner Kritik an den kommunistischen Diktaturen relativ mild, meint jedoch, daß dem Marxismus die Forderung nach Freiheit des Geistes gestellt werden müsse (*Monstervortrag über Gerechtigkeit und Recht*, 110). Der Marxismus werde zu einer Farce, „wenn sich auf ihm nicht neue politische Freiheiten aufbauen lassen..." (111) [10].

Auch bei der Behandlung der Problematik der Demokratie hat Dürrenmatt dieselbe Zwischenposition wie in bezug auf das Freiheitsproblem gewählt. Die Einteilung Demokratie-Diktatur und eine Erörterung darüber interessiert ihn also nicht besonders. Er macht stattdessen seine eigene Aufteilung in zwei ideologische Systeme, wie er sie im *Monstervortrag über Gerechtigkeit und Recht* präsentiert, und kritisiert hierbei beide. In seiner Ansprache „Tschechoslowakei 1968" zeigt sich Dürrenmatt in seiner Kritik am Kommunismus erstaunlich gemäßigt. U. a. betont er, daß das Schicksal des Kommunismus „das unsrige" ist (*Tschechoslowakei 1968*, 24). Stattdessen greift er die antikommunistische Einstellung seiner Landsleute an und weist in der erwähnten Rede mit Nachdruck darauf hin, daß die Manifestation für die Tschechoslowakei, an der er teilnehme, keine antikommunistische Manifestation werden dürfe. Im „Gespräch zum 1. August" meint er sogar, daß in dieser Hinsicht eine Massenhysterie herrsche. „Unser Antikommunismus ist unser Stammestanz geworden." (*Ex libris*, 1966, Nr. 8).

Dürrenmatt geißelt — u. a. im „Gespräch zum 1. August" — das demokratische System der Schweiz. Es gebe freilich ein demokratisches Instrument d. h. eine Verfassung, meint er, aber die Schweizer verstünden es nicht, sie zu gebrauchen. Häufig sei sie sogar unmenschlich gehandhabt worden. Dürrenmatt erhebt Einspruch gegen die Versuche, die Geschichte umzudichten: die Schweiz sei keineswegs immer eine Demokratie gewesen. Vielen Schweizern kann es nicht direkt angenehm sein, daß Dürrenmatt Vergleiche mit Deutschland zieht: „Der Schweizer ist ein Untertanenmensch, es liegt ihm zum Teil im Blute." (*Ex libris*, 1966, Nr. 8).

Dürrenmatt findet ferner in der Demokratie, die praktiziert wird, ebensoviel von mythologischen Zügen wie im Sowjetkommunismus. Er weist in diesem Zusammenhang auf allgemeine, internationale Schwächen der Demokratie hin, beispielsweise im Zusammenhang mit den

USA oder der Unterstützung gewisser nicht-kommunistischer Diktaturen (*Tschechoslowakei 1968*, 24 f.). Im *Monstervortrag über Gerechtigkeit und Recht* ist er dennoch großherzig genug, zuzugeben, daß es in der Schweiz trotz allem Ansätze zu einer Demokratie gebe (68 f.). In derselben Schrift berührt er den Faschismus. Er ist der Ansicht, daß man in der Schweiz faschistische Züge, oder wie er sagt, präfaschistische Züge, finden könne (77 f.) und erwähnt in diesem Zusammenhang die „geistige Landesverteidigung". Ferner behauptet er, daß Faschismus aus dem „zu Ende geführten Wolfsspiel" entstehe (78). Er ist der Meinung — was dem Leser besonders überraschend erscheinen muß —, daß der Faschismus letztlich seinen Grund in der Idee der Freiheit habe (ebd.). Er gibt jedoch zu, daß er sich hier paradox ausdrücke. Der schweizerische Demokrat kann sich damit trösten, daß für Dürrenmatt auch der heutige Kommunismus „in vielem ein logisch getarnter Faschismus, ein faschistischer Staat mit einer sozialistischen Struktur" ist (86); er verwendet hier den Ausdruck „Nationalkommunismus". So ist also Dürrenmatt das Kunststück gelungen, sowohl das Wolfsspiel als auch das Gute-Hirte-Spiel, auf einen gemeinsamen Nenner zu bringen, den er Faschismus nennt.

Dürrenmatt hat bei der Behandlung der Probleme von Freiheit und Demokratie eine Zwischenposition gewählt, wobei er die demokratischen Staaten den kommunistischen gleichstellt. Darin liegt die Schwäche seiner Argumentation. Er hat damit eine Präzisierung der wesentlichen Fragestellungen über die geistige und politische Freiheit vermieden. Auch wenn Dürrenmatt mit seiner Kritik an der Schweiz und dem Antikommunismus ein polemisches Ziel haben sollte, so entschuldigt ihn dies nicht, der entscheidenden Frage nach dem Unterschied von Demokratie und Diktatur auszuweichen. Die einzige Voraussetzung für Dürrenmatts Stellung und seine Möglichkeit der Kritik ist, daß er in der Schweiz lebt und schreibt, d. h. in einem demokratischen Staat.

Hinsichtlich des Parlamentarismus war es aus verständlichen Gründen für Dürrenmatt nicht möglich, eine derartige Position zwischen „Stuhl und Bank" einzunehmen. Er hält sich hier nicht beim Parlamentarismus in dessen verschiedenen Formen, z. B. in anderen europäischen Demokratien, auf, sondern richtet sich gerade gegen dessen schweizerische Ausgestaltung. „Wir besitzen dennoch keine wesentliche Opposition mehr; alles ist an der Regierung beteiligt, und die Behörden sind unter sich." (*Ex libris*, 1966, Nr. 8). Mit diesen Worten — dem Interview „Gespräch zum 1. August" entnommen — brandmarkt Dürrenmatt das herrschende parlamentarische System in der Schweiz, d. h. die permanente Koalitionsregierung. Er berührt hier einen wichtigen Punkt des

schweizerischen Parlamentarismus, der in besonderen Fällen zu einer
Schwäche werden kann, nämlich wenn keine lebendige Opposition im
Bundeshaus mehr in Erscheinung tritt [11].

Weit früher — während der fünfziger Jahre — hat Dürrenmatt die
Probleme des Parlamentarismus in seiner Dichtung aufgegriffen, nämlich in dem Hörspiel und dem späteren Schauspiel *Herkules und der Stall
des Augias* (1954 bzw. 1963). Das antike Kleid ist ziemlich durchsichtig:
es handelt sich um die Schweiz. Die Kritik an diesem Land kommt besonders in den Parlamentsdebatten zum Vorschein. Die Sitzungen im
Großen Rat werden vom König Augias geleitet. Er sei eigentlich kein
König, teilt der Erzähler Polybios mit, sondern eher Präsident oder vielleicht noch richtiger der reichste und einflußreichste der Bauern. Es wird
eine stürmische Eröffnungsdebatte: Augias hat alle Mühe die Anwesenden mit seiner Kuhglocke zur Ordnung zu rufen. Dieser Klang ist ein
achtunggebietendes Signal für dieses ackerbautreibende Volk, dessen
Leben und Gedanken von Kühen, Milch, Butter und Käse bestimmt
wird. Daneben gibt es jedoch einige abstrakte Dinge, nämlich Worte
wie Freiheit und Demokratie, die unter den Versammelten populär zu
sein scheinen. Schließlich einigt man sich darauf, Herkules zu rufen.

Herkules Plan ist, die Flüsse Alpheios und Penaios durch das Land zu
leiten und auf diese Weise den Mist ins Meer hinauszuschaffen. Herkules gerät jedoch bald in den Sumpf der Bürokratie, aus dem er nie
herauskommt. Bei einer erneuten Diskussion im Großen Rat sind sich
die Parlamentsmitglieder alle über die Notwendigkeit einig, das Land
vom Mist zu säubern. Aber ein jeder der Redner bringt doch gewisse
Bedenken vor. Ein Sprecher meint, daß die verborgenen, möglichen
Kulturschätze mit dem Mist weggespült werden könnten, ein anderer,
daß die Stiefelindustrie Schaden erleiden könnte, ein dritter weist auf
die Freiheit hin.

Dürrenmatt hat diese Debatte, die damit endet, daß die Sache aufge-
schoben wird, köstlich komisch geschildert. Der Mist bleibt also, und alles
bleibt beim alten. Mit Ironie reagiert Dürrenmatt auf die Mentalität, die
in Elis-Schweiz' Parlament zum Ausdruck kommt: die Sachen werden
nicht bei ihren rechten Namen genannt, man weicht den eigentlichen
Problemen aus, eine wirkliche Opposition kommt nicht zum Vorschein.
Der Konservativismus, der Unwille gegen Veränderungen, siegt: Stagnation ist die Folge.

Dürrenmatt und die Schweiz

Dürrenmatt kritisiert scharf verschiedene Seiten des schweizerischen Gesellschaftslebens; besonders merkbar ist die Kritik in der zweiten Hälfte der sechziger Jahre. Er zeigt aber auch eine positive Einstellung: mit oder gegen seinen Willen knüpft er dabei gewissermaßen an eine schweizerische, geistesgeschichtliche Tradition an. Zunächst möchten wir auf vier Punkte hinweisen. Er bekennt sich somit zur Schweizer Neutralität. Im Anschluß an das ideologische Spiel, das Dürrenmatt im „Helvetischen Zwischenspiel" im *Monstervortrag über Gerechtigkeit und Recht* treibt, hat er ironisch und humoristisch der Schweiz eine Zwischenrolle zugeteilt: „Die Schweiz ist ein Überwolf, der sich, indem er sich neutral erklärt, als ein Überlamm deklariert." (62). Er findet bestimmte positive Seiten in der Sonderstellung, die die Schweiz als kleiner und neutraler Staat einnimmt. Im „Gespräch zum 1. August" entwickelt Dürrenmatt seine Ansichten näher und meint, daß die Neutralität eine selbstverständliche Haltung für einen kleinen Staat wie die Schweiz sei. Er schließe sich der offiziellen Schweizer Auffassung in bezug auf die Vereinigten Nationen an, wünsche jedoch größere Flexibilität in der heutigen Anwendung der Neutralitätspolitik: „ein politisches Mitspielen oder ein politisches Passen je nach Fall". (*Ex libris*, 1966, Nr. 8). Er lehnt jede Idealisierung ab und will die praktischen Gesichtspunkte hervorheben; es handelt sich um Nutzen und politische Berechnung: „Neutralität ist eine List, sie gehört zur Kunst des Kleinstaates, durch die Welt zu kommen." (ebd.). Dürrenmatt legt hier sein Bekenntnis zum Kleinstaat ab: „Ich halte den Kleinstaat für eine der glücklichsten politischen Erfindungen. Der Mensch als Bürger einer Großmacht wird nicht besser dadurch, daß er einer Großmacht angehört, aber leichter politisch benebelt und damit gefährlich." (ebd.). Ferner behauptet Dürrenmatt, im Kleinstaat könne die Bürokratie leichter als in einem Großstaat bekämpft werden. Als Kampfplatz für den einzelnen sei der Kleinstaat dadurch wichtig, daß er immer noch übersichtlich ist. Im *Monstervortrag über Gerechtigkeit und Recht* drückt sich Dürrenmatt mit ähnlichen Worten aus (75).

In den beiden erwähnten Punkten kann man im Grunde von einem schweizerischen Standpunkt bei Dürrenmatt sprechen. Das trifft auch in einer anderen Hinsicht zu, nämlich für seine stark ausgeprägte moralistische Auffassung. Dieser Zug kommt beispielsweise in gewissen Grundtypen und Motiven, wie schon erwähnt, zum Vorschein. In den Werken *Der Richter und sein Henker, Der Verdacht, Die Panne* und *Der Besuch der alten Dame* wird eine strenge Gerechtigkeit geübt, die — wie in dem zuletzt erwähnten Schauspiel — oft allzu hart und rücksichtslos scheint. Eine Art Gerechtigkeit findet man auch im Hörspiel *Der Prozeß um des Esels Schatten,* in dem eine ganze Stadt wegen menschlicher Dummheit und Kurzsichtigkeit vom Unglück getroffen wird. Einige wenige Werke werden von einem ethischen, erbaulichen Schluß gekennzeichnet. Im Stück *Der Blinde* siegt der Glaube an Gott und die Gerechtigkeit, im *Nächtlichen Gespräch* die Demut vor dem Tod und der Glaube an einen fortdauernden Kampf für Menschlichkeit und Freiheit, im Stück *Herkules und der Stall des Augias* ermahnt der König Augias seinen Sohn, für das Gute zu wirken und zu versuchen, etwas Fruchtbares aus der Öde und dem Mißgestalteten zu schaffen, in *Grieche sucht Griechin* erscheint die Liebe als die einzige Waffe gegen die Sinnlosigkeit der Welt[12].

Schließlich sei Dürrenmatts starke Kritik am Materialismus erwähnt. Auch hier scheint er an eine schweizerische Ideentradition anzuknüpfen: von Burckhardt an, über Hilty, Bluntschli und Spitteler bis Inglin und Zollinger.

Eine positive Haltung bei Dürrenmatt visavi der Schweiz verrät sich auch in anderer Hinsicht. Nach all seiner Kritik im Vortrag „Schriftstellerei als Beruf" betont er abschließend, daß die Schweiz ein geeigneter Arbeitsplatz sei, und im „Gespräch zum 1. August" spricht er von dem vorteilhaften Arbeitsklima: „Sie (die Schweiz) ist ein guter Boden für den Schaffenden; er kann sie vergessen. Sie ist etwas Sekundäres, sie ist kein Lebensinhalt, sondern eine Gewohnheit, ein Lebensboden." (*Ex libris,* 1966, Nr. 8). In demselben Interview erklärt er sogar: „Ich bin gern Schweizer." Nach seiner Kritik an schweizerischen Verhältnissen im *Monstervortrag über Gerechtigkeit und Recht* hat Dürrenmatt vor seinem deutschen Auditorium offensichtlich das Bedürfnis gehabt, gewisse positive Deklarationen abzugeben. Einige Wendungen erkennt man direkt aus dem „Gespräch zum 1. August":

> „Ich bin sogar mit einer gewissen Leidenschaft Schweizer. Ich lebe gern in der Schweiz. Ich rede gern Schweizerdeutsch. Ich liebe den Schweizer und liebe es, mich mit ihm herumzuschlagen. Ich kann es mir schwer vorstellen, anderswo zu arbeiten." (*M,* 74).

Er sagt in der Folge, er sei sich voll dessen bewußt, daß emotionale Gründe ihn an die Schweiz bänden. Auch wenn die Menschen nicht ohne Gefühle leben können, meint er, so bedeute das nicht, daß sie ohne Denken auskämen. „Ich liebe die Schweiz und denke über sie sachlich nach." (*M,* 74).

Seine Kritik äußert sich selten als stark emotionales Engagement, als Haß oder Bitterkeit: lediglich in Fortschigs Gestalt im Roman *Der Verdacht* sowie im Gedicht „An mein Vaterland", das in der Zeitschrift *Hortulus* (1960, Nr. 6) veröffentlicht wurde. Der Autor findet in diesem

Gedicht sein Land lächerlich, er opponiert sich, er haßt. Aber die Beichte enthält gleichzeitig ein Bekenntnis zur Schweiz: er liebt sie, aber nicht als Vergangenheit, sondern als eine zukünftige Möglichkeit. Eine Eindeutigkeit ist aus dieser Liebeserklärung nicht ersichtlich: es handelt sich um eine typisch ambivalente Einstellung:

> „Da liegst du nun, mein Land, lächerlich, mit zwei, drei Schritten
>   zu durchmessen,
> mitten in diesem unglückseligen Kontinent,
> [. . .]
> O Schweiz! Don Quichotte der Völker! Warum muß ich dich
>   lieben!
> Wie oft, in der Verzweiflung, ballte ich bleich die Faust gegen
>   dich entstelltes Antlitz!
> [. . .]
> Nicht das liebe ich, was du bist, nicht das, was du warst,
> aber deine Möglichkeit liebe ich, die Gnade, die immer hell
>   über dir schwebt,
> . . . "

Sonst kommt das Gefühlsmäßige nirgendwo unmittelbar zum Vorschein, da die Kritik gewöhnlich als Komik und Spott geliefert wird, was an sich eine Distanz bedeutet. Dazu kommt eine praktische Einstellung, die — wie oben ersichtlich — sich in der Behandlung der Neutralität, des Kleinstaats und der Schweiz als Arbeitsplatz äußert. Dürrenmatt vermeidet bewußt jede Idealisierung der Schweiz.

Wie schon vorher betont, geht offenbar Dürrenmatts Gesellschaftskritik und Auffassung von der Schweiz teils von seiner moralistischen Anschauung, teils seinem Kriegserlebnis aus. Den Krieg hat er als Neutraler, als Außenstehender, erlebt. Unter diesem Gesichtswinkel betrachtet er auch weiterhin die Welt: er steht über den Geschehnissen und spricht zuletzt in seiner Rolle als Richter das Urteil aus. Dürrenmatts dialektische Einstellung hat sich aus dieser neutralen Ausgangslage weiterentwickeln können. Diese Position hat er auf die Schweiz zum Teil überführen können: er behandelt und kritisiert die Schweiz und die Umwelt gleichermaßen.

Eine Hauptlinie in Dürrenmatts schriftstellerischem Wirken nach dem Krieg ist sein Streben nach Emanzipation der schweizerischen Mythologie, Geschichte und Tradition gewesen. Dadurch konnte er Distanz zur Schweiz halten, was auch durch seine literarische Methode, die mit der Komik arbeitet, verstärkt werden konnte. In seiner Publizistik kann er die schweizerische Problematik mit gewisser Sachlichkeit behandeln, bisweilen zugespitzt, bisweilen ironisch, in den Dichtungen bald mit scharfer Ironie, bald gleichgültig, und nicht selten mit wohlwollendem Humor. Es ist schwierig zu entscheiden, inwiefern es sich hier um Attitüde oder bewußtes Spiel handelt, aber die Tatsache bleibt: die Schweiz scheint für

Dürrenmatt kein tief engagierendes und persönliches Problem zu sein. Eine Emigration wäre in seinem Fall unnötig oder sogar undenkbar: er nimmt die schweizerische Umgebung und Wirklichkeit als eine Selbstverständlichkeit hin und fühlt sich hier außerordentlich wohl. Abschließend müssen wir feststellen, daß Dürrenmatt in seinen Beziehungen zur Schweiz gewissermaßen ein psychologisches Phänomen, ein eigenartiges Paradox, ausmacht.

Dürrenmatt und Frisch

Zum ersten Mal äußert sich Frisch öffentlich über Dürrenmatt in seiner Besprechung in der *Weltwoche* (6. 5. 1949) mit dem Titel: „Friedrich Dürrenmatt. Zu seinem neuen Stück ‚Romulus der Große‘." Frisch zeigt hier seine Bewunderung für Dürrenmatts bisheriges Werk und für das aktuelle Stück, ist aber im Grunde genommen reserviert und betont, daß er diesem Stück eigentlich fremd gegenüberstehe, da er keinen Zugang „zum wesentlichen Anliegen gerade dieses Dichters" habe.

Im darauffolgenden Jahr konnte Dürrenmatt seinerseits als Kritiker an Frisch hervortreten, der damals am Schauspiel *Graf Öderland* arbeitete. Dürrenmatt, der ein Exemplar des Manuskriptes erhalten hatte, legte in einem langen Brief, vermutlich vom Jahre 1950, seine Ansichten dar. Der Brief ist im Wortlaut in Bänzigers Arbeit *Frisch und Dürrenmatt* (1. Aufl. 1960, 206—212) veröffentlicht. Dürrenmatt scheint ziemlich bedenklich zu sein und bringt eine vorsichtig formulierte Kritik vor. Nach der Züricher Uraufführung des Schauspiels schrieb Dürrenmatt eine Rezension mit dem Titel „Eine Vision und ihr dramatisches Schicksal. Zu ‚Graf Öderland‘ von Max Frisch" (*Die Weltwoche*, 16. 2. 1951; auch in *Theater-Schriften und Reden*, 257—60). Dürrenmatt hegt nun wesentlich stärkere Bedenken als in seinem früheren Brief und schreibt u. a.: „Das kühne Unternehmen ist gescheitert." Ferner schreibt er etwas, das für seine Auffassung vom Roman *Stiller* von Interesse ist: „Das Theaterstück jedoch bleibt im Privaten stecken, es gehört Frisch allein." In *Theater-Schriften und Reden* (261—71) behandelt Dürrenmatt den Roman unter der Rubrik „Stiller, Roman von Max Frisch". Der Untertitel lautet „Fragment einer Kritik". Es handelt sich offenbar um ein unpubliziertes Dokument, wahrscheinlich einen Entwurf zu einem Artikel. In seinen Reflexionen hat Dürrenmatt dies oder jenes Positive zu sagen, aber er ist überwiegend ablehnend, wobei sein Mißfallen vor allem dem „Privaten" in Frischs Dichtung und besonders in *Stiller* gilt. Dürrenmatt behauptet, daß es in diesem Roman „um sein (Frischs) Problem geht, nicht um ein Problem an sich. Er ist in seine Kunst verwickelt." (*TS*, 262 f.). Dürrenmatt hat im Prinzip recht, geht aber zu weit, wenn er behauptet: „Am absurdesten scheint es jedoch, aus einer Selbstdarstellung einen Roman machen zu wollen, das zu tun, was Frisch unternimmt." (*TS*, 264). Im Grunde kontrastieren hier zwei verschiedene ästhetische Anschauungen. Dürrenmatt will beweisen, daß die

Dichtung nicht Persönlich-Privates beschreiben soll. In seiner eigenen Kunst hat er es vermieden, dieses Private darzustellen.

Die ziemlich scharfe gegenseitige Kritik hat jedoch die Pläne für eine literarische Zusammenarbeit nicht verhindert. Bänziger teilt mit, daß die beiden Schriftsteller im Jahre 1955 eine gemeinsame Fortsetzung von Frischs Hörspiel *Herr Biedermann und die Brandstifter* geplant haben (Bänziger, a. a. O., I. Aufl. 1960, 103).

In den Interviews mit Dürrenmatt und Frisch in seinem Buch *Werkstattgespräche mit Schriftstellern* (1962) greift Bienek das Problem der Beziehungen zwischen den beiden auf. Dürrenmatt erklärt u. a.: „. . . und wenn Frisch z. B. ein neues Stück geschrieben hat, wie jetzt eben, komme ich rein sportlich wieder in Schwung; das Gefühl nachspurten zu müssen, ist schließlich auch in der Schriftstellerei belebend, nicht nur im Sport." (103). Auch Frisch nimmt Bieneks Frage von der ironischen und gutmütigen Seite.

Aus dem Gesagten ergibt sich, in welch hohem Grad Dürrenmatt und Frisch kritisch und fremd vor der Dichtung des anderen stehen. Es ist nicht erstaunlich: sie sind als private Persönlichkeiten und als Dichter sehr verschieden. Beide sind Dramatiker, Romanciers und Publizisten, aber während der Schwerpunkt in Dürrenmatts Schaffen auf der Dramatik liegt, halten sich bei Frisch die dramatische und erzählende Prosa ungefähr die Waage. Hinsichtlich der Publizistik hat diese eine weit größere Rolle für Frisch als für Dürrenmatt gespielt. Trotz der sehr verschiedenen Ausgangspunkte sind wahrscheinlich der persönliche Kontakt und die gegenseitige Kritik ein Ansporn und eine Hilfe gewesen. Eine gewisse wechselseitige Beeinflussung haben sie wohl nicht vermeiden können, auch wenn diese in bezug auf die reine Dichtung von ziemlich begrenzter Bedeutung gewesen ist; dagegen kann sie eine größere Rolle gespielt haben, was die Ansichtsbildung über die Schweiz und die schweizerische Gesellschaft anbelangt.

Sowohl Dürrenmatt als auch Frisch haben die klassischen Theaterautoren von Aristophanes und Shakespeare an studiert und von ihnen gelernt. Eine noch größere Rolle haben die Repräsentanten des modernen Theaters, wie Wedekind, Pirandello, Wilder usw. gespielt. Unser Interesse konzentriert sich jedoch auf Brecht, der als eine Art Treffpunkt für die beiden Schriftsteller bezeichnet werden kann. Er hat außerordentlich viel sowohl für Dürrenmatt als auch Frisch bedeutet, obwohl beide gleichzeitig ein starkes Bedürfnis gehabt haben, Unabhängigkeit und Distanz ihm gegenüber zu beweisen. Zunächst werden wir einige Probleme speziell im Zusammenhang mit Brecht aufnehmen: teils die Frage nach der Abbildung der Welt in ihrer Dichtung, teils das Problem der Veränderung. Eine der wichtigsten Thesen in Dürrenmatts Dramaturgie ist, daß es nicht möglich sei, die Welt, in der wir leben, direkt auf der Bühne abzubilden. An dieser Auffassung hat Dürrenmatt während seiner ganzen schriftstellerischen Laufbahn festgehalten; schon früh, in dem kurzen Manuskript „Kunst" aus den Jahren 1947—48, behauptet er: „Kunst ist Welteroberung, weil Darstellen ein Erobern ist und nicht ein Abbilden, ein Überwinden von Distanzen durch die Phantasie." (*TS*, 42).

Eine Antwort bekam Dürrenmatt von Brecht, als dieser einen Brief an den Dramaturgenkongreß in Darmstadt 1955 schrieb, in dem er sagte, daß man die heutige Welt auf der Bühne nur wiedergeben könne, wenn sie „als veränderbar" aufgefaßt werde (*Der unbequeme Dürrenmatt*, 112). Frisch knüpft an diesen Dialog im Vortrag „Der Autor und das Theater" (*Neue Rundschau*, 1965, Nr. 1) an und polemisiert hier sowohl gegen Brecht als auch gegen Dürrenmatt. Gegenüber dem letzteren ist er der Ansicht, daß die Dichter auch in einer vergangenen Zeit nicht die Welt, in der sie lebten, abgebildet haben: „Ich vermute, daß das Theater niemals die vorhandene Welt abgebildet hat; es hat sie immer verändert." Bezüglich Brecht sagt Frisch, daß Brecht selbst in seine Dramatik auch nicht die vorhandene Welt aufnehme. Er unterstreicht mit Recht, daß von Brechts Stücken nur *Furcht und Elend im Dritten Reich* sich im heutigen Deutschland abspielt.

Brecht wollte mit seiner Dichtung Welt und Gesellschaft verändern, was in einer bestimmten politischen Richtung geschehen sollte. Er war — im Gegensatz zu Dürrenmatt und Frisch — einer politischen Partei angeschlossen. Dies ist Martin Eßlins Schlußfolgerung in der Arbeit *Brecht. Das Paradox des politischen Dichters*[1]. In seiner „Schiller-Rede" (1959), die gewöhnlich als Dürrenmatts Antwort auf Brechts betreffenden Brief betrachtet wird, nimmt Dürrenmatt gegen Brecht Stellung. Dürrenmatt konstatiert, daß Brecht Revolutionär wurde, und daß er durch sein Theater die Gesellschaft verändern wollte (*Friedrich Schiller. Eine Rede*, 28 f.). Was Dürrenmatt zum Schluß seiner Ansprache sagt, ist auch eine Polemik gegen Brecht: „Der Schriftsteller kann sich nicht der Politik verschreiben. Er gehört dem ganzen Menschen." (47). Im Interview „Gespräch zum 1. August" definiert Dürrenmatt sein eigenes Ziel deutlich und konkret: „Ich schreibe nicht, um die Welt zu verändern, ich könnte gar nicht schreiben, wäre meine Absicht dabei so gewaltig." (*Ex libris*, 1966, Nr. 8).

Frisch steht in seinem früheren Nachkriegswerk in dieser Hinsicht Brecht ziemlich nahe, aber in den zwei Ansprachen „Büchner-Rede" und „Öffentlichkeit als Partner", beide von 1958, markiert Frisch bestimmter seine neue Position: er lehnt eine programmatische Dichtung ab. In der letzterwähnten Rede erklärt er entschieden, daß er sich nicht zu jenen Schriftstellern rechnen möchte, die schreiben, um die Welt zu verändern.

Im Vortrag „Der Autor und das Theater" (1964) entwickelt Frisch seine
Ansichten noch weiter. Er greift Brechts Standpunkt auf und ist jetzt
kritisch und skeptisch: „Millionen von Zuschauern haben Brecht gesehen
und werden ihn wieder und wieder sehen; daß einer dadurch seine politische Denkweise geändert hat oder auch nur einer Prüfung unterzieht,
wage ich zu bezweifeln." (*Neue Rundschau*, 1965, Nr. 1).

In der Tat sind sich Dürrenmatt und Frisch mit Brecht über die Notwendigkeit einig, daß die Welt verändert werden muß. Aber die beiden
Schweizer nehmen von jenen Methoden Abstand, die Brecht befürwortet, das heißt u. a. Revolution und Gewalt. Ferner lehnen sie es ab,
die Dichtung als ein programmatisches, politisches Instrument zu benutzen. In diesem Fall hat sich Frisch allmählich von Brecht entfernt und
steht nunmehr auf demselben Standpunkt wie Dürrenmatt.

Eine Frage, die Dürrenmatt in höherem Grade als Frisch behandelt
hat, ist die der Möglichkeit des Einzelnen, seine Umwelt zu beeinflussen.
Er stellt die Frage: Wer soll diese Veränderungen durchführen? Das
Individuum oder ein Kollektiv? Was die Möglichkeiten des Individuums
anbelangt, hat Dürrenmatt eine ziemlich bestimmte Auffassung, die
früh in seinem Werk zum Vorschein kommt. Im Roman *Der Verdacht*
erklärt somit Gulliver, daß der einzelne Mensch die Welt nicht retten
könne und es auch nicht versuchen solle. Stattdessen müsse er danach
streben, zu bestehen, das einzige wahrhafte Abenteuer, das dem heutigen
Menschen übrig bleibe (153). In „Ansprache anläßlich der Verleihung
des Kriegsblinden-Preises" nimmt Dürrenmatt ähnliche Gedankengänge
auf, und in der „Schiller-Rede" wird hervorgehoben, daß der Einzelne
keine Möglichkeit habe, die Gesellschaft zu verändern (*Friedrich Schiller.
Eine Rede*, 38; vgl. *Die Physiker*, 72, und M, 83. 103). Verschiedentlich
weist Dürrenmatt andererseits — wie im Schauspiel *Frank V.* und im „Gespräch zum 1. August" — auf die Gefahren hin, die den Menschen von
den kollektiven Mächten drohen. Also: weder das Individuum noch
das Kollektiv vermögen die Gerechtigkeit in der Welt zu verwirklichen.

Schließlich mißt Dürrenmatt der individuellen Haltung doch ein ent-
scheidendes Gewicht bei. Im *Monstervortrag über Gerechtigkeit und
Recht* bringt er somit folgenden etwas überraschenden Satz vor: „Vor
dem Allah unserer Geschichte gibt es keine Änderung der menschlichen
Gesellschaft ohne Änderung des Menschen." (94). Dieses Spiel, das
Dürrenmatt mit der Rolle und den Möglichkeiten des Einzelnen und dem
Kollektiven in der heutigen Gesellschaft treibt, mag verwirrend erschei-
nen, ist aber für seine paradoxe Ausdrucksweise typisch.

Dürrenmatt ist immer freier Schriftsteller gewesen und also nicht beruflich direkt mit den Gesellschaftsfragen in Kontakt gekommen. An-

ders verhält es sich mit Frisch: lange vereinte er seine schriftstellerische Tätigkeit mit dem Beruf des Architekten. Gerade durch die Architektur kam Frisch Mitte der fünfziger Jahre dazu, sich direkt für ein konkretes Gesellschaftsproblem, nämlich Städtebau und Stadtplanung, zu engagieren. Er trat nun als Kritiker, gewissermaßen auch als Vertreter eines schweizerischen Standpunktes auf. Nach einer einschneidenden Auseinandersetzung Ende der fünfziger Jahre lehnte er jedoch jede Form von Ideologie ab, wie er es 1958 in der „Büchner-Rede" deklariert: „Alles Lebendige hat es in sich, Widerspruch zu sein, es zersetzt die Ideologie, und wir brauchen uns infolgedessen nicht zu schämen, wenn man uns vorwirft, unsere Schriftstellerei sei zersetzend." (Frankfurter Allgemeine Zeitung, 14. 11. 1958). Dies kann mit dem verglichen werden, was Dürrenmatt über Dramatik und Ideologien im „Gespräch zum 1. August" sagt: „Es ist die Rebellion des Menschen gegen die nur gedachten Ordnungen, die das bewirkt; deshalb ist die heutige Dramatik weitgehend satirisch, also in der Meinung der Ideologen zersetzend." (Ex libris, 1966, Nr. 8). Man findet eine auffallende Übereinstimmung: die Wahl der Worte ist im entscheidenden Punkte identisch. Diese Einstellung bedeutet, daß ein Engagement für eine bestimmte politische Partei ausgeschlossen ist: beide Schriftsteller wollen gegenüber jeder politischen Ideologie unabhängig sein. Der Dichter, meinen sie, könne jedoch in gewissen politischen Fragen Stellung nehmen, dies tue er jedoch als „Privatperson": er protestiere. Gelegentlich stellen sowohl Dürrenmatt als auch Frisch doch in Frage, ob ein solcher Protest wirklich irgendeine Bedeutung haben kann.

In ihren Ansichten über die allgemeine schweizerische Einstellung zum Kommunismus sind die beiden Schriftsteller sich einig. Dürrenmatt richtet sich polemisch gegen den Antikommunismus in der Schweiz im „Gespräch zum 1. August" wie in der Rede „Tschechoslowakei 1968"; bei Frisch war diese Stellungnahme bereits Mitte der fünfziger Jahre offenkundig. Ein gewisser Unterschied herrscht dennoch in ihrer Auffassung von den Beziehungen zwischen den beiden großen Ideologien der Zeit: Frisch denkt sich, oder hofft, auf eine Art zukünftige Koexistenz, während Dürrenmatt sich damit begnügt, beide Gesellschaftssysteme scharf zu kritisieren.

Ein wichtiges Thema bei beiden ist der Nationalismus und die Vaterlandsliebe. Es gibt kein anderes Thema, wo man die beiden Schriftsteller während ihrer ganzen schriftstellerischen Tätigkeit auf ähnliche Weise vergleichen kann. Heute repräsentieren beide eine klar pazifistische Einstellung, mit stark kritischer Haltung gegenüber der schweizerischen Verteidigungsmentalität, vaterländischem Geist und Nationalismus überhaupt. In diesem Zusammenhang ist es angebracht, auch das

Problem der Spannung zwischen Vergangenheit und Zukunft aufzugreifen. Im Interview „Gespräch zum 1. August" stellt Dürrenmatt die beiden erwähnten Begriffe einander gegenüber. Die Schweizer hoffen immer noch, in der Vergangenheit leben zu dürfen: „Wir schieben die Zukunft vor uns her." (*Ex libris*, 1966, Nr. 8). Dürrenmatt ist der Ansicht, daß man für das Zustandekommen der notwendigen Veränderungen in der Schweiz Ideen brauche, aber daß es an diesen in der Schweiz fehle. Gerade um ein ergänzendes „Ideenzentrum" zu schaffen, wollte Dürrenmatt ein „Schattenparlament" einrichten. Auch in diesem Fall liegt es nahe bei der Hand, eine Parallele zu Frisch zu ziehen, in erster Linie zu seiner Schrift *Achtung: die Schweiz*.

Zum Freiheitsproblem in der Schweiz, der Demokratie, dem Parlamentarismus und der Stellung der politischen Opposition herrscht nunmehr bei beiden eine weitgehende Übereinstimmung. Vor den Verwaltungstendenzen in der schweizerischen Politik und im schweizerischen Parlamentarismus warnt Dürrenmatt im „Gespräch zum 1. August"; Frisch hat auf jene Tendenz bereits in *Achtung: die Schweiz* hingewiesen[2].

Hinsichtlich gewisser außenpolitischer Ereignisse, wie des Vietnamkrieges, der Diktatur in Griechenland, der Israel-Frage und der russischen Okkupation der Tschechoslowakei, vertreten Dürrenmatt und Frisch eine einheitliche Linie und sind mit gemeinsamen Protesten hervorgetreten.

Zusammenfassend können wir feststellen, daß Dürrenmatt und Frisch — hauptsächlich auf Grund von Äußerungen in publizistischer Form in den sechziger Jahren — in verschiedener Hinsicht in bezug auf schweizerische Gesellschaftsproblematik und politische Zeitprobleme überhaupt, einander sehr nahe stehen. In mehreren Punkten hat Frisch viel früher jener Auffassung Ausdruck verliehen, die nunmehr für beide gemeinsam ist. Es ist nicht auszuschließen, daß Dürrenmatt in dieser Beziehung durch Frisch beeinflußt worden ist.

Es besteht jedoch ein starker Unterschied, besonders in der Art und Weise, in der die beiden ihre Ansichten kund tun. Dürrenmatt verwendet das Paradoxe, er hebt die Gegensätze hervor und greift gern nach den Mitteln der Komik; er behält Distanz. Frisch dagegen nähert sich den Problemen mit großem Ernst, engagiert sich, bohrt sich immer tiefer in sie hinein, gibt den Fragestellungen und seiner eigenen Stellungnahme einen bestimmteren und konkreteren Ausdruck.

Zusammenfassung und Ausblick

In dem Trio Zollinger-Frisch-Dürrenmatt bildet Frisch die Zentralgestalt. Verschiedene Übereinstimmungen existieren zwischen Zollinger und Frisch, wobei Frisch ebenfalls via Zollinger an eine ältere schweizerische Tradition anknüpft. Frisch und Dürrenmatt, zwischen denen zwar bedeutende Unterschiede jedoch auch beachtliche Ähnlichkeiten vorliegen, agieren quasi als eine gemeinsame Kraft. Sie sind tonangebend für das literarische Geschehen in der Schweiz und prägen die literarisch-kulturelle Stellung der Schweiz dem Ausland gegenüber.

Die Behandlung der drei Schriftsteller in der vorliegenden Arbeit erstreckt sich über ein halbes Jahrhundert. In ihrer literarischen und publizistischen Produktion spiegelt sich in hohem Grade das Zeitgeschehen, wobei jedoch die dreißiger Jahre und der Zweite Weltkrieg im Brennpunkt stehen. In den dreißiger Jahren engagierte sich Zollinger zwar für die „geistige Landesverteidigung", behielt jedoch seine kritische Einstellung gegen eine Reihe schweizerischer Erscheinungen bei. Nach Zollingers Tod 1941 und nach Kriegsende lebte die genannte Bewegung in modifizierter Form weiter: sie wurde durch den sogenannten kalten Krieg verstärkt und erhielt ihren Rückhalt in der Schweiz durch einen weitverbreiteten Antikommunismus. „Geistige Landesverteidigung" ist immer noch eine Realität und wird vielerorts bewußt gepflegt (vgl. dazu S. 11 dieser Arbeit). Ein jüngeres Beispiel ist das 1969 herausgegebene Zivilverteidigungsbuch.

Der Begriff „Schweizer Standpunkt" gehört eng mit der erwähnten Bewegung zusammen, wobei speziell Zollinger als augenfälliger Repräsentant dieser Maxime dasteht. Der „Schweizer Standpunkt" führte u. a. eine Restauration gewisser Ideen aus dem 19. Jahrhundert im Zusammenhang mit Freiheit und Demokratie mit sich, ferner eine Idealisierung der schweizerischen Eidgenossenschaft wie deren Ernennung zum Vorbild für andere Staaten. Was Frisch anbelangt, kann man auch bei ihm während einer begrenzten Periode einen idealistischen „Schweizer Standpunkt" wahrnehmen, nunmehr repräsentiert er jedoch dieselbe rationale Auffassung von der Schweiz, die für Dürrenmatt immer bezeichnend gewesen ist.

Im Zusammenhang mit der Verteidigungsmentalität steht der militärische Verteidigungswille, der bei Zollinger während seiner letzten Jahre stark zunahm. Frisch entfernte sich nach 1945 immer mehr von jeglicher Form von Patriotismus; bei Dürrenmatt ist Patriotismus kaum jemals zum Vorschein gekommen. Obwohl Frisch und Dürrenmatt grundsätzlich Gegner von Diktaturen sind, scheinen sie jedoch nunmehr nicht geneigt, auf einen Gegensatz zwischen Demokratie-Diktatur allzu sehr aufmerksam zu machen. Während der sechziger Jahre zeigen sie eine starke Tendenz, die Begriffe Freiheit und Demokratie in der Schweiz zur Debatte stellen zu wollen. Zollinger wandte sich ebenfalls gegen eine einseitige Deutung des Freiheitsbegriffs. In diesem Fall schlägt Zollinger einen Weg ein, den auch Frisch und Dürrenmatt anschließend verfolgten.

Eine Stellungnahme zum problematischen Nachbarn Deutschland bildet für jede neue Generation schweizerischer Schriftsteller ein unvermeidliches Problem. Zollinger stand in konkret deklarierter Opposition zum nationalsozialistischen Deutschland. Als das Thema Deutschland zum erstenmal ernsthaft in Frischs Werk angeschnitten wird, ist Hitler bereits von der Bildfläche verschwunden: er behandelt lediglich das besiegte Deutschland der Nachkriegszeit. Die Auseinandersetzung mit diesem Deutschland sowie den Voraussetzungen für den Nationalsozialismus spielt eine außerordentlich wichtige Rolle für Frisch. In Dürrenmatts Schaffen wird das Thema Deutschland verhältnismäßig wenig berührt. Beide kritisieren sie jedoch die nachträgliche schweizerische Selbstzufriedenheit über die Beziehungen zu Hitlers Deutschland.

Hinsichtlich der innenpolitischen Probleme sind sich alle drei Schriftsteller über die Gefahren der Bürokratie einig. Der Vorwurf von der Schweiz als Polizeistaat, den Frisch und Dürrenmatt Ende der sechziger Jahre gegen die Schweiz erhoben, war zu Zollingers Lebzeiten noch nicht aktuell. Gemeinsam für alle ist die Kritik an den herrschenden ökonomischen Verhältnissen in der Schweiz: Frisch ist der Meinung, daß den ökonomischen Kräften ein allzu freies Spiel gelassen wird, Zollinger schreitet zum scharfen Angriff gegen den Kapitalismus, und auch Dürrenmatt äußert sich verschiedentlich deutlich antikapitalistisch.

Bezüglich einer schweizerischen Mentalität stimmen die drei Autoren in der Beurteilung ihrer Landsleute im wesentlichen überein. Die diesbezügliche Einstellung hat also von den dreißiger bis zu den sechziger Jahren keine nennenswerte Veränderung erfahren. Eine Ähnlichkeit zwischen Zollinger und Dürrenmatt besteht darin, daß beide die materialistische Gesinnung der Schweizer unterstreichen. Alle drei wenden sich stark gegen einen gewissen Konservatismus, einen Mangel an Vorausblick, den sie in der Schweiz zu finden glauben. Ferner sind die drei der Meinung, das schweizerische geistige und kulturelle Klima sei für Künstler und Dichter nur wenig fruchtbar [1].

Während der sechziger Jahre ist eine neue Schriftstellergeneration in der deutschen Schweiz herangewachsen, die sich durch ihre Vielseitigkeit und ihr Talent auszeichnet. Das Interesse für diese jungen Autoren ist auch außerhalb der Grenzen der Schweiz beträchtlich, und mehrere von ihnen haben Verleger in Deutschland gefunden[2]. Daß diese junge Generation von Frisch und Dürrenmatt angespornt und inspiriert worden ist, scheint wahrscheinlich, ebenso daß speziell der internationale Erfolg der beiden älteren Autoren eine wichtige Rolle gespielt hat. Man kann zahlreiche Beziehungen zwischen den jungen Schriftstellern und Frisch und Dürrenmatt finden, sowohl bezüglich ihrer literarischen Technik, als auch ihrer Motive und Probleme. Im Nachfolgenden wollen wir einige Schriftsteller und Werke dieser jungen Generation erwähnen, die gerade den Zusammenhang mit Frisch und Dürrenmatt verdeutlichen.

Bei WALTER M. DIGGELMANN (geb. 1927) findet man einen deutlichen Fingerzeig auf sowohl Frisch als Dürrenmatt. Diggelmann arbeitet mit einem Motivkreis, in dem das kriminelle Element, d. h. Gerichte sowie Probleme von Schuld und Verbrechen, eine wichtige Rolle spielt. Das interessanteste seiner Prosawerke ist der Roman *Die Hinterlassenschaft* (1965), ein dokumentarischer, realistisch sozialer und politischer Roman, mit einer schweizerischen Problematik im Zentrum[3]. Das Hauptproblem des Buches ist die Behandlung der deutsch-jüdischen Flüchtlinge in der Schweiz nach 1933. Es handelt sich hier um eine kritische Beleuchtung der Flüchtlingsfrage, für die Ziffern und Fakten die Basis abgeben. In nahem Zusammenhang mit diesem Problem steht die Frage nach antisemitischen Tendenzen in der Schweiz, die in den frontistischen Gruppen und deren Zeitungen zum Ausdruck kommen. Als Berührungspunkte von Frisch und Dürrenmatt zeigen sich in erster Linie der Antikommunismus, die Kritik an der traditionellen Vaterlandsliebe und die Frage nach einer Opposition innerhalb und außerhalb des schweizerischen Parlaments. Zwischen Frischs Roman *Stiller* und Diggelmanns *Die Hinterlassenschaft* gibt es in zwei Punkten direkte Übereinstimmungen[4]. Wichtiger sind jedoch die Beziehungen zu einem anderen von Frischs Werken, nämlich dem Schauspiel *Andorra*, das offensichtlich den Hintergrund in Diggelmanns Roman abgibt. In beiden Werken stehen die Judenfrage und das Schuldproblem im Mittelpunkt[5]. WALTER VOGT (geb. 1927), der beruflich als Arzt tätig ist, gab 1965 eine Sammlung von zwölf kurzen Erzählungen heraus: *Husten. Wahrscheinliche und unwahrscheinliche Geschichten*. Es folgte der Roman *Wüthrich. Selbstgespräch eines sterbenden Arztes* (1966). Mit seinem Werk *Melancholie. Die Erlebnisse des Amateur-Kriminalisten Beno v. Stürler* (1967) hat Vogt das Arztmilieu verlassen und sich an Dürrenmatt angeschlossen. Sämtliche vier Geschichten des Buches handeln von Stürler, einem Junggesellen und wohlhabenden Schloßbesitzer in der Berner Gegend, dessen Hobby Kriminalistik ist. In Stürler begegnet man einer Variante von Dürrenmatts Berufsdetektiv Bärlach. In der ersten Erzählung sind die Berührungspunkte mit Dürrenmatts *Die Panne* auffallend: die Bedeutung der Mahlzeiten, das interne Gerichtsverfahren, die Schuldfrage, Selbstmord durch Erhängen, die überraschende Auflösung usw. OTTO F. WALTER (geb. 1928) ist innerhalb kurzer Zeit durch zwei Romane von hoher künstlerischer Qualität bekannt geworden: *Der Stumme* (1959) und *Herr Tourell* (1962) [6]. Das letzterwähnte Werk, ein Tagebuchroman, ist eine Art Verteidigungsschrift: die Hauptperson, Herr Tourell, verteidigt sich in Aufzeichnungen gegen Gerüchte, Verleumdungen und die Auffassung der Umgebung. Der Leser lernt Tourell aus dessen eigener Sicht sowie aus der Sicht der Umgebung kennen, und zwar durch eine Technik mit direkten Parallelen zu Frischs *Stiller*. HUGO LOETSCHER (geb. 1929) veröffentlichte 1963 den satirischen Roman *Abwässer. Ein Gutachten* ebenfalls als eine Verteidigungsschrift, jedoch diesmal an die Behörden gerichtet, und in Ich-Form von einem Inspektor für das unterirdische Kanalsystem in der Hauptstadt des Landes geschrieben [7]. JÖRG STEINER (geb. 1930) trat 1962 mit seinem ersten Roman *Strafarbeit* hervor. Hier — wie bei Walter — bildet das Jura-Gebiet den Schauplatz der Handlung. Der Sträfling Rudolf Benninger ist aus der Erziehungsanstalt in Brandmoos entflohen, wird aber später in die Anstalt zurückgeführt. In der Zelle schreibt er nun — im Auftrag des Staatsanwaltes — eine erste und später auch eine zweite Version seiner Flucht. Es ist leicht, hierin deutliche Parallelen zum Roman *Stiller* zu finden [8]. ADOLF MUSCHGS (geb. 1934) erstes Buch trägt den Titel *Im Sommer des Hasen* (1965). Der Roman ist in Ich-Form geschrieben und auch ein Bericht, diesmal an den Freund und den Chef jenes großen schweizerischen Industrieunternehmens gerichtet, wo der Erzähler als Werbefachmann angestellt ist [9]. In kurzer Zeit ist es PETER BICHSEL (geb. 1935) mit nur zwei schmalen Bänden, genau wie Walter, gelungen, sich eine stark beachtete Position innerhalb der modernen deutschen Literatur zu schaffen. Er debütierte 1964 mit dem Buch *Eigentlich möchte Frau Blum den Milchmann kennenlernen*, das 21 kurze Geschichten enthält. Im Band *Die Jahreszeiten* (1967) hat Bichsel den im vorigen Buch eingeschlagenen Weg weiterverfolgt. Mit einem konsequent einfachen Stil beschreibt der Autor die nächste Umgebung, eine konkrete, äußere Alltäglichkeit: Jahreszeiten und Wetter, Haus und Ausbesserungen usw. Der Autor hat weiterhin einen Menschen erfunden, einen Herrn Kieninger, der eine Art Hauptperson darstellt. Bichsel diskutiert mit seinem Leser, gibt Kieninger verschiedene Rollen, wird seiner überdrüssig, hebt ihn aus der Geschichte heraus und läßt ihn wiederkehren. Dies geschieht auf eine Weise, die den Gedanken zu Frischs Roman *Mein Name sei Gantenbein* führt [10] [11].

Im obigen Abschnitt, wo wir die Verwandtschaft zwischen der jungen Schriftstellergeneration und Frisch-Dürrenmatt im Hinblick auf ihre Technik und bestimmte Motive gezeigt haben, ist die eigentliche Gesellschaftsproblematik außer acht gelassen worden. Bezeichnend für die junge Schweizer Belletristik ist, daß die politische und gesellschaftliche Komponente fast nicht vorhanden ist; eine Ausnahme bildet der erwähnte Roman *Die Hinterlassenschaft* von Diggelmann. Hingegen findet unter diesen Schriftstellern auf der publizistischen Ebene eine lebhafte politische Debatte statt. Einige von ihnen, wie Walter, Bichsel und Muschg, haben sich öffentlich zum Problem Dichtung und Politik geäußert. Otto F. Walter behauptet somit in einem Artikel in der *Weltwoche*, auch schon vorher in der *Neutralität* (März 1966) veröffentlicht, daß er keinen Anlaß dazu sehe, die Schweiz als speziellen Gegenstand einer dichterischen Tätigkeit zu betrachten, und daß er eine programmatische, politisch engagierte Literatur ablehne.

„Allein schon in der Tatsache der Fragestellung äußert sich ein Glaube. Der Glaube oder zumindest die Hypothese: Literatur könne bewältigen. Kann sie das, die Vergangenheit, die Gegenwart oder was immer? Kann sie, härter gefragt, politisch wirken? Überhaupt: wirken? Auf diese Grundfragen reagiert in mir der Verdacht, Literatur sei ihrem Wesen nach ohne jede verändernde Wirkung, sie sei absolut zum Scheitern verurteilt, und erst dort, wo wir keine Hoffnung auf eine Wirkung mehr mit ihr verbänden, beginne vielleicht wieder die Chance einer Wirkung; die Chance, daß von einem Roman, einem Gedicht, einem Bühnenstück zwar gewiß nicht die Verhältnisse, aber vielleicht das je einsame Bewußtsein von zwei, drei Lesern oder Zuschauern um ein winziges Stück verändert werden könnten, bereichert um ein Stück Erkenntnis. Ich fürchte, wer von der Literatur mehr erwartet, überfordert sie. Er muß an ihr verzweifeln." (*Die Weltwoche*, 11. 3. 1966).

Walter ist der Meinung, die gesellschaftliche Problematik sei in einem Kunstwerk enthalten, auch wenn sie nicht direkt ausgedrückt werde: „Je höher der künstlerische Rang der Literatur — dieser Kunst des Indirekten —, desto größer die gesellschaftliche Relevanz." Auch die Sprache selbst könne den gesellschaftlichen Verhältnissen Ausdruck geben. Was er über „gesellschaftliche Relevanz" zu sagen hat, ist zwar diskutabel, zeigt jedoch in verschiedenen Punkten eine auffallende Ähnlichkeit mit Frischs Auffassung.

Peter Bichsels Belletristik ist sichtlich markant von seiner Publizistik abgegrenzt. In seinem Artikel „Diskussion um Rezepte" (*Die Welt-*

woche, 1. 4. 1966) hebt er deutlich den Unterschied zwischen sich selbst als Dichter und als Bürger hervor. Er ist gegen Diggelmann und dessen Roman *Die Hinterlassenschaft* kritisch eingestellt, der, meint er, nach dem Rezept „verpack es in eine Geschichte" gemacht sei. Bichsel meint offenbar, daß der Inhalt dieses Romans sich besser für ein Fachbuch als für ein belletristisches Werk geeignet hätte. Ferner behauptet er, daß ein Bleistift wichtiger sein könnte, als Dr. Rothmund (Chef der Polizeiabteilung der Eidgenössischen Fremdenpolizei während der Hitler-Jahre): er will Fakten aus der Umwelt sammeln und betont zum Schluß: „Ich möchte um das Recht bitten, Dinge in meine Sammlung aufzunehmen, die offensichtlich nichts mit der Darstellung meiner Heimat zu tun haben: Bleistifte, Bierflaschen, Fahrverbottafeln."

Adolf Muschg äußert sich ebenfalls in dem Beitrag „Ein Versuch, sich die Hände zu waschen" (*Die Weltwoche*, 22. 4. 1966) ablehnend zu Diggelmanns Roman *Die Hinterlassenschaft*. „Man müßte Namen nennen und ein politisches Pamphlet schreiben *oder* sein Ethos radikal in gute Prosa übersetzen." Ferner ist er der gleichen Ansicht wie Walter, daß das Gesellschaftliche und Politische auf eine indirekte Weise in der Dichtung zum Ausdruck kommen soll. Er möchte keine Trennung zwischen dem Ästhetischen und dem Politischen machen: „Die auf einem Gebiet realisierte Humanität fordert sie auch auf allen andern heraus."

Was oben von Walter, Bichsel und Muschg angeführt wurde, gilt im großen ganzen für die junge Schriftstellergeneration in der Schweiz — mit Ausnahme von Diggelmann und Heinrich Wiesner. Ihre Gesichtspunkte weisen zwar gewisse Nuancen auf, aber im Prinzip handelt es sich um dieselben Ansichten wie bei Frisch, und im Grunde sind hier Tendenzen verfolgt worden, die Frisch seit 1958 zu formulieren und verwirklichen versucht hat.

In den sechziger Jahren trat in der Schweiz eine politische Opposition in Erscheinung, die außerhalb des Parlaments stand, in der Regel parteipolitisch ungebunden war, sich aus Intellektuellen, der Mehrzahl der jungen Schriftsteller sowie aus Künstlern zusammensetzte, und die sich gegen die konforme, bestehende Gesellschaft, das „Etablishment", wendete. Ihre Gegner — und nunmehr sogar sie selbst — bezeichneten diese Oppositionellen oft als „Nonkonformisten". U. a. hat sich Bichsel in einem Interview mit dem Titel „Neu überdenken heißt Opposition" (*National-Zeitung*, 24. 9. 1967) mit dem Thema beschäftigt, worin er sich gegen verschiedene Seiten des schweizerischen Gesellschaftslebens und nicht zuletzt gegen die offizielle Parteipolitik äußert[12]. Man findet bei Bichsel Ansichten, die nahe mit denjenigen übereinstimmen, die beispielsweise Dürrenmatt im „Gespräch zum 1. August" (1966) vorgetragen hat. Als ein spezifisch schweizerisches Problem in der Gegenwart

bezeichnet Bichsel den Umstand, daß es in allzu hohem Maße an einer
öffentlichen Diskussion fehlt: der Schweizer ist in der Tat passiv und
wenig politisch interessiert.

> „Es ist die Aufgabe der Opposition in der Schweiz, nun endlich wieder
> einmal Politik auf der andern Seite zu betreiben, d. h. die Nichtpolitiker
> wachzurütteln. [...] Es ist demnach nur wünschenswert, daß die Oppo-
> sition in der Schweiz außerparlamentarisch bleibt. Es geht darum, die
> Leute in Bewegung zu bringen."

Gegen die Anschauung von der Schweiz als dem Vaterland wendet sich
diese außerparlamentarische Opposition am stärksten. Bichsel hat sich
in dem Artikel „Des Schweizers Schweiz" in der Zeitschrift *Du* (Aug.
1967) ganz dem nationalen Problem gewidmet. Er zeichnet einleitend
das herkömmliche Bild, das die Schweizer von ihrem eigenen Land
haben. Selbst hat er eine andere Auffassung: er findet den Schweizer
reaktionär, er verwirft das idealisierte, pathetische Geschichtsbild, die
Mythen von Tell, Winkelried und dem Jahr 1291 und ist ablehnend
gegen den allgemeinen Enthusiasmus für die schweizerische Armee.
Nachdem Bichsel auf diese Weise sein Mißfallen kund getan hat, nennt
er jedoch auch einiges, was ihm an der Schweiz gefällt: es gefalle ihm
somit, in der Schweiz zu leben, wo er geboren sei, wo er Geborgenheit
fühle und auch das Recht zu leben habe; zwar ärgere er sich oft, aber er
habe auch Freude daran, Schweizer zu sein: „Ich bleibe hier."

Otto F. Walter greift das Vaterlandsproblem im Artikel „Unbewäl-
tigte schweizerische Vergangenheit" (*Die Weltwoche*, 11. 3. 1966) auf.
Walter stellt die Schweiz als Nation in Frage und betont stattdessen die
Bedeutung der einzelnen Teile, d. h. der Kantone:

> „Die Schweiz ist eine Genossenschaft, durch den Eid der Gründer garan-
> tiert. Die Genossenschaft wußten, sie durften keine Einheit schaffen; sie
> garantierten sich, jeder dem anderen, sein Recht auf die ganz bestimmte
> Kondition, unter der er als Urner oder Basler oder Tessiner oder Appen-
> zeller oder Zürcher oder Jurassier oder Solothurner existierte."

Mit dieser rein praktischen Auffassung bricht Walter den Stab über die
Erörterungen, daß der Ursprung der Schweiz in einer Idee zu suchen sei.
Später erklärt er in demselben Artikel: „Schweizer bin ich in etwa dritter
Linie."

Auch für Muschg ist es keine Lebensfrage, Schweizer zu sein: er kann
sich über die Schweiz ärgern, er kann aber auch mit diesem Land sym-
pathisieren. Er betont jene Verschiebung des Akzentes, die — wie er
meint — in einer gewissen Hinsicht stattgefunden habe: „Es gibt heute
einige Jüngere, die versuchen, Schweizer *Schriftsteller* zu sein; die
Schweizer Schriftsteller unter ihnen sind rar geworden (Diggelmann
zähle ich zu ihnen)." (*Die Weltwoche*, 22. 4. 1966). Muschg ist also in
hohem Grad gleichgültig gegenüber dem Problemkomplex Vaterland.

Bei einem literarischen Estradengespräch im Herbst 1967 wurde die Frage nach den Beziehungen zwischen der Schweiz und deren Schriftstellern behandelt. Aus diesem Gespräch, das in der *National-Zeitung* vom 2. 10. 1967 referiert wurde, nahmen Peter Bichsel, Kurt Marti, Jörg Steiner und Otto F. Walter teil. Bichsel wollte den Begriff „Schweiz" aus der Diskussion entfernen und stattdessen den Begriff „Gegend" einführen. Die anwesenden Schriftsteller schienen in der Auffassung ihrer Beziehungen zur Schweiz ziemlich übereinzustimmen, was die Zeitung auf folgende Weise wiedergibt: „Den Schweizer Schriftsteller bindet kein Verhältnis zur Schweiz, er schreibt nicht über die Schweiz, fühlt sich dem Land gegenüber nicht verpflichtet."

Der einzige, der dieses Problem belletristisch bearbeitet hat, ist Diggelmann, der in seinem Roman *Die Hinterlassenschaft* über die schweizerische Vaterlandsliebe und patriotische Heuchelei ironisiert: „Es wird deutlich, die einzige Geschichte, die sie haben, auf die sie alles setzen, ist nicht wirkliche Geschichte, sondern Legende: „Tell, Winkelried, die Schlacht am Morgarten." (172).

Die junge Schriftstellergeneration ist also stark kritisch gegen schweizerische nationale Anschauungen, gegen eine Idealisierung und Mythologisierung der Schweiz. Sie scheint ferner kein Bedürfnis nach Emigration zu haben: die Schweiz ist für sie ein angenehmer Wohnsitz. Hier ist die Identifikation mit den Ansichten Dürrenmatts vollständig. Diese Jüngeren zweifeln die Schweiz als Nation an, als Ganzheit: sie sind vor allem an dem Teil, an dem Lokalen, interessiert. Dieser letzte Punkt repräsentiert jedoch etwas Neues, Selbständiges und Originelles.

Frisch, Dürrenmatt und die jungen Schriftsteller nehmen in ihrer Auffassung von der Schweiz als dem Vaterland einen gemeinsamen Standpunkt ein, der von demjenigen — von einer älteren, konservativen Generation deutschschweizerischer Autoren vertretenen — scharf abweicht. Als Repräsentant für diese kann man den Romanschriftsteller *Kurt Guggenheim* (geb. 1896) anführen, der bereits 1961 ein Pamphlet mit dem Titel *Heimat oder Domizil?* herausgab. Diese Streitschrift ist ein Diskussionsbeitrag in einer Situation, die Guggenheim selbst eine Krisensituation nennt. Er wendet sich gegen gewisse Tendenzen in der gegenwärtigen deutschschweizerischen Literatur: gegen Abstraktion, Absurdität usw.; aber vor allem bemängelt er, daß die heutigen Schriftsteller so wenig Interesse an der Heimat zeigen. Guggenheim hebt die Bedeutung des Vaterlandes hervor, sowie den Zusammenhang zwischen Gesellschaft und Dichter. Die Schweiz solle demnach mehr als nur ein Wohnsitz sein. Die Schrift endet mit folgenden pathetischen Mahnungen:

„Manchen möchte man zurufen: versöhnt euch wieder mit eurem Vaterland, betrachtet euch wieder als einen seiner Söhne, und möchte die Geste der Versöhnung in nichts anderem bestehen, daß ihr wieder sagt ‚wir‘ statt ‚ihr‘. Vergesset die Verletzung, überwindet das Ressentiment. Kommt, setzt eure Talente ein zum Wohl und zum Trost, und, ja auch dies, zum Lob der Schweiz.“ (38 f.).

Wenn Guggenheim mit seiner Schrift die Entwicklung hat beeinflussen wollen, ist ihm dies mißlungen. Im Gegenteil hat die Entwicklung noch deutlicher jene Richtung genommen, wovor er sich fürchtete: die Gegensätze haben sich noch mehr verschärft.

Frisch, Dürrenmatt und die jüngeren Autoren bilden im großen ganzen eine einheitliche Front mit ihrer Gesellschaftskritik und Opposition. Ihr Engagement äußert sich in Artikeln, Interviews, im Unterzeichnen von Protestschreiben, Auftreten bei Versammlungen von manifestierendem Charakter, wobei es sich sowohl um spezifisch schweizerische Probleme als auch um internationale Fragen handeln kann.

Als ein charakteristisches Beispiel dieser einheitlichen Front mag der im Jahre 1970 aktuelle Konflikt im „Schweizerischen Schriftsteller-Verein“ dienen, als 22 Schriftsteller aus Protest gegen den Präsidenten, den französisch-schweizerischen Autor Maurice Zermatten, ihren Austritt erklärten. Die Erklärung der betreffenden Autoren, die für sich selbst spricht, lautet:

„93 Schweizer Schriftsteller haben im Herbst 1969 die geistige Landesverteidigung, wie sie im Zivilverteidigungsbuch gefordert wird, abgelehnt. Manche von ihnen sind der Meinung, Maurice Zermatten habe sich durch seine Mitarbeit an diesem Buch als Präsident des Schweizerischen Schriftsteller-Vereins (SSV) disqualifiziert. Dennoch sprach ihm der Vorstand des SSV sein Vertrauen aus, und die Mehrheit der Mitglieder hielt den Fall für nicht wichtig genug, um eine außerordentliche Generalversammlung einzuberufen. Wir glauben jedoch, die Situation in unserem Lande (Gesamtverteidigung, Schwarzenbach-Initiative usw.) verlange die aktive Teilnahme der Schriftsteller. Auch auf internationaler Ebene waren Arbeiter, Intellektuelle und Schriftsteller an den Befreiungsbewegungen der letzten Jahre (z. B. in Polen, Griechenland, in der Tschechoslowakei, in Brasilien) beteiligt. Gerade gegen diese Gruppen wird im Zivilverteidigungsbuch Mißtrauen gesät. Wir meinen, daß die seinerzeitige Beteiligung Maurice Zermattens an der Theaterzensur des Kantons Wallis heute den SSV daran hindert, glaubwürdig für die Opfer von Repression und Zensur in anderen Staaten einzutreten. Unter diesen Bedingungen fühlen wir uns als Schriftsteller durch den SSV nicht mehr repräsentiert und erklären deshalb unseren Austritt.“ (*Die Tat*, 22. 5. 1970) [13].

Unter diesen 22 Autoren befinden sich außer Frisch und Dürrenmatt u. a. Peter Bichsel, Walter M. Diggelmann, Jürg Federspiel, Kurt Marti, Adolf Muschg, Werner Schmidli, Jörg Steiner, Walter Vogt, Otto F. Walter und Heinrich Wiesner. Es handelt sich also hier um eine Reihe maßgebender jüngerer Verfasser, die alle im vorliegenden Kapitel behandelt werden.

Ein Forum für die Mehrzahl der erwähnten Schriftsteller und für andere radikal gesinnte Intellektuelle aus verschiedenen Lagern ist die Zeitschrift *Neutralität,* 1963 gegründet, in der in erster Linie schweizerische, aber auch ausländische Probleme politischer und kultureller Art zu einer kritischen Auseinandersetzung aufgegriffen werden. Ein Leitsatz der Zeitschrift war, zu versuchen, im kalten Krieg zwischen Ost und West einen Ausgleich herbeizuführen.

Wir möchten auch auf eine spezielle und aktuelle Frage hinweisen, die eine Scheidelinie zwischen Max Frisch einerseits und der Mehrzahl der jüngeren Autoren andererseits bildet. In der *Weltwoche* vom 11. 3. 1966 veröffentlichte Frisch einen Artikel unter dem Titel „Unbewältigte schweizerische Vergangenheit?" (In derselben Nummer und unter derselben Rubrik machte auch Otto F. Walter einige Ausführungen). Der Artikel war bereits früher in der Zeitschrift *Neutralität* (Sept. 1965) publiziert worden. Damit wurde in der *Weltwoche* eine lebhafte Diskussion ausgelöst, die auch anderswo ein Echo fand[14]. Frisch stellt in seinem Artikel die Frage, in welchem Ausmaß die Periode von 1933—45 in der deutschschweizerischen Literatur behandelt worden sei, wobei er sich vor allem an die jüngste Generation wendet. Er scheint hier an das Problem der Flüchtlinge, das Verhältnis zum Nationalsozialismus und ähnliche Dinge zu denken. Er kann kein Werk finden, worin diese Probleme aufgenommen sind. (Frisch scheint also Diggelmanns Roman *Die Hinterlassenschaft* noch nicht bemerkt zu haben). Zum Schluß fragt Frisch: „Ist unser Land für seine Schriftsteller kein Gegenstand mehr?" Gegen Frisch polemisierten dann Bichsel, Muschg und Walter in einigen schon erwähnten Aufsätzen. Muschg ist wohl derjenige, der am schärfsten auf Frischs Artikel reagiert hat. Er äußert sich in seinem Beitrag, „Ein Versuch, sich die Hände zu waschen" (*Die Weltwoche,* 22. 4. 1966), skeptisch gegen die belletristischen Bemühungen einer Auseinandersetzung mit der nationalsozialistischen Vergangenheit, die in Deutschland (beispielsweise Weiss) vorkommen. Er wendet sich ebenfalls gegen die Vorhaben, sich auf eine dementsprechende Weise den schweizerischen Verhältnissen und Attitüden während der Kriegsperiode 1939—45 zu nähern. Er findet die Mahnung, vor der eigenen Tür zu kehren, anachronistisch. Es gibt in dieser Debatte vieles, was widersprüchlich erscheint, nicht zuletzt Frischs eigene Haltung: er verlangt von den jungen Autoren, daß sie sich in ihrem belletristischen Schaffen mit einer Problematik auseinandersetzen sollen, mit der er selber nicht mehr bereit ist, sich zu beschäftigen. Dies zeigt, wie tief die schweizerische Problematik in Frisch verwurzelt ist. Daß die jungen Autoren die schweizerische Vergangenheit dichterisch nicht erörtern wollen, ist also offensichtlich, und es ist unsicher, ob sie überhaupt an einer Auseinandersetzung in publizistischer Form interessiert sind. In ihrer allgemeinen Skepsis gegenüber der Schweizer Geschichte scheint ihnen die Haltung der Schweiz in den Kriegsjahren fast gleichgültig zu sein: sie wollen sich mit der Gegenwart und der Zukunft beschäftigen. Die jüngeren Schriftsteller bilden mit ihrem Desinteresse eher eine Ausnahme, denn der Begriff „Unbewältigte schweizerische Vergangenheit" hat im zweiten Teil der sechziger Jahre unzweifelhaft eine vermehrte Bedeutung und Aktualität im schweizerischen Bewußtsein und der allgemeinen Debatte erlangt. Neben dem von Frisch unberücksichtigten Roman *Die Hinterlassenschaft* möchten wir auf ein weiteres Dichtwerk hinweisen: den 1969 erschienenen Roman *Schauplätze. Eine Chronik* von Heinrich Wiesner (geb. 1925). Wiesner schildert hier quasi aus der Froschperspektive — es handelt sich um die Erinnerungen eines heranwachsenden schweizerischen Schuljungen — die Zeit von 1933—45. Der Roman ist sachlich, teilweise dokumentarisch, und stellt auf eine lebendige und feinfühlige Weise die betreffende Zeitperiode dar. Trotz seiner oder vielleicht auf Grund seiner registrierenden Objektivität vermittelt er indirekt eine gewisse Kritik an schweizerischen Verhältnissen und an der schweizerischen Haltung während des Zweiten Weltkrieges [15]. Auch in der publizistischen Literatur gibt es eine Anzahl Bücher, die die hier besprochene Zeit und Problematik behandeln, und die bereits in der „Einführung" (S. 12 f. dieser Arbeit) erwähnt worden sind.

Die Scheidelinie, die in der oben referierten Debatte in der *Weltwoche* zum Vorschein kommt, verläuft nicht nur zwischen Frisch und den jungen Autoren, sondern auch zwischen Dürrenmatt und jenem Nachwuchs. Die offenbaren Differenzen zwischen den beiden Schriftstellergenerationen scheinen durch Frischs und Dürrenmatts Erlebnis des Zweiten Weltkrieges bedingt zu sein. Alle Genannten haben zwar jetzt dieselbe Auffassung über schweizerische Verteidigungsmentalität und die Schweiz als Vaterland, aber ihr Weg und Entwicklungsgang dorthin ist völlig unterschiedlich gewesen. Die Jüngeren scheinen eine offenere und positivere Einstellung gegenüber Deutschland einzunehmen als die Kriegsgeneration, wobei speziell der Mangel am direkten Erleben des Nationalsozialismus und des Krieges mitgewirkt haben dürfte. Diese Jungen scheinen keine scharfe Grenzlinie zwischen der Schweiz und der Bundesrepublik zu ziehen. Für sie ist es selbstverständlich, sich mit ihren literarischen Werken an ein deutsches Publikum zu wenden.

Auch in einer anderen Hinsicht unterscheiden sich die jüngeren Schriftsteller von Frisch und Dürrenmatt und zwar durch den erwähnten, für ihre Werke charakteristischen, regionalen Zug. Sie sind — wie Muschg

sagt — „Lokalschriftsteller". Wie Walter und Bichsel bekennt er sich
zu dem Lokalen, aber ohne dies als etwas Provinzielles aufzufassen,
sondern im Gegenteil als stellvertretend für die gesamte Welt. Muschg
ist der Ansicht, daß eine solche räumliche Intimität das Überschreiten
der nationalen Grenzen erleichtert. „Deutschland zum Beispiel ist für
sie (diese Generation Lokalschriftsteller) nicht anderswo." (*Die Weltwoche*, 22. 4. 1966). Speziell das Hervorheben der primären Bedeutung
der Kantone wird für diese „Lokalschriftsteller" zu einem Mittel, um den
nationalen Begriff „Schweiz" aufzulösen.

Die Gestaltung der Gesellschaftsideen bei Zollinger, Frisch und Dürrenmatt ist in einigen Fällen von speziellen, individuellen Faktoren bestimmt worden. So ist beispielsweise Frisch offensichtlich durch seinen
Beruf als Architekt inspiriert worden, sich mit gewissen Typen von Gesellschaftsfragen zu beschäftigen. Wichtiger ist jedoch unser Nachweis
eines Zusammenhanges zwischen dem Zeitgeschehen und der Ausformung einiger für die schweizerische Gesellschaftsdebatte wesentlicher
Ideen. Es hat sich erwiesen, daß bestimmte Zeitabschnitte für die Stellungnahme und für die Entwicklung der Gesellschaftskritik unserer drei
Hauptautoren eine entscheidende Rolle gespielt haben: nämlich die dreißiger Jahre und der Zweite Weltkrieg.

Aus unserer Untersuchung ergibt sich, daß die zentralen Ideen, wie
Freiheit, Demokratie, Neutralität sowie die Vorstellung von der Schweiz
als Nation, die unter dem Begriff „Der schweizerische Staatsgedanke"
zusammengefaßt werden können, und die in der politischen und allgemeinen Debatte in der Schweiz seit 1848 eine wesentliche Rolle gespielt
haben, auch im 20. Jahrhundert weiterhin für die belletristischen Autoren von überraschend großer Bedeutung sind. Wir denken hier speziell
an den Patriotismus und die Verteidigungsmentalität, die auch für jene
Schriftstellergeneration, die ihren Durchbruch in den sechziger Jahren
gehabt hat, als Stoff eine bedeutende Rolle gespielt haben. Wir haben
gezeigt, daß die lebhafte Auseinandersetzung mit diesen Themen, die nach
1945 bis heute fortgedauert hat, in einem Bedeutungsverlust des Vater-
landsbegriffes resultiert.

Unsere drei Hauptautoren, wie auch die jüngere Generation, können
in ihrer Opposition an eine etablierte Strömung innerhalb der schweizerischen Literatur anknüpfen. Mehrere der Motive, die von den erwähnten Schriftstellern behandelt werden, findet man beispielsweise in der
Romandichtung der zwanziger Jahre wieder: mag es sich dabei auch um
das Thema der Kleinheit der Schweiz, der Enge oder eines vorgeblichen

Materialismus handeln, der zu den Beschwerlichkeiten der Schweizer Dichter beiträgt. Mit verschiedenen Beispielen haben wir jenes Spannungsverhältnis zwischen Schriftsteller und engerer Umwelt u. a. im Hinblick auf Konservatismus und Patriotismus dargelegt. Darüber hinaus hat der Schweizer Autor das Bedürfnis gehabt, eine schweizerische Sonderstellung gegenüber der weiteren Umwelt zu behaupten, in erster Linie auf politischem und kulturellem Gebiet gegenüber Deutschland. In bezug auf Deutschland kommt jedoch — wie wir gezeigt haben — bei der jungen Generation eine neue Einstellung zum Vorschein.

In der maßgebenden deutschschweizerischen Literatur der sechziger Jahre, d. h. bei Frisch, Dürrenmatt und der jüngeren Generation, finden wir in ihren politischen Veröffentlichungen eine zunehmende Radikalisierung, die sich besonders auf die Vorstellung von der Schweiz als Vaterland konzentriert. In dieser wie in anderen Fragen sind sie radikaler als die Autoren der zwanziger Jahre. Wir notieren ebenfalls einen deutlichen Unterschied bei ihrer Behandlung der sozialen Problematik, näher bestimmt: der Stellung der Arbeiter, des Gegensatzes Arbeiter-Bürger und des Klassenkampfes. Diese Problematik, die — wie sich aus der Untersuchung im einführenden Kapitel ergibt — in hohem Grade in der belletristischen Literatur der zwanziger Jahre im Schatten des Generalstreiks von 1918 aktuell wurde, spielt in der heutigen Debatte eine relativ untergeordnete Rolle. Man kann übrigens in diesem Zusammenhang auf einen interessanten soziologischen Umstand aufmerksam machen: die Schweiz hat immer noch keine Generation von Arbeiterdichtern oder autodidaktischen Dichtern hervorgebracht; die bedeutendsten schweizerischen Schriftsteller gehen zur überwiegenden Mehrzahl nach wie vor aus einem bürgerlichen Milieu hervor.

Trotz einer zunehmenden Radikalisierung der Autoren überschreiten sie nie eine gewisse Grenze, die Grenze des Maßhaltens. Sie lehnen eine revolutionäre Attitüde ab und bewahren eine auf Humanität und Demokratie gegründete Haltung, was man als Ausdruck einer typischen und traditionellen schweizerischen Einstellung auslegen könnte. Auch die mit solcher Energie und Intensität geführte Diskussion über das Problem der Schweiz als Vaterland, die dem Außenstehenden eigenartig anmuten kann, ist man versucht, als etwas typisch Schweizerisches zu betrachten. Abschließend möchten wir konstatieren, daß die Debatte sich auch unter den maßgebenden deutschschweizerischen Schriftstellern — und trotz der auf verschiedenen Gebieten manifestierten Weltoffenheit dieser Schriftsteller — in mancher Hinsicht immer noch wie in einem abgegrenzten und geschlossenen Raum abspielt.

VI. Anmerkungen

Einführung (S. 1—54)

[1] „Der Mensch und das wirkliche Leben. Eine Studie zum Problem der Gemeinschaft und der Selbstverwirklichung in Max Frischs Werk." Der schwedische Titel lautet: „Människan och det verkliga livet. En studie i gemenskapens och självförverkligandets problem i Max Frischs diktning." Liz.-Arb. Univ. Sthlm. (Masch.)

[2] Wir verstehen und verwenden den Begriff Ideologie nicht im marxistischen Sinne, sondern — im Anschluß an beispielsweise einen Soziologen wie Valfredo Pareto — als einen Begriff vom „Gedanken des Klassenkampfes abgetrennt". In jener allgemeinen Weise, in der wir das Wort Ideologie benutzen, bedeutet es also u. a. „politisch-soziales Leitbild". Siehe ferner „Ideologie" im *Großen Brockhaus*, V, 616 (Wiesbaden 1954). Vgl. dazu auch *Handwörterbuch der Sozialwissenschaften*, V, 179—184 (Stuttgart, Tübingen, Göttingen 1956).

[3] Die älteste Fassung der Tell-Geschichte stammt aus dem Jahr 1477. Wehrli behauptet, daß die Auffassung von Tell sich zwischen 1470 und 1550 zum eigentlichen Tell-Kult entwickelte.

[4] In einem Artikel mit der Rubrik „Aus Spittelers politischer Journalistik" in der *Neuen Schweizer Rundschau* (1945, Nr. 1) sagt Werner A. Krüger, „daß Spittelers Ansprache die für jene schicksalschweren Tage wohl bedeutsamste politische Kundgebung der geistigen Schweiz darstellte." Aber einige kritische Stimmen gab es auch, die Spitteler „Dilettantismus" vorwarfen. Gegen diese Vorwürfe und Kritik wendet sich Krüger mit seinem Artikel. Spitteler war während der Jahre 1880—92 an mehreren deutschschweizerischen Blättern journalistisch tätig und schrieb während dieser Zeit viele politische Artikel. Krüger hat diese untersucht und findet, daß die allgemeine Einstellung und mehrere Ansichten in Spittelers Rede von 1914, beispielsweise über Deutschland und die schweizerische Neutralität, bereits vorbereitet sind und ihren Ursprung in seiner Journalistik der achtziger Jahre hatten.

[5] Über Ragaz liegt eine umfangreiche Biographie vor, nämlich Markus Mattmüllers *Leonhard Ragaz und der religiöse Sozialismus*, I u. II (1957 bzw. 1968), die die Zeit bis 1921 umfaßt.

[6] Siehe Alice Meyer: *Anpassung oder Widerstand*, 53, 190.

[7] Zu den „Fronten" siehe Meyer, a.a.O., 42—54. Ferner behandelt Bonjour diese Bewegung unter der Rubrik „Antidemokratische Strömungen" in seiner *Geschichte der schweizerischen Neutralität*, 3. durchges. Aufl. 1970, III, 283—299. Nunmehr liegt eine ausführliche Spezialarbeit vor: Walter Wolfs *Faschismus in der Schweiz* (1969). Vgl. auch Beat Glaus: *Die nationale Front. Eine Schweizer faschistische Bewegung*. 1930—1940 (1969).

[8] Bonjours *Geschichte der schweizerischen Neutralität. Vier Jahrhunderte eidgenössischer Außenpolitik*, die sich auf die 1946 herausgegebene *Geschichte der schweizerischen Neutralität. Drei Jahrhunderte eidgenössischer Außenpolitik* gründet, liegt in ihrer umgearbeiteten und stark erweiterten Form in sechs Bänden vor, die 1965—70 erschienen sind. Der dritte Teil umfaßt die Periode von 1930—39, der vierte bis sechste den Zeitabschnitt

1939—45. Die drei letzten Bände sind ausführlich in u. a. der *Neuen Zürcher Zeitung* (10. 5. 1970) und in der *Tat* (4. 7. 1970) besprochen worden.

Eine wichtige und gut dokumentierte geistesgeschichtliche Arbeit ist Daniel Freis *Neutraliät — Ideal oder Kalkül?* (1967), in der Neutralitätsfrage während der letzten zwei Jahrhunderte behandelt wird.

⁹ Ein erster Versuch, eine gesamte Darstellung der verschiedensprachigen Literaturen in der Schweiz zu schaffen, wurde von Guido Calgari mit der Arbeit *Storia delle quattro letterature della Svizzera* (1958) gemacht, die 1966 in deutscher Übersetzung mit dem Titel *Die vier Literaturen der Schweiz* vorlag. Wie aus dem Titel hervorgeht, handelt es sich nicht um eine nationale Schweizer Literaturgeschichte, sondern die Literaturen in der alemannischen, französischen, italienischen und rätoromanischen Schweiz werden separat behandelt. Abschließend macht der Autor jedoch den Versuch — der an sich nicht notwendig und auch nicht völlig überzeugend wirkt —, einige „gemeinsame Wesenszüge" aufzuzeigen.

¹⁰ Siehe ferner den aufschlußreichen anonymen Artikel „Agonie der Mundartdichtung" in der *Tat*, 21. 8. 1971. — Eine große wissenschaftliche Untersuchung liegt nunmehr vor, an der Universität Basel durchgeführt, veröffentlicht unter dem Titel *Der Schriftsteller und sein Verhältnis zur Sprache dargestellt am Problem der Tempuswahl. Eine Dokumentation zu Sprache und Literatur der Gegenwart. Hrsg. von Peter André Bloch* (Basel 1971). Im Zentrum der Fragestellung steht das Problem des Verhältnisses zwischen Mundart und Hochsprache, wie es sich im deutschschweizerischen Sprachraum darstellt. Unter den behandelten deutschschweizerischen Schriftstellern seien erwähnt: Peter Bichsel, Walter Matthias Diggelmann, Friedrich Dürrenmatt, Max Frisch, Hugo Loetscher, Kurt Marti, Adolf Muschg, Werner Schmidli, Jörg Steiner und Otto F. Walter.

¹¹ Die beiden Schriften wurden in der *Neuen Schweizer Rundschau* (1933, Nr. 5) von Gottfried Bohnenblust unter dem Titel „Die Dichtung der deutschen Schweiz in doppeltem Bilde" rezensiert.

¹² Innerhalb der Literaturwissenschaft sind nur wenige Versuche gemacht worden, Übersichten ästhetischer Art zu präsentieren. Es seien hier zwei ältere Werke erwähnt: Fr. Bries' kleinere Schrift *Ästhetische Weltanschauung in der Literatur des XIX. Jahrhunderts* (1921), sowie K. J. Obenauers umfangreiche Arbeit *Die Problematik des ästhetischen Menschen in der deutschen Literatur* (1933). Nur Obenauer berührt einige der Gestalten des 20. Jahrhunderts. Seine Arbeit enthält mehrere wesentliche Gesichtspunkte, nicht zuletzt in bezug auf die im vorliegenden Kapitel aktuellen Fragestellungen. Das Werk wird mit einem systematischen Teil eingeleitet, in dem der Autor bis auf Platon zurückgeht. Im zweiten Teil, in dem die Gestalten der Goethezeit behandelt werden, sind die letzten Abschnitte der Romantik und Kierkegaard gewidmet. Im dritten Teil berührt der Verfasser einige der Schriftsteller des 20. Jahrhunderts: Thomas Mann, Ricarda Huch, Hugo v. Hofmannsthal und schließlich Stefan George. Es ist auffallend, daß die Tendenz der Schlußworte des Buches verhältnismäßig „neugeordnet" ist (Erscheinungsjahr des Buches: 1933). Das aber gilt nicht für die Arbeit im großen ganzen, die übrigens — nach den Einführungsworten des Autors — bereits 1918 begonnen wurde.

In der Schrift von Brie geht es dem Verfasser um eine europäische Perspektive, in der die deutsche Problematik nur als ein kürzerer Abschnitt enthalten ist (17—30, 72 f.).

[13] Siehe u. a. Alfred Liebi: *Das Bild der Schweiz in der deutschen Romantik*, 1 ff., und Fritz Ernst: *Europäische Schweiz*, 25—33.

[14] Eine sehr frühe Beobachtung — von 1518 — weist auf die materielle Gesinnung des Schweizers hin. Englert-Faye zitiert aus einem Brief des Grafen v. Zwewenbergh: „Die Schweizer glauben nur, was sie in der Hand spüren, wie der heilige Thomas." (Englert-Faye: *Vom Mythos zur Idee der Schweiz*, 215).

[15] „Point d'argent, point de Suisse" ist ein Sprichwort, das schon der deutsche romantische Reisende Zacharias Werner erwähnt, und das er übrigens fast täglich bestätigt fand (Liebi, a. a. O. 99).

[16] Über die in diesem Kapitel schon behandelte Literatur hinaus sei auch auf ein jüngeres Werk hingewiesen: *Die Schweiz in alten Ansichten und Schilderungen. Herausgegeben von Marcus Bourquin* (1968). Hier dürfen sowohl Ausländer als auch Schweizer zu Wort kommen. Das Buch ist nicht chronologisch sondern geographisch eingeteilt, d. h. nach den vier Hauptgebieten der Schweiz. Besonders sei auf die einleitende Partie (7—28) und das Kapitel „Die Schweiz in literarischen Zeugnissen" (31—36) hingewiesen.

[17] Die Kommentare in der schweizerischen Presse sind in der Schweizerischen Landesbibliothek unter dem Titel „Glossen" im Anschluß an Zieglers Schrift gesammelt.

[18] Bettex untersucht in seiner Arbeit, wie sich die Schweiz und schweizerische Motive in der deutschen Literatur widerspiegeln. Es handelt sich hier um die schweizerische Landschaft, um schweizerische Geschichte, Freiheitstradition und Volkscharakter, um Einflüsse von Keller, Meyer, Burckhardt, Böcklin usw. Der Durchgang erstreckt sich über ein weites Gebiet: vom Unterhaltungsroman und Reisebericht bis zu dichterischen Werken mit hohem Niveau und kulturgeschichtlichen Arbeiten. Die Goethe-Zeit wird vom Autor als eine reiche Zeit hinsichtlich des schweizerischen Einflusses und der schweizerischen Motive in der deutschen Literatur bezeichnet. Als zweite große Zeit wird die Epoche von 1870—1933 angegeben.

[19] Der Ausdruck „Verschweizerung" spielt eine entscheidende Rolle in einer Arbeit von Hans v. Liebig, in der das Wort sogar im Titel selbst vorkommt: *Die Verschweizerung des deutschen Volkes* (1928). Der Begriff wird später auch von Steding in dessen *Das Reich und die Krankheit der europäischen Kultur* verwendet. Während diese beiden Schriftsteller negativ gegen diesen Begriff sind, hat Max Huber, der ihn 1934 in seinem Vortrag „Vom Wesen und Sinn des schweizerischen Staates" berührt, eine andere Auffassung: „Ziemt uns somit Bescheidenheit, so sind wir doch auch berechtigt, den in dem Ausdruck ,Verschweizerung' liegenden Vorwurf einer charakterlosen, utilitaristischen Verbindung wesensfremder Elemente mit Stolz zurückzuweisen." (Huber: *Vermischte Schriften*, I, 66).

[20] Eine wissenschaftliche Übersicht über die Literatur der Jahre zwischen den Kriegen findet man in Heinz-Peter Linders Dissertation *Die schweizerische Gegenwart im modernen Roman der deutschen Schweiz* (1957). Der Autor gibt hier ein konzentriertes, knappes aber deshalb auch kompendiöses Bild der deutschschweizerischen Romanliteratur und weist nach, wie diese die schweizerische Gesellschaft während des Zeitabschnittes 1918—1939 spiegelt. Er hat eine Einteilung in vier Perioden vorgenommen: 1918—1923, 1924

bis 1928, 1929—1933, 1934—1939, und untersucht innerhalb jeder Zeitperiode systematisch den Stoff, wobei er mit folgenden wiederkehrenden
Hauptrubriken arbeitet: Gesellschaft, Staat, Volk, Religion. Unter dem Titel Gesellschaft finden sich wechselnde Unterrubriken, wie Bürger und Arbeiter, Bauer und Bauerntum, Künstler und Kunst. Die verschiedenen Romane werden als freistehende Einheiten behandelt, was bedeutet, daß die
einzelnen Dichtergestalten und ihre Entwicklung nicht gekennzeichnet werden. Linders Arbeit hat u. a. von bibliographischem Gesichtspunkt aus
eine spezielle Bedeutung. Allerdings können gewisse Einwände erhoben
werden, nicht zuletzt gegen die schematische Einteilung der Zeitperioden.

[21] Eine gute und ausführliche Übersicht, in der sowohl die allgemeinen Entwicklungstendenzen als auch eine Anzahl Dichterporträts sowie eine Bibliographie enthalten sind, ist Paul Langs Das Schweizer Drama 1914—1944
(XIV. Jahrbuch 1943/1944 der Gesellschaft für Schweizerische Theaterkultur). Der Autor ist der Meinung, daß das, was innerhalb der Dramatik
während der betreffenden Epoche geschaffen wurde, geringe Bedeutung
habe. Immer noch spielten die historischen Stücke eine wichtige Rolle, wenn
sie auch — mit der vorherigen Epoche verglichen — der Anzahl nach abgenommen hätten. Der Durchbruch sollte erst nach Ende des Zweiten Weltkrieges mit Max Frisch und Friedrich Dürrenmatt kommen.

[22] Zu den Beziehungen zwischen Lenin und der Sozialdemokratischen Partei
der Schweiz siehe E. Gruner: Die Parteien in der Schweiz (1969), 136 ff.
Vgl. dazu W. Gautschi: Der Landesstreik 1918 (1968). — Eine etwas ältere
Darstellung mit einer konservativen Betrachtungsweise bietet G. Guggenbühl in seiner Geschichte der schweizerischen Eidgenossenschaft, II, 622—32.
Der Autor ist stark kritisch gegen die revolutionären Tendenzen: er spricht
von Aufruhr und sieht den Generalstreik als eine Bedrohung der bestehenden Staatsordnung.

[23] Nachstehend wird über eine Anzahl von Beiträgen zur Debatte um den
Schweizer Standpunkt in der Neuen Schweizer Rundschau aus den Jahren
1933—39 berichtet.
Maria Waser schrieb einen Aufsatz über „Lebendiges Schweizertum" (1934,
Nr. 12), in dem die Idee der Unabhängigkeit und Freiheit betont wird. Die
Nummer vom Januar 1935 hat als Hauptrubrik: „Landesverteidigung". Ge-
rold Ermatinger schrieb anschließend über „Die schweizerische Demokratie
als geistiges Problem" (1935, Nr. 2). C.-F. Ramuz arbeitete an der Nummer
vom November 1936 mit dem Artikel „Der Schriftsteller in seinem Land"
1936, Nr. 7) mit, worin er u. a. sagt: „Wir sind in der räumlichen Ausdeh-
nung ein winzig kleines Land; wir können eine Ausweitung unsrer selbst
nur in einer geistigen Welt erstreben." K. Brunner schrieb von der „Schweizerischen Demokratie im Kriegsfall" (1937, Nr. 2), H. Huber „Über Föderalismus" (1938, Nr. 4 u. 5), P. Valéry trug mit einem Artikel betitelt „Zum
Thema Freiheit" (1938, Nr. 5) bei, W. Kaegi behandelte „Der Typus des
Kleinstaates im europäischen Denken" (1938, Nr. 5, 6 u. 7), F. Hui „Pestalozzis Botschaft an unsere Zeit" (1938, Nr. 8), A. Majonnier schrieb
über „Nationale Regeneration" (1939, Nr. 10) mit u. a. folgenden Unterrubriken: „Die politische Idee der Schweiz" und „Erziehung zur Nation",
Th. Gut behandelte „Eidgenössische Kulturwahrung" (1939, Nr. 12), K.
Meyer „Die mehrsprachige Schweiz" (1939, Nr. 1), G. de Reynold „Con-
science de la Suisse" (1939, Nr. 2) und G. C. L. Schmidt schrieb über „Be-
währung und Behauptung der Eidgenossenschaft" (1939, Nr. 4).

24 Englert-Fayes Arbeit ist 1967 in neuer Ausgabe erschienen.

25 Von Inglins übrigen Werken seien erwähnt der Jägerroman *Die graue March* (1935), die Novellensammlung *Güldramont* (1943), der Entwicklungsroman *Werner Amberg* (1949), die Erzählungssammlung *Die Lawine* (1947), die Erzählung *Ehrenhafter Untergang* (1953), der Roman *Urwang* (1954), die Novellensammlung *Verhexte Welt* (1958) und *Besuch aus dem Jenseits und andere Erzählungen* (1961). — Inglins Werk ist wissenschaftlich behandelt worden in einer Dissertation von Egon Wilhelm mit dem Titel *Meinrad Inglin. Weite und Begrenzung. Roman und Novelle im Werk des Schwyzer Dichters* (1957).

26 Der Roman wurde 1955 in gekürzter und umgearbeiteter Neufassung herausgegeben.

27 Nicht-schweizerischen Lesern gegenüber mag es vielleicht angebracht sein zu bemerken, daß der Begriff „freisinnig" hier eine spezielle Bedeutung hat: „In der Schweiz repräsentieren die *Freisinnigen* die konservativen politischen Ideen." (Suzanne Öhman: *Wortinhalt und Weltbild* (Stockholm 1951), 105).

Orientierung über Zollinger und sein Werk (S. 55—63)

1 Demjenigen, der eine ausführlichere Darstellung von Zollingers Leben wünscht, sei in erster Linie Paul Häfligers Monographie *Der Dichter Albin Zollinger* (1954) empfohlen. Erinnerungen an Zollinger kommen in R. J. Humms *Bei uns im Rabenhaus* vor und ferner in Hilde Brunners Artikeln „Aus Albin Zollingers letzten Lebensjahren" (*Du*, 1945, H. 1) und „Über Albin Zollinger" (*Ex libris*, 1946, 126 f.). Ein näheres und persönlicheres Bild von Zollinger bekommt man durch drei Briefausgaben: Traugott Vogels *Briefe an einen Freund* (1955), *Briefe von Albin Zollinger an Ludwig Hohl* (1965) und Magdalena Vogels *Fluch der Scheidung. Briefe Albin Zollingers an seine erste Frau* (1965). Vor allem tritt uns der Mensch Zollinger in der letzten Sammlung nahe, die ein tief ergreifendes Dokument ist.

2 Nach Häfliger wurde *Bohnenblust* 1940—41 geschrieben und erst einige Monate vor Zollingers Tod beendet (Häfliger, a. a. O. 115, 119).

3 Häfliger, a. a. O. 124; *Der Fröschlacher Kuckuck* wurde im Winter 1940—41 geschrieben (Häfliger, a. a. O. 119); das Manuskript zur Erzählung *Die Narrenspur* stammt wahrscheinlich aus dem Sommer 1941 (Häfliger, a. a. O. 121 f.).

4 „Die Gemäldegalerie" (1919) wurde in der Zeitschrift *Die Schweiz*, 1919, Nr. 2, publiziert. „Der Apfelzweig" war Fortsetzungsroman im *Schweizerischen Familien-Wochenblatt*, 1920, H. 1—7.

5 Die betreffenden Novellen wurden zum ersten Mal jeweils in *Annalen*, 1928, H. 4 (1), der *Zeit*, 1936, H. 1 (2) und in der *NZZ*, 1939, 30. 1., 31. 1., 1. 2. (3) veröffentlicht.

6 In den achtzehn Nummern der Zeitschrift während dieses Zeitabschnittes finden wir 36 signierte Beiträge von Zollinger. Die Anzahl der rein belletristischen Texte ist überraschend gering, nämlich nur zwei Novellen. Die Rezensionen sind elf an der Zahl, die allgemein literarisch-kulturellen Aufsätze vier, die kulturpolitischen und die politischen Beiträge zur jeweiligen aktuellen Debatte fünf bzw. neun. Die übrigen Ausführungen bestehen aus einigen Übersetzungen und Plaudereien.

[7] Daß Zollinger sich auf die Dauer in der *Nation* nicht besonders wohl gefühlt hat, kann man aus seinem Briefwechsel mit Ludwig Hohl herauslesen (siehe *Briefe von Albin Zollinger an Ludwig Hohl,* 20 f.).

[8] Während des Zeitabschnittes 1921—41 hatte Zollinger in der *NZZ* 26 publizierte Beiträge, in den zwanziger Jahren acht, 1930—35 sieben und 1938—41 elf. Die rein belletristischen Beiträge, d. h. Gedichte, Novellen und Romanfragmente, dominieren. Sie machen insgesamt fünfzehn aus. Im übrigen schrieb er fünf Rezensionen und einige Plaudereien sowie einen einzigen Artikel, den man einen Diskussionsbeitrag nennen kann. Er behandelt die ökonomischen Erwerbsmöglichkeiten des Dichters („Brief an Paul Lang"; *NZZ,* 24. 9. 1933. Zollinger antwortete damit auf einen früheren Artikel von Lang).

[9] In den Sammelband *Gesammelte Prosa* wurden vierzehn von Zollingers Aufsätzen und Vorträgen aufgenommen. Davon sind drei vorher in verschiedenen Werken mit mehreren Autoren als Mitarbeitern publiziert worden, sechs sind in den erwähnten Zeitschriften enthalten, während die fünf übrigen, die undatiert sind, dem Nachlaß Zollingers entstammen.

[10] Die Rezensionen im *Bund* erschienen an folgenden Daten: *Die verlorene Krone:* 5. 5. 1923, *Stille des Herbstes:* 5. 1. 1939, *Die große Unruhe:* 19. 12. 1939, *Pfannenstiel:* 8. 12. 1940, *Der Fröschlacher Kuckuck:* 4. 12. 1941, *Bohnenblust:* 3. 12. 1942, *Das Gewitter:* 25. 11. 1943.
Die Rezensionen in der *Neuen Zürcher Zeitung* erschienen wie folgt: *Die Gärten des Königs:* 4. 9. 1921, *Der halbe Mensch:* 23. 11. 1929, *Gedichte:* 5. 11. 1933, *Sternfrühe:* 8. 12. 1936, *Stille des Herbstes:* 18. 11. 1938, *Haus des Lebens:* 30. 11. 1939, *Die große Unruhe:* 12. 12. 1939, *Pfannenstiel:* 22. 11. 1940, *Der Fröschlacher Kuckuck:* 23. 12. 1941, *Bohnenblust:* 7. 11. 1942, *Das Gewitter:* 11. 11. 1943.

[11] Albert Bettex ist in seiner Schrift *Die Literatur der deutschen Schweiz von heute,* 39 f., der Meinung, daß Zollinger neben Siegfried Lang und Karl Stamm dazu beigetragen habe, die deutschschweizerische Lyrik zu erneuern. Emil Staiger hat seiner Bewunderung für Zollingers Sprach-, Wort- und Rhythmuskunst Ausdruck gegeben. Er sagt u. a., daß Zollingers Lyrik sich gegenüber dem Besten, das während der letzten Jahrzehnte innerhalb des deutschen Sprachbereichs geschaffen worden ist, behaupten könne (im „Nachwort" zu Staigers Ausgabe von Zollingers Lyrik, *Gedichte,* 1956, 125 f.).

[12] Ludwig Hohl: „Albin Zollinger" (*Jahrbuch vom Zürichsee,* 1942, 125). Vgl. auch Hohl in „Letzter Brief an Albin Zollinger" (*Nuancen und Details,* III, 71), in dem Zollinger als der größte Dichter der Schweiz bezeichnet wird. Dieser Brief ist später in Heinz Weders Ausgabe *Briefe von Albin Zollinger an Ludwig Hohl* aufgenommen worden.

[13] Albin Zollinger gab seiner Verstimmung gegenüber dem offiziellen Religionsbetrieb dadurch Ausdruck, daß er seinen Austritt aus der Landeskirche erklärte und keine Kirchensteuer bezahlte (*TV*).

[14] Traugott Vogel bezeichnet Zollinger als Sozialist „im besten Sinn" (*TV*).

Der Künstler und die Gesellschaft (S. 64—76)

[1] Zwei Jahre später schrieb er im Aufsatz „Die Notlage des schweizerischen Schriftstellers" (*Die Nation,* 1938, Nr. 8): „Nach Deutschland können wir aus ehrenhaften Gründen nicht mehr."

2 Im Aufsatz „Möglichkeiten des Schriftstellervereins" (1938) und in dem undatierten Artikel „Das schweizerische Feuilleton" wird von Verfassern gesprochen, die es müde sind, sich ewig refusieren zu lassen. Er betont auch, daß die Zeitungen Abdrucke aus Büchern machen ohne Anfrage und ohne Honorar: „Wildwestliche Zustände auf diesem Gebiete fechten den biederen Schweizer nicht an. Immer wieder erwartet er vom Geistesarbeiter, daß er ‚um der Sache willen' gratis arbeite. Um der Sache willen kann er sich das Brotessen abgewöhnen. Er schnauft zu kostspielig." (GW, I, 420; vgl. dazu die Formulierungen im Artikel „Die Notlage des schweizerischen Schriftstellers").

3 Siehe „Vorsatz", „Möglichkeiten des Schriftstellervereins", „Dichter und Publikum", „Das schweizerische Feuilleton".

4 Im Vortrag „Möglichkeiten des Schriftstellervereins" beruft sich Zollinger auf sein Recht, in jedem Fall als Bürger und denkender Mensch das beurteilen und zu dem, Stellung nehmen zu dürfen, was sich im öffentlichen Leben ereignet: „Ich kann es nicht ändern; bewilligen Sie, wenn nicht dem Lyriker, dem Staatsbürger und Moralisten in mir das Recht darauf, sich um Dinge der Öffentlichkeit zu bekümmern." (Der Geistesarbeiter, 1938, Nr. 6). Der letzte Satz kehrt wörtlich in dem Artikel „Schriftsteller und Presse" wieder. Gleichartige Ansichten werden auch in dem „Schweizerischen Feuilleton" vorgebracht, worin Zollinger ebenfalls die Stellung des Dichters in einer puritanischen Schweiz berührt (GW, I, 416).

5 Den größten Teil des Artikels „Möglichkeiten des Schriftstellervereins" widmet Zollinger einem eigenen Vorschlag, daß man innerhalb des „Schriftstellervereins" eine Art Instanz einrichten sollte, die mit Unterstützung und Autorisation des Staates die geistigen Kräfte des Landes koordinieren könnte. Diese Instanz sollte die Bücherdistribution beeinflussen, Zeitschriften unterstützen, gewisse Bücherreihen herausgeben, Theaterfragen behandeln, die Öffentlichkeit und die Zeitungspresse beeinflussen. Wie diese Instanz funktionieren sollte, bleibt ungesagt. Zum Teil kann der Vorschlag als ein Ausdruck der Strömung der „geistigen Landesverteidigung" gesehen werden.

6 Die Zeitschrift „Pfannenstiel" und die Debatte um diese wird im Roman Pfannenstiel in erster Linie auf den Seiten 159—178 geschildert.

Volk, Staat und Schweizer Standpunkt (S. 77—96)

1 Betr. Renés gesellschaftliches Engagegment und seine revolutionären Pläne siehe ferner DGK, 119, 144, 149 f., 154, 177 ff., 204, 218, 229 ff., 254.

2 Betr. die Kritik Roumains siehe dazu DGK, 56 ff., 61, 99 f., 114, 120.

3 Siehe ferner Pf, 5 f., 203 f.; B, 77 f.

4 Vgl. dazu auch den Artikel „Dichter und Publikum" (Die Nation, 1938, Nr. 24).

5 Traugott Vogel bestätigt, daß Zollinger Stifters Werk sehr gut gekannt und gerade die beiden Werke Der Nachsommer und Witiko geliebt habe.

6 (Albert Edelmann, Lehrer im Dicken ob Ebnat-Kappel/Toggenburg, Sammler von Volksliedern und Förderer der kunstgewerblichen Heimarbeit).
Bei Risach tritt die eigene Persönlichkeit in den Hintergrund: er ist anderen ein Diener, ein anspruchsloser Mensch, der studiert, lernt und unterrichtet. Einen wichtigen gemeinsamen Zug bei Risach und Bohnenblust

finden wir in ihrer pädagogischen Einstellung, einen anderen in ihrem Naturinteresse. Sie sind beide auf ihre eigene Weise Naturforscher.
Risach hat einen Pflegesohn, Gustav, der unter seiner pädagogischen Leitung steht. Bohnenblust seinerseits hat eine Pflegetochter, Gretli, die er unterrichtet (N, 57 f., 71, 100, 109, 132 f.; vgl. B, 194 f.). Risach bewohnt eine außerordentlich elegant möblierte Zimmerflucht. Bohnenblust wohnt gleichfalls bequem und angenehm in seinem Bauernhof. Dies ist übrigens das einzige, das Bohnenblust sich selbst in materieller Hinsicht gönnt (N, 65 ff.; vgl. B, 80 ff., 176 f.). Risachs Tischlerei hat ein Gegenstück in der Heimatindustrie und dem Kunstgewerbe, das Bohnenblust betreibt. Dieser hat ein Arbeitszimmer mit Hobelbank und Werkzeugen den Schulkindern des Dorfes zur Verfügung gestellt, die dort kleine Möbel, Kästen usw. herstellen dürfen, die gemalt und geschmückt werden und später in der Stadt für irgendeinen wohltätigen Zweck verkauft werden (N, 73 ff.; vgl. B, 177 f.) Sowohl in Risachs als auch in Bohnenblusts Fall wird die Bedeutung der Einfachheit der Lebensführung betont (N, 60; vgl. B, 195). Im *Nachsommer* wie auch im *Bohnenblust* herrscht ein idyllisches und abgeschiedenes Milieu, von Schönheit und Stille gekennzeichnet, fern vom Lärm und Kampf der Welt.

[7] Das Prophetische kommt beispielsweise in den Romanen *Pfannenstiel* (115) und *Bohnenblust* (68) zum Ausdruck; ferner kann auf einen charakteristischen Wortwechsel schon in der Erzählung *Die Gärten des Königs* hingewiesen werden. Oberleutnant Hector Plafond nennt René in einem Gespräch, in dem dieser den französischen Regenten kritisiert hat, abwechselnd Poet, Schwärmer, Apostel und Prophet. René antwortet: „Sei es denn, daß der Poet ein Prophet wurde!" (147).

Die Schweiz und Europa (S. 97—114)

[1] In der Novelle „Labyrinth der Vergangenheit" (1936) schildert Zollinger zwei deutsche Studenten, die als Touristen nach dem Rom Mussolinis kommen, sich in den Katakomben verlaufen, und ums Leben kommen. Vogel hat diese Erzählung im „Nachwort" zu einer Separatausgabe (St. Gallen 1950) als Ausdruck für Zollingers Stimmungen vor dem Dritten Reich gedeutet. Wir möchten uns in diesem Punkt Vogels Auffassung nicht anschließen: zwar ist eine derartige Deutung wohl möglich, aber doch nicht sehr naheliegend und überzeugend.

[2] In der Pfannenstielversion hat Zollinger einige leichte Änderungen der zwei ersten Zeilen vorgenommen. U. a. hat er die Wortstellung geändert (Pf, 257; vgl. das Original in GW, IV, 523).

[3] Über Schaffners Leben und dichterische Tätigkeit siehe A. Zäch: *Die Dichtung der deutschen Schweiz*, 194 f., und H. Bänziger: *Heimat und Fremde*, 21—62.

[4] Die Broschüre ist in der Zeitschrift *Maß und Wert*, 1938, November-Dezember, H. 2, als Inserat erwähnt.

[5] Dies betrifft einen amerikanischen Literaturwissenschaftler wie F. R. Benson, der den spanischen Bürgerkrieg und dessen Wirkung auf europäische und amerikanische Literatur in seiner Arbeit *Schriftsteller in Waffen; Die Literatur und der spanische Bürgerkrieg* (1969) eingehend behandelt. Der Titel des Originals ist *Writers in Arms. The Literary Impact of the*

Spanish Civil War, N. Y. 1967). Benson hat seine Darstellung auf sechs Autoren konzentriert: Bernanos, Hemingway, Koestler, Malraux, Orwell und Regler. Albin Zollingers Name wird in der Schrift nicht erwähnt.

⁶ Daß Zollinger Malraux gelesen hat, ist u. a. in den Schriften *Fluch der Scheidung*, 133, und *GW*, I, 376, belegt.

Zusammenfassung (S. 115—119)

¹ Man kann hier einen Hinweis auf Karl Webers *Die Schweiz im Nerven-krieg* (1948) machen. Der Autor behandelt die schweizerische Pressesituation in den Jahren 1933—45. Nach der Okkupation von Österreich revidierte die linksgerichtete Presse ihre Methoden hinsichtlich der antifaschistischen Publizistik. Sogar die unabhängige Wochenzeitung *Die Nation* empfahl eine maßvolle Haltung, „weil eine kleine Demokratie nicht auftrumpfen könne" (*Die Schweiz im Nervenkrieg*, 86). Vgl. E. Bonjour: *Geschichte der schweizerischen Neutralität*. Aufl. 1970, V., Kap. „Pressekontrolle (161—197), und ferner eine neuerschienene Spezialarbeit von Erich Dreifuß: *Die Schweiz und das Dritte Reich. Vier deutschschweizerische Zeitungen im Zeitalter des Faschismus 1933—1939* (1971).

² In der Novelle „Der Apfelzweig" zeigt sich das rein Idyllische in einer charakteristischen Darstellung des Bauernhofs, der Kindheit und des Mutterbildes. Im einleitenden Teil zum Werk *Die Gärten des Königs* finden wir eine andere Form von ländlicher Idylle: adelige Damen und Herren in einem Schloßgarten auf dem französischen Lande versammelt, wo Stille, Friede und Glück herrschen. Im Roman *Der halbe Mensch* lebt Wendel in einer idyllischen Natur und erlebt das Behagen der Atmosphäre um das uralte Dorf herum. In der *Großen Unruhe* wird die Idylle ein wesentliches Erlebnis für Tscharner, als er bei der Rückkehr in die Schweiz das Glück der Kindheit in der Begegnung mit der schweizerischen Bauernlandschaft wiederfindet (300). Im Roman *Pfannenstiel* findet Stapfer sein Glück in dem einfachen Landleben unter Tieren und Getreide (131, 132, 235 f., 238). Sehr deutlich tritt der idyllische Zug in *Bohnenblusts* hervor. Der Dorfschullehrer Bohnenblust lebt in einer von Abgeschiedenheit und Stille geprägten Welt. In diesem Milieu erlangt Byland seine geistige Gesundheit wieder, und hier erlebt er den Sonntagsfrieden und den Klang der Kirchenglocken, das Glück der Kindheit (263). Wie in *Pfannenstiel* wird die Kindheit oft mit Bauernhof und Land verknüpft (*B*, 73, 192, 210 f., 263, 270 f.). Die kleine Bergstadt Fröschlach im *Fröschlacher Kuckuck* ist eine wahre Idylle, von einem leichten Märchenschimmer umschlossen. In der Erzählung *Das Gewitter* ist das idyllische Element sehr stark: z. B. kann die Hochzeitsschilderung an eine herkömmliche, literarische Pfarrhofsidylle erinnern.

³ Es handelt sich um Motive, die mit dem Bauernhof, den Ahnen und der Vergangenheit, mit der Geborgenheit der Kindheit und der Nähe der Mutter zu tun haben. Zu dieser Welt gehört nicht zuletzt die Stimmung des Stalles. Die große Übereinstimmung zwischen Prosa und Lyrik geht aus einer vergleichenden Untersuchung hervor, wobei zwei Motive ausgewählt wurden: das Stall- und das Kindheitsmotiv. In Zollingers Prosa finden wir diese beiden Motive vor allem in *Pfannenstiel* und *Bohnenblust*. Das Stallmotiv: *Pf*, 131 f., 235 f., 238; *B*, 263, 271. Das Kindheitsmotiv: *DgU*;

300; *Pf*, 12, 51, 131; *B*, 73, 192, 210 f., 263. Die genannten Prosatexte weisen inhaltsmäßig eine Übereinstimmung mit vor allem folgenden Gedichten auf: „Kindheitsdämmerung", „Phlox", „Sonntag", „Dungfuhre" (*Gedichte* 1933), „Frühglocke", „Schneedunkel", „Rübezahl Herbst" (*Sternfrühe*), „Geborgenheit", „Kindheitsgeschichte" (*Stille des Herbstes*) und „Schritt der Ahnen" (*Haus des Lebens*). Besonders möchte man das lange Gedicht „Kindheitsgeschichte" hervorheben, das sämtliche oben erwähnten Motive enthält.

Orientierung über Frisch und sein Werk (S. 120—130)

[1] Detaillierte biographische Informationen über Frisch, über seine weiteren Reisen, seine Herkunft, Familie und Ehe, sind dem Abschnitt „Kurzgefaßter Lebenslauf" in Eduard Stäubles *Max Frisch* (Aufl. 1967) und vor allem dem Kap. „Heterogene Herkunft" in Hans Bänzigers *Frisch und Dürrenmatt* zu entnehmen.

[2] In der neuen Fassung, die 1957 erschienen ist, ist dieser einleitende Teil gestrichen, ferner ist der Titel umgestellt worden und lautet nun: *Die Schwierigen oder J'adore ce qui me brûle.*

[3] Auf dem Vorsatzblatt der gedruckten Editionen von sämtlichen bisher erwähnten Werken hat Frisch Informationen darüber gegeben, wann sie geschrieben und wann sie gegebenenfalls uraufgeführt worden sind. Diese Angaben finden sich auch in der Sammelausgabe *Stücke I—II* (1962). (Die eingeklammerten Jahreszahlen im Text bezeichnen für die Schauspiele wie für die übrigen Werke das Druckjahr).

[4] Siehe den im voraus publizierten Abschnitt in der *Neuen Schweizer Rundschau* (1948, Nr. 6).

[5] Die zweite Fassung des Stückes wurde am 4. 2. 1956 in Frankfurt am Main uraufgeführt. Siehe *Stücke I*, 400. Vgl. dazu auch die Besprechung in der *Weltwoche* (10. 2. 1956).

[6] Die ursprüngliche Originalversion wurde laut einer Angabe auf dem Vorsatzblatt der gedruckten Edition 1952 geschrieben.

[7] Zum „Mexico-Hörbild" siehe Franz Lennartz' *Dichter und Schriftsteller unserer Zeit*, I., 7. Aufl. 1957, 174. Dieses Funkwerk war eine Bearbeitung des Artikels „Orchideen und Aasgeier. Ein Reisealbum aus Mexico", der bereits im Okt./Nov.-Heft 1951 der *Neuen Schweizer Rundschau* publiziert wurde. *Rip van Winkle* wurde zum ersten Mal in der Schrift *Kreidestriche ins Ungewisse* (1960), mit „Nachwort" von Gerh. Prager, gedruckt. Später separat unter dem Titel *Rip van Winkle. Hörspiel* (1969) herausgegeben.

[8] Betr. *Herr Quixote* siehe *Handbuch der deutschen Gegenwartsliteratur* (H. Kunisch), Aufl. 1965, 201. *Der Laie und die Architektur* wurde in der Zeitschrift *Merkur*, 1955 (261—278), veröffentlicht.

[9] *Herr Biedermann und die Brandstifter* wurde zum erstenmal im Radio am 18. 6. 1953 von Studio Zürich gebracht (nach einer Angabe von Radio Bern am 30. 7. 1964).

[10] Der Sketch wurde zum erstenmal in der Zeitschrift *Hortulus*, 1958, Nr.2, publiziert. Bei der Zürcher Uraufführung des Schauspiels *Biedermann und die Brandstifter* wurde das *Nachspiel* nicht aufgeführt. Dieses ist erst bei einer späteren Inszenierung in Frankfurt hinzugefügt worden, wobei offenbar *Die große Wut des Philipp Hotz* gestrichen worden ist. (Bänziger,

Frisch und Dürrenmatt, Aufl. 1960, 100; vgl. dazu auch Frischs eigenen Kommentar in *Stücke II*, 322).

11 Das Werk wurde nach einer Angabe auf dem Vorsatzblatt 1958—61 geschrieben.

12 Die betreffende Episode findet man im späteren Teil des Romans (385— 397). Gantenbein erzählt eine Geschichte („Eine Geschichte für Camilla") von einem Mann, der seine eigene Todesanzeige liest und die Rolle eines für tot erklärten annimmt. — Die Produktion des Filmes wurde im Herbst 1965 abgebrochen. Siehe dazu *Die Tat* vom 29. 3. 1966.

13 Das Stück *Biografie: Ein Spiel* sollte den Plänen nach am 7. Oktober 1967 im Schauspielhaus Zürich uraufgeführt werden. Nur einige Tage vor der Premiere wurde die Aufführung abgesagt. Der Anlaß war eine Kontroverse zwischen dem Regisseur Rudolf Nölte und dem Autor (*Die Tat*, 29. 9., 2. 10., 3. 10. und 12. 10. 1967). Die Erstaufführung fand im Januar 1968 unter einem neuen Regisseur in Zürich statt und gleichzeitig an einigen Theatern in der Bundesrepublik.

14 Der Abschnitt aus dem Roman *Mein Name sei Gantenbein* hat bei der Aufnahme den Titel „Tonband" erhalten und entspricht in dem fertigen Roman den Seiten 413—20, ist aber hier gründlich umgearbeitet worden. Es ist interessant, u. a. vom stilistischen Gesichtspunkt aus, die beiden Versionen zu vergleichen.

15 In Eduard Stäubles *Max Frisch* (Aufl. 1967), 249—252, sind ausführliche Informationen über die verschiedenen Übersetzungen, über Jahreszahlen, Titel und Verlage vorhanden. Dieselbe Bibliographie (von K. D. Petersen), etwas erweitert, finden wir in der Schrift *Über Max Frisch* (Herausgeg. von Th. Beckermann) (1971). Gewisse ergänzende Angaben kann man in *Schweizer Schriftsteller der Gegenwart* (1962), 67, bekommen.

16 Frisch begann seine publizistische Laufbahn mit dem Artikel „Mimische Partitur?" (1931). Folgende jährliche Anzahl von Beiträgen wurde während der intensivsten Jahre seiner journalistischen Tätigkeit publiziert: 1932: 11, 1933: 11, 1934: 14, 1935: 9, 1936: 6. In den Jahren 1937—48 beliefen sich die Beiträge auf 1 à 5 pro Jahr. Danach hörte der regelmäßige Kontakt mit der *NZZ* auf, und Frisch erschien nur sporadisch als Mitarbeiter. Im Jahre 1957, beispielsweise, publizierte er einen „Vordruck aus Homo faber", ferner den Beitrag „Taschenbücher", eine Antwort auf eine Umfrage, und „Rede an junge Lehrer". Rubriken wie die folgenden sind für die Ausführungen der dreißiger Jahre typisch: „Stadtherbst" (1932), „Glück in Griechenland" (1933), „Wie wird man berühmt?" (1934), „Tagebuch eines Soldaten" (1935), „Über Berg und Tal" (1936), „Tempora mutantur..." (1937), „Offenbarung durch den Abschied (Herbst)" (1938), „Segeln" (1939).

17 Staiger, dessen Ansprache in der *NZZ* vom 20. 12. 1966 veröffentlicht wurde, kritisiert die moderne belletristische Literatur wegen des psychopathischen und krankhaften Elementes, wegen aller der Verbrechen und Scheußlichkeiten, die dort um ihrer eigenen Reize willen vorkommen. Seine Kritik gilt auch dem Schlagwort „Littérature engagée". Werner Weber ergriff das Wort am 24. 12. mit dem Artikel „Zum Streitgespräch über eine Rede Emil Staigers" und Frisch schrieb am 6. 1. 1967 einen Beitrag in derselben Zeitung. In der weiteren lebhaften Debatte sind eine Reihe Autoren in verschiedenen Zeitungen und Zeitschriften hervorgetreten. Eine übersichtliche Darstellung der Debatte findet man in dreizehn Nummern der *Tat* unter der Rubrik „Der Zürcher Literaturkrieg": 4. 2.,

11. 2., 18. 2., 25. 2., 4. 3., 11. 3., 18. 3., 15. 7., 22. 7., 29. 7., 5. 8., 12. 8., 19. 8. 1967. — Alle die wichtigsten Beiträge sind später im April-Juniheft 1967 (Nr. 22) der Zeitschrift *Sprache im technischen Zeitalter* gesammelt worden. (Vgl. auch Nr. 26/1968). Frischs beide Ausführungen sind späterhin in der Schrift *Öffentlichkeit als Partner* publiziert worden.

[18] Dieser Beitrag wurde später in der Zeitschrift *Der Monat* (1953, Nr. 59) unter dem Titel „Nachtrag zum transatlantischen Gespräch" gedruckt.

[19] Frisch bringt hier einige Ansichten über die Neubearbeitung seines Schauspiels *Die chinesische Mauer* vor. Der Artikel wurde mit einigen Kürzungen später auch im *Programmheft des Zürcher Schauspielhauses 1955/1956*, Nr. 6, gedruckt.

[20] Die Rede ist später im Heft *Beiträge zum zwanzigjährigen Bestehen der neuen Schauspiel AG 1938/39 — 1958/59* unter dem Titel „Emigranten" gedruckt worden. Sie ist schließlich (unter dem Titel „Büchner-Rede") — wie die oben erwähnten Artikel „Kultur als Alibi" und „Unsere Arroganz gegenüber Amerika", sowie die Rede am 1. August (unter dem Titel „Festrede") — in der Schrift *Öffentlichkeit als Partner* publiziert worden.

[21] Die Ansprache wurde im *Tages-Anzeiger* und in der *Neuen Zürcher Zeitung* am 15. 12. und in der *Tat* am 16. 12. 1958 referiert.

[22] Seine Auseinandersetzung mit dem Mythos von Wilhelm Tell hat Frisch in der Schrift *Wilhelm Tell für die Schule* (Frankfurt am Main 1971) fortgesetzt, worin er auf seine eigene Weise die Tell-Sage wiedererzählt, mit der bewußten Absicht, sie zu entmythologisieren und entglorifizieren. Er benutzt dabei verschiedene historische Darstellungen und macht anschließend in seinen Kommentaren ab und zu parallel kritische Bemerkungen über die Verhältnisse in der heutigen Schweiz.

[23] Der Artikel ist in der *Weltwoche* vom 11. 3. 1966 noch einmal erschienen.

[24] Vgl. dazu auch folgende Zitate: „Wenn wir Schweizer bleiben wollen, müssen wir unsere Zukunft schon selber planen." (*Achtung: die Schweiz*, 12). — „Es fehlt die Tat. [...]. Wir tun, was gerade möglich ist; aber wir verändern nichts." (ebd. 16). — „Es geht nicht ohne die Tat, ohne eine Wandlung unsres Denkens." (ebd.). — „Sondern wir wollen eine Schweiz, die sich selbst ins Gesicht zu schauen wagt, eine Schweiz, die sich nicht vor der Wandlung scheut ..." (ebd. 19).

[25] In der „Büchner-Rede" kommt auch einmal der Ausdruck Veränderung vor. Frisch sagt also über Büchner, daß dieser die Welt, „nämlich das Großherzogtum Hessen, verändern wollte" (*ÖP*, 41).

[26] Die Schlußfolgerungen bezüglich Frischs Ansichten über die Schweiz, über Politik und über Gesellschaftsprobleme überhaupt, die wir aus seinen publizistischen Werken der 60er Jahre ziehen konnten, werden im großen und ganzen durch sein *Tagebuch 1966—1971* (Frankfurt am Main 1972) bestätigt. Durch diese Tagebuchnotizen wird jedoch das Bild vom Gesellschaftskritiker Frisch in einzelnen Punkten vertieft. Interessant ist, daß er hier sein Studium von Leo Tolstojs Schriften eröffnet und im Anschluß hieran die Themen Gewalt, Staatsgewalt und Gegengewalt erörtert. Ferner beschäftigt er sich mit Problemen der Demokratie, Freiheit, Revolution, Veräderung der Gesellschaft sowie in besonderem Grad mit der Frage des Rechtsstaates.

[27] Zehn Jahre später wird in Frischs „Nachwort" zu Andrej D. Sacharows *Wie ich mir die Zukunft vorstelle* (1968) wiederum Frischs scharf kritische Einstellung zu den „Ideologie-Systemen" in sowohl West als auch Ost

bestätigt. Er möchte die Politik „entideologisieren" und die politische Terminologie entlarven.

[28] Der Film wurde am 22. November 1969 im schwedischen Fernsehen gezeigt.

Die Kunst, der Künstler und die Gesellschaft (S. 131—156)

[1] In der Erzählung *Antwort aus der Stille* (1937) ist die Hauptfigur, der „Wanderer", zwar kein Künstler, aber in seiner Jugend hat er sich vom künstlerischen Leben angezogen gefühlt. Wie Jürg Reinhart träumt der Wanderer von der großen, erlösenden Handlung im Sinne Nietzsches.

[2] Es ist folgerichtig, daß Frisch in der umgearbeiteten Ausgabe von 1957 den einleitenden Teil aus dem Roman *Jürg Reinhart* hat ausfallen lassen.

[3] Siehe *Die Schwierigen* (1943): 152, 155—160, 167—175, 180 f., 204 f., 224.

[4] Laut Gerichtsprotokoll war Stiller exakt sechs Jahre, neun Monate und einundzwanzig Tage verschwunden gewesen (*Stiller*, 504).

[5] *Stiller*: 103 f., 308 f. (Zusammentreffen mit den Kritikern), 335—357 (Atelierszene), 371—373 (Vorbereitungen für eine Ausstellung), 443 (Über die Künstlerschaft), 472—499 (Atelierszene). Die beiden Atelierszenen enthalten nur zum Teil Stoff, der direkt mit Stillers künstlerischer Tätigkeit zu tun hat.

[6] Siehe z. B. die Schilderung von Stillers Atelier, das zweimal im Roman beschrieben wird, teils mit Sibylles Augen, teils mit Stillers Augen gesehen (*Stiller*, 335-37, 472—80). In dem ersten Falle wird u. a. von einem langen Ofenrohr gesprochen, das „sehr romantisch gewesen sein soll" (336). Die Umgebung ist auch romantisch („abermals mit viel Romantik"): gurrende Tauben, Giebel, Brandmauern, Schornsteine. In dem anderen Fall sieht Stiller im Atelier sowohl das Proletarische als auch das Romantische. Die Aussicht wird mit nahezu identischen Worten geschildert (480; vgl. 336). Auch das Ofenrohr kommt wieder.

„ [...], ein Ofenrohr quer durch den Raum demonstriert mit einer nicht zu übersehenden Geste, daß es hier keinerlei Konvention gibt, dabei ist es genau das Ofenrohr, wie man es in fast jedem Pariser Atelier findet, das konventionelle Requisit einer gewissen Bohème." (472 f.).

[7] Huizinga schreibt beispielsweise:

„Zusammenfassend kann man vom neunzehnten Jahrhundert behaupten, daß in fast allen Manifestationen der Kultur der Spielfaktor stark in den Hintergrund tritt. Sowohl die geistige wie die materielle Organisation der Gesellschaft stand einem sichtbaren Wirken dieses Faktors im Wege. Die Gesellschaft war sich ihrer Interessen und ihres Strebens überbewußt geworden. Sie meinte, den Kinderschuhen entwachsen zu sein. Sie arbeitete mit wissenschaftlichem Plan an ihrem eigenen irdischen Wohlergehen. Die Ideale von Arbeit, Erziehung und Demokratie ließen kaum Raum für das ewige Prinzip des Spiels" (J. Huizinga: *Homo ludens*, 312 f.; vgl. dazu auch 308 ff.).

[8] Der Leser erhält zweifellos Assoziationen zu Nietzsche in diesem Zusammenhang. Auch bei Frisch handelt es sich ja darum, Selbstverwirklichung durch eine große Handlung zu erreichen (vgl. dazu auch die Erzählung *Jürg Reinhart*). Ferner ist gerade der Wanderer ein Typ, der bei Nietzsche

verschiedentlich vorkommt — u. a. in *Also sprach Zarathustra*, wo das
Bergsymbol übrigens eine entscheidende Rolle spielt — und der von Frei-
heitswillen, Wanderlust und Abenteuerlust gekennzeichnet ist. Im Werk
Die fröhliche Wissenschaft findet man folgendes Gedicht, gerade „Der
Wanderer" genannt, das eine gute Illustration zur Erzählung *Antwort aus
der Stille* ist.

> „Kein Pfad mehr! Abgrund rings und Totenstille!"
> So wolltest du's! Vom Pfade wich dein Wille!
> Nun, Wandrer, gilt's! Nun blicke kalt und klar!
> Verloren bist du, glaubst du — an Gefahr!

(Das Zitat stammt aus *Nietzsche: Zeitgemäßes und Unzeitgemäßes* (ausgewählt und eingeleitet von Karl Löwith), 98; vgl. ebd. 65 f., 67 ff., 71 ff.,
128 ff. und *Also sprach Zarathustra*, 223 ff.

[9] Dieser Ausdruck ist in späteren Ausgaben gestrichen.

[10] Eine Spezialstudie liegt nunmehr vor: C.A.M. Nobles Dissertation
Krankheit, Verbrechen und künstlerisches Schaffen bei Thomas Mann
(Bern 1970).

[11] Zum Oberlehrer und seiner Haltung siehe *Nsw*, 12 f., 24, 42—47, 84—91.

[12] Über Herbert siehe *Nsw*, 14—17, 31, 84—91.

[13] Auf den Seiten 88—90 (*Nsw*) nimmt Herbert den Ausdruck „Geist" zehnmal in seinen Mund.

[14] Vgl. dazu auch mit den Unterschriften, die Knoll selbst macht und ferner
mit denen, die der Oberlehrer mit verbundenen Augen macht (*Nsw*, 85).

[15] In der umgearbeiteten Ausgabe von 1961 ist diese Replik gestrichen (*Stük-
ke I*, 368 f.).

[16] Dies betrifft also die umgearbeitete Ausgabe von 1879—80 (II. Fassung). In
der I. Fassung (1855) ist der Schluß anders. Dort stirbt Heinrich Lee gleich
nach der Rückkehr in die Schweiz.

[17] Wir möchten in diesem Zusammenhang auf Walter Muschgs postum
erschienene Arbeit *Gestalten und Figuren* (1968) hinweisen, wo der Autor
im Abschnitt „Das Vaterland" (177—208), enthalten im Kapitel „Umriß
eines Gottfried-Keller-Porträts", Kellers politische Entwicklung und Ansichten über die Schweiz eingehend behandelt.

Volk, Staat und Schweizer Standpunkt (S. 157—193)

[1] Mit Ausgangspunkt von dem zitierten Text folgt hier ein detaillierter
Vergleich zwischen dem Schauspiel und dem Artikel „Die andere Welt."

1. „Ich habe das Gefühl von einer ganz anderen Welt, Väterchen, die es
gibt . . . eine Heimat, die uns nicht trennt. Wer sie nicht überall hat, der
hat sie nirgends." (*Nun singen sie wieder*. 73). — Vgl.: „ . . . daß eine
Heimatlichkeit rings um die Erde geht, eine, die man nirgends hat, wenn
man sie nicht überall hat . . . " (*Atlantis*, 1945, Nr. 1—2, 3).

2. „Nicht alles ist eins! Das meine ich nicht. Man kann den anderen kein
Bruder sein, wenn man sich selber aufgibt..." (*Nsw*, 73). — Vgl.: „Wir
können niemandem Bruder sein, indem wir uns aufgeben. Wir können
nicht lieben, wenn wir es nicht aushalten, der andere zu bleiben. Nicht
alles ist eins . . . " (*Atlantis*, 1945. Nr. 1—2, 3).

3. „Ich habe das Gefühl von einer Heimat, die man hätte entdecken sollen,
eine Heimat, die rings um die Erde geht —" (*Nsw*, 73). — Vgl.: „Warum

uns solche Bilder beglücken — sie belegen eine Ahnung, die man hatte, das Gefühl von einer anderen Welt, die es gibt, eine Weite von Heimatlichkeit, die rings um die Erde geht." (*Atlantis*, 1945, Nr. 1—2, 4).

[2] Der Begriff Vaterlandslosigkeit ist weder originell noch neu. Schon Nietzsche verwendet ihn in seinem Werk *Die frohe Wissenschaft*, in dem einer der Abschnitte den Titel „Wir Vaterlandslose" trägt.

[3] Das Gesagte betrifft die erste Fassung (1951) des Stücks. In der umgearbeiteten Ausgabe vom Jahr 1961 hat Frisch diese Grenzüberschreitung gestrichen. Die ganze Handlung ist auf ein einziges Land konzentriert worden.

[4] In der umgearbeiteten Neuausgabe ist diese Rollenbezeichnung in „Staatsanwalt" geändert.

[5] In der „Büchner-Rede" handelt es sich diesmal nicht nur um ausschließlich für die Schweiz relevante sondern um allgemeingültige Gesichtspunkte, die mit der üblichen Ironie vorgebracht wird: „Jedenfalls stellt uns niemand nach, wenn wir von unsrer Freiheit reden, im Gegenteil, wir sollen von unsrer Freiheit reden, je lauter, um so lieber, und wenn wir nicht von Freiheit reden, so nur, weil die Regierungen selbst soviel davon reden . . ." (*ÖP*, 44). Aus dem Stück *Andorra* mag als typisch die Replik des Doktors angeführt werden: „Andorra ist ein kleines Land, aber ein freies Land. Wo gibt's das noch? Kein Vaterland in der Welt hat einen schöneren Namen, und kein Volk auf Erden ist so frei." (40).

[6] Die Thematik Lüge-Ehrlichkeit in Frischs dichterischem Werk vom Erstlingswerk *Jürg Reinhart* bis zum Roman *Stiller* einschließlich ist in meiner Lizentiatarbeit (S. 169—173) untersucht worden.

[7] Die Rede befindet sich nunmehr in der Sammlung von Ansprachen, die Frisch 1967 herausgegeben hat, unter dem Titel *Öffentlichkeit als Partner*. Der ausführliche Bericht in der NZZ vom 15. 12. 1958 stimmt im großen ganzen mit dem Text des Buches überein. Gewisse Umarbeitungen, Streichungen und Hinzufügungen sind jedoch gemacht worden. U. a. ist ein Abschnitt über Albin Zollinger im Buch ausgefallen. Dieser wird nirgendwo direkt in dem veröffentlichten Text erwähnt.

[8] Das Zitat findet man nicht in exakt derselben Wiedergabe in der NZZ, deren Text jedoch inhaltlich mit dem Buchtext übereinstimmt.

[9] Das Material besteht teils aus Notizen von Gesprächen mit Kutter und Burckhardt, teils aus Briefen und Manuskripten in deren Besitz. Das Gespräch mit Burckhardt fand im Juli 1969 und dasjenige mit Kutter im August 1969, beide in Basel, statt. Die unpublizierten Quellen bestehen aus Briefen von Frisch an Kutter und aus Protokollen, Unterlagen, Akten, Entwürfen usw., die im Zusammenhang mit den beiden genannten Broschüren, in erster Linie *Achtung: die Schweiz*, stehen.

[10] Eine Durchsicht des ursprünglichen Manuskriptes stützt eher Burckhardts Auffassung.

[11] Der Titel gibt unmittelbare Assoziationen zu Thomas Manns Artikel und späterem Buch *Achtung, Europa!* (1936 bzw. 1938). Burckhardt meint aber, daß er nicht an Manns Schrift gedacht habe.

[12] Burckhardt war jedoch nicht zufrieden, sondern schrieb eine neue eigene Version, die dennoch nicht von der Kommission angenommen wurde: man blieb bei Frischs Fassung. Gewisse Streichungen und Veränderungen wurden vorgenommen, aber keine von größerer Bedeutung. Es war offenbar

die Absicht zu einem gewissen Zeitpunkt während der Schlußredaktion, daß Frisch nach außen hin als Verfasser der Schrift gelten sollte. Ein Entwurf zum Vorsatzblatt hat nämlich den folgenden Wortlaut: „Ein Gespräch über unsere innere Lage und ein Vorschlag zur Tat. Aufgezeichnet von Max Frisch."

13 Siehe *Die neue Stadt*, 28 f., 58 f. bzw. 45. Die betreffenden Abschnitte kommen im Artikel unter folgenden Rubriken vor: 1.) Wird man recht vor Langeweile sterben? 2.) Aber was hilft das unseren alten Städten? 3.) Warum gerade eine Stadt?

14 Unter den kritischen Beiträgen kann man Peter Meyers Rezension in der *Neuen Schweizer Rundschau*, 1955, Nr. 11, erwähnen. Meyer, damals Professor an der ETH für Kunstgeschichte mit der Geschichte der Architektur als Spezialität, ist in vieler Hinsicht stark kritisch gegen die Schrift. Er erkennt an, daß sie glänzend und temperamentvoll geschrieben ist, meint aber gleichzeitig, daß die Schrift durch Spott vergiftet worden sei und dadurch, daß die Schweiz ins Lächerliche gezogen wird.

15 Siehe Frischs Kommentar in der losen Beilage, die der dritten Auflage von *Achtung: die Schweiz* beigefügt ist.

16 U. a. wurde innerhalb des Vereins eine konkrete detaillierte Studie ausgearbeitet. Der Plan galt der Gemeinde Furtal. Mit diesem Verein und Vorschlag hatten Frisch, Burckhardt und Kutter jedoch nichts zu tun. Sie fanden sowohl den Verein als auch den betreffenden Plan allzu konservativ.

17 Die Ausstellung fand in Lausanne statt und wurde übrigens ein publizistischer und ökonomischer Mißerfolg. Zum Mißlingen hatten die Versuche beigetragen, die Ausstellung sowohl modern als auch konservativ zu gestalten. Eine kritische Auseinandersetzung mit der Ausstellung ist die Schrift *Expo 64, Trugbild der Schweiz* (Basel 1964), in der verschiedene Autoren gegen die Ausstellung Sturm laufen. Der Chefarchitekt glaubte anfangs an gewisse Möglichkeiten, einige der Ideen in der Broschüre *Achtung: die Schweiz* verwirklichen zu können. Er hatte offenbar ein Versprechen erhalten, jedenfalls ein Experimentviertel bauen zu dürfen. Letztlich aber wurde doch nichts daraus: die Behörden zogen sich schrittweise zurück.

Die Schweiz und die Umwelt (S. 194—210)

1 In *Nun singen sie wieder* treten die Toten in den 5., 6. und 7. Bildern auf. In *Our Town* treten sie im dritten Akt auf. In beiden Stücken nehmen die Toten mit Repliken am Spiel teil. Wilder verwendet auch keine Kulissen und eröffnet den ersten Akt mit einer leeren Szene. Irgendwelche Kriegsproblematik kommt im Stück *Our Town*, das sich vor dem Ersten Weltkrieg abspielt, nicht vor.

2 Siehe *Tagebuch*, 29—31, 34 f., 37—44, 46—48.

3 Die Datierung des Schauspiels ist Frischs eigene. Man findet sie u. a. in *Stücke I*, 396.

4 Im *Tagebuch*, 213—215, bringt Frisch die Geschichte, die der Kern und der Ausgangspunkt des Schauspiels ist. Das Kriegsverbrechermotiv gibt es hier noch nicht.

5 In der Ausgabe von 1962 in *Stücke I* hat Frisch den letzten Akt gestrichen. Damit ist die Liebesgeschichte zwischen Agnes und Stepan Iwanow mehr

in den Vordergrund getreten, während die Schuldfrage an Horsts Kriegsverbrechen an Bedeutung abgenommen hat.

6 Gewisse Abschnitte in „Kultur als Alibi" stimmen mehr oder weniger wörtlich mit dem überein, was Oliver im Theaterstück von seinen Erlebnissen in
Polen erzählt (*Der Monat*, 1949, Nr. 7, 83 f.; vgl. *Als der Krieg zu Ende
war*, 86 f.). Die betreffenden Abschnitte sind offenbar direkt dem Schauspiel entnommen.

7 Unten folgt zunächst ein Vergleich zwischen dem Artikel und dem *Tagebuch*. Die Untersuchung bezieht sich auf die drei wichtigsten Abschnitte.
Der Artikel wird zuerst genannt.

1. „In einer seiner letzten Reden . . . (bis einschließlich) endlich geschehen
   sein lassen?" (*Der Monat* 1949 Nr. 7, 83). — Direktes Zitat mit einigen
   wenigen Hinzufügungen. (*Tagebuch*, 327).

2. „Zu den entscheidenden Erfahrungen aber . . . (bis einschließlich) sich
   nicht beschmutzen soll." (*Der Monat*, 1949, Nr. 7, 84). — Teilweise direktes Zitat, teilweise leichte Umarbeitung mit einigen Hinzufügungen.
   (*Tagebuch*, 326 f.).

3. „In der Tat empfinden wir . . . (bis einschließlich) zu einem fürchter-
   lichen Schiffbruch geführt hat." (*Der Monat*, Nr. 7, 85). — Direktes Zitat
   mit einigen wenigen Änderungen. (*Tagebuch*, 329).

8 Die erwähnten Tagebuchnotizen wurden zum ersten Mal 1946 veröffentlicht (Thomas Mann: *Gesammelte Werke*, XII, 980). In „Warum ich
nicht nach Deutschland zurückgehe" erzählt Mann u. a. von den ersten
Flüchtlingsjahren und von der Begegnung mit einem anderen deutschen
Schriftsteller und Emigranten, der seit mehreren Jahren in der Schweiz
wohnhaft war, nämlich Hermann Hesse. Dieser machte dabei folgende Bemerkung: „Ein großes, bedeutendes Volk, die Deutschen, wer leugnet es?
Das Salz der Erde vielleicht. Aber als politische Nation — unmöglich. Ich
will, ein für allemal, mit ihnen als solcher nichts mehr zu tun haben. (Ebd.
955).

9 In seinem Aufsatz „Die Zerstörung der deutschen Literatur", der in seiner
Arbeit mit dem gleichen Titel (1956) veröffentlicht wurde, kommt Walter
Muschg auf die Frage nach der Stellung des Schriftstellers in der Gesellschaft und seiner Verantwortung gegenüber der Gesellschaft zu sprechen.
Den Ausgangspunkt für seine Darstellung verlegt Muschg in das Jahr
1933, in dem nach Muschg die Zerstörung der innerdeutschen Literatur beginnt. Mit dem Ende des Zweiten Weltkrieges sei es mit dem verant-
wortungslosen, deutschen Ästhetizismus vorbei. Eine neue Zeit sei für die
Dichtung gekommen. „Für sie hat die Stunde der Mitverantwortung geschlagen, die Stunde des geistigen Handelns, die Stunde der religiös ver-
standenen Kunst, was immer die Ästheten sagen mögen" (40). An dieser
Wende der deutschen Literatur legt Muschg den Schwerpunkt auf die
religiösen Strömungen. Das gesellschaftliche Engagement wird für Muschg
im großen und ganzen gleichbedeutend mit religiöser Erneuerung innerhalb der Literatur. — Es scheint uns jedoch, als ob Muschg das religiöse
Element allzu stark betont. Er unterscheidet nicht klar zwischen den religiösen und den politischen Komponenten. In diesem Punkt sieht man
auch eine deutliche Scheidelinie gegenüber Frisch: dieser legt überhaupt
keine religiösen Aspekte auf die deutsche Frage oder auf das Problem der
Verantwortung und des gesellschaftlichen Engagements an.

10 C. E. Lewalter behauptet in seinem Nachwort zum Hörspiel *Herr Bieder-*

mann und die Brandstifter (35), daß der Ausdruck „Herr Biedermann in uns selbst" der Arbeit *Hitler in uns selbst* (1946) von dem Schweizer Max Picard entnommen sei. Dies scheint wahrscheinlich. Bei einer näheren Untersuchung zeigt es sich, daß Picards Auffassung in wesentlicher Hinsicht mit Frischs übereinstimmt. Ein Grundgedanke bei Picard ist, daß es dem Menschen, wie der Sprache, Kunst und Literatur, nunmehr auch an Zusammenhang, Kontinuität mangelt. Die künstlerische Form ist aufgelöst und skizzenhaft geworden. Der Widerspruch zwischen Leben und Lehre bei Künstlern und Wissenschaftlern in Hitlers Deutschland beruhte auf einem mangelnden Zusammenhang, auf Diskontinuität. Picard bezeichnet die Schizophrenie, die Persönlichkeitsspaltung, als die häufigste Seelenkrankheit unserer Zeit.

11 Vgl. dazu die Aussagen des Chors über das Schicksal im Schauspiel *Biedermann und die Brandstifter*, 8, 128. Vgl. dazu auch die Auffassung des Oberlehrers (*Nun singen sie wieder*, 88).

12 Siehe Gunilla Bergsten: *Thomas Manns Doktor Faustus*, 161 f., 170.

13 Kurt Marti: *Die Schweiz und ihre Schriftsteller — die Schriftsteller und ihre Schweiz*, 41. Der Autor berührt in dieser Schrift die Neutralitätsdiskussion in der Schweiz nach dem Zweiten Weltkrieg. Er erwähnt u. a. die schweizerischen Schriftsteller Adrien Turel und Walter Gross. Turel sprach 1950 den Gedanken aus, daß die Schweiz eine „Mitte"-Position zwischen den wetteifernden Mächten Sowjetunion und USA einnehmen sollte, von wo sie sachlich und neutral diesen Wettkampf und die Weltsituation betrachten könnte. Gross bekennt sich zu einer unumwundenen schweizerischen Neutralität, einer „absoluten und integralen Neutralität", die den Machtgruppierungen gegenüber eine Möglichkeit zu vermittelndem Kontakt und Entspannung in Konfliktsituationen geben könnte (42). Der Standpunkt der Öffentlichkeit ist jedoch anders: Marti spricht von emotional überhitztem Antikommunismus und vom „horror communisticus".
„Man sah nur die Divergenz der beiden neuen Weltmächte, ja, man legte sich auf diese Divergenz emotionell und gedanklich fest, weil man den ‚Feind', demgegenüber es die zur Hitlerzeit mühsam genug erreichte Widerstandshaltung zu prolongieren galt, nunmehr im russischen Kommunismus glaubte sehen zu müssen." (39).

14 Frischs Artikel „Demokratie ohne Opposition" löste unter den Lesern der *Weltwoche* eine intensive Polemik aus. In seiner „Antwort auf Leserbriefe" (31. 5. 1968) erörtert Frisch die Leserbriefe. Auch in einigen anderen Artikeln in der *Weltwoche* hat Frisch zu aktuellen außenpolitischen Ereignissen das Wort ergriffen. „Griechenland 1967 (unter anderem) und wir" (2. 6. 1967) ist eine Ansprache, die Frisch im Zürcher Börsensaal bei einer Kundgebung für Demokratie in Griechenland hielt. Unter der Überschrift „Schriftsteller, Johnson und Vietnam" (5. 4. 1968) legt Frisch (neben u. a. Peter Bichsel und Hugo Loetscher) seine Ansichten über das Problem Vietnam dar, und zwar aus Anlaß der Rede von Präsident Lyndon Johnson, in der dieser seinen Verzicht auf eine erneute Kandidatur mitteilte und den Beschluß über die Einstellung der Bombenangriffe auf Nordvietnam bekanntgab. Im Artikel „Zurück zum Kalten Krieg?" (30. 8. 1968) greift Frisch die Frage der sowjetischen Okkupation in der Tschechoslowakei auf. „Für uns, die Entspannung nicht als Unterwerfung verstehen, aber als Voraussetzung für eine Humanisierung auf beiden Seiten, ist eine schwere Niederlage nicht zu leugnen."

Orientierung über Dürrenmatt und sein Werk (S. 217—226)

[1] Eine Zusammenfassung der wichtigsten biographischen Angaben existiert in Elisabeth Brock-Sulzer: *Friedrich Dürrenmatt. Stationen seines Werkes*, Aufl. 1969, (141). Eine ausführlichere Darstellung findet sich bei Hans Bänziger in seiner Arbeit *Frisch und Dürrenmatt*, Aufl. 1960, (119—128). Bänziger hat u. a. in Dürrenmatts Familiengeschichte geforscht. Ein Stück Familiengeschichte präsentiert auch F. K. Mathys im Artikel „Dürrenmatts Großvater" (*Die Tat*, 1. 10. 1966). Ulrich Dürrenmatt (1849—1908) war als aktiver Politiker und Redakteur der *Neuen Berner Volkszeitung* tätig, eines Oppositionsblattes, in dem Dürrenmatt verschiedene Gesellschaftsverhältnisse scharf kritisierte. Er trat auch in seiner Zeitung als Dichter auf und hat über 2200 politisch-satirische Gedichte geschrieben.

[2] Elisabeth Brock-Sulzer hat in ihrer Arbeit *Friedrich Dürrenmatt. Stationen seines Werkes* eine chronologische Aufstellung, die sich — nach eigener Angabe — auf Dürrenmatts persönliche Mitteilungen gründet. Diese Aufstellung umfaßt Entstehungsdaten und die Jahre der Uraufführungen der Dramen und stimmt im großen ganzen mit der bibliographischen Liste überein, die wir 1968 vom Verlag „Die Arche" erhalten haben. Die Druckjahre der verschiedenen Werke, die wir in unserem Literaturverzeichnis präsentieren, basieren auf den Angaben des Hauptkataloges der Schweizerischen Landesbibliothek. Das Druckjahr (im Text in Klammern) ist im allgemeinen dasselbe, wie das der Uraufführung oder auch das darauf folgende Jahr. Zwei Ausnahmen sind vorhanden: *Der Blinde* wurde erst 1960 und *Romulus der Große* 1956 publiziert, das letztere Stück dann nur in vervielfältigter Ausgabe.

[3] Siehe beispielsweise *Die Tat*, 23. 1. 1966 u. 27. 2. 1966, *Zürcher Woche*, 28. 1. 1966, *Zürichsee-Zeitung*, 22. 1. 1966, *Neue Zürcher Zeitung*. 22. 1. 1966, 27. 2. 1966 u. 28. 2. 1966.

[4] Über die Entstehungsjahre der Hörspiele macht Brock-Sulzer auch in diesem Fall Angaben, die auf Dürrenmatts persönlichen Informationen basieren (a. a. O., Aufl. 1960, 142). Dagegen wird bei Brock-Sulzer nicht angegeben, wann die Erstaufführungen stattgefunden haben.
Einen gewissen Beitrag zu dieser Datierungsfrage können diejenigen Mitteilungen geben, die wir durch Radio Bern (30. 7. 1964) erhalten haben. Im Schweizer Radio ist nur ein einziges Hörspiel von Dürrenmatt uraufgeführt worden: *Der Prozeß um des Esels Schatten* (5. 4. 1951). Die übrigen Aufführungen — bis 1964 — sind folgende: *Nächtliches Gespräch mit einem verachteten Menschen* (9. 4. 1953; Aufnahme des Bayrischen Rundfunks), *Herkules und der Stall des Augias* (20. 10. 1955), *Die Panne* (26. 4. 1956) und *Ein Abend im Spätherbst* (späterer Buchtitel: *Abendstunde im Spätherbst*) unter dem Titel *Herr Korbes empfängt* (20. 3. 1958). (Vgl. dazu Bänziger a. a. O., 5. Aufl. 1967, 254 f.). Das Schweizer Radio hat also eine geringe Rolle für Dürrenmatts Tätigkeit als Hörspieldramatiker gespielt.

[5] Die Datierungen sind Dürrenmatts eigene und finden sich im „Nachwort" der *Stadt* (183).

[6] Siehe Bänziger, a. a. O., Aufl. 1960, 155. — Die angegebenen Jahreszahlen für die Erstveröffentlichung der beiden Romane stammen aus der Schweizerischen Landesbibliothek in Bern und stimmen nicht mit den Angaben in Elly Wilbert-Collins Bibliographie überein, in der als Erscheinungsjahre 1950 bzw. 1951 angegeben sind.

⁷ In den Stücken *Es steht geschrieben* und *Der Blinde* wird der Mensch vom Elend getroffen, das in den Spuren eines konventionellen Krieges folgt, im Hörspiel *Das Unternehmen der Wega* geht es um die Wasserstoffbombe, im Schauspiel *Romulus der Große* kommen Menschen durch eine Naturkatastrophe ums Leben, im Roman *Der Verdacht* handelt es sich um politische Massenmorde, im Stück *Es steht geschrieben* werden 300 Wiedertäufer als Strafe für einen Aufruhr hingerichtet, im Schauspiel *Die Ehe des Herrn Mississippi* setzt der Staatsanwalt 350 Todesurteile durch usw. Morde geschehen außer in den Kriminalromanen mehr oder weniger zahlreich in den Werken *Die Stadt, Der Doppelgänger, Abendstunde im Spätherbst, Die Ehe des Herrn Mississippi, Frank der Fünfte, Nächtliches Gespräch* und *Die Physiker*. Selbstmorden begegnet man in den Kriminalromanen, ferner in den Prosabüchern *Die Stadt* und *Die Panne*. Bärlach im Roman *Der Richter und sein Henker* sowie Böckmann im Stück *Frank der Fünfte* sind tödlich an Krebs erkrankt.

⁸ Im Stück *Der Doppelgänger* kommt ein überirdisches Gericht im Stile Kafkas vor, „das hohe Gericht". Im Hörspiel *Der Prozeß um des Esels Schatten* weitet sich ein unbedeutender Streit zu einem großen Prozeß aus, der eine ganze Stadt verwüstet. In der *Panne* ist die Gerichtsverhandlung ein Gesellschaftsspiel geworden, das mit Selbstmord endet. Der Staatsanwalt in diesem Stück ist eine groteske Figur wie auch, jedoch in noch höherem Grade, Mississippi mit seinen 350 Todesurteilen. Zu demselben juristischen Milieu gehört der Henker. Er kommt u. a. vor in den Werken *Es steht geschrieben, Der Blinde, Die Stadt, Ein Engel kommt nach Babylon* und *Die Panne*. Mit den Worten „Du bist (eben) ein Henker" begegnet das Opfer dem Mörder sowohl im Hörspiel *Nächtliches Gespräch* (*GH*, 99) als auch in der Erzählung „Die Falle" (*Die Stadt*, 81). Vgl. mit dem, was Diego im Hörspiel *Der Doppelgänger* zu Pedro sagt: „Sie sind mein Henker" (*GH*, 28). Vgl. auch mit einigen Repliken im Schauspiel *Die Ehe des Herrn Mississippi*. Anastasia: „Sind Sie eigentlich Moralprediger oder Scharfrichter?" — Mississippi: „Mein grauenhafter Beruf zwingt mich, beides zu sein." (I. Fassung, 19). Vgl. auch eine von Mississippis letzten Repliken: „So fielen wir, Henker und Opfer zugleich, durch unsere eigenen Werke." (ebd. 89).

Einen charakteristischen Titel verwendet Dürrenmatt für einen seiner Romane: „Der Richter und sein Henker". Im Schauspiel *Romulus der Große* wird die Gestalt des Richters vom Kaiser selbst dargestellt, der Rom zum Tode verurteilt. Im Stück *Der Besuch der alten Dame* ist der Richter eine Multimillionärin, Claire Zachanassian, die ihren einstmals treulosen Geliebten Ill zum Tode verurteilt. Einem anderen Richter begegnet man in der Schlußnovelle im Werk *Die Stadt*: Pilatus.

Die Schuldfrage spielt eine vorherrschende Rolle im *Doppelgänger*. Im *Besuch der alten Dame* kommt Ill allmählich zu klarer Erkenntnis seiner Schuld, und das tut auch Traps in der *Panne*.

⁹ Im Stück *Nächtliches Gespräch* nennt der zum Tode verurteilte Schriftsteller seinen Henker einen Narren und bezeichnet sich selbst als einen Don Quichotte: „Ich war ein Don Quichotte, der mit einer guten Prosa gegen eine schlechte Bestie vorging. Lächerlich! (*GH*, 105). Der Besucher bei dem Schriftsteller Korbes in *Abendstunde im Spätherbst* hält sich selbst für einen Don Quichotte, jener Figur, die Korbes so häufig in seinen Büchern erwähnt (*GH*, 302). Ein Narr ist auch der Wiedertäufer Matthisson in *Es*

steht geschrieben, der mit seinem Schwert allein den Feind bezwingen will. „Sein Tod war lächerlich . . ." (61). Im Stück *Der Blinde* wird der blinde Herzog von seinem Sohn als ein Narr bezeichnet (36). Die drei Atomphysiker in den *Physikern* haben alle das Narrenkleid angezogen und treten als Toren auf.

10 In „Anmerkung zur Komödie" (1952) meint Dürrenmatt, daß ein Zeitstück nur eine Komödie in Aristophanes' Sinn sein kann (*TS*, 136). In der Rede *Der Rest ist Dank* heißt es: „Nur das Komödiantische ist möglicherweise heute noch der Situation gewachsen." (*TS*, 72).

11 Vgl. dazu *Theaterprobleme*, 48. — Das Groteske ist in hohem Grad in der Sekundärliteratur über Dürrenmatt beachtet worden. Es sind eine größere Anzahl Artikel oder Studien über gerade diese Frage vorhanden, und ferner wird das Problem in mehreren Übersichtswerken aufgegriffen. Hier soll nur auf einen Aufsatz näher eingegangen werden: Reinhold Grimms „Parodie und Groteske im Werk Dürrenmatts", der in der Arbeit *Der unbequeme Dürrenmatt* enthalten ist. Grimm geht von Wolfgang Kaysers Definition aus. Nach dieser wird das Groteske durch das Deformierte und Übertriebene gekennzeichnet, von der Vermischung verschiedener Gebiete, von plötzlichen Überraschungen. Grimm ist jedoch der Meinung, daß Kaysers Begriffsbestimmung zu eng ist. Er möchte in das Groteske auch das Possenhafte und das Parodistische einschließen. Er meint, daß die Parodie in das Groteske mündet.

12 In „Standortbestimmung", dem Nachwort zum Stück *Frank V.*, meint Dürrenmatt, daß — auch wenn der Dramatiker nicht von einem Problem ausgehe — der Ausgangspunkt doch ein Stoff sein könne, der Probleme enthalte. „Er braucht dann ruhig nur am Stoff arbeiten und nicht an den Problemen." (91). Dann stehe es dem Zuschauer frei, meint der Autor, gewisse Probleme zu erleben, gewisse Fragen zu stellen und selbst eine Antwort herauszufinden.

13 Siehe beispielsweise *Theaterprobleme*, 48, *Die Physiker*, 72, *Monstervortrag über Gerechtigkeit und Recht*, 95 f.

Ideologie und Politik (S. 227–232)

1 Vgl. *Monstervortrag über Gerechtigkeit und Recht*, 98 f.
2 Vgl. *Monstervortrag über Gerechtigkeit und Recht*, 42, 89 f.
3 Vgl. ebd. 111 und *Theater-Schriften und Reden*, 45.

Der Künstler und die Gesellschaft (S. 234–240)

1 „Schriftstellerei als Beruf" ist ein Vortrag, der am 25. 4. 1956 im Radio Bern gebracht wurde. Er wurde 1965 teilweise umgearbeitet und ist nunmehr in *Theater-Schriften und Reden* enthalten. Der ursprüngliche Vortrag ist nie veröffentlicht worden und liegt nur als Bandaufnahme im Studio Bern vor. Bei einem Vergleich zwischen den Notizen, die wir bei einem Abspielen des Bandes in Bern (30. 7. 1964) gemacht haben, und der umgearbeiteten Ausgabe, konnten wir folgendes feststellen. Gewisse Abschnitte oder Sätze sind ausgefallen, u. a.: 1. Kritik an der Literaturwissenschaft und der Literaturkritik in der Schweiz (vgl. *TS*, 51). 2. Reflexionen über Kunst und Ge-

sellschaft. Wenn ein Schriftsteller versucht, die Welt darzustellen, ohne als ihr Retter aufzutreten, wird er zum Nihilisten gestempelt. Die Gesellschaft verlangt neue Lösungen vom Dichter. Sie versucht die Verantwortung auf den Schriftsteller zu schieben — statt sie selbst auf sich zu nehmen (vgl. *TS*, 51 f.). 3. Der Schriftsteller muß Risiken eingehen. Er muß seine Familie versorgen. Dies ist gut, wenn auch gefährlich und unangenehm. Es schafft ein gesundes Werkstattklima (vgl. *TS*, 54). — Bei der Neubearbeitung scheint Dürrenmatt die ökonomischen Gedankengänge verschärft zu haben, d. h. das Hervorheben des geschäftsmäßigen Verhältnisses zwischen Dichter und Gesellschaft.

[2] In seiner Rede „Varlin schweigt" (in: *Sprache im technischen Zeitalter*, 26/1968) nimmt Dürrenmatt die Frage nach der Rolle der Kunst in einer demokratischen Gesellschaft auf. Es geschieht in Polemik gegen Emil Staigers umstrittene Ansprache „Literatur und Öffentlichkeit" (1966), die den sogenannten Zürcher Literaturstreit auslöste.

[3] In diesem Zusammenhang kann es geeignet sein, einen Hinweis auf Dürrenmatts kurzen Aufsatz „Zu einem Sprachproblem" in Roberto Bernhards *Alemannisch-Welsche Sprachsorgen und Kulturfragen* (1968) zu geben. Dürrenmatt berührt dort teils seine Beziehungen zu der französischen Sprache in der Schweiz, teils die Spannung zwischen der schweizerdeutschen Mundart und der deutschen Schriftsprache. Er findet diese Spannung aus sprachlicher Sicht befruchtend. Er sagt u. a.: „Es gibt Kritiker, die mir vorwerfen, man spüre in meinem Deutsch das Berndeutsche. Ich hoffe, daß man es spürt. Ich schreibe ein Deutsch, das auf dem Boden des Berndeutschen gewachsen ist. Ich bin glücklich, wenn die Schauspieler mein Deutsch lieben.

Ich dagegen liebe Berndeutsch, eine Sprache, die in vielem dem Deutschen überlegen ist. Es ist meine Muttersprache und ich liebe sie auch, weil man eine Mutter liebt." (39).

Volk und Staat (S. 241—258)

[1] Im „Helvetischen Zwischenspiel" im *Monstervortrag über Gerechtigkeit und Recht* macht Dürrenmatt eine Zusammenfassung der schweizerischen Mentalität, die sowohl von Ernst als auch von Humor und Ironie geprägt ist: „Er (der Schweizer) hat ein besonders edler Edelwolf zu sein, ein Edelwolf, dessen Eigenschaften sich aus den Prämissen seines Wolfsspiels folgern lassen: er muß frei sein, gehorsam, kapitalistisch, sozial, demokratisch, föderalistisch, gläubig, anti-intellektuell und wehrbereit." (65).

[2] Dürrenmatt selber teilt im Nachwort zum Werk *Die Stadt* mit, daß die betreffende Skizze zu jenen gehören, die 1943—46 geschrieben wurden. Urs Jenny gibt genauer das Jahr 1943 an (U. Jenny: *Friedrich Dürrenmatt*, 7).

[3] *Es steht geschrieben*, 37; in der Neubearbeitung *Die Wiedertäufer* ist eine Umformulierung geschehen: „Bürgerkriege, Bauernkriege, Glaubenskriege, Wirtschaftskriege, Verteidigungskriege, Angriffskriege, Ausrottungskriege, Weltkriege! Da sind Kinder nötig, meine Damen und Herren, da sind Leichen nötig!" (28).

[4] *Romulus der Große*, I. Fassung, 50. Das Zitat findet man auch in der II.

Fassung (*Komödien I*, 57 f.), aber die Reihenfolge ist hier geändert und die beiden Repliken zu einer Replik zusammengeführt.

5 *Romulus der Große*, I. Fassung, 53 f. Das Zitat stimmt ganz mit der Formulierung in der II. Fassung (*Komödien I*, 60) überein.

6 *Romulus der Große*, I. Fassung, 61 f. Der Inhalt stimmt im ganzen genommen mit der II. Fassung (*Komödien I*, 67 f.) überein.

7 Im Gespräch mit Bienek behauptet Dürrenmatt, daß die Freiheit das eigentliche Problem im Stück *Frank der Fünfte* sei (Bienek: *Werkstattgespräche mit Schriftstellern*, 105).

8 Vgl. mit dem, was Dürrenmatt im *Monstervortrag über Gerechtigkeit und Recht* sagt: „Die Tatsache etwa, daß die Schweiz dem Schweizer unabhängig vorkommt, verleitet den Schweizer zum Glauben, er sei frei. Als eingefleischter Wolfsspieler ist für ihn die Freiheit mit der Unabhängigkeit identisch. Aus der Unabhängigkeit eines Staates folgt jedoch nicht ohne weiteres die Freiheit seiner Bürger." (66).

9 Bereits im Stück *Ein Engel kommt nach Babylon* ironisiert Dürrenmatt Bürokratie und Beamte. Nebukadnezar regiert über ein Land mit nicht weniger als 500 000 Gesetzesparagraphen. Es werden sogar immer mehr: Nebukadnezar strebt ununterbrochen danach, die Tentakel der staatlichen Macht auszudehnen.

10 In der Rede „Tschechoslowakei 1968" ist Dürrenmatt bestimmter in seinen Ansichten und behauptet, daß die Freiheit des Geistes die wichtigste politische Forderung sei, die gestellt werden könne (*Tschechoslowakei 1968*, 21 f.).

11 Auch im *Monstervortrag über Gerechtigkeit und Recht* greift Dürrenmatt die Probleme um den schweizerischen Parlamentarismus auf. Wie im „Gespräch zum 1. August" fürchtet er die Verwaltungstendenzen: die Politiker werden Beamte und die Beamten Politiker. Er schreibt ferner: „Das Parlament repräsentiert in Wirklichkeit nur sich selbst und nur ideologisch das Volk." (69). Weil ein Parlament aus Funktionären leicht dazu versucht sei, einem Volk vorzuschreiben, wie es sein soll, gerate die Demokratie in Gefahr.

12 Der moralistische Zug darf jedoch nicht mit einer rein religiösen Einstellung verwechselt werden. Daß Dürrenmatt Motive wie Opfer, Gnade, Schuld usw. verwendet, und daß er einmal ein biblisch-kirchengeschichtliches Thema im Schauspiel *Es steht geschrieben* aufgreift, kann nicht als Ausdruck einer religiös-christlichen Weltauffassung gedeutet werden, wie es von gewissen Seiten her geschieht. Die erwähnten Motive sind keine Zeichen einer einheitlichen Lebensanschauung.

In seinem Werk *Deutsche Dichtung des 20. Jahrhunderts*, II, deutet Wilhelm Duwe Dürrenmatts Werk von einem religiösen Gesichtspunkt aus. Er ist der Ansicht, daß, wenn eine religiöse Anknüpfung auch nur in den beiden ersten Schauspielen zum Ausdruck komme, das Religiöse doch als etwas Immanentes in seiner übrigen Dichtung vorhanden sei. *Romulus der Große*, beispielsweise, wird als ein lebendiges Prinzip des christlichen Selbstaufopferungsgedankens bezeichnet (457). Auch Brock-Sulzer betont in ihrer Arbeit *Friedrich Dürrenmatt* die christlichen Beziehungen bei Dürrenmatt (Aufl. 1960, 28, 43, 137). Sie wie Bänziger in *Frisch und Dürrenmatt* (Aufl. 1960, 135) heben gerne hervor, daß Dürrenmatt ein protestantischer Dichter sei.

Mit Recht wendet Joseph Strelka ein: „Was ihn nicht als Mensch, wohl aber als Autor mit dem Protestantismus verbindet, ist kaum viel mehr als das Wort Protest, wenn man nicht gelegentliche, unbewußte, ungewollte und unterschwellige Ressentiments des Pastorensohnes in moralisierender Hinsicht ins Treffen führen und womöglich überschätzen will." (Strelka: *Brecht, Horváth, Dürrenmatt*, 124).

Dürrenmatt und Frisch (S. 259–264)

[1] Esslin gibt in der erwähnten Arbeit *Brecht. Das Paradox des politischen Dichters* (1962) im Kapitel „Ein Dichter und eine Partei" (213–308) eine ausgezeichnete Übersicht über die Beziehungen zwischen Brecht und dem Kommunismus. Interessante Gesichtspunkte zum Verhältnis zwischen Brecht und dem Sozialismus findet man auch im Werk *Proletarisch-revolutionäre Literatur 1918 bis 1933. Ein Abriß (1967)*, in dem Brecht unter dem Gesichtswinkel der offiziellen Kulturideologie der gegenwärtigen DDR betrachtet wird (siehe vor allem: 67–73, 266–273).

[2] Ähnliche Bedenken und Vorschläge, wie die von Frisch und Dürrenmatt, die im vorliegenden, wie auch zum Teil im vorhergehenden Absatz, erwähnt werden, beispielsweise die von einem „Ideenzentrum" (Imboden: „Der zivile Generalstab"), sind von einer ganz anderen, nicht-belletristischen Seite vorgebracht worden, nämlich dem Juristen Max Imboden, Professor für Staats- und Verwaltungsrecht, in seiner Schrift *Helvetisches Malaise* (1964). Imbodens Kritik unterscheidet sich von derjenigen Frischs und Dürrenmatts dadurch, daß sie mit Sachlichkeit und Objektivität ohne Polemik, Aggressivität und Ironie präsentiert wird. Wir können jedoch nicht ausschließen — da in gewissen Fällen Übereinstimmungen mit Frischs Ansichten während der 50er Jahre, z. B. zur Bodenverteuerung, einer Frage, die auch Imboden aufgreift, auffallend sind — daß Frisch letztlich direkt oder indirekt eine gewisse Rolle als Inspirationsquelle für Imboden gespielt hat.

Zusammenfassung und Ausblick [1]) (S. 265–277)

[1] Ein jüngeres Beispiel einer ähnlichen Beurteilung findet man in Hans Zbindens Artikel „Zur Situation der Literatur in der Schweiz" (*Welt und Wort*, 1969, Nr. X).

[2] Zusammenfassungen über diese Dichtung sind immer noch spärlich. Otto Oberholzer hat eine Übersicht unter dem Titel „Spiegelungen der Gegenwart in der modernen Literatur der deutschen Schweiz" (in: *Moderna språk*, 1968, Nr. 1) gemacht. Urs Jenny gibt im Artikel „Von Eidgenosse zu Eidgenosse"(*Merkur*, 1968, Nr. 1/2) eine kürzere Übersicht und hält sich dabei vor allem bei einigen neuerschienenen Werken von Bichsel, Muschg und Loetscher auf. Hugo Leber macht eine knappe Präsentation mit dem Aufsatz „Entdeckungen" (*Du*, Aug. 1967), und im Essay *Zur Situation der Literatur in der Schweiz* (1966) zeichnet er die jüngste Literatur vor einem weiteren Hintergrund. Ferner sei Elsbeth Pulvers größerer Aufsatz „Zeitgenössische Literatur in der deutschen Schweiz" in *Bildungsarbeit* (1968, H. 3 u. 4) erwähnt. In gewissem Ausmaß polemisiert sie dort gegen Leber,

wobei es sich vor allem um folgende Äußerung von ihm handelt: „Es gibt in unserer Zeit keine Literatur mehr, der Merkmale des typisch Schweizerischen innewohnen würden." Dem gegenüber behauptet Pulver u. a. folgendes: „So kann uns Hugo Lebers Hinweis auf den internationalen Charakter der gegenwärtigen schweizerischen Literatur auf die Tatsache aufmerksam machen, daß vieles, was wir als schweizerische Eigenart betrachten, im Grunde ein internationales Phänomen ist; aber anderseits mag sie uns auch — im Widerspruch dazu — hellhörig machen für gewisse spezifisch helvetische Qualitäten, die sich in der deutschschweizerischen Literatur der Gegenwart nach wie vor — allerdings auf eine neue Weise — abzeichnen." (*Bildungsarbeit*, 1968, H. 3.)

Wichtig ist ein neuerschienenes Werk, herausgegeben von Werner Bucher und Georges Ammann: *Schweizer Schriftsteller im Gespräch*; Bd. I, 1970, (Bichsel, Boesch, Loetscher, Meier, Muschg, Schmidli), Bd. II, 1971, (Burkart, Nizon, Diggelmann, Steiner, Federspiel, Walter, Marti, Wiesner).

[3] Unter Diggelmanns früheren Arbeiten können der Erstlingsroman *Mi F 51 überfällig* (1955) und der Roman *Geschichten um Abel* (1960) erwähnt werden. Im Werk *Das Verhör des Harry Wind* (1962) lernt der Leser Harry Winds Lebensgeschichte durch das Verhör kennen, das mit ihm angestellt wird, nachdem er wegen Spionage verhaftet worden ist. *Die Rechnung* (1963) umfaßt zehn Erzählungen. In einer von ihnen, „Der Mitschuldige", kehrt Diggelmann auf das Mordmotiv zurück, dem man schon in der Erzählung *Die Jungen von Grande Dixence* (1959) begegnet. Im Roman *Freispruch für Isidor Ruge* (1967) handelt es sich wieder um eine Art Verhör, diesmal aber innerhalb einer privaten Sphäre mit Zürich als Hintergrund.

[4] Stillers Ansichten über die Haltung der schweizerischen, bürgerlichen Presse während des spanischen Bürgerkrieges fallen mit dem, was bei Diggelmann gesagt wird, zusammen (*Die Hinterlassenschaft*, 148). Angesichts der Beziehungen zwischen Faschismus und schweizerischem Bürgertum stimmt Stillers Auffassung mit der von Robert Kaul überein (ebd. 152).

[5] David in Diggelmanns Roman ist eine Parallele zu Andri in *Andorra*. Offensichtlich ist es ferner so, daß Figuren und Vorgänge aus Max Frischs Werk Vorbilder bei den Zeugenaussagen nach Davids Tod abgegeben haben (*Die Hinterlassenschaft*, 280—84). Die Umgebung sucht sich auf ähnliche Weise von Schuld zu reinigen, wie es in *Andorra* nach Andris Tod geschieht.

[6] Walter hat sich während der zweiten Hälfte der sechziger Jahre auch als Dramatiker mit den beiden Schauspielen *Elio oder Eine fröhliche Gesellschaft* (1963) und *Die Katze* (1966/67) versucht.

[7] Oberholzer hebt die Parallelen zwischen dem Roman *Abwässer* und Frischs Schauspiel *Graf Öderland* hervor, dessen letzte Szenen in einem Kanalsystem spielen („Spiegelungen der Gegenwart in der modernen Literatur der deutschen Schweiz"; in: *Moderna språk*, 1968, Nr. 1). Hier kann man hinzufügen, daß Loetschers Roman sich in einem streng kontrollierten Staat abspielt, in dem der Sicherheitsdienst eine wichtige Rolle hat, gerade wie im Stück *Graf Öderland*. Von Loetschers übrigen Werken können die Romane *Die Kranzflechterin* (1964) und *Noah. Roman einer Konjunktur* (1967) erwähnt werden.

[8] Steiner hat später noch einen Roman, *Ein Messer für den ehrlichen Finder* (1966) herausgegeben und ferner das Prosabuch *Auf dem Berge Sinai sitzt*

der Schneider Kikrikri (1969), das vierzehn Skizzen oder Geschichten enthält.

9 Muschg hat u. a. auch die Romane *Gegenzauber* (1967) und *Mitgespielt* (1969) wie die Novellensammlung *Fremdkörper* (1968) herausgegeben.

10 Das dritte Buch von Bichsel heißt *Kindergeschichten* und ist 1969 erschienen.

11 Unter den übrigen jüngeren deutschschweizerischen Schriftstellern seien schließlich u. a. folgende erwähnt: Jürg Federspiel (geb. 1931) mit den Novellensammlungen *Orangen und Tode* (1960) und *Der Mann, der Glück brachte* (1966) sowie dem Ich-Roman *Massaker im Mond* (1963), Paul Nizon (geb. 1929) mit dem umstrittenen Roman *Canto* (1963) und Werner Schmidli (geb. 1939) mit den Romanen *Meinetwegen soll es doch schneien* (1967) und *Das Schattenhaus* (1969).

12 Dieses Interview ist zusammen mit anderen Interviews in derselben Serie als Sonderdruck aus der *National-Zeitung*, Basel, unter dem Titel *Stimmen zur Schweiz* herausgegeben worden.

13 Maurice Zermatten ist später in der *Tat* (8. 7. 1970) selbst mit einigen Ausführungen unter dem Titel „Welche Aufgabe hat der Schweizerische Schriftstellerverein?" hervorgetreten. — Das Zivilverteidigungsbuch hat in der Schweiz eine lebhafte Diskussion ausgelöst. Verantwortlich für diese Schrift ist Bundesrat Ludwig von Moos. In der Zeitschrift *Neutralität* wird er sehr scharf kritisiert, und man will durch Dokumente zeigen, daß Moos während der dreißiger Jahre frontistisch-faschistisch gesinnt war (*Neutralität*, 1970, Nr. 1, 2 u. 4).

14 In der *Weltwoche* wurden — neben Max Frischs Artikel — folgende Ausführungen veröffentlicht: Otto F. Walter: „Unbewältigte schweizerische Vergangenheit?" (11. 3. 1966; früher in der *Neutralität*, März 1966, publiziert), J. R. v. Salis: „Unser Land als Gegenstand der Literatur" (25. 3. 1966), Peter Bichsel: „Diskussion um Rezepte" (1. 4. 1966), Walter M. Diggelmann: „Ein Rezept, wie man aus schweizerischer Vergangenheit Bücher, Romane oder gar Kapital schlagen kann?" (22. 4. 1966), Adolf Muschg: „Ein Versuch, sich die Hände zu waschen" (22. 4. 1966).
Nach der Beendigung der Debatte in der *Weltwoche* schrieben Walter Hollstein und Karl Kränzle in der *National-Zeitung* (20. 11. 1966) einen größeren Artikel mit dem Titel „Vergaste Provinz? Die Schweiz als Thema für ihre Schriftsteller".

15 Wiesners Roman ist ein wertvolles Buch, das jedoch von der Kritik wenig beachtet worden ist. „Totgeschwiegen" schrieb *Neutralität* (1970, Nr. 2) als Rubrik für das Buch und zielte damit darauf hin, daß die *Neue Zürcher Zeitung* den Roman „schweigend übergangen" hatte. Ein Interview mit Wiesner kommt in *Neutralität* (1970, Nr. 4) unter dem Titel „Zwangsläufig autoritär" vor. Wiesner hat vorher die Gedichtsammlungen *Der innere Wanderer* (1951) und *Leichte Boote* (1958) herausgegeben sowie die Prosabücher *Lakonische Zeilen* (1965) und *Lapidare Geschichten* (1967).

VII. Verzeichnis der Abkürzungen

B   Zollinger, A.: Bohnenblust. Oder die Erzieher. Zürich 1942.
BB   Frisch, M.: Biedermann und die Brandstifter. Frankfurt/M. 1958.
BF   Zollinger, A.: Briefe an einen Freund. St. Gallen 1955.
Bin   Frisch, M.: Bin oder Die Reise nach Peking. Zürich 1945.

CM   Frisch, M.: Die chinesische Mauer. – I. F. = Erste Fassung. Basel 1947. – II. F.: Zweite Fassung. Frankfurt/M. 1955.

DgU   Zollinger, A.: Die große Unruhe. Zürich 1939.
DGK   Zollinger, A.: Die Gärten des Königs. Leipzig u. Zürich 1921.
DS   Frisch, M.: J'adore ce qui me brûle oder Die Schwierigen. Zürich 1943.

FK   Zollinger, A.: Der Fröschlacher Kuckuck. Zürich 1941.

GH   Dürrenmatt, Fr.: Gesammelte Hörspiele. Zürich 1961.
GW   Zollinger, A.: Gesammelte Werke. I-IV. Zürich 1961/1962.

HB   Frisch, M.: Herr Biedermann und die Brandstifter. Hamburg 1956.
HF   Frisch, M.: Homo Faber. Frankfurt/M. 1957.

M   Dürrenmatt, Fr.: Monstervortrag über Gerechtigkeit und Recht. Zürich 1969.

N   Stifter, A.: Der Nachsommer. Zürich 1944.
NSR   Neue Schweizer Rundschau.
Nsw   Frisch, M.: Nun singen sie wieder. Basel 1946.
NZZ   Neue Zürcher Zeitung

ÖP   Frisch, M.: Öffentlichkeit als Partner. Frankfurt/M. 1967.

Pf   Zollinger, A.: Pfannenstiel. Zürich 1940.

SSp   Inglin, M.: Schweizerspiegel. Leipzig 1938.
St   Frisch, M.: Stiller. Frankfurt/M. 1954.

TB　Frisch, M.: Tagebuch 1946—1949. Frankfurt/M. 1950.
TS　Dürrenmatt, Fr.: Theater-Schriften und Reden. Zürich 1966.
TV　Mündliche und schriftliche Mitteilungen seitens Traugott Vogels
　　　an den Verfasser dieser Arbeit.

Wsb　Burckhardt, L. u. Kutter, M.: Wir selber bauen unsere Stadt. Basel
　　　1953. (Die beiden Autoren verwenden im Ursprungstitel keine
　　　Großbuchstaben. In diesem Titel wie in entsprechenden anderen
　　　Fällen — z. B. Achtung: die Schweiz — wird in vorliegender Dar-
　　　stellung eine normalisierte Orthographie verwendet).

Seitenangaben im laufenden Text werden nur mit Ziffern angegeben.
Freistehende Ziffern in Klammern verweisen auf Seiten im unmittelbar vorangegangenen Werk. Nur wenn Möglichkeiten zu Mißverständ-
nissen vorhanden sind, wird die Bezeichnung „S." verwendet; im Literaturverzeichnis erscheint durchgehend die Abkürzung „S.". Bei Tageszeitungen und Zeitschriften werden im laufenden Text keine Seiten-
hinweise gegeben.

VIII. Anhang: Bibliographischer Hinweis

Die in der vorliegenden Arbeit behandelten Fragestellungen sind bislang noch nicht in diesem Umfang in der deutschen Literatur aufgegriffen worden. Eine Monographie, die ausschließlich oder hauptsächlich der gesellschaftlichen Problematik bei Zollinger, Frisch oder Dürrenmatt gewidmet ist, liegt bisher noch nicht vor; diese Frage ist bis heute lediglich in begrenztem Ausmaß untersucht worden und dann auch nur unter Berücksichtigung eines oder einiger Werke des betreffenden Autors. Deshalb war es nur in wenigen Fällen möglich und angebracht, bei der Erörterung der Gesellschaftsproblematik an die bereits vorliegende Sekundärliteratur anzuknüpfen. In einer anderen Hinsicht jedoch war die Sekundärliteratur zu Zollinger, Frisch und Dürrenmatt eine wertvolle Informationsquelle: sie enthielt wichtige Auskünfte über die Biographie des jeweiligen Autors, über sein Schaffen sowie Hinweise auf Probleme, die indirekt von Interesse für die Gesellschaftsproblematik sein konnten. Was die Einführung betraf, so war es natürlich und auch ergiebig, die gesamte historische und literaturwissenschaftliche Literatur, die hierzu zur Verfügung stand, heranzuziehen.

Über die Werke, die in der Einführung aufgegriffen wurden, gaben wir im Text und in den Anmerkungen fortlaufend eine Reihe von Informationen, die in bibliographischer Hinsicht von Interesse sein konnten. Ein zentrales Werk, das nochmals hervorgehoben werden muß, ist Emil Ermatingers *Dichtung und Geistesleben der deutschen Schweiz*. Es sei erwähnt, daß unter den übrigen in der Einführung behandelten Arbeiten Guido Calgaris *Die vier Literaturen der Schweiz* eine kürzere kommentierte Bibliographie der deutschschweizerischen literaturwissenschaftlichen Werke enthält. Des weiteren sei auf Daniel Freis *Neutralität — Ideal oder Kalkül?* hingewiesen, dessen Anmerkungen eine Fülle wertvoller bibliographischer Hinweise bieten. Von den kleineren Untersuchungen, die gleichzeitig eine Einführung in und eine Übersicht über die spezifisch schweizerische literarische Problematik geben, muß besonders Max Wehrlis Aufsatz „Zur Literatur der deutschen Schweiz" im *Gilden Almanach 1946* (105–116) erwähnt werden. (Vgl. dazu auch Max Wildis „Contemporary German-Swiss Literature: the Lyric and the Novel" in *German Life & Letters*, 1958, No. 1).

Hinsichtlich Zollinger, Frisch und Dürrenmatt wird und wurde hauptsächlich auf wichtige Werke, die in Buchform vorliegen, hingewiesen; nur ausnahmsweise fanden Beiträge aus Zeitschriften und Tagespresse

Aufnahme. Die rein bibliographischen Darstellungen, die bisher zu diesen drei Autoren vorliegen, werden zusammenfassend am Schluß behandelt.

Albin Zollinger

Die Literatur über Zollinger ist nicht besonders umfassend. In Buchform liegen bisher zwei separate wissenschaftliche Arbeiten vor, die zuerst behandelt werden sollen, darüber hinaus gibt es einige Beiträge, die sich im Rahmen größerer Untersuchungen und Aufsatzsammlungen mit einem oder mehreren Autoren als Verfassern finden. Größte Bedeutung hat Paul Häfligers Dissertation *Der Dichter Albin Zollinger* (1954), die aus drei ungefähr gleich großen Teilen besteht, in denen Zollingers Biographie, Lyrik und Prosadichtung behandelt werden. Außer unpublizierten Briefen hat Häfliger zusätzlich etwa 40 Interviews verwenden können. Er legt jedoch — abgesehen von ein paar Ausnahmen — selten genau darüber Rechenschaft ab, in welcher Weise diese Interviews zu seiner biographischen Darstellung beigetragen haben. Die Arbeit enthält eine ausführlich und systematisch angelegte Bibliographie.

Eine sensible Interpretation ist Beatrice Albrechts Dissertation *Die Lyrik Albin Zollingers* (1964). Ihren Ausgangspunkt hat die Arbeit im dichterischen Werk selbst. Die Verfasserin ist eine Schülerin von Emil Staiger und baut u. a. auf dessen Arbeit *Grundbegriffe der Poetik* auf.

Unter den übrigen Studien mag zuerst Hans Bänzigers Buch *Heimat und Fremde* (1958) erwähnt sein, das drei Aufsätze umfaßt, und zwar über Jakob Schaffner, Robert Walser und Albin Zollinger. Der Studie über Zollinger fehlt es an Einheitlichkeit; Bänziger scheint weitgehend von Häfligers Arbeit und Traugott Vogels Briefausgabe ausgegangen zu sein.

Werner Günther hat in seinem Werk *Dichter der neueren Schweiz*, I (1963), zwölf Studien über deutschschweizerische Autoren, angefangen bei Jeremias Gotthelf bis in die Modernen, veröffentlicht. Eine dieser Studien (488—535) behandelt — zum Teil in Anthologieform — Zollinger, sowohl seine Lyrik als auch seine erzählende Prosa. Auch in diesem Fall bildet Häfligers Dissertation den Ausgangspunkt.

Von besonderem Interesse ist das Erinnerungsbuch des Romanciers R. J. Humm *Bei uns im Rabenhaus* (1963), weil es eine der sehr wenigen Schilderungen des schweizerischen literarischen Lebens in diesem Jahrhundert enthält. Humm zeichnet darin auf wenigen Seiten (69—76) ein sehr persönliches Bild von Zollinger. (Die Notizen über Zollinger basieren auf einem älteren Artikel von Humm mit dem Titel „Erinnerungen an Albin Zollinger" im *Atlantis Almanach*, 1949). Zollingers Dichtung ist übrigens in mehreren kürzeren Übersichten behandelt worden, wie in Alfred Zächs *Die Dichtung der deutschen Schweiz* (1951), in Wilhelm Duwes *Deutsche Dichtung des 20. Jahrhunderts* (1962) und in dem von Hermann Kunisch herausgegebenen *Handbuch der deutschen Gegenwartsliteratur*, II (1970); Verfasser des dort abgedruckten Artikels über Zollinger ist Jacob Steiner. Wichtig ist Max Wehrlis Aufsatz „Gegenwartsdichtung der deutschen Schweiz" (in: *Deutsche Literatur in unserer Zeit*, 1959), in dem Wehrli auf einigen Seiten eine konzentrierte Charakteristik von Zollingers, wie auch von Frischs und Dürrenmatts Schaffen gibt.

In diesem Zusammenhang möchten wir auch drei Briefausgaben erwähnen. In Traugott Vogels Ausgabe *Albin Zollinger. Briefe an einen Freund* (1955) sind an den Schriftsteller Tr. Vogel gerichtete Briefe gesammelt. Die Briefe sind außerordentlich wertvoll für die Kenntnis sowohl von Zollingers Werk als auch seiner Biographie. Diese gut redigierte Ausgabe enthält Kommentare zu den Briefen und ferner ein abschließendes persönliches Porträt von Zollinger. Obwohl Vogel nur einige Monate älter als Zollinger war, gestaltete sich die Freundschaft zu Zollinger eher zu einem Vater—Sohnverhältnis, in dem Vogel die Rolle des Vaters spielte. In seiner Darstellung von Zollinger betont Vogel den angsterfüllten und prophetischen Zug, den Zollinger während seiner letzten Lebensjahre annahm. Die Sammlung umfaßt 61 Briefe aus der Zeit von 1930—41. Beinahe die Hälfte — 24 — stammen aus den Jahren 1930—31. Magdalena Vogels Ausgabe *Fluch der Scheidung* (1965) enthält eine Auswahl von Zollingers Briefen an seine erste Frau, durch die man ein sehr genaues Bild vom Menschen Zollinger in seinen später sehr unglücklichen Beziehungen zu Heidi Senn erhält. Die Sammlung besteht aus 31 Briefen aus den Jahren 1927—35. Die dabei getroffene Auswahl und die Kürzungen sind durch das Thema bestimmt, das bedeutet, die Herausgeberin hat bewußt auf das Politische und das Zeitkritische verzichtet. Unter dem Titel *Briefe von Albin Zollinger an Ludwig Hohl* (1965) hat Heinz Weder eine Sammlung herausgegeben, die die literarischen und freundschaftlichen Beziehungen zwischen Zollinger und dem einsamen Dichterfreund in Genf beleuchtet. Die Auswahl umfaßt rund 30 Briefe aus den Jahren 1937—41.

Die Zahl der Aufsätze über Zollinger in der Tagespresse und in den Zeitschriften ist nicht besonders groß. Was die Tagespresse betrifft, konzentrieren sich die Beiträge auf Zollingers Todestag, d. h. auf den November 1941; mehrere Beiträge erschienen u. a. in der *Neuen Zürcher Zeitung*. Der Inhalt dieser Zeitungsartikel ist von unterschiedlichem Wert. Besonders hervorzuheben wäre der Gedenkartikel anläßlich des ersten Todestages von Zollinger von Hans Schumacher in der *National-Zeitung* („Albin Zollinger"; in: *Sonntags-Beilage der National-Zeitung*, 8. 11. 1942). In der Zeitschriftenliteratur finden sich jedoch zwei Aufsätze von speziellem Interesse: Max Frischs „Albin Zollinger als Erzähler" (*Neue Schweizer Rundschau*, 1942, Nr. 6) und Hans Schumachers „Albin Zollinger" (*Schweizer Annalen*, 1946–47, Nr. 6/7).

Max Frisch

Über Frisch liegen bereits mehrere Monographien, von denen einige als rein wissenschaftlich angesehen werden können, vor. Außerdem finden sich einige deutsche Dissertationen und Staatsexamensarbeiten, die nur in Maschinenschrift vorliegen, und von denen zwei in der DDR erschienen sind (nach K.-D. Petersens „Max Frisch-Bibliographie", in: *Über Max Frisch*, 319–325).

Eine bedeutsame Stellung in der Geschichte der Bibliographie zu Frisch nimmt Eduard Stäuble mit seiner Arbeit *Max Frisch* (1957) ein. Sie ist die erste Gesamtdarstellung über Frisch und sein Werk. Der Autor weist auf eine Reihe wesentlicher Probleme und Motive in Frischs Dichtung hin. Zusammen mit der späteren Arbeit von Bänziger bildet Stäubles Buch den wichtigsten Ausgangspunkt für eine allgemeine Orientierung über Frischs Werk. Die Schrift liegt seit 1967 in einer dritten, gründlich überarbeiteten und erheblich erweiterten Auflage vor. Es handelt sich auch in dieser Neufassung um eine leicht verständliche Darstellung ohne wissenschaftliche Aspirationen. Die Arbeit ist durch ausführliche Zitate und Referate belegt und hat zweifelsohne durch die Neubearbeitung an Tiefe gewonnen. Der Roman *Stiller*, der in der ersten Auflage noch isoliert behandelt worden war, ist nun in verschiedene Kapitel eingearbeitet worden. Auch wurde Frischs Produktion während der sechziger Jahre in die Neufassung einbezogen, dabei ist dem Roman *Mein Name sei Gantenbein* und der publizistischen Arbeit besonderes Interesse gewidmet worden.

Hans Bänzigers Schrift *Frisch und Dürrenmatt* (1960), in der den beiden Schriftstellern genau der gleiche Druckraum gewidmet wurde, ist übersichtlicher als Stäubles Studie und insofern eine bessere Arbeitsgrundlage als diese, weil sie nicht im selben Maß wie Stäubles Arbeit von langen Zitaten aus Frischs Schriften belastet ist. Die Darstellung selbst ist jedoch eher mosaikartig und in der Deutung der einzelnen Dichtungen nicht selten nuancenlos. Im ersten Kapitel wird Frischs Biographie besprochen, sowie seine zwei ersten Bücher und gewisse Teile seiner publizistischen Arbeit. Im folgenden Kapitel bespricht Bänziger die Prosawerke der Jahre 1940–50 und dann chronologisch die Theaterstücke bis einschließlich des Sketches *Die große Wut des Philipp Hotz* (1958). In einem für sich stehenden, eingeschobenen Kapitel werden die Romane *Stiller* und *Homo Faber* abgehandelt. Obzwar jedes Werk einzeln interpretiert wird, wird die Perspektive durch Vergleiche und Ausblicke erweitert. Seit 1967 liegt Bänzigers Werk in einer fünften, neubearbeiteten Auflage vor, in der gewisse Kürzungen, jedoch auch Ergänzungen, vorgenommen wurden. So wurden Studien über das Stück *Andorra* und den Roman *Mein Name sei Gantenbein* als zwei neue Abschnitte hinzugefügt. Die bereits in den Anmerkungen der ersten Auflage enthaltenen wertvollen bibliographischen Hinweise auf Zeitschriftenartikel und Besprechungen in der Tagespresse wurden erheblich vermehrt.

In Monika Wintsch-Spieß' Arbeit *Zum Problem der Identität im Werk Max Frischs* (1965) begegnet man einer Reihe von Problemstellungen, mit denen sich auch Stäuble beschäftigt hat, d. h. außer dem Identitätsproblem auch beispielsweise dem Thema der Selbstverwirklichung, der Sehnsucht nach dem „wirklichen Leben", der Wiederholung, sowie dem Bildmotiv („Du sollst dir kein Bildnis machen"). Die Autorin sagt jedoch nichts aus über ihre eigene Beziehung zu Stäubles Arbeit, ebensowenig wie zu anderen Vorgängerarbeiten. Die Wintsch-Spießsche Studie umfaßt vor allem Frischs frühere Werke und endet mit einer Untersuchung des Romans *Stiller*. Goethe bildet in der Untersuchung mit seiner „unproblematischen Identität" einen Ausgangspunkt, sonst aber wird das Hauptproblem in keine historische Perspektive eingefügt. Marcel Proust, der eine dritte Auffassung des Zeitproblems vertritt, wird als eine freistehende Parallel- oder eher Kontrastfigur verwendet.

Hans Geulens Dissertation *Max Frischs „Homo Faber"* (1965) ist eher eine Studie über die Erzähltechnik. Der Autor geht in einem Einführungskapitel von C. M. Wieland aus, eine kurze Behandlung von Thomas Mann, Robert Musil und Franz Kafka schließt sich an. Im Hauptkapitel werden Raum- und Zeitverhältnisse untersucht, Handlungsaufbau und Erzählhaltung. Ein getrenntes Kapitel ist der Sprache und dem Stil gewidmet.

Bedeutend ist Ulrich Weißsteins in den USA erschienene Arbeit *Max Frisch* (1967); sie ist die erste Monographie in englischer Sprache. Es handelt sich um eine Darstellung mit wissenschaftlichen Ambitionen, in der der Autor sich um eine historische Perspektive bemüht: er möchte die Kontinuität sowohl in Frischs Weltanschauung als auch in dessen künstlerischer Entwicklung aufzeigen. Die erste Hälfte des Buches ist den Prosawerken — mit dem Hauptgewicht auf den Romanen *Stiller*, *Homo Faber* und *Mein Name sei Gantenbein* — gewidmet, die zweite Hälfte der Dramatik.

Manfred Jurgensen hat in seinem Buch *Max Frisch. Die Dramen* (1968) auf kulturpolitische Erörterungen völlig verzichtet. Sein Ziel ist, den literarischen Text in den Mittelpunkt zu stellen, dabei geht er von einer textkritischen Analyse aus und interessiert sich besonders für das symbolische Vokabular des Dichters. Auf diese Weise will er die Zusammenhänge in Frischs Dramatik beleuchten.

Auch eine sprachwissenschaftliche Arbeit soll hier Erwähnung finden: Walter Schenkers *Die Sprache Max Frischs in der Spannung zwischen Mundart und Schriftsprache* (1969). Untersucht wird, auf welche Weise Frischs schweizerdeutsche Mundart unbewußt seine Sprache und sein Stilgefühl beeinflußt hat, und in welchem Maße diese Mundart als Stilmittel in seinen literarischen Werken zum Ausdruck kommt.

Von den kleineren Beiträgen, die als Teilstudien in umfangreicheren Arbeiten von einem oder mehreren Autoren enthalten sind, seien hier einige von größerem Interesse genannt. Der umfangreichste ist Wilhelm Ziskovens „Max Frisch", der zusammen mit Aufsätzen über Brecht und Dürrenmatt in dem von Rolf Geißler herausgegebenen Buch *Zur Interpretation des modernen Dramas* (1960) enthalten ist. Ziskovens Studie — sie ist in erster Linie für Pädagogen vorgesehen — ist, wie zu erwarten, äußerst instruktiv. Unter der Rubrik „Der Dichter und das Theater" wird eine hauptsächlich dem *Tagebuch* entnommene Auswahl von Frischs Theaterreflexionen mitgeteilt; auf wenigen Seiten versucht der Autor, Frischs Standort innerhalb der zeitgenössischen Dramatik zu bestimmen und verweist dabei besonders auf die Bedeutung, die Brecht für Frisch gehabt hat. Das Hauptinteresse knüpft sich an eingehende und systematisch durchgeführte Analysen der Schauspiele *Nun singen sie wieder* und *Die chinesische Mauer*. Werner Weber schrieb einen beachteten Aufsatz mit dem Titel „Max Frisch 1958", enthalten in seiner Arbeit *Zeit ohne Zeit. Aufsätze zur Literatur* (1959) (vgl. dazu seinen Aufsatz „Max Frisch" im *Tagebuch eines Lesers,* 1965) und Marcel Reich-Ranicki, der einen Beitrag „Über den Romancier Max Frisch" veröffentlichte, enthalten in seinem Werk *Deutsche Literatur in West und Ost* (1963), schließlich gibt es von Hans Mayer eine Studie über den Roman *Stiller,* die in seiner Schrift *Dürrenmatt und Frisch. Anmerkungen* (1965) enthalten ist.

In den literaturwissenschaftlichen Handbüchern und in den Literaturgeschichten finden sich sowohl kürzere als auch ausführlichere Übersichten. Die umfangreichste von diesen findet sich in Wilhelm Duwes *Deutsche Dichtung des 20. Jahrhunderts,* II (1962), in der das Gesamtwerk von Frisch wie auch von Dürrenmatt unter der Hauptrubrik „Surrealismus" präsentiert werden, dabei werden häufig Parallelen zwischen den beiden Schriftstellern gezogen. Kurzgehaltene Zusammenfassungen liegen in Franz Lennartz' *Deutsche Dichter und Schriftsteller unserer Zeit* (1957, 1969) und in Soergel-Hohoffs *Dichtung und Dichter der Zeit*, II (1963) vor, sowie im *Handbuch der deutschen Gegenwartsliteratur* (H. Kunisch), I (1969), in dem Marianne Kesting die Verfasserin des Artikels über Frisch ist.

Aufsätze und Besprechungen in Zeitschriften und Tageszeitungen bilden ein inzwischen unüberschaubares, internationales Material. Hier seien nur einige der wichtigsten Beiträge aus den vierziger und fünfziger Jahren erwähnt. Wichtig ist Karl Schmids „Versuch über Max Frisch" in den *Schweizer Annalen* (1946—47, Nr. 6/7), eine essayistische Analyse mit tiefenpsychologischem Ausgangspunkt, die auf die dramatischen Werke, einschließlich der *Chinesischen Mauer* konzentriert ist. In seinem Aufsatz „Max Frisch und der Roman" in *Frankfurter Hefte* (1957, Nr. 12) behandelt Joachim Kaiser Frischs Prosawerke von *Bin* bis *Homo Faber*. In *German Life & Letters* (1958, Nr. 1) schreibt Elisabeth Brock-Sulzer über „Das deutschschweizerische Theater der Gegenwart" und setzt Frischs und Dürrenmatts Dramatik in einen weiteren schweizerischen Zusammenhang. Gerhard Kaiser gibt in *Schweizer Monatshefte* (1959, Nr. 10) eine Analyse des „Homo Faber". Hinsichtlich der Besprechungen in den Tageszeitungen mag es genügen, auf zwei Rezensionen hinzuweisen, die besondere Aufmerksamkeit hervorgerufen haben, und die sich beide auf den Roman *Stiller* beziehen, nämlich Max Rychners in der *Tat* am 27. 11. 1954 und Emil Staigers in der *Neuen Zürcher Zeitung* am 17. 11. 1954.

Schließlich muß auch Th. Beckermanns wertvolles Sammelwerk *Über Max Frisch* (1971) erwähnt werden, das eine Reihe kritischer und literaturwissenschaftlicher Beiträge von 21 Autoren enthält.

Friedrich Dürrenmatt

Bemerkenswert ist das große wissenschaftliche Interesse, das Dürrenmatt in den USA bewiesen wird. J. Hansel verweist in seiner *Friedrich-Dürrenmatt-Bibliographie* auf sieben Dissertationen, von denen drei deutschsprachige allein in den Jahren 1963—67 an amerikanischen Universitäten erschienen sind. Keine der Arbeiten behandelt die Gesellschaftsproblematik; hingegen scheint das Groteske ein wichtiges Interessengebiet zu sein. Diese Arbeiten liegen lediglich in Maschinenschrift vor und sind im allgemeinen für ein europäisches Publikum nur schwer zugänglich. In Europa sind gleichfalls einige deutschsprachige Dissertationen in Maschinenschrift vorgelegt worden, von denen ebenfalls keine die gesellschaftliche Problematik behandelt.

Zunächst werden wir einige jener Arbeiten kommentieren, die als

Drucke vorliegen und die für unsere Beschäftigung mit Dürrenmatt und seinem Schaffen von Bedeutung gewesen sind. Hans Bänziger beginnt und schließt sein Buch *Frisch und Dürrenmatt* (1960; 5., erweit. Aufl. 1967) mit einigen vergleichenden Gesichtspunkten zu Frisch und Dürrenmatt. Der Teil über Dürrenmatt hat sowohl eine chronologische, als auch eine — leider nicht immer konsequent durchgeführte — systematische Einteilung. Bänziger betont, daß er auf keine Gesamtdeutung von Dürrenmatts Schaffen abziele, sondern eher informieren möchte. Elisabeth Brock-Sulzers *Friedrich Dürrenmatt. Stationen seines Werkes* (1960) ist eine übersichtlich angelegte Arbeit, die seit 1964 in einer zweiten, beträchtlich erweiterten Auflage vorliegt. Neu hinzugekommen ist der Abschnitt „Der Zeichner Dürrenmatt". Der Inhalt ist in drei Hauptgruppen geordnet: Drama, Hörspiel und Prosa. Die verschiedenen Dichtungen werden größtenteils unabhängig voneinander gedeutet. Die Darstellung ist von Verständnis geprägt, jedoch geht die Hochachtung der Autorin für Dürrenmatt manchmal in eine nicht immer überzeugende Verteidigung der Intentionen des Dichters über. Im Sammelband *Der unbequeme Dürrenmatt* (1962) wirken sechs Autoren mit recht verschiedenen Beiträgen mit. In einem einleitenden Aufsatz berührt Werner Oberle das Groteske sowie das Schuldproblem in Dürrenmatts Dichtung. Der Beitrag von Fritz Buri handelt von der Gnade in Dürrenmatts Werk, die Buri als das zentrale Thema betrachtet. Zwei wichtige Aufsätze sind diejenigen von Reinhold Grimm über das Parodistische und Groteske in Dürrenmatts Schaffen und von Hans Mayer über Dürrenmatts Verhältnis zu Brecht. Mayers Aufsatz, betitelt *„Dürrenmatt und Brecht oder die Zurücknahme"*, findet sich später auch in seiner bereits erwähnten Schrift *Dürrenmatt und Frisch. Anmerkungen* wieder. Gottfried Benn schreibt über das Stück *Die Ehe des Herrn Mississippi*. Schließlich sei Elisabeth Brock-Sulzers Aufsatz erwähnt, der die literarischen Beziehungen und das schweizerische Milieu in Dürrenmatts Dichtung abhandelt. Die von wissenschaftlichen Gesichtspunkten aus wichtigste Arbeit ist C. M. Jauslins Dissertation *Friedrich Dürrenmatt. Zur Struktur seiner Dramen* (1964). Jauslin behandelt ausschließlich Dürrenmatts Theaterstücke, von *Es steht geschrieben* bis einschließlich *Die Physiker*. Seine Hauptthese ist, daß die Grundstruktur in Dürrenmatts Stücken in der Formel „Dramaturgie der Provokation" zusammengefaßt werden könne. Er meint damit, daß Dürrenmatt zuerst eine Lösung gebe, zu der der Zuschauer sich bekennen und mit der er einverstanden sein könne, zum Schluß aber geschehe eine plötzliche Wendung: die frühere Lösung erweise sich als eine Scheinlösung. Urs Jenny erörtert in seiner Schrift *Friedrich Dürrenmatt* (1965) — in der Reihe „Friedrichs Dramatiker des Welttheaters" — Dürrenmatts Theaterstücke von *Es* *steht geschrieben* bis einschließlich *Herkules und der Stall des Augias* in einer allgemeinen und übersichtlichen Form, wobei jedem Schauspiel ein separates Kapitel gewidmet wird.

Unter den kleineren Studien über Dürrenmatt, die als Teile von größeren Werken vorkommen, seien einige wesentliche genannt. Von besonderem Interesse ist Beda Allemanns Aufsatz „Friedrich Dürrenmatt. ‚Es steht geschrieben'" in Benno v. Wieses *Das deutsche Drama vom Barock bis zur Gegenwart*, II (1958). In seiner scharfsinnigen und konzentrierten Deutung von Dürrenmatts Erstlingsdrama behauptet Allemann, daß man im Stück *Es steht geschrieben* alle Hauptthemen und Möglichkeiten finde, die in Dürrenmatts späterer Dichtung zum Ausdruck kommen. Therese Poser hat einen lehrreichen Dürrenmatt-Aufsatz in Rolf Geißlers *Zur Interpretation des modernen Dramas* (1960) geschrieben. U. a. werden die Stücke *Romulus der Große* und *Ein Engel kommt nach Babylon* eingehend analysiert. Eine übersichtliche Arbeit ist Strelkas Studie in Joseph Strelka: *Brecht. Horváth. Dürrenmatt. Wege und Abwege des modernen Dramas* (1962). Der Autor betont die Gemeinsamkeiten von Dürrenmatt mit Brecht und Horváth. Dürrenmatt habe bezüglich der Form vieles von Brecht gelernt, aber hinsichtlich des Inhaltes nehme er eine Anti-Brecht-Haltung ein. In der Studie „Friedrich Dürrenmatt. Dramaturgie der Panne" in Neumann-Schröder-Karnicks *Dürrenmatt. Frisch. Weiss. Drei Entwürfe zum Drama der Gegenwart* (1969) nimmt Gerhard Neumann die Erzählung „Die Panne", die er als Dürrenmatts „vielleicht gelungenstes Werk" bezeichnet, zum Ausgangspunkt einer Studie über die Bedeutung des Zufalls in Dürrenmatts Dramaturgie.

Unter den Zeitschriftenbeiträgen mag einer von Jacob Steiner erwähnt werden: „Die Komödie Dürrenmatts" im *Deutschunterricht* (1963, H. 6), in dem der Verfasser die Bezeichnung und den Begriff „Komödie" in Dürrenmatts Schaffen untersucht.

Schließlich seien einige übersichtliche Darstellungen in Handbüchern und Literaturgeschichten angeführt. Die umfangreichste Darstellung findet sich in Wilhelm Duwes *Deutsche Dichtung des 20. Jahrhunderts,* II, 1962. Duwe betont — oder eher: überbetont — den religiösen und humanen Zug in Dürrenmatts Dichtung. Dies hängt mit Duwes Grundanschauung zusammen: er sieht in der Entwicklung der Literatur des zwanzigsten Jahrhunderts eine geistige Neuorientierung, eine Renaissance der Religion und Metaphysik.

Kurzgehaltene Übersichten finden sich in Soergel-Hohoffs *Dichtung und Dichter der Zeit*, II (1963) und im *Handbuch der deutschen Gegenwartsliteratur*, I (H. Kunisch) (1969). Wichtig ist Karl Pestalozzis Studie in der *Deutschen Literatur im 20. Jahrhundert* (Hrsg. von O. Mann u. W. Rothe), II (1967).

Bibliographische Darstellungen

Paul Häfligers Dissertation *Der Dichter Albin Zollinger* (1954) enthält die erste und bisher zuverlässigste Bibliographie über Zollinger. In Elly Wilbert-Collins *A Bibliography of Four Contemporary German-Swiss Authors: Friedrich Dürrenmatt, Max Frisch, Robert Walser, Albin Zollinger* (1967) sind Zollingers eigene Werke chronologisch und die Sekundärliteratur alphabetisch nach Verfassernamen geordnet. (Dieselbe Methode verwendet sie auch für Dürrenmatt und Frisch). Hinsichtlich der Primärliteratur bietet Wilbert-Collins kaum Neueres als Häfliger und ihre Sekundärliteratur ist auch nur unwesentlich erweitert. Zusammenfassend sei festgestellt, daß Wilbert-Collins Bibliographie in bezug auf Zollinger, Frisch und Dürrenmatt häufig unvollständig ist und in ihr sogar nicht selten fehlerhafte Angaben nachgewiesen werden können.

Die erste ausführliche Frisch-Bibliographie wurde von H.-G. Falkenberg in den *Blättern des deutschen Theaters in Göttingen* (1956–57, Nr. 110) veröffentlicht. Sie umfaßt hinsichtlich der Primärliteratur alle Literatur bis einschließlich 1957 und hinsichtlich der Sekundärliteratur – die sowohl Zeitschriftenartikel als auch Besprechungen in der Tagespresse umfaßt – alle Veröffentlichungen bis einschließlich 1956. Stäubles *Max Frisch* (3. Aufl. 1967) enthält eine umfassende Bibliographie – von K.-D. Petersen zusammengestellt –, die sowohl Primär- als auch Sekundärliteratur sammelt. Diese Bibliographie ist später in erheblich erweiterter Form in die Anthologie *Über Max Frisch* (1971) einbezogen worden. Petersen greift jedoch Frischs wichtiges, publizistisches Schaffen in der *Neuen Zürcher Zeitung* in den dreißiger Jahren nicht auf. Aufgenommen hat er jedoch Sekundärliteratur aus der DDR. Dieser Teil seiner Bibliographie kann durch folgenden Hinweis ergänzt werden: in der Zeitschrift *Bibliographische Kalenderblätter der Berliner Stadtbibliothek*, 1971, H. 5, 47–54, findet sich unter der Rubrik „60. Geburtstag des schweizer Dramatikers und Romanciers Max Frisch" ein umfassendes Verzeichnis über sowohl die Primär- als auch die Sekundärliteratur in der DDR für die Jahre 1955–70. Wilbert-Collins berichtet zwar – im Gegensatz zu Petersen – in ihrer oben erwähnten Bibliographie ausführlich über Frischs publizistische Arbeit in der *NZZ* in den Jahren 1931–42; in ihrer Zusammenstellung fehlen aber dennoch eine Anzahl von Beiträgen aus der betreffenden Periode.

Zu Dürrenmatt macht Wilbert-Collins ziemlich detaillierte Angaben über die Primär- und Sekundärliteratur. Genau wie bei Frisch nimmt sie unter die Primärliteratur auch Zeitungs- und Zeitschriftenartikel mit auf. Eine nützliche Ergänzung zur genannten Bibliographie ist K. W. Jonas' „Die Dürrenmatt-Literatur (1947—1967)", die im *Börsenblatt für den Deutschen Buchhandel* (Frankfurter Ausgabe, 1968, Nr. 59) enthalten ist. Jonas konzentriert sich auf die Sekundärliteratur und gibt anschließend eine sehr kurze Zusammenfassung von Dürrenmatts eigenen Werken. Von der Sekundärliteratur werden 500 Beiträge angeführt, die überwiegend deutschsprachig, aber teilweise englischsprachig und französischsprachig sind, und die sowohl in Zeitschriften und der Tagespresse als auch in Buchform erschienen sind. Sehr wichtig ist Johannes Hansels *Friedrich-Dürrenmatt-Bibliographie* (1968) auf Grund ihrer systematischen und umfangreichen Präsentation. Hansel behandelt jedoch die Primärliteratur auch hinsichtlich der Zeitschriften und Tagespresse nicht gesondert wie Wilbert-Collins, sondern begnügt sich mit der Angabe des Inhalts im Sammelband *Theater-Schriften und Reden*. Hinsichtlich der Sekundärliteratur, die in der DDR erschienen ist, können Hansels Angaben durch die bibliographische Zusammenstellung ergänzt werden, die sich in den *Bibliographischen Kalenderblättern der Berliner Stadtbibliothek*, 1971, H. 1, 27—32, findet und die die Veröffentlichungen aus den Jahren 1956—70 umfaßt.

IX. Literatur und Quellen

Die vorliegende Bibliographie ist folgendermaßen aufgebaut: Die Primär-
und Sekundärliteratur von Zollinger, Frisch und Dürrenmatt wird jeweils
für sich in drei separaten Abschnitten behandelt. Die Primärliteratur ist
chronologisch, die Sekundärliteratur hingegen alphabetisch, nach Verfassern
geordnet. Sonstige Literatur, d. h. Belletristik, literaturwissenschaftliche und
historische Darstellungen usw., die sowohl in den betreffenden drei Haupt-
teilen als auch in der Einführung sowie in der Zusammenfassung erscheint,
ist unter der Rubrik „Allgemeine Literatur" zusammengestellt und ebenfalls alphabetisch nach Verfassern geordnet. Die Darstellungen zur Bibliographie werden unter einem separaten Titel aufgeführt. Hinsichtlich der
detaillierten Einteilung des Literaturverzeichnisses — mit Seitenangaben —
wird auf das Inhaltsverzeichnis am Anfang des Buches verwiesen. Die in
der folgenden Zusammenstellung angeführten Beiträge sind selbstverständlich nur jene, die in der vorliegenden Arbeit behandelt wurden. Dies bedeutet,
daß die Bibliographie in bezug auf die in Buchform vorliegende Primärliteratur (Erst- und Hauptauflagen) der drei Hauptautoren in der Regel vollständig ist. Was Artikel in Zeitschriften und Tagespresse anbelangt, handelt es sich hier um eine notwendige Auswahl. Werke wie auch Presseartikel,
die im Text und in den Anmerkungen nur beiläufig erwähnt wurden, sind
im Literaturverzeichnis nicht aufgenommen worden.

I. ALBIN ZOLLINGER

A. Primärliteratur

a. Sammelausgaben

[1]   Gedichte. Ausgew. von Emil Staiger. Zürich 1956.
[2]   Gesammelte Werke. Bd. I—IV.
[2] : I   Bd. I: Gesammelte Prosa. Geleitwort von Max Frisch. Zürich 1961.
[2] : II   Bd. II: Der halbe Mensch. — Die große Unruhe. Romane. Zürich 1961.
[2] : III   Bd. III: Pfannenstiel. — Bohnenblust. Romane. Zürich 1962.
[2] : IV   Bd. IV: Gedichte. Zürich 1962.

b. Einzelausgaben

Prosa
[3]   Die Gemäldegalerie. Skizze. In: Die Schweiz 23, 1919, Nr. 2, S. 98—100.
[4]   Der Apfelzweig. Erzählung. In: Schweizerisches Familien-Wochenblatt 40,
      1920, Nr. 1—7.
[5]   Die Gärten des Königs. Leipzig u. Zürich 1921.
[6]   Die verlorene Krone. Märchen. Leipzig u. Zürich 1922.
[7]   Der halbe Mensch. Roman. Zürich u. Leipzig 1929.

8 Die große Unruhe. Roman. Zürich 1939.
9 Pfannenstiel. Die Geschichte eines Bildhauers. Zürich 1940.
10 Der Fröschlacher Kuckuck. Leben und Taten einer Stadt in 20 Abenteuern. Zürich 1941. — Auch in: Gesamm. Werke, Bd. I.
11 Bohnenblust. Oder die Erzieher. Pfannenstiel 2. Teil. Zürich 1942.
12 Das Gewitter. Novelle. Zürich 1943. — Auch in: Gesamm. Werke, Bd. I.
13 Die Narrenspur. Vom Leben des Barometermachers Balthasar Kaspar Zellweger, genannt Baneter Balz in Stäfa am Zürichsee. (Auszug aus dem unveröffentlichten Manuskript). In: Du 5, 1945, Nr. 1, S. 47—50.
14 Labyrinth der Vergangenheit. Novelle. In: Die Zeit 4, 1936, Nr. 1, S. 8—12. — Labyrinth der Vergangenheit. Nachw. von Traugott Vogel. St. Gallen 1950. — Auch in: Gesamm. Werke, Bd. I.
15 Herr Racine im Park. Novelle. In: Annalen 2, 1928, S. 570—578. — Auch in: Gesamm. Werke, Bd. I.
16 Die Russenpferde. Novelle. In: Neue Zürcher Zeitung, 30. 1. 1939. — Auch in: Gesamm. Werke, Bd. I.

Lyrik

17 Gedichte. Zürich 1933. (Zit.: Gedichte 1933).
18 Sternfrühe. Neue Gedichte. Zürich u. Leipzig 1936.
19 Stille des Herbstes. Gedichte. Zürich u. Leipzig 1939.
20 Haus des Lebens. Gedichte. Zürich 1939.

Aufsätze

21 Echo im Hirtenland. In: Annalen 2, 1928, S. 228 f.
22 Militärgericht über einen Dichter. In: Der Geistesarbeiter 11, 1932, Nr. 1, S. 14.
23 Brief an Paul Lang. In: Neue Zürcher Zeitung, 24. 9. 1933.
24 Dichtung und Erlebnis. Zwölf Schweizer Schriftsteller erzählen von ihrem Werk und aus ihrem Leben. Mit einer Einführung von Hermann Weilenmann. Zürich u. Leipzig 1934. S. 31—43: A. Z.
25 Mitarbeit an Zeitungen und Zeitschriften. In: Der Geistesarbeiter 14, 1935, Nr. 1, S. 64—67.
26 Schweizerisches Schrifttum. In: Der pädagogische Beobachter im Kanton Zürich. Beilage zur Schweizerischen Lehrerzeitung 80, 1935, Nr. 40, S. 705 f.
27 Vorsatz. In: Die Zeit 4, 1936, Nr. 1, S. 1.
28 Geistige Landesverteidigung. In: Die Zeit 4, 1936, Nr. 2, S. 33 f.
29 In eigener Sache. In: Die Zeit 4, 1936, Nr. 2, S. 43.
30 Eine Literaturzeitschrift des SSV. In: Der Geistesarbeiter 16, 1937, Nr. 9/10, S. 150—152.
31 Der Fall Mühlestein. In: Die Zeit 4, 1937, Nr. 10, S. 312.
32 Die schweizerische Neutralität. Ergebnis einer Rundfrage. In: Die Zeit 4, 1937, Nr. 12, S. 349—363.
33 Es geschehen Zeichen . . . In: Die Zeit 4, 1937, Nr. 12, S. 376.
34 Das Urteil gegen Dr. Hans Mühlestein rechtskräftig. In: Die Zeit 5, 1937, Nr. 1, S. 31.
35 Präzisierung. In: Die Zeit 5, 1937, Nr. 2. S. 65.
36 Unsere Presse. In: Die Zeit 5, 1937, Nr. 4, S. 122.
37 Anmerkung der Redaktion. In: Die Zeit 5, 1937, Nr. 4, S. 124.

[38] Die beiden Spanien. In: Die Zeit 5, 1937, Nr. 5, S. 130—132.

[39] Banausen am Werk. In: Die Zeit 5, 1937, Nr. 6, S. 182 f.

[40] Möglichkeiten des Schriftstellervereins. In: Der Geistesarbeiter 17, 1938, Nr. 6, S. 81—86.

[41] Noch einmal Ramuz. In: Die Nation 6, 1938, Nr. 6, S. 6.

[42] Die Notlage des schweizerischen Schriftstellers. In: Die Nation 6, 1938, Nr. 8, S. 8.

[43] A propos Landesausstellung. In: Die Nation 6, 1938, Nr. 24, S. 6.

[44] Dichter und Publikum. In: Die Nation 6, 1938, Nr. 24, S. 6.

[45] Schriftsteller und Presse. In: Der Geistesarbeiter 18, 1939, Nr. 1, S. 1—6. — Auch in: Gesamm. Werke, Bd. I.

[46] Weshalb Lyrik? In: Der Geistesarbeiter 18, 1939, Nr. 5, S. 74—76.

[47] Meinrad Inglins ‚Schweizerspiegel'. In: Neue Schweizer Rundschau, N. F. 6, 1939, Nr. 10, 628—635. — Auch in: Gesamm. Werke, Bd. I.

Briefe

[48] Briefe an einen Freund. Ausgew. u. eingeleit. von Traugott Vogel. St. Gallen 1955.

[49] Briefe von Albin Zollinger an Ludwig Hohl. Vorwort von Heinz Weder. Bern u. Stuttgart 1965.

[50] Fluch der Scheidung. Briefe Albin Zollingers an seine erste Frau. Hrsg. u. eingel. von Magdalena Vogel. St. Gallen 1965.

Verschiedenes

[51] Opera buffa. In: Hortulus 10, 1960, H. 6, S. 173—186.

B. Sekundärliteratur

[52] Albrecht, Beatrice: Die Lyrik Albin Zollingers. Zürich 1964.

[53] Bänziger, Hans: Heimat und Fremde. Ein Kapitel ‚Tragische Literaturgeschichte' in der Schweiz: Jakob Schaffner, Robert Walser, Albin Zollinger. Bern 1958. S. 107—140: A. Z.

[54] Brunner, Hilde: Aus Albin Zollingers letzten Lebensjahren. In: Du 5, 1945, Nr. 1, S. 31—33.

[55] Brunner, Hilde: Über Albin Zollinger. In: Ex libris, 1946, S. 126 f.

[56] Duwe, Wilhelm: Deutsche Dichtung des 20. Jahrhunderts (= Nr. 274). — Bd. I, S. 176 f.: AZ. — Bd. II, S. 140 f.: AZ.

[57] Frisch, Max: Albin Zollinger. Zu seinem Gedächtnis. In: Neue Schweizer Rundschau, N. F. 9, 1941, Nr. 7, S. 464—467.

[58] Frisch, Max: Albin Zollinger als Erzähler. In: Neue Schweizer Rundschau, N. F. 10, 1942, Nr. 6. S. 357—364.

[59] Frisch, Max: Nachruf auf Albin Zollinger, den Dichter und Landsmann, nach zwanzig Jahren. In: Zollinger, Albin, Gesamm. Werke, Bd. I. Zürich 1961. S. 7—13.

[60] Günther, Werner: Dichter der neueren Schweiz, Bd. I. Bern 1963. S. 488 — 535: AZ.

[61] Häfliger, Paul: Der Dichter Albin Zollinger. 1895—1941. Diss. Freiburg/Schweiz 1954.

[62] Hohl, Ludwig: Albin Zollinger. In: Jahrbuch vom Zürichsee, 1942. S. 125—130.

[63] Hohl, Ludwig: Letzter Brief an Albin Zollinger. In: L. H., Nuancen und

Details, Bd. III. Mit einem Gedenkwort für Albin Zollinger. Genf 1942.
S. 67—74.

64 Humm, R. J.: Erinnerungen an Albin Zollinger. In: Atlantis Almanach,
1949. S. 50—58.

65 Schuhmacher, Hans: Albin Zollinger. In: Sonntags-Beilage der National-
Zeitung, 8. 11. 1942.

66 Schuhmacher, Hans: Albin Zollinger. In: Schweizer Annalen 3, 1946/47,
Nr. 6/7, S. 322—325.

67 Steiner, Jacob: Albin Zollinger. In: Handbuch der deutschen Gegenwartsliteratur, Bd. II (= Nr. 296). S. 327.

68 Vogel, Traugott: Voll Wahrheit des Symbols. Aus der Junglehrerzeit
Albin Zollingers. In: Der Landbote u. Tagblatt der Stadt Winterthur
(Sonntagspost), 17. 5. 1968.

69 Zäch, Alfred: Die Dichtung der deutschen Schweiz. Zürich 1951. S. 199—
—201: A.Z.

II. MAX FRISCH

A. Primärliteratur

a. Sammelausgaben

70: I Stücke Bd. I: Santa Cruz. Nun singen sie wieder. Die chinesische Mauer.
Als der Krieg zu Ende war. Graf Öderland. Frankfurt/M. 1962.

70: II Stücke Bd. II: Don Juan oder Die Liebe zur Geometrie. Biedermann
und die Brandstifter. Die große Wut des Philipp Hotz. Andorra. Frank-
furt/M. 1962.

b. Einzelausgaben

Prosa

71 Jürg Reinhart. Eine sommerliche Schicksalsfahrt. Roman. Stuttgart u.
Berlin 1934.

72 Antwort aus der Stille. Eine Erzählung aus den Bergen. Stuttgart u. Berlin
1937.

73 Blätter aus dem Brotsack. Geschrieben im Grenzdienst 1939. Zürich 1940.

74 J'adore ce qui me brûle oder Die Schwierigen. Roman. Zürich 1943. (Zit.:
Die Schwierigen). — Gekürzte Neuausgabe u. d. T.: Die Schwierigen oder
J'adore ce qui me brûle. Zürich 1957.

75 Bin oder Die Reise nach Peking. Zürich 1945. (Zit. nach der Lizenzaus-
gabe für Deutschland. Berlin u. Frankfurt/M. 1952).

76 Tagebuch mit Marion. Zürich 1947.

77 Tagebuch 1946—1949. Frankfurt/M. 1950. (Zit.: Tagebuch).

78 Stiller. Roman. Frankfurt/M. 1954.

79 Homo Faber. Ein Bericht. Frankfurt/M. 1957.

80 Schinz. Skizze. Mit fünf Zeichnungen von Varlin. St. Gallen 1959.

81 Ausgewählte Prosa. Nachwort von Joachim Kaiser. Frankfurt/M. 1961.

82 Erzählungen des Anatol Ludwig Stiller. Nachwort von Walter Jens. Frank-
furt/M. 1961.

83 Mein Name sei Gantenbein. Roman. Frankfurt/M. 1964.

Stücke

84 Nun singen sie wieder. Versuch eines Requiems. Basel 1946.

85 Santa Cruz. Eine Romanze. Basel 1947.

86 Die chinesische Mauer. Eine Farce. Basel 1947. — Neue Fassung: Frankfurt/M. 1955. (Zit. nach der 2. revidierten Aufl. vom Dez. 1955).

87 Als der Krieg zu Ende war. Schauspiel. Basel 1949. — Gekürzte Neuausgabe: Frankfurt/M. 1962. In: Stücke, Bd. I.

88 Graf Öderland. Ein Spiel in zehn Bildern. Frankfurt/M. 1951. — (Neue Fassung: 1956. Unpubliziert). — Graf Öderland. Eine Moritat in zwölf Bildern. Endgültige Fassung. Frankfurt/M. 1962. In: Stücke, Bd. I.

89 Don Juan oder Die Liebe zur Geometrie. Eine Komödie in fünf Akten. Frankfurt/M. 1953. — Revid. Fassung: Frankfurt/Main 1962. In: Stücke, Bd. II.

90 Herr Biedermann und die Brandstifter. (Hörwerke der Zeit 2). Nachwort von Christian E. Lewalter. Hamburg 1956.

91 Biedermann und die Brandstifter. Ein Lehrstück ohne Lehre. Mit einem Nachspiel. Frankfurt/M. 1958.

92 Die große Wut des Philipp Hotz. Ein Sketch. In: Hortulus 8, 1958 H. 2, S. 34—61. — Auch in: Stücke, Bd. II.

93 Rip van Winkle. In: Kreidestriche ins Ungewisse. (= Nr. 318). S. 369—414. — Rip van Winkle. Hörspiel. Stuttgart 1969.

94 Andorra. Stück in zwölf Bildern. Frankfurt/M. 1961.

95 Zürich-Transit. Skizze eines Films. Frankfurt/M. 1966.

96 Biografie: Ein Spiel. Frankfurt/M. 1967.

Theoretische Schriften, Aufsätze, Reden, Gespräche

97 Kleines Tagebuch einer deutschen Reise. In: Neue Zürcher Zeitung, 30. 4., 7. 5. u. 20. 5. 1935.

98 Ein Roman, zweimal besprochen. ,Pfannenstiel' von Albin Zollinger. In: Neue Zürcher Zeitung, 22. 11. 1940.

99 Albin Zollinger. Zu seinem Gedächtnis. In: Neue Schweizer Rundschau (= Nr. 57).

100 Albin Zollinger als Erzähler. In: Neue Schweizer Rundschau (= Nr. 58).

101 Das erste Haus. In: Neue Zürcher Zeitung, 13. 9. u. 20. 9. 1942.

102 Notizen über Geträumtes. In: Programmheft des Schauspielhauses Zürich, 1944/45, Nr. 17, S. 7—8.

103 Die andere Welt. In: Atlantis 17, 1945, Nr. 1/2, S. 2—4.

104 Über Zeitereignis und Dichtung. In: Neue Zürcher Zeitung, 22. 3. u. 23. 3. 1945 (Nr. 502 u. 504). — Auch in: Programmheft des Schauspielhauses Zürich, 1944/45, Nr. 17, S. 3—6.

105 Stimmen eines anderen Deutschland? Zu den Zeugnissen von Wiechert und Bergengruen. In: Neue Schweizer Rundschau, N. F. 13, 1946, Nr. 9, S. 537—547.

106 Death is so permanent. Notizen einer kleinen deutschen Reise. In: Neue Schweizer Rundschau, N. F. 14, 1946, Nr. 2, S. 88—110.

107 Kleines Nachwort von Max Frisch. In: Zürcher Student 25, 1947, H. 3, S. 56—59.

108 Kultur als Alibi. In: Der Monat 1, 1949, Nr. 7, S. 82—85. — Auch in: Öffentlichkeit als Partner (= Nr. 131).

[109] Friedrich Dürrenmatt. Zu seinem neuen Stück ‚Romulus der Große'. In: Die Weltwoche, 6. 5. 1949.

[110] Orchideen und Aasgeier. Ein Reisealbum aus Mexico, Oktober/November 1951. In: Neue Schweizer Rundschau 20, 1952, Nr. 2, S. 67—88.

[111] Zum Geleit. In: Kutter, Markus u. Lucius Burckhardt, Wir selber bauen unsere Stadt. Vorwort von Max Frisch. (Basler politische Schriften 1). Basel 1953.

[112] Unsere Arroganz gegenüber Amerika. In: Neue Schweizer Rundschau 20, 1953, Nr. 10, S. 584—590. — Auch u. d. T. Nachtrag zum ‚Transatlantischen Gespräch'. In: Der Monat 5, 1953, Nr. 59, S. 537—540. — Auch in: Öffentlichkeit als Partner (= 131).

[113] Cum grano salis. Eine kleine Glosse zur schweizerischen Architektur. In: Werk 40, 1953, Nr. 10, S. 325—329.

[114] Achtung: die Schweiz. Ein Gespräch über unsere Lage und ein Vorschlag zur Tat. Diese Broschüre ist das Ergebnis einer Diskussion zwischen Lucius Burckhardt, Max Frisch und Markus Kutter unter Zuzug der Architekten Rolf Gutmann und Theo Manz sowie zweier Vertreter der Wirtschaft, eines Staatsbeamten und eines kantonalen Parlamentariers. (Basler politische Schriften 2). Basel 1955.

[115] Zur chinesischen Mauer. In: Akzente 2, 1955, Nr. 5, S. 386—396. — Gekürzt in: Programmheft des Schauspielhauses Zürich, 1955/56, Nr. 6, S. 3 —7.

[116] Der Laie und die Architektur. Ein Funkgespräch. In: Merkur 9, 1955, Nr. 85, S. 261—278.

[117] Planung tut not! In: Die Weltwoche, 29. 4. 1955.

[118] Die neue Stadt. Beiträge zur Diskussion von Lucius Burckhardt, Max Frisch und Markus Kutter. (Basler politische Schriften 3). Basel 1956.

[119] Eine Chance der modernen Architektur — vertan! In: Die Weltwoche, 14. 9. 1956.

[120] Soll Zürich einen Kopf haben? In: Die Weltwoche, 5. 10. 1956.

[121] Forth Worth, die Stadt der Zukunft in Texas. In: Die Weltwoche, 16. 11. 1956.

[122] Max Frischs ungewöhnliche Festrede. In: Zürcher Woche, 9. 8. 1957. — Auch u. d. T. Festrede. In: Öffentlichkeit als Partner (= Nr. 131). (Zit.: Festrede 1957).

[123] Das Engagement des Schriftstellers heute. In: Frankfurter Allgemeine Zeitung, 14. 11. 1958. — Auch u. d. T. Emigranten. In: Beiträge zum zwanzigjährigen Bestehen der neuen Schauspiel AG 1938/39—1958/59. Beilage zum Programmheft des Schauspielhauses Zürich 1958/59, S. 49—66. — Auch u. d. T. Büchner-Rede. In: Öffentlichkeit als Partner (= Nr. 131). (Zit.: Büchner-Rede).

[124] Die Schweiz ist ein Land ohne Utopie. In: Ex libris 15, 1960, H. 3. S. 17 f.

[125] Nachruf auf Albin Zollinger, den Dichter und Landsmann, nach zwanzig Jahren (= 59).

[126] Bienek, Horst: Werkstattgespräche. München 1962. S. 21—32: M. F.

[127] Und die Schweiz? Ein Interview mit Max Frisch. In: Neutralität 2, 1964, Nr. 5, S. 2—6.

[128] Der Autor und das Theater. Rede auf der Frankfurter Dramaturgentagung 1964. In: Neue Rundschau 76, 1965, Nr. 1, S. 33—44.

[129] Unbewältigte schweizerische Vergangenheit? In: Neutralität 3, 1965, Nr. 10, S. 15 f. — Auch in: Die Weltwoche, 11. 3. 1966.

[130] Endlich darf man es wieder sagen. In: Die Weltwoche, 23. 12. 1966. — Auch in: Öffentlichkeit als Partner (= Nr. 131).

[131] Öffentlichkeit als Partner. (Festrede, Kultur als Alibi, Unsere Arroganz gegenüber Amerika, Büchner-Rede, Öffentlichkeit als Partner, Der Autor und das Theater, Schillerpreis-Rede, Überfremdung 1, Überfremdung 2, Endlich darf man es wieder sagen). Frankfurt/M. 1967.

[132] Griechenland 1967 (unter anderem) und wir. In: Die Weltwoche, 2. 6. 1967.

[133] Wir müssen unsere Welt anders einrichten. Gespräch mit Max Frisch. In: Die Tat, 9. 12. 1967.

[134] Nachwort. In: Sacharow, Andrej D., Wie ich mir die Zukunft vorstelle. Gedanken über Fortschritt, friedliche Koexistenz und geistige Freiheit. Aus dem Russischen übersetzt. Frankfurt/M. u. Zürich 1968, S. 93—109.

[135] Tschechoslowakei 1968. Die Reden von Peter Bichsel, Friedrich Dürrenmatt, Max Frisch, Günter Grass, Kurt Marti. Brief von Heinrich Böll. 8. 9. 68, Stadttheater Basel. Zürich 1968. S. 27—34: M. F.

[136] Jemand hat sich geirrt. In: Zürcher Student 46, 1968, Nr. 1, S. 1.

[137] Das ist kein Grund zur Ruhe. Interview. In: Zürcher Student 46, 1968, Nr. 4, S. 5.

[138] Schriftsteller, Johnson und Vietnam. In: Die Weltwoche, 5. 4. 1968.

[139] Demokratie ohne Opposition? In: Die Weltwoche, 11. 4. 1968.

[140] Antwort auf Leserbriefe. In: Die Weltwoche, 31. 5. 1968.

[141] Die große Devotion. Über die Ereignisse in Zürich und über die Jugend. In: Die Weltwoche, 12. 7. 1968.

[142] Zurück zum Kalten Krieg? In: Die Weltwoche, 30. 8. 1968.

[143] Wie wollen wir regiert werden? In: Die Weltwoche, 13. 12. 1968.

[144] Integration der Kultur. Gespräch mit Max Frisch. In: Züri-Leu, 9. 1. 1969.

B. Sekundärliteratur

[145] Bänziger, Hans: Frisch und Dürrenmatt. Bern u. München 1960, S. 25—117: M. F. — 5., neu bearb. Aufl. 1967. S. 25—119: M. F. — 6., neu bearb. Aufl. 1971. S. 25—133: M. F.

[146] Bretscher, Walter: ‚Einmalige Chance für Zürich'. In: Züri-Leu, 9. 1. 1969.

[147] Dürrenmatt, Friedrich: Eine Vision und ihr dramatisches Schicksal. Zur Uraufführung von Max Frischs ‚Graf Öderland' im Schauspielhaus Zürich. In: Die Weltwoche, 16. 2. 1951.

[148] Duwe, Wilhelm: Deutsche Dichtung des 20. Jahrhunderts, Bd. II (= Nr. 274). S. 186—190, 434—452: M. F.

[149] Geulen, Hans: Max Frischs ‚Homo Faber'. Studien und Interpretationen. Berlin 1965.

[150] Jurgensen, Manfred: Max Frisch. Die Dramen. Bern 1968.

[151] Kaiser, Gerhard: Max Frischs ‚Homo Faber'. In: Schweizer Monatshefte 38, 1959, Nr. 10, S. 841—852.

[152] Kaiser, Joachim: Max Frisch und der Roman. Konsequenzen eines Bildersturms. In: Frankfurter Hefte 12, 1957, Nr. 12, S. 876—882.

[153] Karasek, Hellmuth: Max Frisch. (Friedrichs Dramatiker des Welttheaters 17). Velber b. Hannover 1966.

[154] Kesting, Marianne: Max Frisch. In: Handbuch der deutschen Gegenwartsliteratur, Bd. I (= Nr. 296). S. 219—221.

[155] Lennartz, Franz: Deutsche Dichter und Schriftsteller unserer Zeit. Einzeldarstellungen zur Schönen Literatur in deutscher Sprache. 7. Aufl. Stuttgart 1957. S. 172—174: M. F. — 10. erweit. Aufl. 1969. S. 214—220: M. F.

[156] Mayer, Hans: Dürrenmatt und Frisch. Anmerkungen. (Opuscula aus Wissenschaft und Dichtung 4). 2. Aufl. Pfullingen 1965. S. 33—54: M. F.

[157] Reich-Ranicki, Marcel: Deutsche Literatur in West und Ost. Prosa seit 1945. München 1963. S. 81—100: Der Romancier Max Frisch.

[158] Rychner, Max: Stiller. In: Die Tat, 27. 11. 1954.

[159] Schenker, Walter: Die Sprache Max Frischs in der Spannung zwischen Mundart und Schriftsprache. Berlin 1969.

[160] Schmid, Karl: Versuch über Max Frisch. In: Schweizer Annalen 3, 1946/47, Nr. 6/7, S. 327—333.

[161] Schmid, Karl: Unbehagen im Kleinstaat. Untersuchungen über Conrad Ferdinand Meyer, Henri-Frédéric Amiel, Jakob Schaffner, Max Frisch, Jacob Burckhardt. Zürich u. Stuttgart 1963. S. 169—200: Max Frisch: Andorra und die Entscheidung .

[162] Schumacher, Hans: Zu Max Frischs ‚Bin oder Die Reise nach Peking'. In: Neue Schweizer Rundschau. N. F. 13, 1945, Nr. 5, S. 317—320.

[163] Soergel, Albert u. Curt Hohoff: Dichtung und Dichter der Zeit, Bd. II (= Nr. 359). S. 846—850: M. F.

[164] Stäuble, Eduard: Max Frisch. Ein Schweizer Dichter der Gegenwart. Versuch einer Gesamtdarstellung seines Werkes. Amriswil 1957. — 3. umgearb. u. erweit. Aufl. u. d. T.: Max Frisch. Gesamtdarstellung seines Werkes. Mit einer Bibliographie von Klaus-Dietrich Petersen. St. Gallen 1967. — 4., unveränd. Aufl. 1971.

[165] Staiger, Emil: „Stiller". In: Neue Zürcher Zeitung, 17. 11. 1954.

[166] Über Max Frisch. Hrsg. von Thomas Beckermann. Frankfurt/M. 1971.

[167] Weber, Werner: Zeit ohne Zeit. Aufsätze zur Literatur. Zürich 1959. S. 85—101: Max Frisch 1958.

[168] Weber, Werner: Tagebuch eines Lesers. Bemerkungen und Aufsätze zur Literatur. Olten u. Freiburg i. Br. 1965. S. 209—219: M. F.

[169] Wehrli, Max: Gegenwartsdichtung der deutschen Schweiz. In: Deutsche Literatur in unserer Zeit (= Nr. 272). S. 116—118: M. F.

[170] Weisstein, Ulrich: Max Frisch. New York 1967.

[171] Wintsch-Spieß, Monika: Zum Problem der Identität im Werk Max Frischs. Zürich 1965.

[172] Ziskoven, Wilhelm: Max Frisch. In: Zur Interpretation des modernen Dramas (= Nr. 391). S. 97—144.

III. FRIEDRICH DÜRRENMATT

A. Primärliteratur

a Smmelausgaben

[173] Die Stadt. Prosa I—IV. Zürich 1952.

[174] Komödien I. (Romulus der Große, 2. Fassung, Die Ehe des Herrn Mississippi, 2. Fassung, Ein Engel kommt nach Babylon, 2. Fassung, Der Besuch der alten Dame). Zürich 1957.

175 Gesammelte Hörspiele. (Der Doppelgänger, Der Prozeß um des Esels Schatten, Nächtliches Gespräch mit einem verachteten Menschen, Stranitzky und der Nationalheld, Herkules und der Stall des Augias, Das Unternehmen der Wega, Die Panne, Abendstunde im Spätherbst). Zürich 1961.

176 Komödien II und frühe Stücke. (Es steht geschrieben, Der Blinde, Frank der Fünfte, Die Physiker, Herkules und der Stall des Augias). Zürich 1963.

177 Theater-Schriften und Reden. Hrsg. von Elisabeth Brock-Sulzer. Zürich 1966.

b. Einzelausgaben

Prosa

178 Der Nihilist. Erzählung. Horgen-Zürich 1950. — Auch u. d. T. Die Falle. In: Die Stadt (= Nr. 173).

179 Der Richter und sein Henker. Kriminalroman. Einsiedeln, Zürich, Köln 1952.

180 Der Verdacht. Kriminalgeschichte. Einsiedeln, Zürich, Köln 1953. (Zit. nach der Rororo-Taschenbuchausgabe. Reinbek b. Hamburg 1961).

181 Grieche sucht Griechin. Eine Prosakomödie. Zürich 1955.

182 Die Panne. Eine noch mögliche Geschichte. Zürich 1956.

183 Das Versprechen. Requiem auf den Kriminalroman. Zürich 1958.

Theaterstücke

184 Es steht geschrieben. Schauspiel. Basel 1947. — Es steht geschrieben. Ein Drama. Zürich 1959.

185 Die Ehe des Herrn Mississippi. Eine Komödie in 2 Teilen. Zürich 1952. — Die Ehe des Herrn Mississippi. Eine Komödie. 2. Fassung. Zürich 1957. In: Komödien I (= Nr. 174). — Die Ehe des Herrn Mississippi. Ein Drehbuch mit Szenenbildern. Zürich 1961.

186 Ein Engel kommt nach Babylon. Eine Komödie in 3 Akten. Zürich 1954. — Ein Engel kommt nach Babylon. Eine fragmentarische Komödie in 3 Akten. 2. Fassung. Zürich 1957. In: Komödien I (= Nr. 174).

187 Der Besuch der alten Dame. Eine tragische Komödie. Zürich 1956. — Auch in: Komödien I (= Nr. 174).

188 Romulus der Große. Eine ungeschichtliche historische Komödie in 4 Akten. Bühnenausgabe. (Vervielf.). Basel 1956. — Romulus der Große. Eine ungeschichtliche historische Komödie in 4 Akten. 2. Fassung. Zürich 1957. In: Komödien I (= Nr. 174). — 3. Fassung 1961. — 4. Fassung 1964.

189 Der Blinde. Ein Drama. Zürich 1960. — Auch in: Komödien II und frühe Stücke (= Nr. 176).

190 Frank der Fünfte. Oper einer Privatbank. Musik von Paul Burkhard. Zürich 1960. — Auch in: Komödien II und frühe Stücke (= Nr. 176).

191 Die Physiker. Eine Komödie in 2 Akten. Zürich 1962. — Auch in: Komödien II und frühe Stücke (= Nr. 176).

192 Herkules und der Stall des Augias. Eine Komödie. Zürich 1963. — Auch in: Komödien II und frühe Stücke (= Nr. 176).

193 Der Meteor. Eine Komödie in 2 Akten. Zürich 1966.

194 Die Wiedertäufer. Eine Komödie in 2 Teilen. Zürich 1967.

195 König Johann. Nach Shakespeare. Zürich 1968.

196 Play Strindberg. Totentanz nach August Strindberg. Zürich 1969.

197 Titus Andronicus. Eine Komödie nach Shakespeare. Zürich 1970.

Hörspiele

[198] Stranitzky und der Nationalheld. In: Hörspielbuch. Stücke von Heinz Huber, Heinrich Böll, Walter Oberer (u. a.). Frankfurt/Main 1953. — Stranitzky und der Nationalheld. Ein Hörspiel. Zürich 1959.

[199] Herkules und der Stall des Augias. Mit Randnotizen eines Kugelschreibers. Zürich 1954.

[200] Der Prozeß um des Esels Schatten. Ein Hörspiel. (Nach Wieland — aber nicht sehr). Zürich 1956.

[201] Nächtliches Gespräch mit einem verachteten Menschen. Ein Kurs für Zeitgenossen. Zürich 1957. (Zit.: Nächtliches Gespräch).

[202] Das Unternehmen der Wega. Ein Hörspiel. Zürich 1958.

[203] Abendstunde im Spätherbst. Ein Hörspiel. Zürich 1959.

[204] Der Doppelgänger. Ein Spiel. Zürich 1960.

[205] Die Panne. Ein Hörspiel. In: Kreidestriche ins Ungewisse (= Nr. 318). — Die Panne. Ein Hörspiel. Zürich 1961.

Theoretische Schriften, Aufsätze, Reden, Gespräche

[206] Eine Vision und ihr dramatisches Schicksal. Zu ,Graf Öderland' von Max Frisch. In: Die Weltwoche, 6. 5. 1949.

[207] Theaterprobleme. Zürich 1955. — Auch in: Theater-Schriften und Reden (= Nr. 177).

[208] Friedrich Schiller. Eine Rede. Zürich 1960. — Auch in: Theater-Schriften und Reden (= Nr. 177).

[209] Werner Weber / Friedrich Dürrenmatt: Der Rest ist Dank. Zwei Reden. Zürich 1961. S. 27—32: Dürrenmatts Rede. — Auch in: Theater-Schriften und Reden (= Nr. 177).

[210] Bienek, Horst: Werkstattgespräche mit Schriftstellern (= Nr. 126). S. 99—112: F. D.

[211] Gespräch zum 1. August mit Friedrich Dürrenmatt. In: Ex libris 21, 1966, Nr. 8, S. 9—21. (Zit.: Gespräch zum 1. August).

[212] Zu einem Sprachproblem. In: Roberto Bernhard, Alemannisch-Welsche Sprachsorgen und Kulturfragen. Mit Beiträgen von Friedrich Dürrenmatt und Alfred Richli. (Schriften des deutschschweizerischen Sprachvereins 3). Frauenfeld 1968. S. 37—39.

[213] Varlin schweigt. Rede anläßlich der Verleihung des Zürcher Kunstpreises. In: Sprache im Technischen Zeitalter, 26/1968, S. 88—93.

[214] Melchinger, Siegfried: Wie schreibt man böse, wenn man gut lebt? Ein Gespräch mit Friedrich Dürrenmatt. In: Neue Zürcher Zeitung, 1. 9. 1968.

[215] Tschechoslowakei 1968 (= Nr. 135). S. 17—26: Dürrenmatts Rede.

[216] Monstervortrag über Gerechtigkeit und Recht. Nebst einem helvetischen Zwischenspiel. (Eine kleine Dramaturgie der Politik). Zürich 1969.

[217] Sätze aus Amerika. Zürich 1970.

Verschiedenes

[218] An mein Vaterland. Gedicht. In: Hortulus 10, 1960, H. 6, S. 172.

B. Sekundärliteratur

[219] Allemann, Beda: Friedrich Dürrenmatt. ,Es steht geschrieben'. In: Das

deutsche Drama vom Barock bis zur Gegenwart. Interpretationen. Hrsg. von Benno v. Wiese. Bd. II. Düsseldorf 1958. S. 415—432.

220 Bänziger, Hans: Frisch und Dürrenmatt. Bern 1960. S. 119—212: F. D. — 5., neu bearb. Aufl. 1967. S. 121—213: F. D. — 6., neu bearb. Aufl. 1971. S. 135—239: F. D.

221 Benn, Gottfried: ‚Die Ehe des Herrn Mississippi'. In: Der Unbequeme Dürrenmatt (= Nr. 225). S. 31—33.

222 Brock-Sulzer, Elisabeth: Friedrich Dürrenmatt. Stationen seines Werkes. Zürich 1960. — 2., erweiterte Aufl. 1964. — 3., ergänzte Aufl. 1970.

223 Brock-Sulzer, Elisabeth: Dürrenmatt und die Quellen. In: Der unbequeme Dürrenmatt (= Nr. 225). S. 117—136.

224 Buri, Fritz: Der ‚Einfall' der Gnade in Dürrenmatts dramatischem Werk. In: Der unbequeme Dürrenmatt (= Nr. 225). S. 35—69.

225 Der unbequeme Dürrenmatt. Mit Beiträgen von Gottfried Benn, Elisabeth Brock-Sulzer, Fritz Buri, Reinhold Grimm, Hans Mayer und Werner Oberle. Mit Vorwort von Willy Jäggi. (Theater unserer Zeit 4). Basel 1962.

226 Duwe, Wilhelm: Deutsche Dichtung des 20. Jahrhunderts, Bd. II (= Nr. 274). S. 190—192, 452—480: F. D.

227 Grimm, Reinhold: Parodie und Groteske im Werk Dürrenmatts. In: Der unbequeme Dürrenmatt (= Nr. 225). S. 71—96.

228 Jauslin, Christian M.: Friedrich Dürrenmatt. Zur Struktur seiner Dramen. Diss. Zürich 1964.

229 Jenny, Urs: Friedrich Dürrenmatt. (Friedrichs Dramatiker des Welttheaters 6). Velber b. Hannover 1965.

230 Mathys, F. K.: Dürrenmatts Großvater. In: Die Tat, 1. 10. 1966.

231 Mayer, Hans: Dürrenmatt und Brecht oder die Zurücknahme. In: Der unbequeme Dürrenmatt (= Nr. 225). S. 97—116. — Auch in: Mayer, Hans: Dürrenmatt und Frisch. Anmerkungen (= Nr. 156).

232 Neumann, Gerhard: Friedrich Dürrenmatt. Dramaturgie der Panne. In: Gerhard Neumann, Jürgen Schröder u. Manfred Karnick, Dürrenmatt. Frisch. Weiss. Drei Entwürfe zum Drama der Gegenwart. Mit einem einleitenden Essay von Gerhart Baumann. München 1969. S. 27—59.

233 Oberle, Werner: Grundsätzliches zum Werk Friedrich Dürrenmatts. In: Der unbequeme Dürrenmatt (= Nr. 225). S. 9—20.

234 Pestalozzi, Karl: Friedrich Dürrenmatt. In: Deutsche Literatur im 20. Jahrhundert. Strukturen und Gestalten. Hrsg. von Otto Mann u. Wolfgang Rothe. 5., erweit. Aufl. Bd. II: Gestalten. Bern u. München 1967. S. 385—402, 415—16.

235 Poser, Therese: Friedrich Dürrenmatt. In: Zur Interpretation des modernen Dramas. (= Nr. 391). S. 67—96.

236 Soergel, Albert u. Curt Hohoff: Dichtung und Dichter der Zeit, Bd. II (= Nr. 359). S. 851—855.

237 Steiner, Jacob: Die Komödie Dürrenmatts. In: Der Deutschunterricht 15, 1963, H. 6, S. 81—98.

238 Strelka, Joseph: Brecht. Horváth. Dürrenmatt. Wege und Abwege des modernen Dramas. Wien 1962. S. 114—158: F. D. Die Paradox-Groteske als Wirklichkeitsbewältigung.

239 Wehrli, Max: Gegenwartsdichtung der deutschen Schweiz. In: Deutsche Literatur in unserer Zeit (= Nr. 272). S. 119—124: F. D.

IV. BIBLIOGRAPHIEN

240 Falkenberg, Hans-Geert: Leben und Werk Max Frischs. In: Blätter des deutschen Theaters in Göttingen 7, 1956/57, Nr. 110, S. 181—184.

241 Häfliger, Paul: Der Dichter Albin Zollinger (= Nr. 61). S. 131—143: Bibliographie.

242 Hansel, Johannes: Friedrich-Dürrenmatt-Bibliographie. Bad Homburg v. d. H., Berlin, Zürich 1968.

243 Jonas, Klaus W.: Die Dürrenmatt-Literatur (1947—1967). In: Börsenblatt für den Deutschen Buchhandel, Frankfurter Ausgabe 24, 1968, Nr. 59, S. 1725—1736.

244 Petersen, Klaus-Dietrich: Max Frisch-Bibliographie 1967. In: Eduard Stäuble, Max Frisch. Gesamtdarstellung seines Werkes (= Nr. 164). S. 243—270.

245 Petersen, Klaus-Dietrich: Max Frisch-Bibliographie. In: Über Max Frisch (= Nr. 166). S. 305—347.

246 Wilbert-Collins, Elly: A Bibliography of Four Contemporary German-Swiss Authors: Friedrich Dürrenmatt, Max Frisch, Robert Walser, Albin Zollinger. The authors' publications and the literary criticism relating to their works. Bern 1967.

V. ALLGEMEINE LITERATUR

247 Amstutz, Ulrich: Finstere Gewalten. Roman. Bern 1925.

248 Benson, Frederick R.: Schriftsteller in Waffen. Die Literatur und der spanische Bürgerkrieg. (Originalausgabe: Writers in Arms. The Literary Impact of the Spanish Civil War. Aus dem Amerikanischen übertragen von Alfred Kuoni). Zürich 1969.

249 Bergsten, Gunilla: Thomas Manns Doktor Faustus. Untersuchungen zu den Quellen und zur Struktur des Romans. (Studia Litterarum Upsaliensia, 3). Diss. Stockholm 1963.

250 Bernoulli, Carl Albert: Bürgerziel. Ein Schweizerspiegel aus der Bundesstadt. Roman. Frauenfeld 1922.

251 Bettex, Albert: Die Literatur der deutschen Schweiz von heute. Olten 1949.

252 Bettex, Albert: Spiegelungen der Schweiz in der deutschen Literatur 1870 —1950. Berlin u. Zürich 1954.

253 Bichsel, Peter: Eigentlich möchte Frau Blum den Milchmann kennenlernen. 21 Geschichten. Olten u. Freiburg i. Br. 1964.

254 Bichsel, Peter: Diskussion um Rezepte. In: Die Weltwoche, 1. 4. 1966.

255 Bichsel, Peter: Die Jahreszeiten. Neuwied u. Berlin 1967.

256 Bichsel, Peter: Des Schweizers Schweiz. In: Du 27, Aug. 1967, S. 584— 588. — Des Schweizers Schweiz. Zürich 1969.

257 Bichsel, Peter: Neu überdenken heißt Opposition. In: National-Zeitung, 24. 9. 1967. — Auch in: Stimmen zur Schweiz (= Nr. 365).

258 Bluntschli, Johann Caspar: Die schweizerische Nationalität. Zürich 1915.

259 Bohnenblust, Gottfried: Die Dichtung der deutschen Schweiz in doppeltem Bilde. In: Neue Schweizer Rundschau, N. F. 1, 1933, Nr. 5, S. 293— 302.

²⁶⁰ Bonjour, Edgar: Geschichte der schweizerischen Neutralität. Drei Jahrhunderte eidgenössischer Außenpolitik. Basel 1946.

²⁶¹ Bonjour, Edgar: Geschichte der schweizerischen Neutralität. Vier Jahrhunderte eidgenössischer Außenpolitik. Bd. I—VI.

²⁶¹ : I Bd. I. 2. umgearb. u. erweit. Aufl. Basel 1965.

²⁶¹ : II Bd. II. 2. umgearb. u. erweit. Aufl. Basel 1965.

²⁶¹ : III Bd. III. 1930—1939. 3. durchgesehene Aufl. Basel 1970.

²⁶¹ : IV—VI Bd. IV—VI. 1939—1945. Basel 1970.

²⁶² Bonjour, Edgar: Entstehung, Entwicklung und Sinn der schweizerischen Neutralität. In: Die Neutralität der Schweiz. Hrsg. von der Basler Handelskammer. Basel 1962. S. 7—13.

²⁶³ Bosshart, Jakob: Ein Rufer in der Wüste. Roman. Leipzig und Zürich 1921.

²⁶⁴ Brie, Friedrich: Ästhetische Weltanschauung in der Literatur des XIX. Jahrhunderts. Freiburg i. Br. 1921.

²⁶⁵ Brock-Sulzer, Elisabeth: Überlegungen zur schweizerischen Dramatik von heute. In: Akzente 3, 1956, Nr. 1, S. 43—48.

²⁶⁶ Brock-Sulzer, Elisabeth: Das deutschschweizerische Theater der Gegenwart. In: German Life & Letters 12, 1958, No. 1, S. 12—23.

²⁶⁷ Bührer, Jakob: Kilian. Roman. Leipzig u. Zürich 1922.

²⁶⁸ Bührer, Jakob: Die sieben Liebhaber der Eveline Breitinger. Roman. Zürich 1924.

²⁶⁹ Bührer, Jakob: Das letzte Wort. Roman. Zürich 1935.

²⁷⁰ Burckhardt, Jacob: Weltgeschichtliche Betrachtungen. Hrsg. von Jakob Oeri. 2. Aufl. Berlin u. Stuttgart 1910.

²⁷¹ Calgari, Guido: Die vier Literaturen der Schweiz. (Titel der Originalausgabe: Storia delle quattro letterature della Svizzera). Olten 1966.

²⁷² Deutsche Literatur in unserer Zeit. Mit Beiträgen von W. Kayser, V. v. Wiese, W. Emrich, Fr. Martini, M. Wehrli, Fr. Heer. Göttingen 1959.

²⁷³ Diggelmann, Walter Mathias: Die Hinterlassenschaft. Roman. München 1965.

²⁷⁴ Duwe, Wilhelm: Deutsche Dichtung des 20. Jahrhunderts vom Naturalismus zum Surrealismus. Bd. I: Lyrik vom Naturalismus zum Surrealismus. Epik vom Naturalismus zum Expressionismus. Zürich 1962. — Bd. II: Epik vom Expressionismus zum Surrealismus. Dramatik vom Naturalismus zum Surrealismus. Zürich 1962.

²⁷⁵ Englert-Faye, C.: Vom Mythus zur Idee der Schweiz. Lebensfragen eidgenössischer Existenz, geistesgeschichtlich dargestellt. Zürich 1940.

²⁷⁶ Ermatinger, Emil: Dichtung und Geistesleben der deutschen Schweiz. München 1933.

²⁷⁷ Ermatinger, Emil: Dichtung und Staatsleben in der deutschen Schweiz. In: Neue Schweizer Rundschau, N. F. 3, 1935, Nr. 8, S. 467—484.

²⁷⁸ Ernst, Fritz: Die Schweiz als geistige Mittlerin von Muralt bis Jacob Burckhardt. Zürich 1932.

²⁷⁹ Ernst, Fritz: Helvetia mediatrix. Zürich 1939.

²⁸⁰ Ernst, Fritz: Die Sendung des Kleinstaats. Ansprachen und Aussprachen. Zürich 1940.

²⁸¹ Ernst, Fritz: Gibt es eine schweizerische Nationalliteratur? St. Gallen 1955.

²⁸² Ernst, Fritz: Europäische Schweiz. Eine geistesgeschichtliche Studie. Zürich 1961.

[283] Esslin, Martin: Brecht. Das Paradox des politischen Dichters. Frankfurt am Main 1962.

[284] Euringer, Richard: Reise zu den Demokraten. Ein Graubündner Tagebuch. 1937. Hamburg 1940.

[285] Falke, Konrad: Positive Neutralität. In: Neue Zürcher Zeitung, 12. u. 13. 10. 1914.

[286] Falke, Konrad: Der schweizerische Kulturwille. Ein Wort an die Gebildeten des Landes. Zürich 1914.

[287] Frei, Daniel: Neutralität — Ideal oder Kalkül? Zweihundert Jahre außenpolitisches Denken in der Schweiz. Frauenfeld u. Stuttgart 1967.

[288] Gautschi, Willi: Der Landesstreik 1918. Zürich 1968.

[289] Gerber, Dora: Studien zum Problem des Künstlers in der modernen deutschschweizerischen Literatur. Bern 1948.

[290] Glaus, Beat: Die nationale Front. Eine Schweizer faschistische Bewegung. 1930—1940. Zürich 1969.

[291] Gruner, Erich: Die Parteien in der Schweiz. Bern 1969.

[292] Guggenbühl, Adolf: Die Schweizer sind anders. Die Erhaltung der Eigenart — eine Frage der nationalen Existenz. Zürich 1967.

[293] Guggenbühl, Gottfried: Geschichte der schweizerischen Eidgenossenschaft. Bd. II: Vom Jahre 1648 bis zur Gegenwart. Erlenbach-Zürich 1948.

[294] Guggenheim, Kurt: Heimat oder Domizil? Die Stellung des deutschschweizerischen Schriftstellers in der Gegenwart. Zürich 1961.

[295] Häsler, Alfred A.: Das Boot ist voll . . . Die Schweiz und die Flüchtlinge 1933—1945. Zürich 1967.

[296] Handbuch der deutschen Gegenwartsliteratur. Unter Mitwirkung von Hans Hennecke herausgegeben von Hermann Kunisch. München 1965. — 2., verb. u. erweit. Aufl. Bd. I: München 1969. — Bd. II: München 1970.

[297] Hasse, Ernst: Weltpolitik, Imperialismus und Kolonialpolitik. (Deutsche Politik, Bd. II: 1). München 1908.

[298] Hesse, Hermann: Gesammelte Schriften. (Ausgabe zum 80. Geburtstag des Dichters). Bd. I—VII. Frankfurt/M. 1957.

[299] Hilty, Carl: Vorlesungen über die Politik der Eidgenossenschaft. Bern 1875.

[300] Hollstein, Walter u. Karl Kränzle: Vergraste Provinz? Die Schweiz als Thema für ihre Schriftsteller. In: National-Zeitung, 20. 11. 1966.

[301] Hoster, Hermann: Genesung in Graubünden. Roman eines Kurortes. Leipzig 1938.

[302] Huber, Max: Der schweizerische Staatsgedanke. In: Max Huber, Vermischte Schriften, Bd. I (Heimat und Tradition). Zürich 1947. S. 13—34.

[303] Huber, Max: Vom Wesen und Sinn des schweizerischen Staates. In: Max Huber, Vermischte Schriften, Bd. I. Zürich 1947. S. 35—83.

[304] Huizinga, J.: Homo ludens. Versuch einer Bestimmung des Spielelementes der Kultur. Amsterdam 1939.

[305] Humm, R. J.: Bei uns im Rabenhaus. Aus dem literarischen Zürich der Dreißigerjahre. Zürich 1963.

[306] Imboden, Max: Helvetisches Malaise. 2. Aufl. Zürich 1964.

[307] Inglin, Meinrad: Die Welt in Ingoldau. Roman. Stuttgart, Berlin u. Leipzig 1922.

[308] Inglin, Meinrad: Wendel von Euw. Roman. Stuttgart, Berlin u. Leipzig 1925.

[309] Inglin, Meinrad: Grand Hotel Excelsior. Roman. Zürich u. Leipzig 1928.

310 Inglin, Meinrad: Lob der Heimat. Horgen-Zürich u. Leipzig 1928.

311 Inglin, Meinrad: Jugend eines Volkes. Fünf Erzählungen. Horw u. Leipzig 1933.

312 Inglin, Meinrad: Schweizerspiegel. Roman. Leipzig 1938. —. Neue Fassung: Zürich 1955.

313 Jenny, Urs: Von Eidgenosse zu Eidgenosse. In: Merkur 22, 1968, Nr. 1/2, S. 172—177.

314 Jung, C. G.: Psychologische Betrachtungen. Eine Auslese aus den Schriften von C. G. Jung. Zusammengest. u. hrsg. von Dr. Jolan Jacobi. 2. Aufl. Zürich 1949.

315 Keller, Gottfried: Sämtliche Werke in acht Bänden. Berlin 1958.

316 Keyserling, Hermann: Das Spektrum Europas. Stuttgart, Berlin u. Leipzig 1928.

317 Korrodi, Eduard: Schweizerische Literaturbriefe. Frauenfeld u. Leipzig 1918.

318 Kreidestriche ins Ungewisse. Zwölf deutsche Hörspiele nach 1945. Hrsg. von Gerhard Prager. Darmstadt 1960.

319 Krüger, Werner A.: Aus Spittelers politischer Journalistik. In: Neue Schweizer Rundschau, N. F. 13, 1945, Nr. 1, S. 33—44.

319a Kutter, Markus u. Lucius Burckhardt: Wir selber bauen unsere Stadt (= Nr. 111).

320 Lang, Paul: Das Schweizer Drama 1914—1944. (XIV. Jahrbuch 1943/1944 der Gesellschaft für schweizerische Theaterkultur). Elgg 1944.

321 Leber, Hugo: Zur Situation der Literatur in der Schweiz. Zürich u. Winterthur 1966.

322 Leber, Hugo: Entdeckungen. Randnotizen zur jüngeren Literatur in der Schweiz. In: Du 27, Aug. 1967, S. 653.

322a Lengborn, Th.: Människan och det verkliga livet. En studie i gemenskapens och självförverkligandets problem i Max Frischs diktning. Lizentiatarbeit. Stockholm 1959. (Masch.).

323 Liebi, Alfred: Das Bild der Schweiz in der deutschen Romantik. (Sprache u. Dichtung, Heft 71). Bern u. Leipzig 1946.

324 Linder, Heinz-Peter: Die schweizerische Gegenwart im modernen Roman der deutschen Schweiz. Diss. Bern 1957.

325 Loetscher, Hugo: Abwässer. Ein Gutachten. Zürich 1963.

326 Mann, Thomas: Zu diesem Jahrgang. In: Maß und Wert 3, 1939, H. 1, S. 5 f.

327 Mann, Thomas: Gesammelte Werke in zwölf Bänden. Frankfurt/M. 1960.

328 Marti, Kurt: Die Schweiz und ihre Schriftsteller — die Schriftsteller und ihre Schweiz. Zürich 1966.

329 Marti, Kurt: Rosa Loui — vierzig gedicht ir bärner umgangsschsprach. Neuwied u. Berlin 1967.

330 Mattmüller, Markus: Leonhard Ragaz und der religiöse Sozialismus. Eine Biographie. Bd. I: Zürich 1957. — Bd. II: Zürich 1968.

331 Meyer, Alice: Anpassung oder Widerstand. Die Schweiz zur Zeit des deutschen Nationalsozialismus. Frauenfeld 1965.

332 Muschg, Adolf: Im Sommer des Hasen. Zürich 1965.

333 Muschg, Adolf: Ein Versuch, sich die Hände zu waschen. In: Die Weltwoche, 22. 4. 1966.

334 Muschg, Walter: Die Zerstörung der deutschen Literatur. Bern 1956.

335 Muschg, Walter: Umriß eines Gottfried-Keller-Porträts. In: W. M.: Gestalten und Figuren. Bern u. München 1968. S. 148—208

336 Nadler, Josef: Literaturgeschichte der deutschen Schweiz. Leipzig u. Zürich 1932.

337 Nietzsche, Friedrich: Also sprach Zarathustra. Leipzig 1916.

338 Nietzsche, Friedrich: Zeitgemäßes und Unzeitgemäßes. Ausgew. u. eingel. von Karl Löwith. Frankfurt/M. u. Hamburg 1956.

339 Obenauer, Karl Justus: Die Problematik des ästhetischen Menschen in der deutschen Literatur. München 1933.

340 Oberholzer, Otto: Spiegelungen der Gegenwart in der modernen Literatur der deutschen Schweiz. In: Moderna språk LXII, 1968, Nr. 1, S. 38—54.

341 Odermatt, Franz: Rechter Hand — Linker Hand. Roman zwischen zwei Kriegen. Bern 1935.

342 Picard, Max: Hitler in uns selbst. Erlenbach-Zürich 1946

343 Proletarisch-revolutionäre Literatur 1918 bis 1933. Ein Abriß. Berlin-Ost 1967.

344 Pulver, Elsbeth: Zeitgenössische Literatur in der deutschen Schweiz. In: Bildungsarbeit 39, 1968, Nr. 3 u. 4. S. 52—59, bzw. 85—91.

345 Ragaz, Leonhard: Die neue Schweiz. Ein Programm für Schweizer und solche, die es werden wollen. Olten 1918.

346 Ragaz, Leonhard: Die Erneuerung der Schweiz. Ein Wort zur Besinnung. Zürich 1933.

347 Ramuz, C. F.: Lettre. In: Esprit 6, Oct. 1937, S. 4—10.

348 Reiss, Hans: Politisches Denken in der deutschen Romantik. Bern 1966.

349 de Reynold, Gonzague: Die Schweiz im Kampf um ihre Existenz. Luzern 1934.

350 de Rougemont, Denis: Die Schweiz. Modell Europas. Der schweizerische Bund als Vorbild für eine europäische Föderation. Wien u. München 1965.

351 v. Salis, J. R.: Grundsätzliches zur kulturellen Lage der Schweiz. In: Schweizerische Lehrerzeitung 100, 1955, H. 46, S. 1287—1292.

352 v. Salis, J. R.: Unser Land als Gegenstand der Literatur. In: Die Weltwoche, 25. 3. 1966.

353 Schaffner, Jakob: Kampf und Reife. Roman. Stuttgart u. Berlin 1939.

354 Schlägel, Max v.: Die Volksbeglücker. Eine Erzählung. Leipzig 1874.

355 Schmid, Karl: Aufsätze und Reden. Zürich 1947.

356 Die Schweiz in alten Ansichten und Schilderungen. Hrsg. von Marcus Bourquin. Kreuzlingen 1968.

357 Schweizer Schriftsteller im Gespräch. Hrsg. von Werner Bucher u. Georges Amman. Bd. I: Peter Bichsel, Hans Boesch, Hugo Loetscher, Herbert Meier, Adolf Muschg, Werner Schmidli. Basel 1970. — Bd. II: Erika Burkart, Walter M. Diggelmann, Jürg Federspiel, Kurt Marti, Paul Nizon, Jörg Steiner, Otto F. Walter, Heinrich Wiesner. Basel 1971.

358 Schwengeler, Arnold: Vom Geist und Wesen der Schweizer Dichtung. St. Gallen 1964.

359 Soergel, Albert u. Curt Hohoff: Dichtung und Dichter der Zeit. Vom Naturalismus bis zur Gegenwart. Bd. II. Düsseldorf 1963.

360 Spitteler, Carl: Schweizerisches. In: Carl Spitteler, Gesammelte Werke (hrsg. von Gottfried Bohnenblust, Wilhelm Altwegg u. Robert Faesi), Bd. VII (Ästhetische Schriften. Lachende Wahrheiten in erweiterter Folge). Zürich 1947. S. 456—458.

[361] Staiger, Emil: Literatur und Öffentlichkeit. Eine Rede. In: NZZ, 20. 12. 1966.

[362] Steding, Christoph: Das Reich und die Krankheit der europäischen Kultur. Hamburg 1938.

[363] Steiner, Jörg: Strafarbeit. Roman. Olten u. Freiburg i. Br. 1962.

[364] Stifter, Adalbert: Der Nachsommer. Zürich 1944.

[365] Stimmen zur Schweiz. Sonderdruck aus der National-Zeitung, Basel. Mario Cortesi sprach mit Peter Bichsel, Kurt Marti, Alfred Rasser, Roman Brodmann, Hans-Rudolf Hilty, Walther Bringolf, Hans Erni, Jörg Steiner, Reynold Tschäppät, Walter M. Diggelmann. O. O. u. o. J.

[366] Strich, Fritz: Goethe und die Schweiz. Zürich 1949.

[367] Thiess, Frank: Ramuz und wir. In: Die literarische Welt 6, 1930, Nr. 50, S. 1 f.

[368] Unser Schweizer Standpunkt 1914, 1939, 1964. Hrsg. von Hans W. Kopp. Bern u. München 1964.

[369] Vogel, Traugott: Der blinde Seher. Roman. Zürich u. Leipzig 1930.

[370] Vogt, Walter: Husten. Wahrscheinliche und unwahrscheinliche Geschichten. Zürich 1965.

[371] Vogt, Walter: Wüthrich. Selbstgespräch eines sterbenden Arztes. Zürich 1966.

[372] Vogt, Walter: Melancholie. Die Erlebnisse des Amateur-Kriminalisten Beno von Stürler. Zürich 1967.

[373] Walter, Otto F.: Der Stumme. Roman. München 1959.

[374] Walter, Otto F.: Herr Tourel. Roman. München 1962.

[375] Walter, Otto F.: Das ,soll' der Literatur. Notizen zu einer Frage von Max Frisch. In: Neutralität 3, 1966, Nr. 12, S. 20—26. — Auch u. d. T. Unbewältigte schweizerische Vergangenheit? In: Die Weltwoche, 11. 3. 1966.

[376] Weber, Karl: Die Schweiz im Nervenkrieg. Aufgabe und Haltung der Schweizer Presse in der Krisen- und Kriegszeit 1933—1945. Bern 1948.

[377] Weber, Werner: Zum Streitgespräch über eine Rede Emil Staigers. In: NZZ, 24. 12. 1966.

[378] Weber, Werner: Bemerkungen und Aufsätze zur Literatur. Zürich u. Stuttgart 1970.

[379] Wehrli, Max: Zur Literatur der deutschen Schweiz. In: Gildenalmanach, 1946, S. 105—116.

[380] Wehrli, Max: Der Schweizer Humanismus und die Anfänge der Eidgenossenschaft. In: Schweizer Monatshefte 47, 1967, Nr. 2, S. 127—146.

[381] Weiss, Richard: Volkskunde der Schweiz. Erlenbach-Zürich 1946.

[382] Wiesner, Heinrich: Schauplätze. Eine Chronik. Zürich 1969.

[383] Wildi, Max: Lyrik und Erzählerkunst in der deutschen Schweiz. Zürich 1956.

[384] Wildi, Max: Contemporary German-Swiss Literature: the Lyric and the Novel. In: German Life & Letters 12, 1958, No. 1, S. 1—11.

[385] Wilhelm, Egon: Meinrad Inglin. Weite und Begrenzung. Roman und Novelle im Werk des Schwyzer Dichters. Zürich u. Freiburg i. Br. 1957.

[386] Wolf, Walter: Faschismus in der Schweiz. Die Geschichte der Frontenbewegungen in der deutschen Schweiz 1930—1945. Zürich 1969.

[387] Zbinden, Hans: Schweizer Literatur in europäischer Sicht. Zürich 1964.

[388] Zermatten, Maurice: Welche Aufgabe hat der Schweizerische Schriftstellerverein? In: Die Tat, 8. 7. 1970.

389 Ziegler, Theobald: Republik oder Monarchie? Schweiz oder Deutschland? Bonn 1877.
390 Züricher, U. W.: Was soll werden? Roman aus unserer Zeit. Zürich 1934.
391 Zur Interpretation des modernen Dramas. Brecht. Dürrenmatt. Frisch. Hrsg. von Rolf Geissler. Unter Mitarbeit von Therese Poser u. Wilhelm Ziskoven. 3. Aufl. Frankfurt/M., Berlin u. Bonn 1963.

VI. VERZEICHNIS DER PERIODICA

392 Akzente. Zeitschrift für Dichtung. München.
393 Annalen. Eine schweizerische Monatsschrift (später: Quartalsschrift für Literatur, Kunst, Leben). Horgen, Zürich, Leipzig.
394 Atlantis. Länder, Völker, Reisen. Zürich.
395 Atlantis Almanach. Zürich.
396 Bibliographische Kalenderblätter der Berliner Stadtbibliothek. Berlin-Ost.
397 Bildungsarbeit. Mitteilungsblatt der schweizerischen Arbeiterbildungszentrale. Zweimonatliche Beilage zu der „Gewerkschaftlichen Rundschau". Bern.
398 Blätter des Deutschen Theaters in Göttingen. Göttingen.
399 Börsenblatt für den deutschen Buchhandel, Frankfurter Ausgabe. Organ des Börsenvereins des Deutschen Buchhandels. Frankfurt am Main.
400 Das Buch. Revue für Literatur, Kunst und Wissenschaft. Küsnacht—Zürich.
401 Der Bund. Bern.
402 Der Deutschunterricht. Beiträge zu seiner Praxis und wissenschaftlichen Grundlegung. Stuttgart.
403 Du. Kulturelle Monatsschrift (später: Schweizerische Monatsschrift). Zürich.
404 Esprit. Revue international. Paris.
405 Ex libris. Beiträge aus Literatur und Kunst. (Später: Ex libris, Buchclub, Grammoclub). Zürich.
406 Das Flugblatt. Bern.
407 Frankfurter Allgemeine Zeitung. Frankfurt am Main.
408 Frankfurter Hefte. Zeitschrift für Kultur und Politik. Frankfurt am Main.
409 Der Geistesarbeiter. Le Travailleur intellectuel. Zeitschrift für die Organisation der geistigen Arbeit und der geistigen Arbeiter. Offizielles Organ des Schweizerischen Schriftstellervereins, der Gesellschaft schweizerischer Dramatiker und das Rechtsschutzbureaus schweizerischer Bühnenschriftsteller. Zürich.
410 German Life & Letters. A Quarterly Review. New Series. Oxford.
411 Gildenalmanach. Zürich.
412 Hortulus. Illustrierte Zweimonatsschrift für neue Dichtung. St. Gallen.
413 Jahrbuch vom Zürichsee. Zürich.
414 Der Landbote und Tagblatt der Stadt Winterthur. Winterthur.
415 Die literarische Welt. Berlin.
416 Maß und Wert. Zweimonatsschrift für freie deutsche Kultur. Zürich.
417 Merkur. Deutsche Zeitschrift für europäisches Denken. Stuttgart.
418 Moderna språk. Published by the Modern Language Teachers' Association of Sweden. Stockholm.
419 Der Monat. Eine internationale Zeitschrift für Politik und geistiges Leben. München (u. a.).

420 Die Nation. Unabhängige Zeitung für Demokratie und Volk. Bern.
421 National-Zeitung. Basel.
422 Neue Rundschau. Berlin.
423 Neue Schweizer Rundschau. Neue Folge. Zürich.
424 Neue Zürcher Zeitung. Zürich.
425 Neutralität. Kritische Schweizer Zeitschrift für Politik und Kultur. Basel.
426 Programmheft des Schauspielhauses Zürich. Zürich.
427 Die Schweiz. Illustrierte Monatsschrift. Zürich.
428 Schweizer Annalen. Aarau.
429 Schweizer Monatshefte. Zeitschrift für Politik, Wirtschaft und Kultur. Zürich.
430 Schweizerisches Familien-Wochenblatt für Unterhaltung und Belehrung. Zürich.
431 Schweizerische Lehrerzeitung. Organ des Schweizerischen Lehrervereins. Zürich.
432 Sprache im Technischen Zeitalter. Stuttgart.
433 Die Tat. Zürich.
434 Unsere Meinung. Freie literarische Zeitschrift. (Vervielf.) Zürich.
435 Welt und Wort. Literarische Monatsschrift. Tübingen.
436 Die Weltwoche. Zürich.
437 Werk. Schweizer Monatsschrift für Architektur, Kunst und künstlerisches Gewerbe. Winterthur.
438 Die Zeit. Kunst, Literatur, Leben. Bern.
439 Die Zeitglocke. Kunst und Leben. Bern.
440 Zürcher Student. Offizielles Organ der Studentenschaften der Universität Zürich und der Eidgenössischen Technischen Hochschule. Zürich.
441 Zürcher Woche (später: Sonntags Journal). Zürich.
442 Züri Leu. Zürich.

VII. WEITERE QUELLEN

443 Briefe von Max Frisch an Markus Kutter und Lucius Burckhardt (1953–1955). (Im Besitz von Markus Kutter).
444 Burckhardt, L. u. M. Kutter: „Landesausstellung 1964" (unveröffentlichtes Manuskript). Basel 1953.

X. Namenregister

Die *Kursivzahlen* bezeichnen die Seiten in den Anmerkungen